QUEERES KINO / QUEERE ÄSTHETIKEN ALS DOKUMENTATIONEN DES PREKÄREN

Cultural Inquiry

HERAUSGEGEBEN VON CHRISTOPH F. E. HOLZHEY
UND MANUELE GRAGNOLATI

In der Reihe »Cultural Inquiry« geht es um die Frage, wie unterschiedliche Kulturen in eine produktive – anstatt einer schädlichen – Spannung gebracht werden können. Der dabei zugrunde liegende Kulturbegriff ist bewusst weit gefasst und schließt unterschiedliche Diskurse und Disziplinen ein. Die Reihe erkundet Spannungen sowohl innerhalb von Kulturen als auch zwischen unterschiedlichen Kulturen und erforscht die produktiven Potentiale dieser Spannungen. Sie strebt danach, neue Bereiche für Untersuchungen, Experimente und Interventionen zu eröffnen. Der Schwerpunkt liegt dabei in der kritischen Reflexion und in der Identifikation und Akzentuierung gegenwartsrelevanter Fragestellungen und Anliegen. Dies gilt auch für Publikationen mit einer historischen Orientierung. Indem die Reihe »Cultural Inquiry« entschieden einen fächerübergreifenden Ansatz verfolgt, will sie zwischen den Kultur-, Sozial- und Naturwissenschaften und Künsten Übertragungen begünstigen und initiieren. Die Reihe umfasst eine Vielfalt von Methodologien und Ansätzen und verbindet sie durch die Spannung wechselseitiger Konfrontationen und Verhandlungen, anstatt eine auf Homogenisierungen und Ausschlüsse beruhende Einheit anzustreben.

Christoph F. E. Holzhey ist der Gründungsdirektor des ICI Berlin Institute for Cultural Inquiry. Manuele Gragnolati ist Professor für italienische Literatur des Mittelalters an der Sorbonne Université und Associate Director des ICI Berlin.

QUEERES KINO / QUEERE ÄSTHETIKEN ALS DOKUMENTATIONEN DES PREKÄREN

HERAUSGEGEBEN VON
ASTRID DEUBER-MANKOWSKY
UND PHILIPP HANKE

ISBN (Hardcover): 978-3-96558-023-7
ISBN (Paperback): 978-3-96558-024-4
ISBN (PDF): 978-3-96558-025-1
ISBN (EPUB): 978-3-96558-026-8

Cultural Inquiry, 22
ISSN (Print): 2627-728X
ISSN (Online): 2627-731X

Bibliographische Information der Deutschen Nationalbibliothek
Die Deutsche Bibliothek verzeichnet diese Publikation in der Deutschen
Nationalbibliografie; detaillierte bibliografische Daten sind im Internet über
http://dnb.d-nb.de abrufbar.

Cover design: Studio Bens unter Verwendung eines Nähbildes von Bettina Baltensweiler
aus der Serie »Identitäten« (2010)

In Europa werden die Paperback und Hardcover Exemplare von Lightning Source UK Ltd.,
Milton Keynes, Großbritannien gedruckt. Nähere Details sind auf der letzten Druckseite
vermerkt.

Digitale Versionen können kostenfrei unter folgendem Link heruntergeladen werden:
https://doi.org/10.37050/ci-22.

ICI Berlin Press ist ein Imprint von
ICI gemeinnütziges Institut für Cultural Inquiry Berlin GmbH
Christinenstr. 18/19, Haus 8
D-10119 Berlin
publishing@ici-berlin.org
press.ici-berlin.org

Inhaltsverzeichnis

»What?« – Prekäres Dokumentieren

ASTRID DEUBER-MANKOWSKY UND PHILIPP HANKE

PREKARITÄT IST ÜBERALL

Die Beiträge des vorliegenden Bandes untersuchen queere Film- und Video-Ästhetiken hinsichtlich ihrer formalen Ausprägung und ihres Potentials, das Prekäre zu dokumentieren. Der Begriff des Prekären ist vieldeutig und seit zwei Jahrzehnten allgegenwärtig.[1] Er rückte im Zuge des Umbaus der Sozialsysteme in (west-)europäischen Demokratien,[2] der Finanzkrise 2008 und der kontinuierlichen Durchdringung aller Lebensverhältnisse durch neoliberale Strukturen immer mehr

---

1   Für einen guten Überblick aus feministischer Perspektive siehe Silvana Schmidt, *Prekär sein. Eine feministische Einführung in die Prekaritätsdebatte* (Münster: edition assemblage, 2020).

2   Ein Beispiel hierfür bietet die »Agenda 2010«, die 2003 von dem damaligen Bundeskanzler Gerhard Schröder als weitreichende Strukturreformen mit dem Ziel einer umfassenden Modernisierung der sozialen Marktwirtschaft im Deutschen Bundestag vorgestellt wurden. Für eine Steigerung von Erwerbstätigkeit und Wettbewerbsfähigkeit sowie zur Senkung von Arbeitskosten sahen diese Reformen eine Flexibilisierung von Leiharbeit und des Kündigungsschutzes oder auch die Neuausrichtung und Zusammenführung von Arbeitslosenhilfe und Sozialhilfe vor. Siehe Arnold Bug, »Aktueller Begriff. Zehn Jahre ›Agenda 2010‹ – Bilanz einer ›Jahrhundertreform‹«, *Wissenschaftliche Dienste Deutscher Bundestag*, 7.13 (11. März 2013) <https://www.bundestag.de/resource/blob/194020/3346bd80b7d42f1089b471b5ea0a0931/agenda_2010-data.pdf> [Zugriff: 16. Juni 2021].

ins Zentrum der politischen und kritischen Theorie-Debatten. Bereits 1997 betitelte Pierre Bourdieu einen richtungsweisenden Vortrag zu den Veränderungen der Lohnarbeitsverhältnisse im Postfordismus mit der These: »Prekarität ist überall«.[3] Er definierte Prekarität aus soziologischer Sicht als eine »neuartige Herrschaftsform, die auf der Errichtung einer zum allgemeinen Dauerzustand gewordenen Unsicherheit fußt und das Ziel hat, die Arbeitnehmer zur Unterwerfung, zur Hinnahme ihrer Ausbeutung zu zwingen«.[4]

Die philosophische Queer-Theoretikerin Isabell Lorey, die auch in unserem Band mit einem Beitrag vertreten ist, knüpft in ihrer für das Verständnis der Diskussion einschlägigen Studie *Die Regierung der Prekären* aus dem Jahr 2012 an diese Auslegung von Prekarität als Regierungsform an, weitet den Begriff aber in zentraler Weise aus: Die »Regierung der Prekären« legitimiere sich, wie Lorey überzeugend darlegt, nicht (mehr) über das Versprechen oder die Garantie von sozialer Sicherheit für alle, sondern stütze sich im Gegenteil auf die Herstellung und ungleiche Verteilung von Unsicherheit, oder eben Prekarität.[5] Herrschaft bedeute somit die Absicherung mancher Teile der Bevölkerung, wobei das Privileg des Schutzes auf einer ungleichen Verteilung von Prekarität auf all diejenigen beruhe, die als weniger schützenswert betrachtet werden.[6] Anders als Bourdieu verbindet Lorey diese »Regierung der Prekären« mit dem biopolitischen Machtmodell, wie es Michel Foucault als (Selbst-)Regierung im Sinne von Gouvernementalität und Selbstoptimierung entwickelte und ergänzt

---

3   Vortrag während der »Recontres européennes contre la précarité«, Grenoble, 12.–13. Dezember 1997. Siehe Pierre Bourdieu, »Prekarität ist überall«, übers. v. Andreas Pfeuffer, in ders., *Gegenfeuer. Wortmeldungen im Dienste des Widerstands gegen die neoliberale Invasion* (Konstanz: UVK – Universitätsverlag Konstanz, 1998), S. 96–102 <https://ams-forschungsnetzwerk.at/downloadpub/bourdieu%20-%20prekaritaet.pdf> [Zugriff: 16. Juni 2021].

4   Ebd.

5   Isabell Lorey, *Die Regierung der Prekären* (Wien: Turia + Kant, 2012), S. 25. Zum historischen Novum einer solchen Regierungsform siehe auch Loreys Verweis auf Hobbes' *Leviathan*: »Dies führt zu einer Regierungsform, die spätestens seit Thomas Hobbes nicht mehr als möglich galt: eine Regierung, die sich nicht dadurch legitimiert, dass sie Schutz und Sicherheit verspricht. Im Gegensatz zu dieser alten Regel der Herrschaft, Gehorsam für Schutz einzufordern, verfährt neoliberales Regieren vor allem durch soziale Unsicherheit, durch die Regulierung des Minimums an Absicherung bei gleichzeitig zunehmender Verunsicherung.« Siehe ebd., S. 14.

6   Ebd., S. 36.

die sozialwissenschaftliche Sicht um eine queer-feministische Perspektive. Sie nimmt auch die Situation der Frauen in den Blick, die sich durch Abhängigkeitsverhältnisse in patriarchalen Familienstrukturen, nicht entlohnte Haus- und Sorgearbeit sowie Teilzeitarbeitsverhältnisse historisch schon weit länger in einer strukturellen Prekarität befinden, in Bourdieus Konzentration auf Lohnarbeitsverhältnisse jedoch unsichtbar blieben.[7] Lorey stützt sich dabei zum einen auf die Geschichte des feministisch-politischen Aktivismus und dabei insbesondere auf »Precarias a la deriva«, eine heterogene Koalition von Aktivistinnen, die sich während und nach dem Generalstreik in Spanien 2002 gebildet hat, um neue Politiken und Formen des Streiks in »der Zeit der Prekarität« zu erkunden.[8] Zum anderen schließt sie sich Judith Butlers sozialontologischer Auslegung des Prekären an und eröffnet damit, wie deutlich werden wird, die Verbindung zu der spezifischen Fragestellung dieses Bandes – ob und in welcher Weise das queere Kino bzw. queere Ästhetiken als Dokumentationen des Prekären zu verstehen sind.

Der Begriff des Prekären umfasst, um Loreys Analyse zusammenzufassen, erstens das existenzielle *Prekärsein*, das sie mit Butler als »precariousness«, bzw. als grundsätzliche Verwundbarkeit des Lebens und damit auch des menschlichen Lebens in seiner sozialen Verbundenheit versteht, zweitens die *Prekarität* als Gesamtheit der »Effekte unterschiedlicher politischer, sozialer und rechtlicher Kompensationen eines allgemeinen Prekärseins«[9] und drittens die *gouvernementale Prekarisierung*, die Judith Butler in ihrem Vorwort zu Loreys Studie als einen Prozess beschreibt, »der nicht nur Subjekte, sondern auch ›Unsicherheit‹ als zentrale Sorge des Subjekts produziert«.[10]

---

7   Siehe hierzu auch die Bourdieu vergleichbare, einseitige Fokussierung bei Robert Castel, *Die Metamorphosen der sozialen Frage. Eine Chronik der Lohnarbeit*, übers. v. Andreas Pfeuffer (Konstanz: UVK – Universitätsverlag Konstanz, 2000). Siehe auch die deutschsprachige Debatte, etwa in *Prekarität, Abstieg, Ausgrenzung. Die soziale Frage am Beginn des 21. Jahrhunderts*, hg. v. Robert Castel und Klaus Dörre (Frankfurt a. M.: Campus, 2009).

8   Precarias a la deriva, *Was ist Dein Streik? Militante Streifzüge durch die Kreisläufe der Prekarität*, übers. v. Birgit Mennel (Wien: Turia + Kant, 2011); Open Access Neudruck (Wien: transversal texts, 2014) <https://transversal.at/books/precarias-de> [Zugriff: 20. Juni 2021].

9   Lorey, *Die Regierung der Prekären*, S. 26.

10   Judith Butler, »Vorwort«, übers. v. Dagmar Fink, in Lorey, *Die Regierung der Prekären*, S. 7–12, hier: S. 8.

4PREKÄRES DOKUMENTIEREN

DIE ÄSTHETISCHE DIMENSION DES PREKÄREN

Auf diese drei Begriffs-Dimensionen des Prekären wird in mehreren
der vorliegenden Beiträge verwiesen, um von da aus die Frage nach
der Bedeutung der (film-)ästhetischen Dimension für eine queer-
politische Dokumentation des Prekären zu stellen. Tatsächlich kommt
die ästhetische Dimension, die doch für die Geschichte des queeren
Aktivismus und dessen theoretischer Rahmung von Beginn an zentral
ist, in der Diskussion des Prekären bisher nur am Rande vor, und dies,
obgleich sie implizit immer dort präsent ist, wo es um die Frage eines
möglichen queeren bzw. queer-feministischen Widerstandes gegen die
gouvernementale Prekarisierung geht.[11] So baut Judith Butler zum
Schluss ihres Vorwortes zu Loreys Studie eine Brücke zu den Wider-
standsformen von ACT UP (AIDS Coalition to Unleash Power), die
im New York der späten 1980er Jahre erprobt und erfunden wurden,
um die AIDS-Krise zu beenden, wenn sie schreibt:

> Neue gouvernementale Formen, welche die Prekarisierung
> von Bevölkerungen betreiben, funktionieren gerade durch das
> Ausbilden von eben jenen Subjektivierungsweisen und Hand-
> lungsmöglichkeiten, die durch einen Aktivismus der Prekären
> auseinandergenommen werden können und müssen, durch
> einen Aktivismus, der die falschen Versprechen der Sicher-
> heit, deren Steuerungstaktiken und deren Ausbeutungen be-
> kämpft.[12]

Der Widerstand gegen die »Regierung der Prekären« zielt, wie Butler hier deutlich macht, also nicht auf die Forderung nach Teilhabe
an einer irreführenden Vorstellung von Sicherheit, sondern er richtet sich zunächst gegen jene Subjektivierungsweisen, die Sicherheit
mit Souveränität, Kontrolle, Schutz der Familie und der Nation gegen

---

11 Besprechungen von Prekarität im Film gibt es durchaus; siehe etwa Lauren Berlants
»Cinema of Precarity« und ihre Lesart von Filmen der Dardenne-Brüder oder von
Lauren Cantet in *Cruel Optimism* (Durham, NC: Duke University Press, 2011). Eine
dezidiert ästhetische Betrachtung führt Berlant jedoch nicht durch, zumal keine, in
der Prekarität auch in queeren Filmbeispielen untersucht wird. Für eine solche Verbindung siehe z. B. Philipp Hanke, »The Body in Revolt. Biopolitische Prekarität und
filmische Handlungsmacht in den Filmen von Todd Haynes«, *onlinejournal kultur &
geschlecht*, 15 (2015) <https://kulturundgeschlecht.blogs.ruhr-uni-bochum.de/wp-
content/uploads/2015/08/hanke_body.pdf> [Zugriff: 16. Juni 2021].

12 Judith Butler, »Vorwort«, S. 11.

Feinde von innen und außen verbinden. Damit bedeutet Widerstand gegen Prekarisierung, sich stattdessen der Verwundbarkeit zu stellen, das Prekärsein des Lebens in all seinen Formen zu affirmieren, füreinander Sorge zu tragen und die Sorge miteinander zu teilen. Dabei geht es nicht darum, ein »Subjekt der Prekären« zu identifizieren, sondern »nicht-repräsentationistische Praxen« zu erproben.[13] Widerstand in diesem Sinne heißt – wie ACT UP es vorgemacht hat – »sich aufspielen«, »ver-rückt sein«, den Rahmen der Normalität selbst zu befragen. Das ist eine durchaus anspruchsvolle und komplexe Aufgabe, die Reflexion und Theoriearbeit ebenso erfordert wie ästhetische, experimentelle und spielerische Versuchsanordnungen, denn es geht bei der Analyse und Veränderung von Subjektivierungsweisen immer auch um die Veränderung von Wahrnehmung (= Aisthesis), um *Unlearning*, Transformation und um zeitaufwendige, gemeinsame Werdens-Prozesse, die manchmal auch in die Irre führen.

SILENCE = DEATH: PRECARIOUSNESS, TRAUER UND GEWALT

Judith Butler führte den Begriff der *precariousness*, im Sinne eines sozialontologischen Prekärseins, bereits in ihrem 2004 veröffentlichen Band mit dem Titel *Precarious Life: The Powers of Mourning and Violence* ein.[14] Die Aufsatzsammlung, die unter dem Eindruck der Anschläge vom 11. September 2001 und der folgenden Aufrüstung und dem US-amerikanischen Angriffskrieg gegen den Irak entstand, wurde im gleichen Jahr unter dem Titel *Gefährdetes Leben. Politische Essays* ins Deutsche übersetzt.[15] Bei dieser Übersetzung ging nicht nur die Verbindung zum Diskurs des Prekären,[16] sondern auch die Referenz auf die Zeit und die aktivistische Politik von ACT UP verloren.

So stand die Frage nach einem gewaltlosen und doch effektiven, zivilen Widerstand gegen das von dem damaligen US-Präsidenten Ronald Reagan und seiner Regierung im Wortsinn praktizierte »Tot-

---

13 Isabell Lorey, *Die Regierung der Prekären*, S. 22.

14 Judith Butler, *Precarious Life: The Powers of Mourning and Violence* (London: Verso, 2004).

15 Judith Butler, *Gefährdetes Leben. Politische Essays*, übers. v. Karin Wördemann (Frankfurt a. M.: Suhrkamp, 2005).

16 Darauf verwies bereits Isabell Lorey, vgl. *Die Regierung der Prekären*, S. 31.

schweigen« von AIDS und des massenhaften Sterbens von Erkrankten – und damit die Frage von öffentlicher Trauer bzw. das Fehlen von Trauer und Gewalt – am Anfang von ACT UP. Die Antworten waren überaus kreative und das Leben in all seinen Ausprägungen affirmierende Formen des zivilen Protestes, wie das affiliierte künstlerische Projekt des AIDS Memorial Quilt und Demonstrationen unter dem Slogan »We are here, we are queer«.[17] Mit der Verwendung des Plakates des »Silence = Death«-Projekts[18] und öffentlichkeitswirksamen Aktionen wie den »Die-Ins« (gemeinsames Sterben) oder »The Ashes Action«, bei der Asche von an AIDS Verstorbenen auf dem Rasen des Weißen Hauses verstreut wurde, übte ACT UP eine dezidierte Kritik an der Politik der Pharmaindustrie und der FDA (Food and Drug Administration) und nahm damit Einfluss auf die Forschung an Medikamenten gegen AIDS.

Im Zentrum dieser Aktionen standen gleichzeitig jene experimentellen, radikalen und mit neuen ästhetischen und technischen Formen experimentierenden Filme und Videoarbeiten, die zusammen das *New Queer Cinema* begründeten.[19] In den künstlerischen Praktiken von »Let the Record Show« oder »Testing the Limits« spiegelte sich die grundlegende Erkenntnis, dass AIDS nicht getrennt von sozialen Praktiken zu verstehen war, die an seiner Konzeptualisierung und Repräsentation mitwirkten. Die Dokumentation von Gruppen wie DIVA-TV (Damned Interfering Video Activist Television) hatte es sich zur Aufgabe gemacht, eine Alternative zur medialen, sensatio-

---

17 Der AIDS Memorial Quilt gilt als das umfassendste Beispiel Community-basierter Kunst. Es soll an das Leben der Menschen erinnern, die an den Folgen von AIDS verstorben sind. Von der NAMES Project Foundation im Jahr 1987 gestartet, gab er die Möglichkeit für ein kollektives Erinnern, wo dies aufgrund von Stigmatisierung und verweigerten Begräbnissen nicht möglich war. Die Größe der einzelnen Blöcke (0,91 × 1,8 Meter) ist der Fläche einer Grabstelle nachempfunden. Der Quilt wird in Atlanta aufbewahrt und wächst stetig weiter. Siehe »The AIDS Memorial Quilt«, *Berkeley Repertory Theater*, YouTube, 3. April 2018 <https://www.youtube.com/watch?v=_mm9Qg4jwAw> [Zugriff: 16. Juni 2021]; siehe auch den Dokumentarfilm *Common Threads: Stories from the Quilt*, Regie: Rob Epstein, Jeffrey Friedman (Telling Pictures, 1989).

18 Ansichten des Plakates als Ausstellungsstück bieten u. a. das National Museum of American History <https://americanhistory.si.edu/collections/search/object/nmah_1051178> sowie das Brooklyn Museum <https://www.brooklynmuseum.org/opencollection/objects/159258>.

19 Vgl. Astrid Deuber-Mankowsky, *Queeres Post-Cinema. Yael Bartana, Su Friedrich, Todd Haynes, Sharon Hayes* (Berlin: August Verlag, 2017), S. 17–24.

nellen Berichterstattung durch Presse und Rundfunk zu bieten und somit die Aufklärungsarbeit zu übernehmen, der die Regierung nicht nachkam.[20] Andererseits erkannten die Mitglieder von ACT UP, dass es einen Wechsel im Denken und Sprechen über die Epidemie geben müsse; die Bedeutungskrise (»crisis of signification«), die Paula A. Treichler als Wirkung des Virus erkannte,[21] schlug sich auch in den Protesten und Aktionen des Aktivismus wider: »ACT UP mimicked the disruption and unrest brought about by the retroviral HIV.«[22]

Douglas Crimp verzeichnete eine Reihe an Gründen, warum gerade der Video-Aktivismus eine prägende und einflussreiche Rolle gespielt habe:[23] Der Video-Aktivismus griff das Fernsehen als Hauptmedium auf, das Bilder der AIDS-Epidemie verbreitete, und schuf einen vergleichbaren Raum für Gegenkultur. Doch auch die Verbreitung von VCR/VHS-Systemen und die große Resonanz des Kabelfernsehens boten geeignete Strukturen und große Reichweite.[24] Im Oktober 1987 nahm das American Film Institute für sein Video-Festival eine Serie mit dem Titel »Only Human: Sex, Gender and Other Misrepresentations«, organisiert von Bill Horrigan und B. Ruby Rich, auf. Darunter befand sich auch eine Reihe an Videotapes über AIDS, pädagogisches Material, Werbung, Kunstfilme und Musik-Videos bis hin zu Dokumentationen. Rich betonte die Wichtigkeit, dieser Form von Gegen-Repräsentation einen neuen Diskurs zu erlauben und »mit der ästhetischen Diagnose«[25] zu beginnen, die, vor allem wegen der

---

20   Michele Aaron, »New Queer Cinema: An Introduction«, in *New Queer Cinema: A Critical Reader*, hg. v. Michele Aaron (Edinburgh: Edinburgh University Press, 2004), S. 3–14, hier S. 6.

21   In Anbetracht der Berichterstattung und der Verhinderung eines objektiven Umgangs mit Daten aufgrund von Stigmatisierung und Tabuisierung, aber auch hinsichtlich der erschreckenden Weise, wie die AIDS-Krise – unter anderem aufgrund der unterschiedlichen und schwierigeren Kommunizierbarkeit eines Syndroms im Vergleich zu einer Krankheit – medizinische Vorstellungen und Begrifflichkeiten hinterfragte, kam Treichler zu dem Schluss, diese als eine »epidemic of signification« zu verstehen und zu beschreiben. Siehe Paula A. Treichler, *How to Have Theory in an Epidemic* (Durham, NC: Duke University Press, 2006), S. 11.

22   Monica B. Pearl, »AIDS and New Queer Cinema«, in *New Queer Cinema*, hg. v. Aaron, S. 23–38, hier S. 25.

23   Douglas Crimp, »AIDS: Cultural Analysis, Cultural Activism. Introduction«, *October*, 43 (1987), S. 3–16, hier S. 7.

24   Ebd., S. 14.

25   B. Ruby Rich, »Only Human: Sex, Gender, and Other Misrepresentations«, in *1987 American Film Institute Video Festival* (Los Angeles, CA: American Film Institute, 1987), S. 42, zit. in ebd.

Unterlassung der medizinischen Diagnose genauso dringlich sei wie die medizinische Diagnose. Die experimentelle Form des (Selbst-) Dokumentierens, die im Zuge von ACT UP entstand, zog ihren Impuls aus Affekten – aus Trauer, Wut, Kummer, Angst –, aber auch aus einer tiefen Affirmation des Lebens und des Wunsches, die Gesellschaft und die Realität durch einen gewaltlosen Widerstand und nichtausschließende Formen der Versammlung, der Koalition und des Miteinanders zu ändern. Immer ging es, wie der Satz »We are here! We are queer! Get used to it!« zum Ausdruck bringt, um die Sichtbar- und Wahrnehmbarmachung von Lebensweisen, die nicht der Norm entsprachen, die als nicht lebenswert, als nicht intelligibel und in der Folge als nicht real galten.

Die traumatisierende Erfahrung der Gleichgültigkeit, mit der die Gesellschaft der »Normalen« auf die als »queer«, in einem abwertenden Sinne von »nicht ganz richtig«, stigmatisierten Opfer von AIDS reagierten und sie als der öffentlichen Trauer nicht für würdig befanden, bildete schließlich auch den Hintergrund, vor dem Judith Butler in ihrem 1993 – also fast zeitgleich mit der Entstehung des New Queer Cinema – erschienenen Buch Bodies that Matter: On the Discursive Limits of >Sex< darlegte, dass die Formierung von »straight«, also heterosexuell, identifizierten Subjekten in einer heteronormativen und patriarchalen Gesellschaft die simultane Herstellung einer Domäne von abjekten Subjekten geradezu erfordere. Das Abjekte spezifizierte Butler mit den Begriffen von »unlebbaren« und »unbewohnbaren« Zonen, die innerhalb des Sozialen die Grenzen zwischen, »echten« und mündigen auf der einen und »falschen«, »nicht richtigen«, »queeren« Subjekten auf der anderen Seite sicherten. Sexuelle Begehrensformen und Praktiken, die nicht der heterosexuellen Norm entsprechen, stellen, so Butler, die bedrohlichen Identifikationen dar, gegen die und dank derer das Subjekt sich konstituiert und den Anspruch auf Autonomie, auf Realität und Leben erhebt.[26] Der Weg von dieser Dekonstruktion zu der Verbindung von Trauer, Politik und der ungleichen Verteilung von Prekarität vor dem Hintergrund der Erfahrung, dass das Leben und sexuelle Körper grundsätzlich verwundbar sind, abhängig von anderen, nicht autonom und ausgesetzt, ist kurz.

---

26   Vgl. Judith Butler, Bodies that Matter: On the Discursive Limits of >Sex< (London: Routledge, 1993), S. 4.

In *Frames of War: When Is Life Grievable?* aus dem Jahr 2009 fasst Butler ihr Argument folgendermaßen zusammen: »Specific lives cannot be apprehended as living. If certain lives do not qualify as lives or are, from the start, not conceivable as lives within certain epistemological frames, then these lives are never lived nor lost in the full sense.«[27] Daraus zieht sie den Schluss, dass der Widerstand gegen eine Politik, die Prekarität (das meint hier Schutzlosigkeit und Verwundbarkeit im Sinn eines Prekärseins des Lebens) auf eine so ungleiche Weise verteilt, eine Analyse und Transformation des epistemologischen Rahmens erfordert, innerhalb dessen diese ungleiche Verteilung – die so weit geht, ganze Bevölkerungsgruppen gleichgültig dem Tod zur überantworten – als möglich, »normal« und damit zugleich als alternativlos erscheinen kann. Wie komplex eine solche Analyse und gleichzeitige Transformation des epistemologischen Rahmens ist, der über Normalität und Verrücktheit und somit darüber entscheidet, was intelligibel und das heißt, als »rationales Verhalten«, erkennbar ist und was nicht, zeigt sehr schön ein früher, nur 12-minütiger Super-8-Film in Schwarz-Weiß und Farbe von ACT UP mit dem Titel *Marta: Portrait of a Teen Activist*.[28] Er macht überdies deutlich, wie sehr ein queerer, nicht-repräsentationaler Widerstand sich auf experimentelle ästhetische Interventionen stützt.

MARTA: PORTRAIT OF A TEEN ACTIVIST

Matt Ebert drehte und Ryan Landry performte *Marta* als Schulmädchendrag im Januar 1990 in Atlanta, während einer dreitägigen Demonstration von ACT UP New York gegen die Politik des dort ansässigen *Center for Disease Control* und Georgias Sodomie-Gesetzgebung, die ihrerseits von vielen ansässigen Bürger*innen mit homophoben Plakaten unterstützt wurde. Marta bewegt sich unter den Demonstrierenden und Gegendemonstrierenden – sie stolpert mehr, als dass sie geht – und guckt auf die Plakate, Megaphone, Fahnen, während der

27 Judith Butler, *Frames of War: When Is Life Grievable?* (London: Verso, 2009), S. 1.

28 *Marta: Portrait of a Teen Activist*, Regie: Matt Ebert (Matt Ebert, Ryan Landry, 1990). Der Kurzfilm kann unter folgendem Link eingesehen werden: »Marta: Portrait of a Teen Activist«, Matt Ebert, Vimeo, 17. Februar 2013 <https://vimeo.com/59859368> [Zugriff: 16. Juni 2021].

bekannte Protestsong *For What It's Worth (Stop Children What's That Sound)* der Rockgruppe Buffalo Springfield läuft, der seinerseits davon erzählt, wie Jugendliche und junge Leute sich in den 1960er Jahren für ihre Bürgerrechte, ihre Kultur und ihre Lebensformen einsetzten. Marta hebt einige Plakate von ACT UP auf, lässt sie wieder fallen, sieht einem Filmteam zu, und wird, jetzt in Farbe, auch selbst interviewt. Sie verteilt Flugblätter mit »mit vielen Informationen«, da alles einerseits sehr einfach, aber doch »sehr kompliziert« sei, wie sie sagt. Sie verteilt diese Flugblätter in einem Hotel, in dem, wie Marta (und die Zuschauer*innen) schließlich von einer Bewohnerin erfahren, ausschließlich Mitglieder von ACT UP übernachten. Auf deren Frage, was sie denn da tue, reagiert Marta – ganz Teenager – nur mit einem sehr komisch wirkenden »What?«.

In Zwischenschnitten hört man Antworten von ACT UP-Aktivist*innen, was sie von Martha denken. Sie sei, so die einen, »the hottest ACT UP activist«, während andere nur zurückfragen: »Marta?«. Derweil verteilt Marta ihre Flugblätter auf der Straße, wird von einem eiligen Passanten umgestoßen und stellt ins Mikrofon eine neue Forderung: Wir sollten uns mehr lieben und langsamer machen. Dann sehen wir sie mit einem hocherhobenen Plakat, auf dem aber nichts steht, über einen Platz gehen, darauf angesprochen antwortet sie wieder mit »What?«. Ist sie, wie einer der Aktivist*innen meint, ein Problem? Auf eine Frage zu ihrer Sexualität antwortet sie »Eh, what?«. Sie verteilt »Silence = Death«-Sticker im Hinterhof des Anwesens von Doris Day, wofür sie Applaus erhält. Einige ihrer Aktionen werden nicht verstanden; sie meint selbst, dass sie da sei für die Leute, die sie brauchen und es folgen dokumentarische Schwarz-Weiß-Aufnahmen von den Demonstrationen und Protestaktionen und auch den Konfrontationen mit der Polizei, diesmal unterlegt mit Tracy Chapmans Song *Talkin' Bout a Revolution*. In *Melancholia and Moralism: Essays on AIDS and Queer Politics* äußerte sich Douglas Crimp begeistert von *Marta*:

> The video wonderfully captures how – far from heroic – terribly awkward, how terribly queer it can feel to engage in activism. Marta's perpetual confusion – she can't decide which placard to carry, she carries it upside down once she decides, she keeps checking out fellow activists to figure out how to position herself properly for a >die-in< – is hilariously captured

by Ryan Landry in school-girl drag as Marta, named after the
acronym for Atlanta's mass-transit system.[29]

Matt Ebert selbst erinnert sich, dass er und Landry den Film bei der
öffentlichen Premiere fünf Mal hintereinander spielen mussten, da immer mehr Leute aus dem Umfeld von ACT UP dazugekommen seien,
den Film sehen wollten, sich dabei selbst sahen und in dieser span-
nungsvollen und schwierigen Zeit der Omnipräsenz des Sterbens und
des Widerstandes über sich lachen konnten.[30] Diese Erinnerung ist ein
kleines Beispiel für die allgegenwärtige Präsenz von Videos, als neue
Aufnahme- oder Reproduktions- und Distributionstechnologien und
ein Beleg für ihre Bedeutung als prozessuale und geteilte Reflexion und
Selbstwahrnehmung der ACT UP-Aktivist*innen.[31] Eine überzeugende Deutung von *Marta* stellte Eva von Redecker im Anschluss an
Crimp vor, die direkt zur Frage von Queer Cinema als Dokumentation
des Prekären zurückführt. Von Redecker interessiert sich für das Video
im Kontext der Frage nach dem Verhältnis von Gewalt und zivilem
Ungehorsam und zeigt, dass es dabei um weit mehr geht, als Ironisierung und die Kunst, über sich selbst zu lachen. Sie knüpft an Eberts
Erklärung an, dass Marta all diejenigen sei, die sich in Martas Zweifel
und ihrer Verwirrung, ihrem Mut, ihrem Sinn für Fashion und ihrer
ungehorsamem Schlauheit wiedererkennen[32] und kontrastiert Martas Unentschiedenheit, ihre Unfähigkeit, klare Forderungen zu stellen
und ihre Queerness mit Habermas' geschichtsträchtiger Bestimmung,
wonach gewaltfreie Protesthandlungen symbolisch seien und in der
Absicht ausgeführt werden müssten, »an die Einsichtsfähigkeit und
den Gerechtigkeitssinn der jeweiligen Mehrheit zu appellieren«.[33]
Habermas setzte damit, wie von Redecker pointiert zusammenfasst,

29 Douglas Crimp, »Melancholia and Moralism: An Introduction«, in ders., *Melancholia and Moralism: Essays on AIDS and Queer Politics* (Cambridge, MA: MIT Press, 2004), S. 1–26, hier: S. 21 und 22.
30 Matt Ebert, »Marta: Portrait of a Teen Activist«, Interview mit Matt Wolf, 25. Mai 2011 <https://www.teenagefilm.com/archives/tube-time/marta-portrait-of-a-teen/> [Zugriff: 16. Juni 2021].
31 Vgl. Deuber-Mankowsky, *Queeres Post-Cinema*, S. 17–25.
32 Vgl. Ebert, »Marta: Portrait of a Teen Activist«, Interview mit Matt Wolf.
33 Jürgen Habermas, »Ziviler Ungehorsam – Testfall für den demokratischen Rechts-staat. Wider den autoritären Legalismus in der Bundesrepublik«, in *Ziviler Ungehorsam im Rechtsstaat*, hg. v. Peter Glotz (Frankfurt a. M.: Suhrkamp, 1983), S. 29–53, hier: S. 33.

gewaltlosen Widerstand kurzerhand mit »einem friedlichen Appell an die Mehrheit« gleich.[34] Was aber bedeutet dies, so fragt sie weiter, wenn es sich bei dem Protest um die Forderung nach Akzeptanz und Affirmation von sexuellem Begehren, von Identifikationen und Geschlechtern handelt, die, wie Butler sagte, als »unintelligibel« und »irreal« wahrgenommen werden, – »überhaupt nicht als Geschlechter«?[35] Unter diesen Umständen ist ein Appell an die Mehrheit gar nicht möglich, da der Appell ebenso unverständlich, unintelligibel sein muss, wie die Vorstellung von einem queeren Geschlecht; oder mit von Redecker gesprochen:

> Die Forderung der Aktivist_innen nach rechtlichen und medizinischen Maßnahmen, die angesichts einer akuten Epidemie ein selbstbestimmtes, aufgeklärtes und sicheres Leben in Promiskuität und jenseits der Geschlechtergrenzen ermöglichen würden, war in den USA der 80er Jahre ebenso unverständlich, ebenso wenig überhaupt nur als Forderung entzifferbar, wie Martas [...] Kampagne.[36]

Und sie schließt mit Bezug auf Habermas: »Eine Definition, die zivilen Ungehorsam auf ein derart vereinheitlichtes Symbolisches verpflichtet, müsste ACT UPs Demonstration in Atlanta als apolitischen Unsinn abtun, anstatt anzuerkennen, dass es in den Aktionen um nicht weniger geht als die Neuordnung der Realität.«[37]

Ebert und Landrys kurzer Film experimentiert mit dokumentarischen Formen, verbindet Dokumentarisches mit Performance und Fiktion, spielt mit Ironie und Farben, mit Schnitt und Sound, ist »mittendrin« und versteht sich bewusst als Teil eines politischen Prozesses, in dem es in der Tat um nichts weniger geht, als die Neuordnung der Realität. Dies erfordert das Experiment mit ästhetischen Formen, da diese Neuordnung der Realität die Veränderung des epistemologischen Rahmens voraussetzt, der doch zugleich einen Appell an den Gerechtigkeitssinn und die Einsichtsfähigkeit der Mehrheit

---

34 Eva von Redecker, »Vorgriff mit Nachdruck. Zu den queeren Bedingungen zivilen Ungehorsams«, in *Ungehorsam! Disobedience! Theorie und Praxis kollektiver Regelverstöße*, hg. v. Friedrich Burschel, Andreas Kahrs und Lea Steinert (Münster: edition assemblage, 2014), S. 117–30, hier S. 121.

35 Ebd., S. 122.

36 Ebd.

37 Ebd., S. 123.

verunmöglicht, aber in diesem Prozess der Neu-Ordnung mitgedacht werden muss. Wenn queeres Kino und queere Ästhetiken das Prekäre dokumentieren, dann ist damit auch diese Situation in Bezug auf eine Revolution im Symbolischen gemeint, die prekär ist in dem Sinne, dass sie es »äußerst schwer macht, die richtigen Maßnahmen, Entscheidungen zu treffen, um aus einer schwierigen Lage herauszukommen«.[38]

QUEERES KINO / QUEERE ÄSTHETIKEN ALS DOKUMENTATIONEN DES PREKÄREN

Das ästhetische Unterfangen, etwas als gerahmt, normiert, klassifiziert beschreibbar zu machen, ohne diese Rahmungen zu wiederholen, erweist sich als ästhetische Form der Dokumentation des Prekären und zugleich als eine prekäre Form der Dokumentation. Zwei Jahre, nachdem *Marta* diese Komplexität mit ihrem leeren Schild auszudrücken vermochte, rief B. Ruby Rich ein »Neues Queeres Kino« aus.[39] Eng angelehnt an die Politisierung des Begriffes »Queer« stellte das *New Queer Cinema* mit seiner Perspektive auf Repräsentation und Ästhetik nicht nur die Frage nach Bedingungen und (Neu-)Konstruktionen von Identität, sondern entdeckte auch im formalen Bruch den Überschuss des Lebendigen, der auch dem Widerstand von ACT UP zugrunde lag. Vertreter*innen wie Tom Kalin (*Swoon*) oder Gregg Bordowitz (*Fast Trip, Long Drop*) waren Mitglieder von ACT UP, dem dazu gehörenden Künstler*innenkollektiv Gran Fury, wie auch der erwähnten Gruppe DIVA-TV.[40]

War bereits die Dokumentation des Video-Aktivismus eine spannungsvolle Bewegung in einem öffentlichen Raum, in dem man nicht sichtbar war, um neben der Schaffung von Sichtbarkeit gleichzeitig die

---

38 So definiert der Duden den Begriff »prekär«, siehe <https://www.duden.de/rechtschreibung/prekaer> [Zugriff: 16. Juni 2021].

39 B. Ruby Rich, »New Queer Cinema«, *Sight & Sound*, 2.5 (1992), S. 30–34 <https://www2.bfi.org.uk/news-opinion/sight-sound-magazine/features/new-queer-cinema-b-ruby-rich> [Zugriff: 16. Juni 2021]. Zur Geschichte des *New Queer Cinema* siehe auch B. Ruby Rich, *New Queer Cinema: The Director's Cut* (Durham, NC: Duke University Press, 2013) sowie den deutschsprachigen Band *Queer Cinema*, hg. v. Dagmar Brunow und Simon Dickel (Mainz: Ventil, 2018).

40 *Swoon*, Regie: Tom Kalin (Intolerance Productions, Killer Films, 1992); *Fast Trip, Long Drop*, Regie: Gregg Bordowitz (Gregg Bordowitz, 1994).

Bedingungen von (Un-)Sichtbarkeit (und Ir-/rationalität) und damit den epistemologischen Rahmen zu hinterfragen und zu durchbrechen, so griff auch das *New Queer Cinema* in seinen Filmen diese Ambivalenz auf. Damit ging es seinen Vertreter*innen gleichzeitig um eine kompromisslose, unverfrorene Charakterzeichnung queerer, »unsicherer« Figuren, wie Todd Verow für seinen Film *Frisk* betonte:[41] »The characters I cared about in ›Frisk‹ were the victims. They didn't want to be ›safe‹ — even if that meant they would most certainly die. To me, that was what the age of AIDS was all about.«[42]

Queere Ästhetiken haben sich seitdem auf vielfältige, transmediale Weise ausdifferenziert, fokussieren aber bis heute die zentrale Verbindung von Prekarität und Sexualität. Seien es Aspekte heteronormativer Reproduktion, chrononormativer Zielgerichtetheit oder neoliberaler Sinnerfüllung und Subjektivierung; ungesicherte Arbeitsbedingungen, Mangel an bezahlbarem Wohnraum oder Obdachlosigkeit; Immigration und die Frage um den Status und Schutz von Bürger*innenschaft, Marginalisierung, Diskriminierung und Armut – die Phänomene von Prekarität sind aus queer-theoretischer Perspektive nicht losgelöst von Geschlecht und Sexualität zu verstehen. Gleichzeitig greifen queere Ästhetiken die gemeinschaftliche Dokumentation des Video-Aktivismus von ACT UP oder die Subversion und das Wagnis des *New Queer Cinema* auf. Das prekäre Leben muss nicht – oft zugunsten normativer Einschlüsse – begradigt werden. Stattdessen befragen queere Ästhetiken als Dokumentationen des Prekären dessen zugrundeliegenden Ein- und Ausschlüsse, stellen sie als subjektivierende Herrschaftsweisen von Prekarität in Frage und sind bestrebt, eine Veränderung von Wahrnehmung oder sogar neue und potentielle, »ungelernte« und spielerische Möglichkeitsräume zu erschaffen. Queere Ästhetiken des Prekären sind in gewisser Weise selbst Dokumente des Prekären.

Die Idee zu diesem Band geht zurück auf ein internationales Symposium, das vom 25. – 27. April 2019 an der Ruhr-Universität Bochum

---

41   *Frisk*, Regie: Todd Verow (Bangor Films, 1995).

42   Gary M. Kramer, »Bad Times Make Great Art: The AIDS Crisis and the New Queer Cinema«, *Salon*, 11. Februar 2017 <https://www.salon.com/2017/02/11/bad-times-make-great-art-the-aids-crisis-and-the-new-queer-cinema/> [Zugriff: 16. Juni 2021].

mit Unterstützung der Professur »Mediale Öffentlichkeit und Medienakteure unter besonderer Berücksichtigung von Gender«, des DFG-Graduiertenkollegs 2132 »Das Dokumentarische. Exzess und Entzug« sowie der GdF – Gesellschaft der Freunde der RUB e.V. stattfand und von den Herausgeber*innen konzeptualisiert und organisiert wurde. Die dreitägige Konferenz bot die Möglichkeit, eine fruchtbare Diskussion um das Erbe und die Zukunft des queeren Kinos und seiner zugrundeliegenden, ästhetischen Strategien mit Fragen um die Potentialität und interdisziplinäre Öffnung queer-feministischer Theorie sowie gegenwärtiger Zeitpolitiken in der Queer Theory zu verbinden. Die Beiträge des Bandes gruppieren sich um vier Themenbereiche, die das queere Kino und queere Ästhetiken, wie dargestellt, als Dokumentationen des Prekären näher bestimmen:

1. Aktivismus und queere Zeitpolitiken

Der erste dieser Themenbereiche weist zurück auf die Geschichte des Aktivismus und dessen Aktualität. Entlang einer präzisen Deutung von Robin Campillos mitreißenden filmischen Darstellungen seiner Erinnerungen an die politische Arbeit mit ACT UP Paris in den frühen 1990er Jahre in *120 BPM* zeigt Maja Figge, dass der Film die Kämpfe nicht einfach als vergangene zeigt, sondern eine »Ästhetik des Präsentischen« etabliert.[43] Dabei setzt Campillo das Sprechen in den wöchentlichen Versammlungen gegen das tödliche Schweigen und die Einsamkeit. Figge wandelt ACT UPs »Silence = Death« zu »Sprechen = Leben« ab, um herauszuarbeiten, wie die Verbindung von Gegenwart und Vergangenheit potentielle, zukünftige Aktivierungen betont.

Eine Geste der Vergegenwärtigung von vergangenen Kämpfen und Protesten leitet auch Natascha Frankenbergs Lesart des schwedischen Musicalfilms *Folksbildningsterror* und des US-amerikanischen, teildokumentarischen Thrillers *The Owls*.[44] Die in Kollektiven entstandenen Filme setzen sich über die Frage von Gemeinschaft und

---

43   *120 BPM*, Regie: Robin Campillo (Les Films de Pierre, 2017).
44   *Folkbildningsterror*, Regie: Lasse Långström, Göteborgs Förenade Musikalaktivister (Lasse Långström, Göteborgs Förenade Musikalaktivister, 2014); *The Owls*, Regie: Cheryl Dunye (Parliament Collective, 2010).

Aktivismus mit ihren Entstehungsformen und den filmgeschichtlichen Rahmungen auseinander und machen dabei die Forderungen und Potentiale aktivistischer, queer-feministischer Arbeit sichtbar. Über die Inszenierungen von Gemeinschaft und Prekarisierung als ästhetische Aushandlungen werden, wie Frankenberg zeigt, Filmformen politisiert.

2. Experimentelle Ästhetiken und queere (Erinnerungs-)Landschaften

Über das Verhältnis von Experimentalfilm und Queer Cinema ist seit dessen Entstehung viel geschrieben und nachgedacht worden, die Frage stellt sich jedoch angesichts der Popularität von queeren Ästhetiken auf der einen Seite und deren Einzug in die Welt der Kunst auf der anderen Seite, in neuer Dringlichkeit. 2018 gewann die in Schottland lebende, visuelle Künstlerin Charlotte Prodger mit einem iPhone-Video den Turner Prize. Sie bekennt sich als Künstlerin explizit zu der queeren Bewegungsgeschichte und distanziert sich zugleich von der Kommerzialisierung der queeren Ästhetik in der Popkultur. Finden sich queere Ästhetiken als Dokumentationen des Prekären heute in der Kunst wieder? Mit dem filmischen Werk der in Deutschland kaum bekannten Künstlerin, das sich zwischen digitalen Plattformen, Kino und White Cube bewegt, beschäftigen sich zwei Beiträge in diesem Band. Astrid Deuber-Mankowsky zeigt, wo der iPhone Film *BRIDGIT* als medientechnisches Experiment über die etablierten Ästhetiken des queeren Kinos hinausgeht.[45] In der ästhetischen Verschränkung von Körpern, Begehren, Landschaft, Zeit und Queerness setzt Prodger in ihrem Film, so Deuber-Mankowsky, eine skulpturale und virtuelle Kraft frei, die sich der Nicht-Intelligibilität von queerem sexuellem Begehren widersetzt.

Die in bewegte Bilder übersetzte Landschaft und genaueste Arbeit mit digitalen Bildtechniken sind, wie Henriette Gunkel entlang ihrer Deutung des 2019 bei der Biennale von Venedig gezeigten Einkanal-Videos *SaF05* darstellt, Ausdruck queerer Selbstbestimmung.[46] Gunkel führt an die Frage heran, was queere Subjektivität und queere

---

45   *BRIDGIT*, Regie: Charlotte Prodger (Hollybush Gardens, Charlotte Prodger, 2016).
46   *SaF05*, Regie: Charlotte Prodger (Hollybush Gardens, Charlotte Prodger, 2019).

Bindungen ausmacht, indem sie die Verbindungen untersucht, die Prodger zwischen einem verkörperten Umgang mit der Kamera und einem Erfassen der Landschaft, verstanden als *landscaping* herstellt. Analogien zu dokumentarischen und verhaltensbiologischen Aufnahmeverfahren führen hierbei nicht zu mehr Eindeutigkeit, sondern werden auf experimentelle Weise dekonstruiert und für die Öffnung von queeren Erinnerungs-Landschaften produktiv gemacht.

Dass ein Umgang mit und ein *Unlearning* in Bezug auf etablierte dokumentarische Formen instabil und prekär ist und bleiben muss, daran erinnern uns auch die Beiträge von Marietta Kesting und Katrin Köppert. In zeitlichen Versuchen des Zurück- und Nachvorneschauens fragen sie nach prekären Sichtbarkeiten und Narrativen im audiovisuellen Post-Apartheid-Archiv bzw. nach der Imagination eines queeren »Contra-Internets«. Kesting untersucht die Arbeiten der weißen südafrikanischen Künstlerin Bettina Malcomess und insbesondere ihre Video-Installation *The Memories of Others*, welche die Spuren und das Nachwirken von Imperialismus und Apartheid in Südafrika hinsichtlich prekärer Archive thematisiert.[47] Die vielfältigen Experimente mit Figuren und eine Verarbeitung von Genres und Gattungen und analogem Archivmaterial führen sie dabei zur Ausformulierung einer dekolonialen, queeren Medienpraxis. Archive zu queeren, wie sie ihrem Text voranstellt, kann hierbei auch ein Ver- und Neu-Sehen bedeuten und mit einem Ausprobieren verbunden werden.

Dieses Spielerische des Ausprobierens prägt, mit all seiner Ernsthaftigkeit, auch den Beitrag von Katrin Köppert und die zugrundeliegende Filmarbeit *Contra-Internet: Jubilee 2033* des US-Amerikaners Zach Blas.[48] Bereits im Titel wird der Bezug auf Derek Jarmans Film *Jubilee*, aber auch auf Paul B. Preciados *Kontrasexuelles Manifest* deutlich.[49] In ähnlich radikaler Weise fragt Köppert mit Blas, welches Internet aus einer queer-theoretischen und ästhetischen Perspektive vorstellbar ist. Die experimentellen, queeren Ästhetiken, die zuvor in Charlotte Prodgers und Bettina Malcomess' Werk beobachtet wurden,

---

47   *The Memories of Others*, Regie: Bettina Malcomess (Bettina Malcomess, 2015).

48   *Contra-Internet: Jubilee 2033*, Regie: Zach Blas (Zach Blas, 2018).

49   *Jubilee*, Regie: Derek Jarman (Megalovision, Whaley-Malin Productions, 1978); Paul B. Preciado, *Kontrasexuelles Manifest*, übers. v. Stephan Geene, Katja Diefenbach und Tara Herbst (Berlin: b_books, 2004).

treffen hier auf Zeitstrukturen und eine Teleologie, wie sie im Nexus von Mystik und Mathematik durch Technologieunternehmen herrschen. Kann die Prophezeiung eines Kontra-Internets mithilfe einer queeren Ästhetik des Algorithmischen und durch die Verhandlung von Symbolen, Objekten und Materialien gelingen? Köppert stellt diese Frage an Blas' Film, um seine Potenzialität schließlich in etwas ganz anderem zu entdecken.

Die Grundlagen von Sichtbarkeit und die normative Gewalt des Archivierens, Zuordnens und Speicherns, wie sie von Kesting für die Archive Südafrikas und von Köppert für das Internet als »totale Erinnerungsmaschine« betrachtet wurden, führen zum 3. Themenkreis:

3. Sichtbarmachung und Strategien des Gegendokumentarischen

Das Prekäre als soziale Armut abzubilden hat für den dokumentarischen Blick eine lange Tradition, wie Andrea Seier vor allem mit Verweis auf die Fotografien von Jacob Riis, aber auch auf gegenwärtige Fernsehformate zeigt. In ihrer Analyse des Dokumentarfilms *Brüder der Nacht*,[50] der sich mit bulgarischen Arbeitsmigranten befasst, die in Wien als Stricher arbeiten, befragt sie diese normative Tradition der Viktimisierung und des *Othering* sowie ihre »performative Ästhetik«, aber auch, wie die Grenze des Dokumentarischen bewusst ausgedehnt werden kann. Chihas semidokumentarischer, ambivalenter Umgang wird hierfür dem Film *Joy* von Sudabeh Mortezai gegenübergestellt.[51] Die Grenze des Dokumentarischen durchzieht anschließend auch Anja Sunhyun Michaelsens Text. Anhand von zwei im deutschsprachigen Kontext entstandenen Film- bzw. Videoarbeiten, Ming Wongs *Lerne deutsch mit Petra von Kant* und Cana Bilir-Meiers *This Makes Me Want to Predict the Past*,[52] zeigt Michaelsen aus einer queer-theoretischen reparativen Perspektive, dass die Filme überraschende, lebenserhaltende transhistorische Beziehungen aufscheinen lassen, ohne dabei das Moment des Prekären zu unterschlagen. Wong stellt sich in Form eines Reenactments von Rainer Werner Fassbinders Film *Die bitteren*

---

50 *Brüder der Nacht*, Regie: Patric Chiha (WILDart FILM, 2016).
51 *Joy*, Regie: Sudabeh Mortezai (FreibeuterFilm, 2018).
52 *Lerne deutsch mit Petra von Kant*, Regie: Ming Wong (Ming Wong, 2007); *This Makes Me Want to Predict the Past*, Regie: Cana Bilir-Meier (Cana Bilir-Meier, 2019).

Tränen der Petra von Kant in eine prekäre, transgressive Beziehung zur titelgebenden Filmfigur und unterläuft dabei auch *gender-* und *race*-Kategorien.[53] Die in München und Wien lebende Künstlerin Bilir-Meier ruft hingegen in ihrem Super-8-Film eine postmigrantische deutsche Geschichte auf, die dem Druck dominanter, dokumentarischer Geschichtsschreibung und deren Umgang mit Gewalt widerstehen muss. Die entstehenden, transhistorischen Beziehungen erzeugen Lust und Vergnügen und können, wie Michaelsen schreibt, als Strategien des Überlebens gelesen werden.

Nanna Heidenreich untersucht in ihrem Beitrag queere Filmmomente in Filmen, die nicht notwendig zum Korpus des queeren Kinos zählen. Dabei versteht sie diese Momente ganz dezidiert nicht als programmatische Setzungen, sondern sieht ihre Queerness in der (Ver-) Störung der Reproduktion. Die Filme *High Life* von Claire Denis und *Border* (*Gräns*) von Ali Abbasi binden die Störung der Reproduktion an Themen von Klasse, Marginalisierung und »Perversion« und verkomplizieren die für Heidenreich zentrale Frage nach dem (heutigen) queeren Film als eine Bewegung, die in normative Ordnungen interveniert.[54] Zwei Sexszenen werden von ihr hinsichtlich zweier Perspektiven gelesen – die rezipierende Perspektive auf die Filme sowie die Perspektive in den Filmen, also deren Geschichten und Ästhetiken.

Julia Bee schließlich befragt die Bedingungen von (medialer) Sichtbarkeit durch (Gegen-)Dokumentationen anhand von zwei Film- bzw. Mediennetzwerken aus Kanada. Das in den 1960er Jahren vom National Film Board of Canada initiierte *Challenge for Change* sowie *Wapikoni Mobile* als gemeinnützige Organisation und Vlog- und Filmnetzwerk, das indigenen Filmschaffenden eine Möglichkeit für eigene Video- und Filmprojekte schafft, werden als pragmatische und handlungsbasierte Dokumentarphilosophien gelesen. Damit werden Darstellungen von prekären Lebensbedingungen ihrem herkömmlichen Repräsentationsrahmen enthoben und in neuen, digitalen dokumentarischen Medien thematisiert, die Bee als technisch-sozial-ästhetische Milieus denken möchte.

---

53 *Die bitteren Tränen der Petra von Kant*, Regie: Rainer Werner Fassbinder (Tango-Film, 1972).

54 *High Life*, Regie: Claire Denis (Alcatraz Films, 2018); *Border* (*Gräns*), Regie: Ali Abbasi (Meta Film Stockholm, Black Spark Film & TV, Kärnfilm, 2018).

4. *Armut und queere Zeitlichkeiten*

Das Prekäre ist von Armut im Kontext der Frage nach queeren Ästhetiken als Dokumentationen des Prekären ebenso wenig zu trennen, wie
von der Frage der Sexualität. In diesem Sinne wird Prekarität als Armut
und Stillstand im Filmwerk der US-amerikanischen Regisseurin Kelly
Reichardt von Philipp Hanke als queer gelesen. Reichardt, die einem
neuen, amerikanischen Independent-Kino und der Kategorisierung
des »Slow Cinema« zugeordnet wird, stellt diesem scheinbaren Stillstand ihrer Figuren jedoch andere Formen der Zeitlichkeit gegenüber.
Die von Heidenreich beobachtete gestörte Reproduktion ist auch als
zentrale Problematik von Reichardts Filmfiguren zu verstehen. Doch
die Prekarität als Krise von Chrononormativität und wirtschaftlichem
Überleben wird gleichzeitig in drei beispielhafte Formen filmischer
Bewegung gefasst – im Bild selbst, in der Kameraführung sowie durch
Verbindungen in der Montage –, die sich gleichzeitig an das queere Begehren der Figuren heften und diesem zu einem Ausdruck verhelfen.

   Die Form dieser Bewegungen als Abweichung korrespondiert mit
der queeren Zeitlichkeit, wie sie abschließend auch Isabell Lorey in
ihrem zeitaktuellen Beitrag über das Prekäre in der Gegenwart der Pandemie behandelt. Sie argumentiert für eine queere Zeitlichkeit in der
Gegenwart, die keine antizipierende, präventive Vorstellung von Zukunft oder aktualisierende Verbindungen zum Vergangenen braucht.
Mit José Esteban Muñoz' performativer Queerness[55] geht sie (Zer-)
Störungen nach, die es ermöglichen, in einer Gegenwart pandemi-
scher Zeit und vermehrter normalisierender Verfügungen »unruhig«
zu bleiben; und fragt somit nach dem ungefügigen Queeren, das stets
das Chrononormative stört und heimsucht. Mit *Marx' Gespenster* von
Jacques Derrida fokussiert sie eine Zeit, die auf queeren Schulden und
einer wechselseitigen Sorge basiert sowie an einer gemeinsamen, kon-
taminierenden und konstituierenden Immunisierung interessiert ist.[56]
Es ist eine Zeit, die aus den Fugen scheint, der aber nicht mit weiteren
Verfugungen und Normalisierungen begegnet werden sollte. Stattdes-

---

55   José Esteban Muñoz, *Cruising Utopia: The Then and There of Queer Futurity* (New York:
     NYU Press, 2009).

56   Jacques Derrida, *Marx' Gespenster. Der verschuldete Staat, die Trauerarbeit und die neue
     Internationale*, übers. v. Susanne Lüdemann (Frankfurt a. M.: Fischer, 1996).

sen birgt sie auch das Potential, eine heterogene, prekäre und ungefügige Sozialität entstehen zu lassen. Eine prekäre Sozialität, die nicht
Sicherheit versprechende Formen prekarisierender Regierungsweisen
bedient, sondern sich durch einen nicht-repräsentationistischen Widerstand und neue, experimentelle Wahrnehmungsweisen einen Ausdruck verschafft, und die den Rahmen normativer Subjektivierung
selbst befragt und überschreitet.

Unser Dank geht an Anja Sunhyun Michaelsen für das Lekto-
rat und die Mitarbeit an der Konzeption des Bandes und an Peter
Vignold für das Korrekturlesen. Noah Simon möchten wir für die hilf-
reiche Beratung bezüglich gendersensibler Sprache danken, die wir
als Verantwortung verstehen und gleichzeitig ganz in die Hand der
Autor*innen gelegt haben. Bettina Baltensweiler danken wir dafür,
dass wir die Reproduktion eines Nähbildes aus der Serie »Identitä-
ten« (2010) für die Gestaltung des Covers benutzen durften. Den
Herausgebern Christoph F. E. Holzhey und Manuele Gragnolati dan-
ken wir für die großzügige Unterstützung und die Möglichkeit, den
Band »Queeres Kino / Queere Ästhetiken als Dokumentationen des
Prekären« in der Reihe Cultural Inquiry veröffentlichen zu können.
Besonders herzlich danken wir Christoph F. E. Holzhey und Arnd
Wedemeyer für die genaue Lektüre des Manuskripts.

AKTIVISMUS UND QUEERE ZEITPOLITIKEN

»Sprechen = Leben«
Queere Zeitpolitiken und eine Ästhetik des Präsentischen in *120 BPM*

MAJA FIGGE

Robin Campillos Film *120 BPM* beginnt auf der auditiven Ebene: während der Vorspann ausschließlich über ein Schwarzbild läuft, wird langsam eine Rede eingeblendet.[1] Das Schwarzbild wird als Vorhang erkennbar, als dieser sich nach einer Weile leicht öffnet und den Blick auf eine Bühne und den Redner freigibt (s. Abb. 1). Nun sind neben dessen Stimme auch weitere Atemgeräusche zu hören, schemenhaft schälen sich Körper aus dem Dunkel heraus (s. Abb. 2 und Abb. 3). Schließlich stürmen die versammelten Personen auf ein Signal mit Trillerpfeifen und anderen Lärminstrumenten auf die Bühne. Der Ton bricht ab und der Filmtitel wird eingeblendet.

Nach dem Vorspann finden wir uns in einem hell er- bzw. ausgeleuchteten Hörsaal wieder; ein Mann blickt frontal in die Kamera, heißt »uns« und einige weitere Gäste im Saal willkommen (s. Abb. 4) und gibt dann eine Einführung in die Struktur und die Arbeit von ACT UP Paris. Es ist eine nach dem Vorbild von ACT UP New York 1989 »in der Gay-Community gegründete Gruppe zur Verteidigung der Rechte aller AIDS-Kranken. ACT UP bietet keine Patientenunterstützung. Es ist eine Gruppe von Aktivisten«.[2] Das Wichtigste ist

---

1   *120 BPM*, Regie: Robin Campillo (Les Films de Pierre, 2017).

2   Bei allen Auszügen aus dem Dialog handelt es sich um direkte Zitate der deutschen Untertitel der DVD-Veröffentlichung von Edition Salzgeber (2018). Vgl. auch Act Up Paris <https://www.actupparis.org> [Zugriff: 10. Oktober 2020].

Abb. 1–4. *120 BPM*, Regie: Robin Campillo (Les Films de Pierre, 2017),
Screenshots, Copyright Edition Salzgeber/Les Films de Pierre.

vielleicht, dass sich alle mit Eintritt in die Gruppe, »damit einverstanden erklären, in den Medien und in der Öffentlichkeit als HIV-Positive zu erscheinen«. ACT UP ist ein Akronym für AIDS Coalition to Unleash Power.

Während der Einführung füllt sich im Bildhintergrund langsam der Saal, schließlich fängt das Treffen an. Es beginnt mit der Mitteilung, dass ein Aktivist der ersten Stunde gestorben sei, es wird dazu aufgefordert, »wie immer«, Protest-Postkarten an Präsident Mitterand zu schicken. Direkt im Anschluss geht es mit der Auswertung der Aktion, deren Beginn wir im Vorspann gesehen haben, weiter: Es gab einen Vorfall, der zu einer Kontroverse über Absprachen und Aktionsformen in der Gruppe führt. Immer wieder springt die Szene zwischen Aktion und Hörsaal hin und her, verbunden über den Ton – die Berichte und Statements der einzelnen Aktivist*innen (s. Abb. 5–8). Die Aktion störte eine Veranstaltung der staatlichen Anti-AIDS-Agentur Agence française de lutte contre le SIDA (AFLS), um deren Behinderung und Zensur der Präventionsarbeit zu kritisieren. Während die Sprecherin der Aktion, Sophie, den Vorsitzenden der AFLS verbal angreift und sich einen Schlagabtausch liefert, landet plötzlich ein Farbbeutel mit Theaterblut in dessen Gesicht. Daraufhin stürzen zwei andere Aktivisten, Max und Sean, auf die Bühne und fesseln den AFLS-Vorsitzenden mit Handschellen an das Gerüst einer Bildtafel. Sophie fühlt sich übergangen, kritisiert dieses Vorgehen als gewalttätig und sorgt sich um die Reaktionen der anderen Organisationen. Aber Max und Sean verteidigen ihre Eskalation; Sean führt aus: »Mir egal,

Abb. 5–8. *120 BPM*, Regie: Robin Campillo (Les Films de Pierre, 2017),
Screenshots, Coypright Edition Salzgeber/Les Films de Pierre.

ob der AFLS-Typ gedemütigt oder die von AIDES geschockt waren.
Der Staat soll wissen, dass wir uns weiter mit ihm anlegen, bis wir
eine echte Präventivpolitik haben.« Als schließlich jemand berichtet,
dass AIDES, eine von Daniel Défert nach Michel Foucaults Tod 1984
gegründete Anti-AIDS-Selbstorganisation,[3] und die Tageszeitung *Libération* die Aktion zwar kritisch aber verständnisvoll kommentieren,
entspannt sich die Situation und es wird zu weiteren drängenden Themen und Planungen von Aktionen übergegangen.

120 BPM basiert auf den Erinnerungen des Regisseurs Robin
Campillo und seines Co-Autors Philippe Mangeot, die beide bei ACT
UP Paris aktiv waren, und erzählt vom Leben und Kämpfen mit ACT
UP Paris. Die im Titel als Abkürzung genannten Schläge pro Minute
verweisen nicht nur auf die House-Musik, die den Film akustisch un-
termalt, sondern auch auf die zeitliche Dimension dieser Erfahrung;
im Film wird dies durch die fließende Verbindung von Orten und
Ereignissen in der (Parallel-)Montage umgesetzt und ein Kontinuum
von Aktion und Treffen, nächster Aktion etabliert. Die nächste Szene
endet mit der Festnahme der Gruppe, aber nach der Freilassung ziehen
sie weiter: Zunächst sieht man die Gruppe in der U-Bahn und schließlich zu House tanzend im Club – verbunden werden die Schauplätze
über den Soundtrack einerseits, aber auch durch den wiederkehrenden
Einsatz der Zeitlupe, die die Aktionen und Bewegungen verlangsamt
und zugleich hervorhebt. In einer Draufsicht löst sich die Kamera

---

3   Vgl. AIDES <https://www.aides.org/> [Zugriff: 3. Juni 2021].

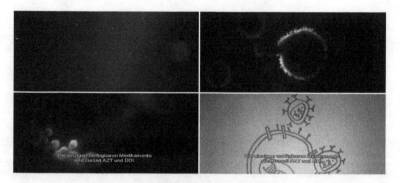

Abb. 9–12. *120 BPM*, Regie: Robin Campillo (Les Films de Pierre,
2017), Screenshots, Copyright Edition Salzgeber/Les Films de Pierre.

schließlich von den tanzenden Körpern und fokussiert die schwirrenden Partikel im Lichtstrahl, bis nur noch diese zu sehen sind (s. Abb.
9). In einem langsamen Schwenk lösen sich auch die Partikel auf und in
Großaufnahme wird eine Darstellung des HI-Virus erkennbar (s. Abb.
10). Während die Musik weiterspielt, wird langsam die Tonspur aus
dem Hörsaal eingeblendet: »Die einzigen verfügbaren Medikamente
sind zurzeit AZT und DDI.« (s. Abb. 11) In der Montage kommt nun
ein von Hand gezeichnetes Diagramm ins Bild, während ein Aktivist
die Funktionsweise des Virus und die Wirkstrategien der sich in Entwicklung befindenden Medikamente erklärt (s. Abb. 12).

Die Szenen, die die wöchentlich stattfindenden Treffen zeigen,
rhythmisieren den Bilderfluss aus Aktionen, Partys, Sex, und Treffen
in Arbeitsgruppen oder mit anderen Organisationen und zeigen so
das rastlose Leben der Aktivist*innen. Erzählt wird die Geschichte
ausgehend von Nathan, der als HIV-Negativer zu Beginn des Films zu
ACT UP Paris stößt und sich in den Aktivisten Sean verliebt, der im
Verlauf des Films erkrankt und am Ende stirbt. Auch wenn die Liebesgeschichte der beiden den Handlungsbogen bildet, steht die Gruppe
im Vordergrund, das gemeinsame Leben mit AIDS bei ACT UP Paris, das durch wiederkehrende Ereignisse (Treffen, Aktion, Tanz, Sex,
Tod) gekennzeichnet ist. Als Sean, bereits sehr krank, nach einem
Streit mit dem Vorsitzenden Thibaut, den Hörsaal zum letzten Mal wü-
tend verlässt, verschiebt sich der Fokus und in den letzten 35 Minuten
widmet sich der Film dem Sterben und dem Tod Seans. Er endet mit
einer erneuten Parallelmontage: Zum einen sehen wir Nathan und Thi-

bault beim Sex in der Nacht nach Seans Tod und zum anderen Seans politisches Begräbnis – eine Aktion, bei der seine Asche während eines Empfangs einer Versicherung auf dem Buffet verstreut wird.[4]

Der Hörsaal ist im Film als Treffpunkt der Ort, an dem alles zusammenfließt. Dort zeigt sich am deutlichsten, dass *120 BPM* ein Film über die (über-)lebenswichtige Funktion des Zusammenhandelns ist,[5] und wie dabei – in der Versammlung der Körper – eine Allianz entsteht. Wenn man ACT UP als einen Gemeinschaftskörper betrachtet, stellen die Treffen im Hörsaal, diesem »große[n] weiße[n] Raum ohne Fenster«, das »Gehirn« dar.[6] Campillo, der ab 1992 bei ACT UP Paris aktiv war, stellt seine Erfahrung der wöchentlichen Treffen zusammenfassend dar: »Es war ein Prozess der kollektiven Selbstermächtigung«[7] durch Sprechen.[8]

Ausgehend von den Szenen im Hörsaal gehe ich im Folgenden dem nach, was ich als »Ästhetik des Präsentischen« bezeichnen möchte – in Anlehnung an Isabell Loreys Überlegungen zur »Präsentischen Demokratie«;[9] einem Konzept, das Lorey unter anderem mit Bezug auf Walter Benjamins geschichtsphilosophischen und zeitpolitischen Begriff der »Jetztzeit« entwickelt.[10] Ausgehend von den

4   Diese Szene zitiert das politische Begräbnis von Cleews Vellay, der von 1992 bis zu seinem Tod 1994 Präsident von ACT UP Paris war. Campillo erinnert sich nicht mehr, ob damals wirklich echte Asche verstreut wurde – oder nicht. Robin Campillo zitiert nach Didier Péron, »Robin Campillo: ›Chaque action d'ACT UP était déjà enrobée par la fiction‹«, *Libération*, 20. August 2017 <https://www.liberation.fr/france/2017/08/20/robin-campillo-chaque-action-d-act-up-etait-deja-enrobee-par-la-fiction_1590949> [Zugriff: 3. Juni 2021].

5   Handeln und insbesondere »acting together« ist für Hannah Arendt nicht nur Grundlage des Politischen sondern stellt auch Öffentlichkeit her. Vgl. Hannah Arendt, *The Human Condition*, 2. Ausgabe (Chicago: University of Chicago Press, 1998), S. 198.

6   Jan Künemund, »AIDS hat meine Jugend zerstört«, Interview mit *120 BPM*-Regisseur Robin Campillo, *Spiegel Online*, 1. Dezember 2017 <https://www.spiegel.de/kultur/kino/aids-120-bpm-regisseur-robin-campillo-ueber-sex-und-die-achtziger-a-1180966.html> [Zugriff: 3. Juni 2021].

7   »Im Kampf gegen Aids: Eine filmische Hommage an die Aktivisten der ersten Stunde«, *Titel Thesen Temperamente*, ARD, 19. November 2017.

8   Künemund, »AIDS hat meine Jugend zerstört«.

9   Vgl. u. a. Isabell Lorey, »Präsentische Demokratie. Eine Neukonzeption der Gegenwart«, in *Der documenta 14 Reader*, hg. v. Quinn Latimer und Adam Szymczyk (München: Prestel, 2017), S. 169–202; Isabell Lorey, *Demokratie im Präsens. Eine Theorie der politischen Gegenwart* (Berlin: Suhrkamp, 2020).

10   Walter Benjamin, »Über den Begriff der Geschichte«, in ders., *Gesammelte Schriften*, hg. v. Hermann Schweppenhäuser und Rolf Tiedemann, 7 Bde. (Frankfurt a. M.: Suhrkamp, 1972–91), I (1974), S. 691–704.

Besetzungsbewegungen der 2010er Jahre und deren Politiken der Vielen, die Lorey als konstituierende Prozesse versteht, zielt sie auf eine Kritik an der liberalen repräsentativen Demokratie, die einem linearen Geschichtsverständnis anhängt.[11] Benjamins »Jetztzeit« geht ebenfalls von Kämpfen in der Gegenwart aus, die im Bezug auf frühere Kämpfe einen Bruch mit der linearen, »homogene[n] und leere[n] Zeit« produziert.[12]

Diese Überlegungen und Konzepte sind hier deshalb relevant, weil *120 BPM* die Kämpfe von ACT UP Paris nicht einfach als vergangene zeigt, sondern die Verbindungen von Gegenwart und Vergangenheit als performative Vergegenwärtigungen ins Bild setzt. Entlang dieser These soll im Folgenden die queere Zeitpolitik des Films aufgefaltet und entlang der inszenierten Versammlungen die Verschränkung von Erinnerung, Reenactment, Jetztzeit und »affektiver Geschichtsschreibung«[13] nachvollzogen werden. Es soll gezeigt werden, auf welche Weise der Film die frühen 1990er Jahren, die härteste Zeit der AIDS-Epidemie in Frankreich wie in den USA, und die heutige Zeit (die Zeit der Aufnahme, wie die Zeit der Aufführung) gleichermaßen ästhetisch und affektiv verbindet. Ich nähere mich hierfür der filmischen Darstellung der Versammlung von Körpern aus drei Perspektiven: Erstens interessiere ich mich für das Setting der Versammlung und ihre performative Dimension, zweitens diskutiere ich die Szenen, die die Versammlungen zeigen, als fiktionales Reenactment bzw. mit Elizabeth Freeman als *temporal drag*[14] und lote davon ausgehend das Verhältnis von Vergangenheit und (körperlicher) Vergegenwärtigung aus, und drittens versuche ich zu zeigen, dass die filmische Erinnerung innerfilmisch eine »Jetztzeit« im Sinne Loreys/Benjamins konstruiert und frage vor diesem Hintergrund nach dem affizierenden Potential des Films.

Am Beginn dieser Auseinandersetzung steht Campillos Aussage, dass er keinen historischen Film machen wollte, in dem seine frü-

---

11   Vgl. Lorey, »Präsentische Demokratie«, S. 171–73.

12   Walter Benjamin, »Über den Begriff der Geschichte«, S. 701.

13   Chris Tedjasukmana, *Mechanische Verlebendigung: Ästhetische Erfahrung im Kino* (Paderborn: Fink, 2014).

14   Elizabeth Freeman, *Time Binds: Queer Temporalities, Queer Histories* (Durham, NC: Duke University Press, 2010).

heren, vielfach verstorbenen Mitstreiter*innen und Freund*innen als »ghosts of the past« (Geister der Vergangenheit) auftauchen, sondern einen auf seinen Erinnerungen basierenden fiktionalen Film, der die Gegenwart wieder mit der Vergangenheit verbinden sollte.[15] Er selbst machte während seiner Zeit bei ACT UP Paris keine Filmaufnahmen, sondern beschreibt, dass sein Gedächtnis einer »recording machine« (Aufnahmegerät) gleich alles aufzeichnete,[16] worauf er beim gemeinsamen Schreiben des Drehbuchs mit Mangeot, der von 1997 bis 1999 Vorsitzender von ACT UP Paris war, zurückgriff:

> Es ist seltsam, ich habe den Film nie als historisches Stück geplant. Der Film ist ganz Erinnerung. Ich war in einem seltsamen Stadium damals, ich habe alles in meinem Kopf aufgezeichnet. Ich wollte diese Substanz hernehmen, sie in eine Architektur überführen. Es ging mir nicht um Bedeutung, sondern um die Suche nach einer Form und Perspektive. Ich wollte wissen, wie es damals funktioniert hat.[17]

Gemeinsam entschieden sie sich dafür, nicht einzelne reale Personen nachzuempfinden, sondern »die Musikalität der vielen verschiedenen Stimmen der Gruppe und die Intensität der Debatten während der Gruppentreffen zum Leben zu erwecken«.[18] Denn »die besondere Stärke der Bewegung kam«, so Campillo, »wahrscheinlich gerade aus der Spannung zwischen diesen unterschiedlichen Individuen und Fraktionen, die nach und nach lernten, eine gemeinsame Front zu bilden«.[19] Zentral hierfür war, dass das Ziel von ACT UP darin bestand,

15 Campillo in Todd Sekuler und Agata Dziuban, *Remembering HIV Activism Tomorrow – Engaging with an Ongoing History of Struggle. Discussion with Robin Campillo*, Dokumentation der Veranstaltung im Friedrichshain-Kreuzberg-Museum am 13. November 2017, Bonusmaterial der DVD-Veröffentlichung von *120 BPM* der Edition Salzgeber.

16 Ebd. Die hier aufgerufene Passivität der »Aufzeichnung« ist vor dem Hintergrund der Rekonstruktivität des Gedächtnisses bzw. der Nachträglichkeit der Erinnerung zu befragen.

17 Dominik Kamalzadeh, »>120 BPM< von Robin Campillo: >Ich hatte alles im Kopf aufgezeichnet<«, *Der Standard*, 1. Januar 2018 <https://www.derstandard.de/story/2000071204136/robin-campillo-ich-hatte-alles-im-kopf-aufgezeichnet> [Zugriff: 3. Juni 2021].

18 Robin Campillo, »Regisseur Robin Campillo über seinen Film«, Salzgeber <http://www.salzgeber.de/120bpm> [Zugriff: 28. März 2020]. Nichtsdestotrotz gibt es die Rahmenhandlung der Liebesgeschichte, die einerseits durch Campillos persönliche Erfahrung motiviert scheint, aber auch als Zugeständnis an kommerzielle Interessen gedeutet werden kann.

19 Ebd.

die Angst vor HIV und AIDS, die die 1980er Jahre geprägt hatten, in Stärke oder auch in Energie zu verwandeln, wie der Gründer von ACT UP Paris, Didier Lestrade, in seinem 2000 erschienenen Buch *Act Up, une histoire* schreibt.[20]

VERSAMMLUNG: DIE TREFFEN IM HÖRSAAL

120 BPM fokussiert in fiktionaler Form auf die verschiedenen Versammlungen der Gruppe – etwa Pride-Paraden oder *die-ins* und an einer Stelle in der Mitte des Films auch mithilfe von Originalaufnahmen damals durchgeführter Aktionen. Mich interessiert hier jedoch vor allem eine weitere Form der Versammlung: Die in den Hörsaalszenen abgebildeten wöchentlichen Treffen, die zwar ebenfalls öffentlich sind, aber doch in einem abgeschlossenen Raum stattfinden und das, was auf der Straße politisch erkämpft wird, ausdenken, vorbereiten, auswerten. Mit Michael Warner und Chris Tedjasukmana wäre hier von einer »queeren Gegenöffentlichkeit« zu sprechen,[21] verstanden als materieller Ort wie sozialer Raum, der sowohl ästhetische als auch poetische Dimensionen besitzt und »der queere Erfahrungsweisen ermöglich[t]«.[22] Die Szenen im Hörsaal zeigen die Treffen der Gruppe, die dem Erscheinen auf der Straße vorausgehen, bei denen aber die Versammlung von Körpern und der Austausch zentral für das sind, was ACT UP ausmachte, nämlich die bereits zitierte Transformation von Angst in Energie, Stärke, gemeinsames Handeln. Die Gruppentreffen setzen die gleichermaßen an sich selbst wie an die Öffentlichkeit gerichtete Forderung des »ACT UP«, ebenso wie den Slogan »Action = Life« um und verkehren die Losung »Silence = Death« in ihr Gegenteil: Sprechen = Leben.

Gegenwärtige Versammlungstheorien haben sich vor allem ausgehend von den verschiedenen Besetzungsbewegungen in New York, Athen, Istanbul und in Spanien oder den Arabischen Revolutionen mit

20   Didier Lestrade, *Act Up, une histoire* (Paris: Denoël, 2000), S. 96.

21   Michael Warner, »Publics and Counterpublics«, *Quarterly Journal of Speech*, 88.4 (2002), S. 413–25; Chris Tedjasukmana, »Feel Bad Movement: Affekt, Aktivismus und queere Gegenöffentlichkeit«, in *I is for Impasse. Affektive Querverbindungen in Theorie_Aktivismus_Kunst*, hg. von Käthe von Bose, Ulrike Klöppel, Katrin Köppert, Karin Michalski und Pat Treusch (Berlin: b_books, 2015), S. 19–32.

22   Tedjasukmana, »Feel Bad Movement«, S. 26.

Versammlungen in der Öffentlichkeit beschäftigt, wobei damit meist Versammlungen auf der Straße, auf Plätzen, unter freiem Himmel gemeint waren.[23] Auch Judith Butlers Überlegungen zu einer performativen Theorie der Versammlung, auf die ich mich im Folgenden beziehe, rücken diese ins Zentrum.[24] Ein zentraler Gedanke Butlers ist, dass in »der Performativität de[r] Körper eine bestimmte Art des Handelns und des Sprechens« zusammen kommen, »wobei besprochen wird, was getan, und ausagiert, was gesprochen wird«.[25] Im Film sind es verletzliche, gefährdete, kranke Körper (neben Schwulen, Lesben, Bisexuellen, Trans* auch Sexarbeiter*innen, Drogenabhängige, ehemals Inhaftierte und Bluter*innen), die allein dadurch, dass sie sich versammeln, aus dem Schweigen heraustreten und zugleich artikulieren und auf- bzw. ausführen, dass gemeinsames Handeln (Über-) Leben bedeutet. Handeln und Sprechen fallen hier zusammen, »die politische Forderung wird zugleich inszeniert und gestellt, exemplifiziert und kommuniziert«.[26] Sehr deutlich zeigen die Szenen, dass die einzelnen gleichermaßen verletzlichen wie handlungsfähigen Körper stets abhängig von sozialen und anderen Netzwerken, ebenso wie von Infrastrukturen und Architekturen sind. Butler erinnert daran, dass der Begriff »queer« nicht eine Identität bezeichnet, sondern Allianz – Allianzen, die in Kämpfen für Rechte und Gerechtigkeit auf der Straße entstehen.[27] Mit Bezug zu Hannah Arendt betont sie die Angewiesenheit dieser Kämpfe auf Unterstützung durch die räumlichen Gegebenheiten, etwa den Platz oder die Straße, die als materielle Umgebung an der Aktion beteiligt sind, während die Allianz der Körper ihren eigenen gleichsam mobilen Erscheinungsraum hervorbringt.[28] Im Film bildet nicht nur die Straße die Infrastruktur, sondern insbesondere auch der Hörsaal, in dem das gemeinsame Versammeln auf

---

23   U. a. Isabell Lorey, Jens Kastner, Tom Waibel und Gerald Raunig, *Occupy! Die aktuellen Kämpfe um die Besetzung des Politischen* (Wien: Turia + Kant, 2012); *The Art of Being Many: Towards a New Theory and Practice of Gathering*, hg. v. geheimagentur, Martin Jörg Schäfer und Vassilis Tsianos (Bielefeld: transcript, 2016); Michael Hardt und Antonio Negri, *Assembly* (Oxford: Oxford University Press, 2017).

24   Judith Butler, *Notes towards a Performative Theory of Assembly* (Cambridge, MA: Harvard University Press, 2015).

25   Ebd., S. 7.

26   Ebd., S. 12.

27   Ebd., S. 70.

28   Ebd., S. 71, 73, 77.

der Straße vorbereitet wird. Und ebenso stellen die Szenen im Hörsaal das dramaturgische Gerüst, die Architektur des Films dar.

Die wöchentlichen Treffen, die im Fall von ACT UP Paris tatsächlich lange Zeit in einem Hörsaal einer Kunsthochschule stattfanden, sind als Versammlungen bereits Teil der gemeinsamen Aktion. Nach Butler artikulieren Körper, die sich in der Öffentlichkeit versammeln und so ihr Recht zu Erscheinen ausüben, ihre Forderungen für die »Möglichkeit eines lebbaren Lebens« allein dadurch, dass sie sich öffentlich versammeln.[29] Im Kontext von ACT UP ist es der Angriff auf bestimmte Körper, nämlich Körper von Menschen mit AIDS,[30] der die einzelnen Körper versammeln lässt; die Versammlung ist die Voraussetzung dafür, nicht nur das eigene, sondern ebenso auch andere (teilweise zukünftige) Leben zu erhalten. Die vielen Szenen im Hörsaal machen sichtbar und damit nachvollziehbar, dass das Versammeln und gemeinsame Sprechen als Zusammenhandeln gleichermaßen konfliktreich wie stärkend ist. Campillo erinnert sich im Interview an das Gefühl überbordender Freude (»jubilation«), die durch die Überwindung des Schweigens im Zusammenkommen und Sprechen bei ACT UP ausgelöst wurde.[31]

REENACTMENT ALS »TEMPORAL DRAG«

Wie ist aber der Umstand zu analysieren, dass es sich um fiktionale filmische Darstellungen von Versammlungen handelt? Ebenso wie der Club (in den Tanzszenen) dem Kino ähnelt – in seiner Herstellung eines kollektiven Moments, der den Zuschauer*innen allein, aber gemeinsam im Dunkeln wiederfährt, es sich also um Orte handelt, die als »intime Öffentlichkeit« beschrieben werden können,[32] so korrespondiert auch die räumliche Anordnung des *amphithéâtre*, wie das Auditorium auf Französisch bezeichnet wird, mit der des Kinosaals – als sein Negativ ist es jedoch in helles Licht getaucht. Insbesondere bei

---

29   Übers. M.F., Orig.: »a possibility of a livable life«; siehe ebd., S. 25.

30   Vgl. Douglas Crimp, »Porträts von Menschen mit AIDS (1992)«, in *Gender & Medien Reader*, hg. v. Kathrin Peters und Andrea Seier (Zürich: Diaphanes, 2016), S. 159–76.

31   Sekuler und Dziuban, *Remembering HIV Activism Tomorrow*.

32   Heide Schlüpmann, *Öffentliche Intimität. Die Theorie im Kino* (Frankfurt a. M.: Stroemfeld, 2002).

der filmischen Einführung des Hörsaals zu Beginn des Films werden
die Zuschauer*innen in diesen von einem Außen abgetrennten, fens-
terlosen Raum und seine Praktiken der Versammlung hineingezogen
– weniger durch die verbalen Ausführungen der Protagonist*innen
als durch die Führung der Kamera, die diese zwischendurch immer
wieder verlässt und den Blick auf die Bewegungen von Körpern im
Raum schweifen lässt, seien es informelle Gespräche, Vorbereitungen
des Treffens oder das Eintreffen der Mitglieder.

Für die Inszenierung und Aufnahme der Treffen haben Campillo
und die Kamerafrau Jeanne Lapoirie eine bestimmte Methode entwickelt:

> Wir begannen damit, jede Szene von Anfang bis Ende so
> schnell wie möglich mit drei Kameras gleichzeitig aufzuneh-
> men. Die Szene war dabei noch nicht richtig ausgeleuchtet, der
> Ton war noch nicht gut, aber wir haben es erstmal so durchge-
> zogen. [...] Take für Take haben wir dann kleine Anpassungen
> vorgenommen. So entstand ein gewisser Fluss.[33]

Die hauptsächlich queeren Schauspieler*innen ließen sich, so Campillo, auf diese langen Szenen ein.[34] In den im Hörsaal gedrehten Aufnahmen scheint das Anliegen Campillos realisiert, »diese Geschichte
(zu) vergegenwärtigen, als ob sie direkt hier vor unseren Augen stattfindet«.[35] Campillo beschreibt weiter, wie seine Erkenntnis, dass die
jungen Darsteller*innen bis dahin sehr wenig oder nichts über das Aus-
maß der Epidemie und die Geschichte von ACT UP Paris wussten, ihn
während des Drehs dazu veranlasste, den Film als eine Genealogie von
AIDS und des Kampfes dagegen zu denken, allerdings aus einer emo-
tionalen, sinnlichen Perspektive. Die Fiktionalisierung der Erinnerung
ermöglicht die performative Vergegenwärtigung und die Überführung
des Geschehens als ein von den Darsteller*innen Erlebtes ins Heute
der Produktion.

Bevor ich darauf eingehe, welche zeitpolitischen Konsequenzen
sich aus diesem Ansatz ergeben, den man mit Shawn Michelle Smith

---

33 Campillo, »Regisseur Robin Campillo über seinen Film«.
34 Ebd.
35 Übers. M.F., Orig.: »I wanted to make this story present, like it's happening right
    here in front of our eyes«; siehe Sekuler und Dziuban, *Remembering HIV Activism
    Tomorrow*.

auch als eine Form von »Vergangenheit fühlen« (Feel the Past)[36] bezeichnen könnte, sei hier kurz daran erinnert, dass die Dimension der
Verkörperung für ACT UP von grundlegender Bedeutung war: Nämlich einerseits im Hinblick auf die Selbstrepräsentation von Menschen
mit AIDS und andererseits als physische Versammlung und Aktion
von Körpern mit AIDS – unter der Prämisse, dass alle bei ACT UP
unabhängig von ihrem Status in der Öffentlichkeit als Menschen mit
AIDS auftreten und wahrgenommen werden.

Im Film verkörpern vorwiegend queere Schauspieler*innen Menschen mit AIDS und performen oder *(re-)enacten* die damaligen, aber
für den Film fiktionalisierten Debatten und Aktionen. Die Performances der Schauspieler*innen basieren also auf den persönlichen
Erinnerungen an erlebte Ereignisse. Wichtig ist hier auch die Kleidung
der frühen 1990er Jahre, die weit geschnittenen Bomberjacken und
Jeans, die nicht nur körperliche Bewegungen und Gesten, sondern, wie
Mangeot betont, auch die Zeit hervorbringen, der sie entstammen:

> Maybe the cut is one centimetre more, but I watched them
> walking in those jeans and it's incredible, because one centime-
> tre changes completely the way you move and suddenly I got
> the impression that they were us. I was back, and it was so
> moving.[37]

Die Darstellung der Schauspieler*innen aktiviert also die fiktionalisier-
te Vergangenheit in der Gegenwart – und zwar performativ durch den
Vollzug ohne direktes (audiovisuelles) Vorbild. Damit unterscheidet
sich *120 BPM* auf entscheidende Weise von den Reenactments von
Aktionen von ACT UP New York, wie sie etwa in der ersten Folge
der zweiten Staffel der Serie *Pose* zu sehen sind.[38] In *Pose* dienen die

---

36   Vgl. Shawn Michelle Smith, »Photographic Reenactments: Carrie Mae Weems's Con-
     structing History«, Vortrag gehalten im Rahmen der Ringvorlesung »Violence in the
     Arts« des DFG-Graduiertenkollegs »Das Wissen der Künste«, Universität der Künste
     Berlin, 28. Januar 2019.
37   Philippe Mangeot in Stephen A. Russell, »In Love and War: Philippe Mangeot on
     Writing *120 BPM*«, *Special Broadcasting Service*, 7. März 2018 <https://www.sbs.com.
     au/movies/article/2018/03/05/love-and-war-philippe-mangeot-writing-bpm>
     [Zugriff: 3. Juni 2021]; siehe auch Campillo, »Regisseur Robin Campillo über seinen
     Film«.
38   *Pose*, Konzept: Ryan Murphy, Brad Falchuk und Steven Canals (Color Force, Fox 21
     Television Studios, FX Network, 2018–21).

während der Aktionen aufgezeichneten Videos als Ausgangsmaterial der Inszenierung, etwa der »Stop the Church«-Aktion in der St.
Patrick's Cathedral in New York City am 10. Dezember 1989 – und
damit wird nicht nur der Aktion selbst, sondern auch dem Video-
Aktivismus von ACT UP New York ein Denkmal gesetzt.[39] Allerdings
widerspricht gerade das Bemühen um Originaltreue, das sich durch
die remediatisierende Bezugnahme auf filmische Quellen ergibt, in
Pose einem affektiven Zugang des »Fühlens der Vergangenheit«.[40]
Elizabeth Freeman betont:

> We can »feel« the past only through a second-order represen-
> tation of it, in a visual or linguistic medium that evokes other
> senses, or through a physical reenactment that, given the new
> context in which it takes place, can never be a perfect capture.
> But even reenactment cannot recreate the way that perfor-
> mances worked in their own moment to recruit beholders into
> their scene.[41]

In *120 BPM* sind es also die in das Drehbuch von Campillo und
Mangeot eingeflossenen Erinnerungen, die die Performances der Darsteller*innen anleiten, dabei aber gerade auf die originalgetreue Umsetzung des Gewesenen verzichten. Gleichwohl handelt es sich um
körperliche Aktualisierungen der erinnerten und für den Film fiktionalisierten Vergangenheit. Sie zeichnen sich, so lässt sich mit Rebecca

---

39 Rebecca Patton, »Images of the Die-In that Inspired the One on ›Pose‹ Will Take your
    Breath Away«, *Bustle*, 11. Juni 2019 <https://www.bustle.com/p/photos-of-real-
    act-up-protests-the-pose-die-in-show-just-how-realistic-the-show-is-17995291>
    [Zugriff: 3. Juni 2021]; Michael J. O'Loughlin, »›Pose‹ Revisits Controversial
    AIDS Protest inside St. Patrick's Cathedral«, *America: The Jesuit Review*, 21. Juni
    2019 <https://www.americamagazine.org/arts-culture/2019/06/21/pose-revisits-
    controversial-aids-protest-inside-st-patricks-cathedral> [Zugriff: 3. Juni 2021]. Zum
    AIDS-Videoaktivismus vgl. u. a. Gregg Bordowitz, »Picture of a Coalition«, in ders.,
    The AIDS Crisis Is Ridiculous and Other Writings (Cambridge, MA: MIT Press, 2004),
    S. 19–41; Jim Hubbard, »AIDS-Videoaktivismus und die Entstehung des ›Archivs‹«,
    in *Queer Cinema*, hg. v. Dagmar Brunow und Simon Dickel (Mainz: Ventil, 2018), S.
    82–105.
40 Die Serie porträtiert die New Yorker Ballroom-Subkultur aus Perspektive von meh-
    reren trans* Frauen. Vorlage hierfür war der Dokumentarfilm *Paris Is Burning*, Regie:
    Jennie Livingston (Off White Productions, 1990), der auch ein wichtiger Bezugspunkt
    in Butlers Geschlechtertheorie ist. Vgl. Judith Butler, *Körper von Gewicht. Die diskursi-
    ven Grenzen des Geschlechts*, übers. v. Karin Wördemann (Frankfurt a. M.: Suhrkamp,
    1997), S. 171–97.
41 Elizabeth Freeman, *Beside You in Time: Sense Methods and Queer Sociabilities in the
    American Nineteenth Century* (Durham, NC: Duke University Press, 2019), S. 18–19.

Schneider festhalten, durch eine »synkopierte Zeit« aus, »in der sich
Damals und Jetzt gegenseitig unterbrechen«.[42] Sie führt aus, dass etwa
durch »den Überrest der Geste oder der übergreifenden Zeitlichkeit
der Pose« eine Berührung der Vergangenheit ermöglicht werde.[43]

Schneider bezieht sich hier unter anderem auf Elizabeth Freemans
Überlegungen zur Queerness von zeitlichen Reenactments, die diese
unter dem Begriff »temporal drag« als generationsübergreifende Auseinandersetzung fasst.[44] Freeman geht es mit diesem Begriff vor allem
darum, auf die Verbindungen von queerer Performativität zu geleug-
neten oder nicht erinnerten politischen Geschichten hinzuweisen. Sie
fragt, »ob einige Körper eine Art zeitlicher Transitivität artikulieren
können, indem sie auf ihren eigenen Oberflächen die Kopräsenz einiger historisch spezifischer Ereignisse, Bewegungen, und kollektive
Vergnügen registrieren«[45] und führt schließlich aus, dass die Vergangenheit gerade nicht nur vergangen, sondern auch co-präsent sei.[46]
Diese unterbrechende Energie affektiver Übertragung kann als dasje-
nige verstanden werden, was, wie Schneider ausführt, Vergangenheit
und Gegenwart gegenseitig punktiert.[47]

Freemans Ausführungen stehen in Beziehung zur von ihr beob-
achteten reparativen Methode der »erotohistoriography«, die sie in
Literatur und fiktionalen Filmen am Werk sieht:

> Erotohistoriography is distinct from the desire for a fully
> present past, a restoration of bygone times. Erotohistoriogra-
> phy does not write the lost object into the present so much
> as encounter it already in the present, by treating the present
> itself as hybrid. And it uses the body as a tool to effect, figure,
> or perform that encounter. [...] It sees the body as a method,

---

42 Übers. M.F., Orig.: »syncopated time [...] where then and now punctuate each
   other«; siehe Rebecca Schneider, *Performing Remains: Art and War in Times of Theatrical Reenactment* (London: Routledge, 2011), S. 2.

43 Übers. M.F., Orig.: »the residue of the gesture or the cross-temporality of the pose«;
   siehe ebd.

44 Freeman, *Time Binds*, S. 62.

45 Übers. M.F., Orig.: »Might some bodies, in registering on their very surfaces the co-
   presence of several historically specific events, movements, and collective pleasures
   [...] articulate [...] a kind of temporal transitivity [...]?« Siehe Elizabeth Freeman,
   »Packing History, Count(er)ing Generations«, *New Literary History*, 31.4 (2000), S.
   727–44, hier S. 729.

46 Vgl. ebd., S. 742.

47 Schneider, *Performing Remains*, S. 15.

and historical consciousness as something intimately involved with corporeal sensations.[48]

In den filmischen Reenactments von Campillos Erinnerungen in *120 BPM* werden die Körper der Schauspieler*innen zu Werkzeugen, die die Begegnung mit der Vergangenheit in der Gegenwart ermöglichen, wobei die Gegenwart als von der Vergangenheit durchzogen zu denken ist. Die Körper der Darsteller*innen bringen im performativen Vollzug der Reenactments die von Campillo beschriebene »elektrisierende« und »jubilierende« Stimmung – selbst oder gerade in Situationen des Konflikts –, die bei den Treffen kollektiv erfahren wurde, hervor und für die Zuschauer*innen zur Darstellung.[49]

Das Medium Film zeichnet sich allerdings dadurch aus, dass es die Gegenwart der Aufzeichnung zeigt, ich aber als Zuschauer*in immer von dieser getrennt bzw. abwesend bin. Mit Simon Rothöhler und Stanley Cavell lässt sich hier von einer Gegenwärtigkeit sprechen, die »die zeitliche Distanz zur Vergangenheit selbst ästhetisch erfahrbar macht«.[50] Denn: »Ein Film, der ein profilmisches Reenactment inszeniert und dokumentiert, verdoppelt so gesehen die bereits medial gegebene Konstellation: Er re-präsentiert eine Repräsentation von Geschichte.«[51] In *120 BPM* sind es die im Drehbuch notierten mentalen Erinnerungen, die durch das Reenactment der Schauspieler*innen zur Aufführung kommen, die wiederum mit der Kamera aufgezeichnet wird. Mit Rothöhler weitergedacht, ließe sich argumentieren, dass dadurch eine Gegenwärtigkeit entsteht, die den Eindruck vermittelt, die Körper und Gesten seien weniger vergangen als aktualisierbar, das heißt wiederholbar.[52]

Damit vertraut Campillo der Affizierung seiner Schauspieler*innen durch seine in das Drehbuch eingeflossenen fiktionalisierten Erinnerungen – *reenactet* werden also nicht einfach oder ausschließlich historische Ereignisse, sondern vielmehr die Erinnerung an eine

---

48 Freeman, *Time Binds*, S. 96–97.
49 Sekuler und Dziuban, *Remembering HIV Activism Tomorrow*.
50 Simon Rothöhler, *Amateur der Weltgeschichte. Historiographische Praktiken im Kino der Gegenwart* (Zürich: Diaphanes, 2011), S. 46; Rothöhler bezieht sich hier auf Stanley Cavell, *The World Viewed: Reflections on the Ontology of Film* (Cambridge, MA: Harvard University Press, 1979), S. 23, 26.
51 Ebd., S. 48.
52 Ebd., S. 48–49.

erlebte Situation, die eine Bewegung durch virale wie erotisch-
elektrisierende Übertragung, Affizierung entstehen ließ. Diese
Idee kommt gleich zu Beginn des Films zur Darstellung, wenn in
der Szene im Club die Kamera sich nach oben zurückzieht und
schließlich nicht mehr die tanzenden Körper, sondern die diese
umgebenden, zwischen ihnen schwirrenden Partikel im Raum zu
sehen sind. Campillo und Lapoirie machen sich hier die Fähigkeit
der Kamera (mit Hilfe digitaler Bearbeitung) zunutze, filmisch etwas
wahrnehmbar zu machen, was außerfilmisch unsichtbar bleibt, um die
erotisch-affektive wie virale Übertragung als mediale zu zeigen, was
erkennbar wird, wenn aus den flirrenden Partikeln sich eine Ansicht
des Virus herausschält, die zurück in den Hörsaal führt (s. Abb. 11).
Das Virus und die damit verbundene Lebensgefahr unterbrechen hier
jedoch nicht die Erotik/Affizierung, sondern verstärken diese.[53]

AFFEKTIVE GESCHICHTSSCHREIBUNG UND AKTIVIERENDE KINOERFAHRUNG

Ob und wie die für das filmische Reenactment zentrale Affizierung die
Leinwand überschreitet, möchte ich abschließend anhand einer Mon-
tagesequenz in der Mitte des Films weiter vertiefen: In zahlreichen
kurzen Szenen erzählt sie vom Sterben des jungen Aktivisten Jérémy.
Sie beginnt im Hörsaal in der Pause eines Treffens und endet mit
seinem politischen Begräbnis. Zwischen die Einstellungen, die die zunehmende Verschlechterung von Jérémys Zustand und schließlich den
Trauerzug zeigen, sind Originalaufnahmen von Aktionen von ACT
UP Paris geschnitten, die sich inhaltlich mit dem Monolog verbinden,
der während der gesamten Dauer der Sequenz aus dem Off zu hören
ist. Mit Fokus auf das Verhältnis von filmischer Vergegenwärtigung
und Erinnerung soll gezeigt werden, dass sich die (queere) Zeitpolitik
der Sequenz dadurch auszeichnet, dass die innerdiegetische Zeit als
»Jetztzeit« etabliert wird.

---

53 »I had a friend with HIV whose boyfriend was dying, and he told me, ›Maybe I'm not
in love with him, maybe it's because of the disease that I feel love.‹ Gay couples then –
it's not like now – were sometimes only together for six months before one died. And
you had to share death with someone you maybe didn't know so well«; siehe Campillo
in Roger Clarke, »The Body Politic«, *Sight & Sound*, 28.5 (May 2018), S. 18–21, hier
S. 21.

In »Über den Begriff der Geschichte« formuliert Walter Benjamin, dass »Vergangenes historisch artikulieren heißt [...], sich einer Erinnerung zu bemächtigen, wie sie im Augenblick einer Gefahr aufblitzt«.[54] Für Benjamin ist Geschichte »Gegenstand einer Konstruktion, deren Ort nicht die homogene und leere Zeit sondern die von Jetztzeit erfüllte bildet«.[55] Wie Lorey in einem ihrer Aufsätze zur »Präsentischen Demokratie« ausführt, ist die »Jetztzeit [...] eine Konstellation zwischen dem Jetzt und dem Vergangenen, in der die Konstruktion von Geschichte offensichtlich wird. Jetztzeit ist die Zeit, in der Kämpfe stattfinden (die jedoch nicht notwendigerweise das Kommando der herrschenden Klasse aufsprengen).«[56] Um das Verhältnis von Gegenwart und Vergangenheit zu bestimmen, führt Benjamin die Figur des »Tigersprungs ins Vergangene« ein. Die Kämpfe der Jetztzeit vollziehen einen »Tigersprung ins Vergangene«, die so einen Bruch mit der Kontinuität der Geschichte (der Sieger) hervorrufen und in der Vergangenheit, das heißt in vergangenen Kämpfen, »das Aktuelle aufspür[en]«.[57]

In der eben skizzierten Sequenz wird filmisch ein doppelter Tigersprung versucht, »im Augenblick der Gefahr«,[58] der im Film als vergangen und zugleich gegenwärtig gezeigt und mit zwei Erinnerungen kurzgeschlossen wird: In seinem Monolog evoziert Jérémy die Erinnerung an den 23. Februar 1848, als nach der gewaltsamen Niederschlagung von Protesten die Leichen auf Karren durch Paris gezogen wurden, um Öffentlichkeit für die Ermordeten und die Umstände ihres Todes zu schaffen: »Diese Leichenparade [läutete] das Ende der Monarchie ein.« Auf der Bildebene sehen wir parallel dazu Footage von verschiedenen, in den frühen 1990er Jahre durchgeführten militanten Aktionen von ACT UP Paris: Ist im Monolog etwa von Barrikaden die Rede, sehen wir im Bild, wie Barrikaden gebaut werden (s. Abb. 13 und Abb. 14). Mit dieser Verbindung von Kämpfen in der Mitte des 19. Jahrhunderts mit denen am Ende des 20. Jahrhunderts vollzieht der Film einen Tigersprung, der durch die zeitliche Differenz

---

54 Benjamin, »Über den Begriff der Geschichte«, S. 695.
55 Ebd., S. 701.
56 Lorey, »Präsentische Demokratie«, S. 177.
57 Ebd., S. 180.
58 Benjamin, »Über den Begriff der Geschichte«, S. 695.

Abb. 13–14. *120 BPM*, Regie: Robin Campillo (Les Films de Pierre, 2017), Screenshots, Copyright Edition Salzgeber/Les Films de Pierre.

zwischen dem »Jetzt« der innerdiegetischen Zeit und dem der auf Video dokumentierten, aber kaum erinnerten Aktionen von ACT UP Paris verdoppelt wird. Am deutlichsten wird dies an dem Trauerzug für Jérémy am Ende der Sequenz, wenn die Straßen von Paris etwa an den Schaufenstern der Geschäfte als heutige (zum Zeitpunkt der Aufnahme) und der Zug selbst als Reenactment der vergangenen Kämpfe erkennbar werden, auch wenn hier wiederum nicht versucht wird, sich dem Original des Footage anzunähern (s. Abb. 15–18). Sichtbar wird hier vielmehr das Jetzt der Aufnahme als Moment, der den Tigersprung notwendig und möglich macht. Denn, wie Lorey betont, ist die Jetztzeit »gerade keine Zeitlichkeit, die selbstidentisch bei sich bleibt, als unmittelbare Präsenz, als Authentizität von Körper und Affekt oder als reine Befindlichkeit«.[59] Vielmehr »ist [sie] konstruktive Zeitlichkeit, in der die Splitter der Geschichte neu zusammengesetzt werden, in der Geschichte unentwegt entsteht. Jetztzeit ist schöpferischer Mittelpunkt, kein Übergang des Vergangenen in die Zukunft.«[60] Campillo weiß um die Rekursivität von Geschichte und Erinnerungen und bringt die vergangenen Kämpfe in dieser Sequenz als aktuelle ins Bild, die nicht nur die Geschichte neu zusammensetzt, sondern die Möglichkeit heutiger Kämpfe eröffnet.

Chris Tedjasukmana bezieht sich in seiner Studie zur ästhetischen Erfahrung im Kino, *Mechanische Verlebendigung*, auf Benjamins konstruktive Geschichtspolitik, um seine These der affektiven Geschichtsschreibung zu entwickeln und rückt sie in die Nähe der Trauerarbeit bei Sigmund Freud. Er erinnert daran, dass die Konstruktion, das

---

59   Isabell Lorey, »Präsentische Demokratie. Exodus und Tigersprung«, *transversal blog*, Juni 2014 <https://transversal.at/blog/praesentische-demokratie> [Zugriff: 3. Juni 2021].

60   Ebd.

Abb. 15–18. *120 BPM*, Regie: Robin Campillo (Les Films de Pierre, 2017), Screenshots, Copyright Edition Salzgeber/Les Films de Pierre.

Zusammentreffen von Gegenwart und Vergangenheit in der Jetztzeit, sich am Modell der Filmmontage orientiert. Der Bezug zur Trauer ist deshalb relevant, weil die affektive Geschichtsschreibung, worunter Tedjasukmana ein erweitertes Verständnis der ästhetischen Erfahrung im Kino fasst, insbesondere im »Zeichen der Trauer« stehe.[61] Es gehe dabei um die ästhetische Produktion negativer Affekte, die niemals nur negativ sind, gerade weil sie ästhetisch erfahren werden und sich mit der Lust an der Filmerfahrung verbinden. Worauf es Tedjasukmana ankommt ist, dass der Film aber als fiktionale ästhetische Form, »das Potenzial einer affektiven Erfahrung *verlorener Möglichkeiten*« besitzt,[62] die sich aus der Verlebendigung des Vergangenen ergibt und eine Verbindung zwischen Zeiten und Räumen herstellt, in der Vergegenwärtigung und Aktualisierung, Erinnerung und Trauer gleichzeitig auftreten.[63] Das Potenzial von Kino-Affekten beschränkt sich aber, so lässt sich an *120 BPM* sehr gut sehen, nicht darauf, nur schlechte Gefühle wahrnehmbar zu machen, sondern auch gute, aber gleichermaßen vergessene, verdrängte, geleugnete, wie etwa die »Energie« und der »Jubel«, die in den Reenactments der Versammlungen im Hörsaal zur Aufführung kommen und zugleich dabei entstehen.

Dies deutet auf die »Vorstellung des Glücks«, die, so ließe sich mit Bezug zu Benjamin sagen, mit der eigenen Erfahrung in der Gegen-

61   Chris Tedjasukmana, *Mechanische Verlebendigung*, S. 189.
62   Ebd., S. 190.
63   Vgl. Tedjasukmana, »Feel Bad Movement«, S. 30.

wart verbunden und zugleich »durch und durch von der Zeit tingiert«
ist.[64] In dieser Vorstellung »schwingt [...] unveräußerlich die der
Erlösung mit«. Dieser Bezug zur Erlösung ergibt sich für Benjamin
aus einem »heimlichen Index«, einer »geheimen Verabredung zwischen den gewesenen Geschlechtern und unserem« und äußert sich
als »schwache messianische Kraft [...], an welche die Vergangenheit
Anspruch hat«.[65] Wie Astrid Deuber-Mankowsky ausführt, kann die
»schwache messianische Kraft« gerade aufgrund der »geheimen Verabredung« als Aufruf zur Selbstverantwortung verstanden werden, der
sich daraus ableitet, dass »wir auf der Erde erwartet worden« sind:[66]
»That means nothing other than that it is we, or rather it is every new
generation, from whom salvation is expected.[67] Und damit ermöglicht
die Verabredung mit den Verstorbenen eine Öffnung auf eine mögliche
Zukunft.[68]

120 BPM scheint um diese »geheime Verabredung« zu wissen;
diese überträgt sich auch, so möchte ich abschließend argumentieren, in den affektiven Querverbindungen zwischen Leinwandgesche-
hen und Zuschauer*innen. Wie Deuber-Mankowsky an anderer Stelle
ausführt, deutet Gilles Deleuze »Kunstwerke als bewahrte Empfindungen«.[69] Nach Deleuze besteht das Ziel der Kunst darin, »den
Affekt den Affektionen als Übergang eines Zustands in einen anderen zu entreißen«.[70] Ausgehend von dieser Beobachtung lassen sich
Affekte als »*Werdensprozesse*« fassen.[71] Deuber-Mankowsky schreibt:

---

64 »Glück, das Neid in uns erwecken könnte, gibt es nur in der Luft, die wir geatmet
    haben, mit Menschen, zu denen wir hätten reden, mit Frauen, die sich uns hätten
    geben können.« Siehe Benjamin, »Über den Begriff der Geschichte«, S. 693. Ich
    danke Astrid Deuber-Mankowsky für den Hinweis auf die zweite These aus diesem
    Aufsatz sowie auf ihre Auseinandersetzung mit dieser, vgl. Astrid Deuber-Mankowsky,
    »The Image of Happiness We Harbor: The Messianic Power of Weakness in Cohen,
    Benjamin, and Paul«, übers. v. Catharine Diehl, *New German Critique*, 35.3 (105) (Fall
    2008), S. 57–69, insb. S. 68–69.
65 Benjamin, »Über den Begriff der Geschichte«, S. 693–94.
66 Ebd., S. 694.
67 Deuber-Mankowsky, »The Image of Happiness We Harbor«, S. 69.
68 Ebd.
69 Astrid Deuber-Mankowsky, *Queeres Post-Cinema. Yael Bartana, Su Friedrich, Todd
    Haynes, Sharon Hayes* (Berlin: August Verlag, 2017), S. 70.
70 Gilles Deleuze und Félix Guattari, *Was ist Philosophie?* (Frankfurt a. M.: Suhrkamp,
    2000), S. 196.
71 Deuber-Mankowsky, *Queeres Post-Cinema*, S. 70.

Affekte »öffnen einen Raum der Differenz, der zugleich ein Raum des Wünschens ist, in dem sich gegenwärtige Wünsche und gegenwärtiges Begehren und längst vergangene Wünsche und längst vergangenes Begehren durchkreuzen«.[72] Damit ermöglicht die ästhetische Erfahrung nicht nur einen Zugang zur Gegenwart, »sondern auch zur Potentialität der Vergangenheit«.[73]

Die Ästhetik des Präsentischen in *120 BPM*, die im Zusammenspiel von Reenactments und fließender wie verdichtender (Parallel-)Montage entsteht, macht die Dringlichkeit aber auch die Potentialität der damaligen Situation ästhetisch erfahrbar und wird zugleich auch als filmische Trauerarbeit erkennbar, die aber im Tigersprung die Gegenwart hin auf eine Zukunft öffnet. Der Film zeigt die lebenswichtige Funktion, die das Versammeln, das Sprechen – kurz, das Zusammenhandeln – in den Kämpfen von ACT UP angesichts des möglichen Todes hatte und hat. Zentral sind hierfür die vielfältigen Verbindungen, die zwischen den Einzelnen temporär oder gar langfristig entstehen – ausgelöst durch das Begehren und die Glücksmomente des gemeinsamen Handelns. Deuber-Mankowsky erinnert daran, dass Deleuze die Potentialität an »möglichen Bezugnahmen auf das öffentliche Ereignis der Revolution« festmacht,[74] für die irrelevant ist, ob diese gescheitert ist oder nicht, wichtig sind allein die »Schwingungen, [...] Umklammerungen, [...] Öffnungen, die sie den Menschen im Moment ihres Vollzugs gab«.[75] Der »Sieg einer Revolution« bemisst sich daher »in den neuartigen Banden, die sie zwischen den Menschen stiftet«, wie flüchtig diese auch sein mögen.[76] *120 BPM* zeigt uns die Potentialität der vergangenen Kämpfe als Vergegenwärtigung, die diese auf Basis der so neu entstehenden, affektiven Verbindungen – auch außerfilmisch – wiederholbar macht.

---

72   Ebd.
73   Ebd., S. 71.
74   Ebd.
75   Deleuze und Guattari, *Was ist Philosophie?*, S. 209.
76   Ebd.

Queer-feministischer Film-Aktivismus gegen Prekarisierung

NATASCHA FRANKENBERG

Ich werde in diesem Artikel zwei Filme in Beziehung setzen. Dabei handelt es sich um das schwedische Musical *Folkbildningsterror* und um den Film *The Owls*, der dokumentarische Elemente mit Thriller-Elementen verbindet.[1] Über die Analyse der Inszenierung von queerer Gemeinschaft in den beiden Filmen möchte ich mich ihrer Verhandlung von Prekarität im queeren Kino nähern. Beide Filme verbinden ihre Positionen zu Prekarität und Gemeinschaft mit Überlegungen zur Wirkmächtigkeit des Mediums. Sie setzen sich mit Gemeinschaft im Medium Film auseinander und betonen dabei – unabhängig von der filmischen Inszenierung – auch die Gemeinschaft in der Produktion des Films. So entsteht *Folkbildningsterror* (Volksbildungsterror) unter der Regie von Lasse Långström und Göteburgs Förenade Musikalaktivister, also Göteburgs führenden Musicalaktivist*innen, und *The Owls* unter der Regie von Cheryl Dunye, aber auch vom Parliament Collective. Ein »Parliament« bezeichnet dabei nicht nur ein politisches Parlament, sondern auch eine Gruppe/Ansammlung von Eulen und hat damit einen doppelten Bezug zum Titel des Films, den OWLs, den »Older Wiser Lesbians«.

---

[1] *Folkbildningsterror*, Regie: Lasse Långström, Göteborgs Förenade Musikalaktivister (Lasse Långström, Göteborgs Förenade Musikalaktivister, 2014); *The Owls*, Cheryl Dunye, Parliament Collective (Parliament Collective, 2010).

Das Medium Film ist in beiden Projekten eine machtvolle Struktur, in der Bedeutungen angelegt und produktiv sind. Beide Kollektive begreifen Film dabei auch als eine Form von Aktivismus. Sie stellen die Frage, was eine Gemeinschaft im queeren Kino heute sein und wie Film auf Prekarisierungen reagieren kann. Dies reflektieren sie sowohl in Bezug auf eine aktuelle außerfilmische Realität, in der die Filme entstehen, als auch im Hinblick auf eine Filmgeschichte. In meiner Lektüre der beiden Filme wird deutlich, dass queere Filme Prekarisierungen sowohl auf Produktionsebene, als auch in Bezug auf Ästhetiken, Filmstrukturen, Narrative oder Genres adressieren können.

Davon abgesehen, dass beide Filme die Frage der Gemeinschaft in der Filmproduktion stark machen, beschreiben sie zwei gegenläufige Bewegungen in Bezug auf die Inszenierung von Gemeinschaft. Dabei geht es im schwedischen Musical um die Hoffnung auf die Möglichkeit, Gewaltverhältnisse kollektiv zu verändern, während im US-amerikanischen Thriller kollektive Entwürfe von Filmfiguren als Prekarisierungen der Filmgeschichte lesbar werden.

TANZENDE KOLLEKTIVE: *FOLKBILDNINGSTERROR*

Der schwedische Film *Folkbildningsterror* bezieht sich explizit auf eine außerfilmische Realität: Die sich verändernde politische Situation in Schweden. Dort regiert zur Zeit des Filmdrehs ein konservatives Bündnis. Der Film entsteht in einem aktivistischen Kontext queerer, feministischer Gruppen in Göteborg. Ihre Auseinandersetzungen und politischen Forderungen sind Teil des Films, in ihm werden die Aktivist*innen selbst zu den Protagonist*innen. Ihre aktivistischen Praxen übertragen sie in lustvolle, märchenhafte und konkrete Szenarien, in eine filmische Form.

Unter anderem interessiert mich an dem Film die Verhandlung der Idee von Bündnispolitiken, die verschiedene Formen von Prekarisierung, im Sinne einer von Volker Woltersdorff gekennzeichneten hergestellten Verletzlichmachung,[2] in gesellschaftspolitischen historisch

---

2   Volker Woltersdorff unterscheidet Begriffe des Prekären nach ihrem Bezug zu Positionierungen und Formen eines Ausgeliefertseins: »In meinen folgenden Überlegungen möchte ich – einen Vorschlag von Isabell Lorey (2010) aufgreifend – Prekärsein als

situierten Kontexten, zusammenbringen können. Solche Verletzlich-
machungen zeigen sich gewaltvoll zum Beispiel über Strukturen von
Rassismus, Sexismus, Homophobie, Klassismus oder Ableismus. Medial werden nun Bündnispolitiken gegen diese Gewalt zum Zentrum
des Films. Atlanta Ina Beyer hat es als die Stärke von *Folkbildningsterror*
beschrieben, dass er Klassenpolitiken erweitert und somit die Notwendigkeit queerer Bündnispolitiken filmisch erfahrbar machen kann.[3]

Folkbildningsterror beginnt mit einer Stimme und einem Schwarzbild. Die Stimme erzählt uns von einer gesundheitlich prekären Situation. Erst nach einiger Zeit sehen wir ein Bild von der Person, die von
ihrer Lebenssituation spricht. Später im Film werden wir das gleiche
Bild auf dem Laptop von Theo, dem Protagonisten des Films, wieder-
sehen. Theo hat ein Interview mit seiner Mutter aufgezeichnet, weil sie
vom Staat gezwungen wird zu arbeiten, obschon sie chronisch erkrankt
ist und die Arbeit ihre Situation verschlimmert. Theo fürchtet, dass der
Staat seine Mutter auf diese Weise umbringen wird. Der begonnene
Film-im-Film soll hier als Dokument ihrer Situation dienen. Er soll ein
Beweis für eine grausame Situation sein. Im Fall, dass Theos Mutter etwas passiert, soll der Film zudem gegen den Staat aussagen. Die Mutter
ist im Bild zentriert und aus einer konkreten Situation herausgenom-
men. Sie referiert ihre aktuelle Situation, und Theos Film-im-Film

---

Verletzbarkeit und Verletztheit verstehen. Den Begriff der Prekarisierung verwende
ich dagegen, um eine strategische Verletzlichmachung zu bezeichnen, die Prekarität
als gesellschaftlich erzeugte und ungleich verteilte Verletzbarkeit und Verletztheit herstellt.« Siehe Volker Woltersdorff, »Neue Bündnispotenziale und neue Unschärfen«,
Feministische Studien, 29.2 (2011), S. 206–16, hier S. 206. Woltersdorff bezieht sich
auf Isabell Lorey, »Prekarisierung als Verunsicherung und Entsetzen. Immunisierung,
Normalisierung und neue Furcht erregende Subjektivierungsweisen«, in *Prekarisierung zwischen Anomie und Normalisierung. Geschlechtertheoretische Bestimmungen*, hg.
v. Alexandra Manske und Katharina Pühl (Münster: Westfälisches Dampfboot, 2010),
S. 48–81.

3   »Zugleich werden Differenzen untereinander ausgehandelt. Die entworfenen Charak-
tere arbeiten trotz Streitigkeiten zusammen und sie lassen sich nicht auf einseitige
Vorstellungen von queerer oder Klassenidentität reduzieren. Sie wollen alles für alle
und zwar umsonst: freie Liebe, Geschlechterwahl und Hormone, ein selbstbestimm-
tes Leben statt Ausbeutung, Disziplinierung, Ämterschikane und Pathologisierung.
Der Film macht unterschiedliche Formen von Prekarität, Erfahrungen mit Gewalt,
Ausschlüssen, Marginalisierung und Ausbeutung repräsentier- und damit kollektiv
reflektierbar.« Siehe Atlanta Ina Beyer, »Dein Geschlecht gehört Dir, Proletarier*in!
Wie wir den Klassenkampf verqueeren können«, *Luxemburg. Gesellschaftsanalyse und
linke Praxis*, 2018, no. 2, S. 20–27, hier S. 27 <https://www.zeitschrift-luxemburg.de/
dein-geschlecht-gehoert-dir/> [Zugriff: 2. Juni 2021].

verweist damit auf einen Wunsch, über bezeugendes Sprechen im Film eine soziale außerfilmische Realität begreifbar und möglicherweise auch veränderbar zu machen. Im dokumentarischen Festhalten der Situation der Mutter wird das Interview ein Instrument, an das der Wunsch gebunden ist, über das bezeugende Sprechen Recht herzustellen. *Folkbildningsterror* verweist mit der dokumentarisch anmutenden Anfangssequenz auf diesen Wunsch, setzt selbst aber auf eine sehr andere filmische Form.

Im Film wird Theo, der Regisseur der kurzen Anfangssequenz, auf eine aktivistische Musicalreise geschickt. Theo fürchtet sich vor der Abhängigkeit und Angewiesenheit auf staatliche Unterstützung, er hat keinen Job und Angst davor, Arbeitslosengeld zu beantragen und damit dem staatlichen Zugriff ausgeliefert zu sein. Er will sich vor Zuschreibungen, Kontrolle und Reglementierungen schützen. Er hat Angst, normativer Gewalt durch staatliche Institutionen ausgeliefert zu sein, von ihnen ökonomisch und gesundheitlich abhängig zu sein und objektiviert zu werden. Ausgeliefert fühlt er sich zum Beispiel in Bezug auf medizinisch/psychiatrische Institutionen, da er über die Einnahme von Hormonen nachdenkt. Ihm graut so sehr vor den Blicken und Geschlechtszuweisungen der Ärzt*innen, dass er aus Alpträumen vor ihnen aufschrickt. Theo macht sich zunächst alleine und ohne große Hoffnungen auf den Weg, sich und seine Mutter aus der unerträglichen Situation zu befreien, bzw. macht er sich erst einmal auf den Weg zur Arbeitsvermittlung. Diese bietet keine Hilfe, sondern überfordert mit einem Stapel auszufüllender Formulare. Die Suche nach einer Lösung führt – in Bezug auf staatliche Hilfe – zu Überforderung und Enttäuschung.

Auf dem Weg in die Stadt ist zeitgleich eine zweite Protagonistin: Cleopatra. Als Theo und sie auf ihren Wegen zusammenstoßen, beginnt ihr gemeinsames Abenteuer. Im Laufe des Films treffen sie auf immer mehr Unterstützer*innen und werden Teil einer queeren Stadtguerilla. Den durchgehend thematisierten Prekarisierungen vor dem Hintergrund eines Gefühls, staatlichen Eingriffen und Regulierungspraxen ausgeliefert zu sein, setzt der Film Musicalnummern und den Entwurf eines widerständigen Kollektivs entgegen. Ein Bündnis also, das sich immer wieder – trotz unterschiedlicher Anliegen – für Momente synchronisiert. Filmemachen wird hier zum Aktivismus, der auf ganz konkrete Ungleichheitsverhältnisse und Ungerechtigkeiten außerhalb des Films reagiert. Viele der Musicalnummern, die Teil des Films sind, finden an öffentlichen Orten, auf der Straße und auf Plätzen statt. Damit ist es auch das öffentliche Leben, das angesprochen und transformiert werden soll. Es entsteht kein zusätzlicher utopischer Raum, die Veränderungen finden für alle sichtbar im geteilten Raum statt.

Nach einem Streit, in dem Theo verzweifelt über die Ausweglosigkeit der Situation ist, sehen wir ihn, als die Musik schon einsetzt, in einer halbnahen Einstellung, gesondert von den anderen. Er wird über die Musik in die Choreografie der anderen mit- und hochgerissen. Die Choreografie setzt sich aus mehreren Elementen zusammen, am Anfang ist sie sehr stark auf die Kamera hin ausgerichtet bzw. auf ein Kinopublikum. Sie geht dann in eine Demonstration über, die auf der Straße in Göteborg stattfindet. Damit wird die Choreografie schon Teil von öffentlichem Protest, sie wird zu einer Form politischer Artikulation (s. Abb. 1–6).

Richard Dyer setzt Musicalnummern in Bezug zu (außer- wie inner-) filmischen kapitalistischen Ordnungen und den in ihnen produzierten gewaltvollen Ungleichheiten.[4] Mit Dyer könnten sich die Musicalelemente als Verweis darauf verstehen lassen, dass eine außerfilmische Realität anders sein könnte. Ihn interessiert diese Möglichkeit als ein Effekt der Rezeption, der aber in der Struktur des Films angelegt ist. Das heißt, dass in den Filmen bereits eine Affektstruktur angelegt ist, die sich in einer außerfilmischen Wirklichkeit entfalten kann. Er findet unterschiedliche Bezüge von Rahmenhandlung zu Musicalnummern und analysiert das Zusammenspiel in Bezug auf das Potential von Film, Veränderungen denkbar zu machen. Dyer bezieht sich dabei auf klassische Hollywood-Musicals (*Gold Diggers of 1933, Funny Face* und *On the Town*).[5] Den Musiknummern spricht er eine besondere Wirkmächtigkeit zu, weil sie die Zeitordnung der Narration des Films aussetzen und damit auch aufbrechen. Dyer macht ein Moment der affektiven Bindung stark, in dem das Gefühl entstehen

---

4   Richard Dyer, *Only Entertainment*, 2. Aufl. (London: Routledge, 2002).

5   *Gold Diggers of 1933*, Regie: Mervyn LeRoy (Warner Bros., 1933); *Funny Face*, Regie: Stanley Donen (Paramount Pictures, 1957); *On the Town*, Regie: Stanley Donen und Gene Kelly (Metro-Goldwyn-Mayer, 1949).

Abb. 1–6. Film-Stills, *Folkbildningsterror*, Regie/Copyright: Lasse
Långström, Göteborgs Förenade Musikalaktivister (2014).

kann, dass etwas anders sein könnte. Dyer betont, dass die Filme in
patriarchalen kapitalistischen Strukturen hervorgebracht werden, in
ihnen entstehen und nicht außerhalb. Sie beziehen ihre Wirkung damit
aus einer außerfilmischen gesellschaftspolitischen Situation. Damit ist
auch das, was sie als Ersatz und Phantasie anbieten, in dieser außerfilmischen Wirklichkeit strukturiert.

   Über die Struktur der Musicalnummern wird dieses Verhältnis
spürbar. Die starre lineare Zeitordnung mit ihrer teleologischen Ausrichtung ist aufgehoben, andere Zeichen werden wichtig, Rhythmus,
Musik und Bewegung öffnen die zeitlichen Teleologien. Die Erfahrung
der Filmrezeption wird also an die Idee einer Veränderbarkeit außerfil-
mischer gesellschaftlicher Zustände gebunden, aber sie ist gleichzeitig
nicht unabhängig von diesen: Sie entsteht in ihnen. Dabei ist nicht die

konkrete Veränderung selbst der Gegenstand von Dyers Theorie zum Musical. Ihn interessieren das Aufscheinen der Möglichkeit und die Frage danach, wie dies an die filmische Form gebunden ist. Die Filme, die er dabei für seine Analyse heranzieht, thematisieren Fragen nach Veränderung nicht unbedingt auf einer narrativen Ebene. Immer aber brechen die Musicalnummern eine lineare Narration auf und öffnen einen alternativen Raum.

Musik spielt dabei eine zentrale Rolle und Dyer argumentiert mit Susanne K. Langer, dass Musik in den Filmen ein zu entschlüsselndes Zeichensystem ist, das eng an Emotionen gebunden ist. Während Langer, so Dyer, davon ausgehe, dass diese Emotionen selbst nicht kodiert sind, macht Dyer den wichtigen Hinweis, dass eben genau diese emotionale Reaktion auch bereits kodiert ist: »I would be inclined, however, to see as much coding in the emotions as in the signs itself.«[6] Damit stellt Dyer nicht nur die Frage nach der Beziehung von Zeichen und Affekt bzw. Emotion, sondern auch die Frage nach der Funktion und Kodierung der Emotionen in Filmen selbst. Auch Emotionen sind damit hier in Bezug auf Film historisch bedeutungsvoll, in gesellschaftspolitischen Kontexten zu erlernen.

An Dyers Hinweis auf Kodierung der Emotionen in Bezug auf Film lässt sich Kara Keelings Frage nach der aufgewandten Arbeit in Bezug auf ein affektives Erleben von Film anschließen.[7] Sie schreibt: »Most commonly, we talk about affect as a feeling or an emotion, but it is important to think about affect also as the embodied mental activity required to make sense of the world.«[8] Keeling beschreibt das affektive Erleben von Film mit Marcia Landy als eine Form der Arbeit in normativen kapitalistischen Ordnungen und verweist nicht auf ein utopisches Moment, aber auf die Anwesenheit einer unmöglichen Möglichkeit (*impossible possibility*). Ein emotionales Erleben von Film(-geschichte) kann mit Keeling als Effekt einer Erarbeitung affektiven Erlebens und daran gebundener Bedeutungsproduktion befragt werden. Auch bei ihr wird also Affekt und Filmrezeption bereits in kapitalistischen Ordnungen hervorgebracht und kann so Gegenstand von Analysen werden. Bei Dyer steht die Frage im Raum, ob die Emo-

---

6   Ebd., S. 21.
7   Kara Keeling, *Queer Times, Black Futures* (New York: NYU Press, 2019).
8   Ebd., S. 82.

tionen nicht bereits kodiert sind, Keeling weist auf Affekt als Arbeit hin. Dies wird auch im Folgenden interessant sein, da beide von mir untersuchten Filme mit Affekt arbeiten. *Folkbildningsterror* gibt Hoffnung einen Raum und zeigt, als Musical, was filmischer Aktivismus sein könnte, der auf Gemeinschaft setzt und sich gegen Prekarisierungen wendet. *The Owls* dagegen fokussiert auf ein affektives Erbe in der Filmgeschichte, macht dies ästhetisch erfahrbar und stellt von dort aus Fragen nach Gemeinschaft und Hoffnung auf Veränderung im Medium.

Folkbildningsterror probiert sehr unterschiedliche Formen der affektiven Ansprache im Modus des Filmischen aus und vereint mehrere Musikstile und Phantasien in den Musicalnummern. Dabei bilden sich temporäre tanzende Kollektive als Reaktionen auf und Formationen zu sehr unterschiedlichen Prekarisierungen. Es gibt Choreografien, die auf transphobe Kategorisierungen in medizinischen Apparaten reagieren, Choreografien gegen neoliberale Arbeitsbedingungen oder für ein Recht auf einen kostenlosen öffentlichen Nahverkehr. *Folkbildningsterror* ist ein Entwurf dafür, über die filmische Form Ideen für Veränderung zu erschaffen und Aktivismus in eine filmische Form zu übersetzen, affektiv als eine Form gemeinsamer Hoffnung erfahrbar zu machen. Der Film benutzt die Musicalelemente aktivistisch und stellt in märchenhafter Weise und in Anlehnung auch an eine Geschichte des queeren Films Forderungen an die schwedische Gesellschaft. Dies führt die Narration bis hin zu einer Inszenierung des bewaffneten Widerstands, bei dem Theo tödlich verletzt wird. Im Film aber bringen die Küsse des Paares, von dem er sich angezogen fühlt, Theo zurück ins Leben. Er wird also nicht vom System geheilt, sondern hier durch die Küsse der anderen gerettet.

In *Folkbildningsterror* wird Theos Mutter von ihrer Arbeitspflicht entlastet, den Tieren im Zoo die Freiheit geschenkt, Fahrkartenkontrolleur*innen werden der Bahn verwiesen, Hormonpräparate für Theo frei zugänglich gemacht, gegen Abschiebung mobilisiert. In den Musicalnummern zeigt der Film: So soll es möglich sein. Die Figuren des Films diskutieren über Geschlechtszuweisungen, Kapitalismuskritik, Migrationspolitik, Veganismus, die Rettung des schwedischen Wohlfahrtstaats.

Die Mitglieder des Kollektivs vor und hinter der Kamera wenden sich dezidiert gegen politische und soziale Formen der Prekarisierung. Mit dem Film thematisieren sie staatliche Prekarisierung, nicht so sehr durch die Inszenierung dieser Prekaritäten, sondern in der Suche nach einer möglichen Antwort darauf. Der Film ist eine Form aktivistischer Artikulation mit filmischen Mitteln: Die humorvolle, lustvolle Inszenierung aktivistischer Aktionen und ihre Einbettung als Musicalnummern sind mediale Ausformungen, die dem Wunsch nach Veränderung entsprechen. Der Film gehört formal zu denjenigen, denen Dyer das größte transformierende Potential zuschreibt.[9] Sowohl in den narrativen Elementen als auch in den Musicalnummern arbeitet der Film an dem Entwurf einer Veränderung. Musicalnummern und Narration sind nicht vollständig voneinander getrennt, sie unterstützen sich gegenseitig. Auch in der Rahmenhandlung des Films zieht das Kollektiv los, um die Missstände zu verändern. Gleichzeitig ist der Vorschlag einer Antwort, die *Folkbildningsterror* als Reaktion auf staatliche Formen von Gewalt findet, die Inszenierung eines bewaffneten Kampfes aus dem Untergrund, eine Art von Revenge-Narrativ.

Der Film entsteht als kollektives Projekt und verstärkt dieses Kollektiv in der Inszenierung noch einmal. Der Wunsch nach Veränderung einer gesellschaftlichen Situation findet sich in der filmischen Form der Musicalnummern, aber auch in der Spielfilmhandlung wieder. Dass es anders sein könnte, entspricht im Film – in Bezug auf die Inszenierung von Kollektivität und Bündnispolitiken – vielleicht auch die Idee, dass da Andere sein könnten. Andere, die in Bezug auf ein Prekärsein und vor dem Hintergrund der Sichtbarkeit divergie-

---

9   Dyer erstellt eine Typologie von drei Arten von Musicals. Dabei interessiert ihn insbesondere *On the Town* als Filmbeispiel, da hier Musicalnummern und Narration beide an einem utopischen Moment arbeiten: »What makes *On the Town* interesting is that its utopia is a well-known modern city. [...] In most musicals, the narrative represents things as they are, to be escaped from. But most of the narrative of *On the Town* is about the transformation of New York into utopia. The sailors release the *social* frustrations of the women – a tired taxi driver just coming off shift, a hard-up dancer reduced to bellydancing to pay for ballet lessons, a woman with a sexual appetite that is deemed improper – not so much through love and sex as through energy. This sense of the sailors as a transforming energy is heightened by the sense of pressure on the narrative movement suggested by the device of a timecheck flashed on the screen intermittently. This gives a historical dimension to a musical, that is, it shows people making utopia rather than just showing them from time to time finding themselves in it.« Siehe Dyer, *Only Entertainment*, S. 31.

render Bedingungen von Prekarisierungen mit der eigenen Angewiesenheit besser umgehen könnten, als es die staatlichen Institutionen können. Das Kollektiv besteht aus jungen Menschen, ist vom *Do It Yourself*-Gedanken und einer Camp-Ästhetik geprägt. Der Film ist mit geringem Budget und über einen Zeitraum von mehreren Jahren entstanden. *Folkbildningsterror* ist wie eine Anleitung zu Aktivismus und Protest, liefert Analysen schwedischer Politik ebenso wie Einführungen in poststrukturalistische Theorien.

Folkbildningsterror formuliert eine mediale Antwort auf staatliche Prekarisierungen, die u. a. mit medizinischen, ökonomischen, rechtlichen Reglementierungen einhergehen, und eine Kritik an realen politischen Verhältnissen. Die Aktivist*innen nutzen das Medium Film, um in diesen Verhältnissen zu intervenieren. Die Artikulation und Inszenierung verschiedener Positionierungen und Ansprüche im Musical führt zu lust- wie hoffnungsvollen Entwürfen von Bündnispolitiken. Der Film ist – anders als die Musicals, die Dyer für seine Analyse heranzieht – nicht von den ökonomischen Bedingungen der Filmindustrie bestimmt. Auch in der Distribution sind es vor allem aktivistische Orte, akademische Veranstaltungen (z. B. der Queer Studies), queer-feministische Kontexte, in denen er zur Aufführung kommt und rezipiert wird. Die Filmemacher*innen greifen auf Filmgeschichte zurück, um sie mit eigenen Mitteln umzuschreiben, sich selbst einzuschreiben, selbst Protagonist*innen zu werden. Die Wahl des Musicals als Genre ermöglicht, gewaltvolle Erfahrungen nicht zu reproduzieren, sondern andere Welten in Bezug auf die gegebenen Gewaltverhältnisse zu entwerfen.

AM ENDE KOMMEN DIE UNTOTEN

Nachdem Theo gerettet und der Kampf beendet ist und die Aktivist*innen aus ihren Verstecken kriechen, scheint der Film ein Ende zu finden. Die Gespräche handeln von möglichen Zukünften und weiteren Plänen, aber die gemeinsamen Aktionen finden ein Ende. Dann aber bricht der Film mit dieser Erwartung und schließt mit einer letzten Musicalnummer: Donnernd und bedrohlich nähert sich den Protagonist*innen eine Gruppe von Zombies (s. Abb. 7). Die Feminist*innen tauchen auf und erinnern an ihre Kämpfe und daran, dass

Abb. 7. Film-Still, *Folkbildningsterror*, Regie/Copyright: Lasse
Långström, Göteborgs Förenade Musikalaktivsiter (2014).

die Entscheidungen des Films wie etwa die, das Kollektiv in einen
bewaffneten Widerstand ziehen zu lassen, nicht umfassend bei allen
Personen im Kollektiv Zustimmung fanden. Sie verweisen auch darauf,
dass es nicht die eine Antwort auf strukturelle Gewalterfahrung gibt,
nicht die eine Theorie, nicht den einen Weg, sondern weiter Dissens
und Auseinandersetzung bestehen. Und sie weisen darauf hin, dass
etwas spukt, dass etwas anderes noch da ist und sich weiter in der
Geschichte einschreibt. Sie widersprechen einigen Entscheidungen,
die das Kollektiv getroffen hat. Die Untoten sind die feministischen
Aktivist*innen, sie werden als Untote, als Zombies einer Vergangenheit zugeordnet und fordern hier am Ende des Films Gehör ein, sie
sind immer noch da.

Diese Performance der feministischen Zombies erinnert auch an
das Konzept des *temporal drag*, das Elizabeth Freeman spezifisch für
lesbisch feministische Figuren am Beispiel von Film und Fotografie
und den ihnen eigenen medialen und vergeschlechtlichten Zeitlichkeiten beschreibt.[10] *Drag* ist hier sowohl eine Last, die zurückzieht,

---

10 »I'd like to call this ›temporal drag‹ with all the associations that the word ›drag‹
    has with retrogression, delay, and the pull of the past on the present. This kind of
    drag, an underdiscussed corollary to the queenier kind celebrated in an early 1990s

ein Paket, das zu tragen ist, als auch eine Form der Inszenierung von Geschlecht über Kleidung. Freeman interessiert diese Verbindung des Begriffs in Bezug auf lesbisch feministische Figuren. Sie sind in den Arbeiten, die sie sich anschaut, von dem Potential, auf eine Zukunft zu verweisen, abgeschnitten. Sie verkomplizieren Narrative und Historiografien. Sie verweisen auch auf eine andere Zeitlichkeit als die linear fortschreitende Zeit. Sie sind als Figuren an zyklische Zeitlichkeiten gebunden, die mit Weiblichkeit assoziiert sind, an Reproduktion. Freeman zeigt, wie die Figuren der von ihr analysierten Beispiele (unter anderem eine Fotografie aus Sharon Hayes Arbeit *In the Near Future* und Elisabeth Subrins Film *Shulie*)[11] mediale Fortschrittsgeschichten stören und Erzählungen von Generationen sowie Verweise auf mögliche Zukünfte über diese zyklischen Zeitkonzepte verkomplizieren bzw. verweigern. Vor diesem Hintergrund lassen sich auch die feministischen Zombies als eine solche Störung lesen. Eine Auseinandersetzung mit ähnlichen zeitlichen Störungen im Medium, mit spukenden Figuren, findet sich noch deutlicher im Film *The Owls*.

EIN ENDE KOLLEKTIVER KÄMPFE: *THE OWLS*

Vor dem Hintergrund der sehr positiv ausgelegten filmischen Gemeinschaft, die *Folkbildningsterror* zeichnet, ist es aufschlussreich, die Position eines zweiten Films, *The Owls*, in den Blick zu nehmen, der ebenfalls mit der Idee des Kollektivs befasst ist. Am Ende von *Folkbildningsterror* sind wir als Zuschauer*innen mit den Mahnungen der Untoten konfrontiert. Auch in *The Owls* sind es Tote, die die Protagonist*innen des Films durch die Geschichte hindurch jagen. Das Filmteam setzt sich, wie auch das kollektive Projekt, über den Film hinaus mit queerer, mehr noch lesbisch-feministischer Filmgeschichte auseinander.

---

queer studies influenced by deconstruction, suggests a bind for lesbians committed to feminism: the gravitational pull that >lesbian< and even more so >lesbian feminist< sometimes seems to exert on >queer<.« Siehe Elizabeth Freeman, *Time Binds: Queer Temporalities, Queer Histories* (Durham, NC: Duke University Press, 2010), S. 62. Vielen Dank an Anja Sunhyun Michaelsen für diesen wichtigen Hinweis.

11   Sharon Hayes, *In the Near Future*, 2005, Performance, New York City; *Shulie*, Regie: Elisabeth Subrin (Elisabeth Subrin, 1997).

Aber anders als im schwedischen Musical gibt es in diesem Film keine positive Inszenierung eines Kollektivkörpers, stattdessen werden in den Spielfilm-Momenten mögliche Bündnisse verworfen. Während *Folkbildningsterror* die Tradition der »Talking Heads« mit Theos Aufzeichnung seiner Mutter an den Anfang des Films setzt und diese dokumentarische Tradition im Anschluss selbst verwirft, macht *The Owls* eine andere Bewegung in der filmischen Aushandlung von Gemeinschaft. Hier geht es um die Frage nach den Entwürfen lesbischer Figuren in der Filmgeschichte, um deren gemeinsame filmische Vergangenheit und ihre Effekte bis heute.

Mit einem Ausschnitt aus dem Video *Femme Bitch Top* von Tribe 8 beginnt auch dieser Film mit Musik.[12] Es folgt eine Collage von Demonstrationen. Sie vereint sehr unterschiedliche Kämpfe, *Take Back the Night*-Demos und ACT UP-Aktionen sind unter anderem zu sehen, öffentliche Bündnisse gegen sexistische und homophobe Strukturen. Auf der Audio-Ebene ist der Song *New Kicks* von Le Tigre zu hören, der das Material verbindet. Der Text von *New Kicks* ist ein Sample von Anti-Kriegs-Reden, u. a. der Schauspielerin und Aktivistin Susan Sarandon. Auch hier werden also Musik und Aktivismus medial verbunden. Das Intro endet mit dem Bild einer Fahne, die die Regenbogenfahne mit der US-amerikanischen Nationalfahne verbindet. Man könnte diese Einstellung, die den Vorspann beendet und eine eindeutige Zäsur darstellt, als einen Hinweis auf Homonationalismus lesen, mit dem nun der Film beginnt. Die Proteste, genauso wie die lesbisch-feministische Punkband, werden ausgeblendet, sie sind lediglich Teil einer Vorgeschichte. Trotzdem wird schon in diesem kurzen Intro eine Geschichte gemeinschaftlicher Kämpfe aufgegriffen und scheinbar an eine Form teleologischer Narrativierung von queerer Bewegungsgeschichte angeschlossen, die Stonewall an ihren Anfang stellt und fortan von positiven Veränderungen zu erzählen weiß.

Von diesem Intro gelangen wir zu den ersten Protagonist*innen des Films, die aus zwei Generationen bestehen: zu Criquet aus der jüngeren Generation und Iris, die zu der älteren Generation gehört. In kurzen Interviewsequenzen, in denen die beiden in ihren Rollen sprechen, hören wir von der Nacht, in der Criquet verschwand und,

---

12   *Femme Bitch Top*, Regie: Romy Suskin, Musikvideo zum gleichnamigen Song von Tribe 8 (1995).

wie wir später erfahren, in der sie ermordet wurde. Mit Iris landen wir daraufhin auf den Straßen von Los Angeles, die nun nicht mehr von Protesten erzählen, sondern durch Konsum gekennzeichnet sind und zugleich verwaist bzw. unbelebt scheinen. Als erstes sind Werbeflächen und ein Laden zu sehen, Guinevere Turner als Iris macht am Telefon Geschäfte. Offensichtlich ist ihr das Geld ausgegangen. Mit ihr stoßen wir auf die Vermisstenanzeige für Criquet an der Ladentür. Iris ist die erste der vier Protagonist*innen: Einer Gruppe von Frauen, die in der Vergangenheit des Films als Band große Erfolge gefeiert hat. In der Jetztzeit aber sind diese Frauen wie eingefroren, erstarrt. Sie leben in mondänen Häusern, ignorieren die Vergangenheit oder hängen ihr nostalgisch hinterher. Sie sind auf ihr Privatleben fixiert, an gemeinsamen politischen Kämpfen nicht interessiert. Auch die anderen Schauspieler*innen dieser Generation, V. S. Brodie, Cheryl Dunye und Lisa Gornick, haben eine Geschichte des queeren/lesbischen Kinos geprägt, sind Teil des *New Queer Cinema* und zum Beispiel aus Filmen wie *The Watermelon Woman* oder *Go Fish* bekannt.[13]

The Owls zeigt eine Geschichte der vehementen Enttäuschung einer kollektiven Erfahrung, die in einer Rezeptions- und Figurengeschichte des (US-amerikanischen) Spielfilms verortet ist. Die Figuren in der Geschichte sind voneinander isoliert, auch dann, wenn sie gemeinsam handeln müssen. Sie sind eine Zwangsgemeinschaft, keine positive Gemeinschaft. Der Mord an Criquet, den sie zu vertuschen versuchen, verbindet sie. Dabei sind wir als Zuschauer*innen auf eine andere Art adressiert als in *Folkbildningsterror*. Eine affektive Enttäuschung der Zuschauer*innen liegt in der Ablehnung der Möglichkeit der Identifikation mit den Figuren. Sie werden zu Oberflächen.

Damit sind sie auch in Bezug auf Dyers Analyse des Funktionierens dominanter Narrative in kapitalistischen Ordnungen interessant. Dyer schreibt:

> Class, race and sexual caste are denied validity as problems by the dominant (bourgeois, white, male) ideology of society. We should not expect show business to be markedly different. However, there is one further turn of the screw, and that is that, with the exception perhaps of community (the most direct-

---

13   *The Watermelon Woman*, Regie: Cheryl Dunye (Dancing Girl, 1996) und *Go Fish*, Regie: Rose Troche (Rose Troche, Guinevere Turner, 1994).

ly working-class in source), the ideals of entertainment imply wants that capitalism itself promises to meet. Thus abundance becomes consumerism, energy and intensity personal freedom and individualism, and transparency freedom of speech. [...] The categories of the sensibility point to gaps or inadequacies in capitalism, but only those gaps or inadequacies that capitalism proposes itself to deal with. At our worse sense of it, entertainment provides alternatives to capitalism which will be provided by capitalism.[14]

Die Frauen in Dunyes Film bzw. im Film des Parliament Collectives sind nur noch Konsument*innen und haben am kapitalistisch bestimmten Leben teil. Sie sind überangepasste Antworten auf die Versprechen eines guten Lebens, die in kapitalistischen Ordnungen hervorgebracht werden. Die Wendung des Films ist, dass sie damit als Filmfiguren zu Enttäuschungen werden. Die Orte, an denen sie sich aufhalten, sind private Wohnungen bzw. Häuser und Gärten oder Einkaufsmöglichkeiten und ein Café. Die Beziehungen zueinander sind zerbrochen. Während Iris und MJ an der Bandgeschichte hängen und auf je unterschiedliche Art daran anschließen wollen, sind Carol und Lily mit ihrem Haus, dem Garten, ihrer sie langweilenden Beziehung und der Idee eines gemeinsamen Kindes beschäftigt. Nichts davon scheint sie wirklich zu interessieren.

Ihr Stillstand und ihre Isolation werden durch einen Generationenkonflikt noch verstärkt. Sie haben in einer gegenwärtigen Gesellschaft nichts mehr zu sagen, keine Funktion. Die Beziehungen, die sie hatten, sind kaputt, es geht darum, den Besitz aufzuteilen. Sie sind Konsument*innen geworden, eingepasst in ein kapitalistisches System.[15] Und als Konsument*innen schreibt Dunye mit ihnen auch eine Filmgeschichte weiter. In The Owls sind die Figuren in die kapitalistische Struktur eingefügt und darin vollkommen aufgegangen. Sie sind, wie Guinevere Turner sagt, als »pretty hateable« (ziemlich has-

14 Dyer, Only Entertainment, S. 27.
15 Das Eingepasstsein in kapitalistische Strukturen, das über dokumentarische Brüche gestört wird, ließe sich auch zu Elizabeth Freemans Lesart einiger Dyke-Narrative in Beziehung setzen, in denen sie Klasse als einen Rhythmus im Film beschreibt, der Begehren über die Figuren noch einmal verkompliziert. Während hier die dokumentarischen Gesten die Handlung zum Stocken bringen, sind es in Freemans Analysen Verkörperungen, die nach Klasse lesbar werden, als ein Stocken, ein nicht-synchron-Sein mit den Anforderungen an Verkörperungen bürgerlicher Familienstrukturen. Vgl. Freeman, Time Binds, S. 21–58.

senswert) entworfen. Und dies ist eine Gegenbewegung, die der Film in Bezug auf die Verortung der Zuschauer*innen vollzieht: Die Figuren sind eben nicht einfach konsumierbar. Damit fällt der Film selbst aus der kapitalistischen Verwertungslogik heraus, er bietet keine queeren Figuren, die normative Narrative füllen, die konsumierbar sind, er bietet eine Form von Kritik, die sich affektiv in den dargestellten Figuren zeigt. Sie können ein Unwohlsein erzeugen, weil sie eben nicht sympathisch sind, weil sie unfreundlich, unbefriedigt und auf sich selbst bezogen bleiben. Es ist interessant, sich in Bezug auf diese Figuren die Zeitstruktur des Films anzuschauen, auch im Verweis auf die Räume, in denen sie sich bewegen und im Rahmen der Filmgeschichte, in die sie eingebunden sind. Sie sind ein Erbe einer Geschichte lesbischen Kinos.

Im Begleitmaterial des Films taucht immer wieder der Hinweis auf die Geschichte lesbischer Figuren im Film auf. Die tragischen Frauenfiguren aus Filmen wie *The Children's Hour*, *The Killing of Sister George* und *The Fox* werden als Referenz genommen.[16] Wie der Geist von Criquet verfolgen diese Figuren die Protagonist*innen, sie aber finden sich in der Düsterheit des Films, in den Thriller-Elementen und der Unheimlichkeit der Inszenierung wieder. Die Untoten, die in *Folkbildningsterror* zum Ende des Films auftauchen und von dort die Erzählung hinterfragen, sind hier bereits in der Struktur des Films angelegt, in der Ästhetik der Inszenierung, der Mise en Scène, in der Narration und in der Montage. Sie sind hier das zentrale Element der Erzählung. Der prekäre Status liegt in einer Form der Erzählung und Verortung lesbischer Figuren im Film. Diese Inszenierung verhält sich auch zu einem häufig artikulierten identitätspolitischen Wunsch, nicht-heterosexuelle Filmfiguren sollten endlich in Mainstreamerzählungen vorkommen, ohne dass sie dabei den Status der *Anderen* einnehmen. Lisa Cholodenkos Film *The Kids Are All Right* aus dem gleichen Jahr,[17] ist genau dieses Angekommensein in der Form der bürgerlichen Familiengeschichte attestiert worden. Elahe Haschemi

---

16 *The Children's Hour*, Regie: William Wyler (The Mirisch Corporation, 1961); *The Killing of Sister George*, Regie: Robert Aldrich (Palomar Pictures, The Associates & Aldrich Company, 1968); *The Fox*, Regie: Mark Rydell (Motion Pictures International, 1967).

17 *The Kids Are All Right*, Regie: Lisa Cholodenko (Focus Features, Gilbert Films, Antidote Films, Mandalay Vision, UGC PH, 2010).

Yekani hat beide Filme miteinander verglichen und gerade das Happy End von *The Kids Are All Right* im Kontext der Filmgeschichte, auf die *The Owls* verweist, als einen Moment der Veränderung zu bedenken gegeben.[18] So ist die eine Seite dieses Happy Ends eben auch eine Veränderung der Tradition der tragischen Enden für lesbische Figuren im Film. Die andere Seite ist ihre Verortung innerhalb bürgerlicher, *weißer*, privilegierter Familienstrukturen.

The Owls beharrt auf der Anwesenheit der gewaltvollen Entwürfe queerer Figuren in der Filmgeschichte, deren Effekte auch in aktuellen Filmen weiterwirken. Das Kollektiv der Filmemacher*innen widerspricht so einem Überwindungsnarrativ. Die Figuren in der Spielfilmerzählung, die ohne positive Zuschreibungen entworfen wurden, zeigen auch eine Verweigerung der normativen affektiven kapitalistischen Strukturen an. Der Film verwehrt einen schmerzfreien Übergang der Figuren in heteronormative Narrative. Auch *The Owls* stoppt immer wieder die Narration, aber nicht über Musicalelemente. Wie in weiteren Filmen Dunyes wird die Spielfilmebene durch das räumlich aus der Narration herausgenommene direkte Sprechen in die Kamera durchbrochen. Dieser Umgang mit Interviewsequenzen und Kombinationen von Spielfilmelementen mit dokumentarischen Gesten ist für die Regisseurin kennzeichnend. Die Figuren müssen sich erklären und auch die Schauspielerinnen sollen sich in Bezug zu ihren Rollen setzen. Das Sprechen wird damit vielstimmig, aber auch brüchig. Was genau sind OWLs, »Older Wiser Lesbians«? Was können sie in Bezug auf eine Filmgeschichte sein?

Die Zeitzeug*innen sind auch im queeren Dokumentarfilm eine häufig wiederkehrende Figur. Lebensgeschichten und Erfahrungen werden auf diese Weise zum Beispiel in *Word Is Out*,[19] dem ersten langen Dokumentarfilm aus der Perspektive von lesbisch/schwulen/trans* Personen, im Medium Film archiviert, aber auch Filmgeschichte wird so etwa in *The Celluloid Closet* perspektiviert.[20] *The Owls* zitiert diese Tradition, verneint aber die Möglichkeit eindeutiger Zeugnisse

---

18 Elahe Haschemi Yekani, »Older Wiser Lesbians? Lesbische Repräsentation im Spannungsfeld von New Wave Queer Cinema und Homonormativität«, in *Queer Cinema*, hg. v. Dagmar Brunow und Simon Dickel (Mainz: Ventil, 2018), S. 111–24.

19 *Word Is Out*, Regie: Nancy Adair, Andrew Brown und Rob Epstein (Mariposa Film Group, 1977).

20 *The Celluloid Closet*, Rob Epstein und Jeffrey Friedman (Telling Pictures, 1995).

über diese Form des Sprechens. Dunye lässt ihre Schauspieler*innen jeweils sowohl als sie selbst als auch als ihre Figuren sprechen und verdeutlicht über diese Brüche die affektiven Bindungen von Zuschauer*innen an Figuren in narrativen Spielfilmen.

Die Unterbrechung ist eine gegenläufige Bewegung zur Rhythmisierung der Figuren in den Musicalelementen. Hier werden sie aus dem Fluss der Handlung genommen und über Sprechen, Vereinzelung und direkte Adressierung der Kamera an eine außerfilmische Realität gebunden. Dabei funktioniert aber diese Unterbrechung gar nicht so sehr anders als die Unterbrechung im Musical. Im Musical kann über die Nummern, die Störung der realistischen Welt der Narration, das Gefühl aufkommen, dass etwas anders sein könnte, dass die politischen Verhältnisse und Ordnungen, dass die Normen veränderbar sind. Die dokumentarischen Verweise, die Dunye dagegen einbaut, erinnern daran, dass der Film anders sein könnte. Inhaltlich bestätigen dies die Schauspieler*innen. Beide Filme arbeiten an der Transformation der außerfilmischen Wirklichkeit mit ihren Gewaltverhältnissen über die Veränderung und Reflexion von filmischen Erzählungen im Medium selbst.

The Owls stellt die Prekarisierung der Filmgeschichte, des Filmerbes selbst, aus, die für lesbische Figuren lange Zeit nur ein tragisches Ende zur Verfügung gestellt hat. Der Film ist damit eine ästhetische Auseinandersetzung mit über filmische Traditionen erzeugten bzw. weitergegebenen Verletzlichkeiten. Obschon die Figuren im Film gerade über eine Form von Härte und Abgrenzung zueinander gezeichnet sind, ist es möglich, Prekarisierung im Sinne einer hergestellten Verletzlichkeit genau an ihnen zu verstehen. Der Verlust der Beziehungen der Filmfiguren zueinander kann in Bezug auf eine Filmgeschichte als Prekarität gelesen werden. Sie werden in normative Ordnungen eingepasst und damit verfügbar. *The Owls* aber verweigert diese Form der ästhetischen und affektiven Verfügbarkeit.

In *The Owls* verschwindet das Kollektiv gleich zu Beginn mit dem Ende des Vorspanns. Übrig bleibt Ernüchterung, und Figuren die – wie auch die Figuren eines *New Queer Cinema* – eben nicht mehr gefallen wollen. In diesem Film zeigt sich dies aber nicht über einen Bruch mit normativen Lebensentwürfen, sondern genau im Gegenteil, mit der Übernahme vermeintlich gesicherter Positionen, die sich in Eigentum,

Rückzug und Familiengründung zeigen. Die Figuren, die sich in diesem Setting nun als lesbische Figuren bewegen, sind wie verhärtet von der Fülle, die nur Oberfläche ist. Der Film erinnert daran, und greift ästhetisch auf, dass die Filmgeschichte weiterhin spukt, dass der Entwurf der vorliegenden Figuren mit den Figurenentwürfen zusammenhängt, die eine Filmgeschichte innerhalb kapitalistisch-patriarchaler Strukturen zur Verfügung stellt. Der optimistischen Übernahme vorgegebener Rollen verwehrt er sich. Für ein Leben und Lieben der Figuren im kapitalistischen System interessiert er sich nicht. Die Angewiesenheit und die Verletzlichkeit der Figuren, die sich so unverletzlich und hart geben, ist hier in der Verortung lesbischer Figuren im Film begründet. Die Unterbrechung, die bei Dyer in den Musicalnummern Alternativen innerhalb der kapitalistischen Ordnung vorstellt, ist hier das dokumentarische Sprechen. Dieses Sprechen und der dokumentarische Gestus machen keine utopischen Räume auf, auch wenn sich darin positive Ideen von Gemeinschaft in der Filmproduktion finden. Dunye und das Parliament Collective nutzen diese dokumentarischen Interventionen als Möglichkeit der Unterbrechung und des Rückbezugs auf Fragen nach der Filmgeschichte und den ihr zugeschriebenen Versprechen.

FAZIT

Die Figur der Gemeinschaft ist für beide von mir vorgestellten Filme von zentraler Bedeutung. Während *Folkbildningsterror* das Kollektiv inszeniert und damit auch das Medium Film zu einem Ort der Artikulation der Idee einer Bündnispolitik werden lässt, inszeniert *The Owls* die Figuren ohne die Gemeinschaft und fragt, was die Filmgeschichte für lesbische Figuren anzubieten hat. Der Film verweist auf homonormative Effekte eines filmischen Ankommens in normativen Figurenkonstellationen. Diesem Ankommen widersetzt er sich, nicht über die Reanimation der vorausgestellten Kollektivität, sondern im Entwurf der Figuren und mit einem Verweis auf die Filmgeschichte, die auf rassistische, homophobe und misogyne Weise lesbischen Figuren im Film ihren Platz zugewiesen hat. Hier wird also eine Prekarisierung ausgehend von und in einer Filmgeschichte thematisiert, die medialen Bedingungen werden befragt.

Die Figuration der Gemeinschaft wird in einer affektiven Erinnerung am Anfang des Films aufgerufen, dann aber gegenwärtig verworfen. Im Film ist diese Gemeinschaft auf der Straße, wie in einer Erzählung der LGBTQI+-Bewegungsgeschichte nur eine Figur der Vergangenheit. Trotzdem holt der Film ein Kollektiv durch die Interviews wieder in die Inszenierung hinein. Die Unterbrechungen der Narration sind hier nicht Musicalnummern. Die Interviews bieten Kontextualisierungen, Austausch, Kritik an Formen filmischer Erzählung. Film als Medium bleibt in beiden Fällen, im schwedischen Musical wie im US-amerikanischen Thriller, eine Form von queerer Politik, ein Ort der fortwährenden Aushandlung, nicht aber ein Ort eines Angekommenseins.

Folkbildningsterror ist aktivistische Praxis, in der kollektives Filmemachen dazu genutzt wird, Bilder und Phantasien für gemeinsame Ideen zu entwickeln. Praxis ist hier also die Intervention in normative Bildwelten und Narrative. Die Aktivist*innen werden die Held*innen ihres eigenen Films, unterschiedliche politische Ideen werden verbunden und im öffentlichen Raum inszeniert. Die Stadtguerilla mit all ihren Positionen und Ideen schreibt sich damit filmisch in die Stadt Göteborg und in ein popkulturelles Gedächtnis ein. Wie zum Beispiel auch *Born in Flames* an real existierende aktivistische Kämpfe erinnert und ihnen eine filmische Form der Artikulation bietet,[21] ist auch *Folkbildningsterror* eine konkrete Form der Sichtbarmachung, Bewahrung und Weitergabe aktivistischer Arbeit und Konzepte. Die filmische Form des Musicals entspricht dem Wunsch seines Protagonisten nach Veränderung und der Hoffnung darauf, dass die politischen Verhältnisse anders sein könnten. Queeres Kino wird in beiden von mir betrachteten Filmen im Kontext aktivistischer, queerer, feministischer Potentiale verstanden: Diese können nicht in einem Eingehen in die normativen Strukturen filmischer Narration enden, sondern müssen im queeren Kino immer wieder kollektiv überarbeitet und unterbrochen werden: In Bezug auf das, was sein könnte und in Bezug auf das, was war.

---

21   *Born in Flames*, Regie: Lizzie Borden (The Jerome Foundation, C.A.P.S., Young Filmmakers Ltd., 1983).

EXPERIMENTELLE ÄSTHETIKEN UND QUEERE (ERINNERUNGS-)LANDSCHAFTEN

Das iPhone als Medium einer queeren Ästhetik und fluiden Subjektivität
Charlotte Prodgers *BRIDGIT*
ASTRID DEUBER-MANKOWSKY

BRIDGIT

BRIDGIT ist der Titel des 32-minütigen Videos, mit dem die in Schottland lebende bildende Künstlerin Charlotte Prodger 2018 den Turner Prize gewann.[1] Der Film besteht zur Gänze aus Aufnahmen, die Prodger mit ihrem iPhone drehte, ohne technische Hilfsmittel wie Stativ oder zusätzliche Linsen. *BRIDGIT* ist der zweite in einer Reihe von Filmen, die in komplexer Weise um Fragen von Identität und Queerness kreisen. Der erste, aus dem Jahr 2015, *Stoneymollan Trail*, ist eine 43-minütige Kompilation aus Videokamera-Aufnahmen, HD- und iPhone-Footage.[2] Der jüngste, *SaF05*, wurde 2019 auf der 58. Biennale in Venedig gezeigt.[3] In dieser 43-minütigen Videoarbeit zieht Prodger, wie Henriette Gunkel in ihrem Aufsatz in diesem Band detailliert ausführt, Filmszenen aus digitalen Wild-Kameras und Drohnenbilder

---

1   *BRIDGIT*, Regie: Charlotte Prodger (Hollybush Gardens, Charlotte Prodger, 2016).

2   *Stoneymollan Trail*, Regie: Charlotte Prodger (Hollybush Gardens, Charlotte Prodger, 2015).

3   *SaF05*, Regie: Charlotte Prodger (Hollybush Gardens, Charlotte Prodger, 2019).

hinzu, um sie über ein explizites Spiel mit ihnen in einen »queeren Kontext« zu stellen.[4]

Bevor sich Prodger den digitalen Bildmedien zuwandte und Filme als Einkanal-Videos im Kunstraum vorstellte, arbeitete sie mit 16-mm-Film und weiteren analogen Medien und fügte die Abspielgeräte zu Skulpturen zusammen, die sie als Installationen ausstellte. Ihr Interesse galt dem Experimentieren mit der Materialität dieser Techniken und der Erforschung des Verhältnisses von Körper, Technik und der Möglichkeit, die Erfahrung und Wahrnehmung von Körpern durch die Entwicklung neuer, queerer Ästhetiken zu erweitern. Queere Ästhetiken widersetzen sich jenen Normalisierungsprozessen, die Judith Butler 1989 in *Das Unbehagen der Geschlechter* und 1993 in *Körper von Gewicht*, im Anschluss an ACT Up und die AIDS-Epidemie und in der Entstehungszeit des *New Queer Cinema*, so überzeugend als Unsichtbarmachung und als Nicht-Intelligibilität von queeren Begehrensformen und queeren Körpern analysierte. Diese Normalisierungsprozesse stützen und reproduzieren, wie Butler zeigte, nicht nur das System der Heteronormativität, sondern auch die Prekarität von queeren Körpern. Prodger knüpft in *BRIDGIT*, wie ich im Folgenden zeigen möchte, einerseits an bereits etablierte Ästhetiken des queeren Kinos an, geht aber andererseits auch über diese hinaus. Dabei spielt ihr Interesse am Skulpturalen und an der Materialität der Technik eine zentrale Rolle. Dieses Interesse leitet sie auch im Experimentieren mit dem iPhone als kleine, nah am Körper befindliche, digitale Filmkamera. Die ästhetische Verschränkung von Körpern, Begehren, Wahrnehmung und Selbstwahrnehmung, Landschaft, Zeit und Queerness ist – auch im Medium des digitalen iPhone-Filmes – skulptural und setzt darin eine virtuelle Kraft frei. Dabei verstehe ich diese virtuelle Kraft mit dem Technikphilosophen Gilbert Simondon als eine Kraft des Werdens, die – in Anknüpfung an die Tradition und das Zeitdenken der Transzendentalphilosophie – die Zukunft als Potentialität in die Gegenwart zurücklaufen zu lassen vermag.

---

4   Vgl. den Beitrag von Henriette Gunkel in diesem Band.

EIN DENKBILD

Der Titel des Videos *BRIDGIT* bezieht sich auf den Namen einer keltischen Göttin, die mit der Kraft des Feuers, des Lichts und mit Frucht-
barkeit verbunden wird, und über eine komplexe Gestalt verfügt. Sie
ist unter dem Namen Bridgit bekannt, hatte jedoch wahrscheinlich,
wie die anderen neolithischen Gottheiten auch, mehrere einsilbige Namen, also etwa Bride, Brid, Brig oder einfach Bree. Die Namen bilden
überhaupt das größte Problem für die Erforschung der Gottheiten in
der alten Welt. Sie waren nicht nur an verschiedenen Orten unter verschiedenen Namen bekannt, sondern hatten an demselben Ort auch
verschiedene Namen je nach den verschiedenen Phasen ihres Lebens-
alters: jung, mittel, alt. Die Namen sind zumeist einsilbig, Iterationen,
sie bilden einen Rhythmus, fast einen Refrain, ein Ritornell, wenn man
sie aufsagt, und scheinen zugleich unverändert seit der Steinzeit.

Man erfährt all diese Informationen über einen Auszug aus Julian
Copes Buch *The Modern Antiquarian: Pre-Millennial Odyssey through
Megalithic Britain*. Der Text wird von einer rhythmischen, hellen Stimme in schottischem Englisch zunächst über eine sich vorbeibewegende
Landschaft gesprochen, durch die in der Ferne parallel zur Bewegung
der Kamera ein roter Lastzug fährt. Die Stimme spricht weiter während wir nach einem Schnitt über ein vom Wind bewegtes Wasser
zwei Lastkähne sehen. Sie stehen still, scheinen sich aber zu bewegen, da die Kamera selbst in Bewegung ist – Prodger hat die Szene
mit ihrem iPhone offensichtlich von einem sich in Fahrt befindlichen
Schiff aus aufgenommen.[5] Sie hält das iPhone horizontal, so dass das
Format 16:9 ist, jenes von Landschaftsaufnahmen.[6] Man fühlt sich
fast ein wenig schwindelig, wie in einem Zug, von dem man nicht
weiß, ob er noch steht oder sich schon bewegt. Und man erinnert
sich an jenes Denkexperiment, mit dem Galileo Galilei im 17. Jahrhundert, etwas mehr als 270 Jahre vor Einstein, das Relativitätsprinzip
formulierte. Es besagt, dass Bewegungen von Körpern nur relativ zu

---

5   Die Szene kann auf Vimeo eingesehen werden <https://vimeo.com/222200361>
    [Zugriff: 3. Juni 2021].
6   Vgl. Mason Leaver-Yap, »Aesthetics and Anaesthetics in Charlotte Prodgers
    BRIDGIT«, in *Bergen Kunsthall NO.5* (2017) <http://hollybushgardens.co.uk/wp/
    wp-content/uploads/CP_Mason-Leaver-Yap_Aesthetics-and-Anaesthetics.pdf>
    [Zugriff: 3. Juni 2021].

Bewegungen anderer Körper festgestellt werden können und nicht zu einem bevorzugten Bezugssystem. Die Szene könnte aufgrund ihrer präzisen formalen Komposition, inhaltlichen Dichte und Dauer im Anschluss an Walter Benjamin als ein »Denkbild« verstanden werden.[7] »Denkbilder« erschaffen dichte, situative Bildräume, die, über sich hinausweisend, Denkräume eröffnen. Bereits für Benjamin standen die zu seiner Zeit neuen Medien der technischen Reproduktion, Fotografie und Film, Paten für diese neue Form der Verbindung von Anschauung und Denken.

Charlotte Prodger setzt ihr iPhone, das bei statischen Einstellungen in besonderer Weise das Atmen des Körpers spürbar macht, ein, um mit einer sich konstant in relativer Bewegung zu anderen Bewegungen befindlichen, situierten Subjektivität und fluiden Identität zu experimentieren. So kommt auch die Verbindung zu den keltischen Gottheiten nicht aus dem Nichts, sondern ist mit Erinnerungen verbunden. Sie führt in die Jahre 1992 und 1993 zurück, als Prodger, in der Landschaft im schottischen Aberdeen aufgewachsen, zwischen 18- und 19-jährig, kurz vor ihrem Coming-out, Ecstasy-Pillen konsumierte und der Rock-Musiker, Songschreiber, Popstar und Autor Julian Cope wiederholt in ebendiese Landschaft reiste, um die geheimnisvollen, mehr als 4000 Jahre alten Steinkreise aus der Jungsteinzeit zu besuchen, die in Aberdeenshire besonders zahlreich sind und bis dahin wenig beschrieben waren. Julian Cope recherchierte in jener Zeit für sein bereits erwähntes Buch *The Modern Antiquarian* über die steinzeitlichen Baudenkmäler in Großbritannien, das 1998 mit vielen Bildern neolithisch geprägter Landschaften erschien und schnell überaus populär wurde.[8]

---

7   Benjamin hat den Begriff »Denkbilder« als Titel für eine Sammlung von Textminiaturen gewählt. Siehe Walter Benjamin, *Gesammelte Schriften*, hg. v. Rolf Tiedemann und Hermann Schweppenhäuser, 7 Bde. (Frankfurt a. M.: Suhrkamp, 1972–91), IV (1972), S. 305–438.

8   Julian Cope, *The Modern Antiquarian: Pre-Millennial Odyssey through Megalithic Britain* (London: Thorsons, 1998). Im März 2000 wurde die Webseite *The Modern Antiquarian* als Plattform für die kollaborative Weiterführung der Recherchen von Julian Cope veröffentlicht. Sie wird bis heute genutzt und bespielt und belegt die Popularität, die diese Landschafts- und Geschichtsforschung in Großbritannien im Anschluss an Copes Bildband gewann <https://www.themodernantiquarian.com/home/> [Zugriff: 3. Juni 2021].

Abb. 1. Film-Still, *BRIDGIT*, Regie: Charlotte Prodger (Hollybush
Gardens, Charlotte Prodger, 2016).

PRIVATES KINO

Die Eröffnungsszene von *BRIDGIT* zeigt aus einer subjektiven Perspektive die hochgelegten und übereinandergeschlagenen Beine und
die sorgfältig gebundenen Sneakers von Charlotte Prodger (s. Abb. 1).
Sie wurden mit dem iPhone gegen das aus dem Fenster ins Zimmer
strömende Licht aufgenommen, während im Hintergrund das Online-
Radio NTS mit seinem charakteristischen Live-Musik-Programm lief.
Man sieht die Grünpflanzen vor dem Fenster, die Szene wirkt privat
und durch den rhythmischen, an ein Ritual erinnernden elektroni-
schen Sound gleichzeitig fremd. Die Kamera ist statisch und schwankt
zugleich leicht auf und ab, so dass das Bild dem Rhythmus der Musik
zu antworten scheint. Es ist die atmende Bewegung des Körpers, der
das iPhone hält. Dann hören wir über das Bild, den Sound und die
Live-Stimme aus NTS Prodgers Stimme aus dem Off:

> A group of people are focusing very closely on you. They might
> know details of you and also the macro.

Dann nach einer kurzen Pause, in der nur die Live-Musik aus NTS zu
hören ist:

> It's all women. They are totally in control of you. There are three
> main people in charge of you and an outer layer of others, each

> with their specific roles. And they all are focusing very intensely on you.

Wieder eine Pause, wieder das Live Event aus NTS und dann Prodgers ruhige Stimme:

> You are at the centre of the whole thing. It's all about you. Every part of you. But you are not there!

Es folgt ein Schnitt und der Blick auf einen bewaldeten Hang im Nebel in einer Totalen, wir hören Vogelpfeifen und Waldgeräusche. Man fühlt sich immer noch als Zeugin eines Rituals, vielleicht einer Performance in einem subkulturellen Event und erfährt erst später, dass es sich bei der beschriebenen Szene um die Vorbereitung einer Narkose und einer nicht weiter spezifizierten Unterleibsoperation handelt. Die beschriebene Szene spielt sich in dem Übergangsraum (*transition room*) ab, der sich vor dem Operationsaal (*operation theatre*) und neben dem Aufwachraum (*recovery room*) befindet. Prodger liest den Text, der sich wie eine Tagebuchnotiz anhört, über ein Schwarzbild, das sich langsam in ein warmes Braun aufhellt. Die Menschen, die in der Eingangsszene benannt wurden, entpuppen sich als Narkoseärztin und Pflegefachkräfte. Prodger berichtet detailliert, was sie machen und zu ihr sagen. Sie versuchen, sie abzulenken und zu beruhigen, während sie ihr die nötigen Spritzen geben; dann lehnt sich die Anästhesistin über sie und sagt:

> What you think about now is what you are going to dream about. So think about something nice.

Doch es bleibt nicht viel Zeit und Prodger versucht nun an ein Feld, ein Bild zu denken und es sich vorzustellen, aber es ist nicht das Richtige, sie kann das richtige Feld, die richtige Vorstellung nicht finden, so dass die Bilder sich zu bewegen und abzulösen beginnen:

> Now this field, now that one like slides. I never settled on one and that slideshow, searching for the right field, was the last content before nothing.

Der Film, der sich aus Footage, manchmal nur aus kleinsten Schnipseln zusammensetzt, die Prodger über Jahre in ihrem iPhone-Video-Archiv sammelte, lässt sich als Aufführung einer ebensolchen Suche nach der »richtigen Diashow« verstehen, die sich im Übergang und im Dazwischen von Wachsein und Wegsein ereignet. Mason Leaver-Yap beschreibt es als ein privates Kino, das sich direkt zum Körper hin öffnet, ohne jedoch auf die Präsenz des Körpers zu rekurrieren:

> This is a private cinema that opens onto the artist's body in direct address. »It's all about *you*.« Yet the artist goes on to speak in voice-over not about the body's presence, whether hers or yours. Rather, she speaks about the inability to register presence at all – the total absence of self under the effect of anaesthetics.[9]

Die oft statischen Aufnahmen sind an einigen Stellen mit der akusmatischen Stimme von Prodger oder einer Freundin unterlegt, die tagebuchartige Texte und Notizen vorlesen, und mit sorgfältig ausgesuchtem, den Rhythmus des Bildes aufnehmenden Ton, dessen Quelle manchmal unsichtbar bleibt, manchmal aber auch im Bild zu sehen ist: Der Ton eines Schiffes, eines Zuges, einer Maschine; der Wind in einer Landschaft, der das kleine Mikro des iPhones zu überfordern scheint. Besonders schön ist die Szene, die eine schwarze Katze vor einer im Rhythmus der Jazzmusik zitternden, hellen Lampe zeigt. Das ganze Bild vibriert und scheint elektrisch aufgeladen, Träger einer virtuellen Kraft zu sein. Man kann nicht anders als an Bri, Breu oder Bridgit zu denken, die Göttin des Lichts und des Feuers. Für Leaver-Yap rekonfiguiert Prodger Subjektivität bis zu einem Punkt, an dem Beziehungen zwischen Körpern, Orten und Dingen nicht mehr als Nähe oder überhaupt als Beziehung zwischen Subjekten beschrieben werden können. Stattdessen handele es sich um eine transzendentale Idee von fluiden Beziehungen durch und über die Zeit hinweg, erscheinend als eine bewusste Distanzierung vom modernen Subjekt und dessen Überbetonung der Individualität und Rationalität der Einzelnen.[10]

POLITIK UND ÄSTHETIK

Der experimentelle Umgang mit dem iPhone als Kamera und Bildarchiv, der biografische Bezug, der Bezug zu Julian Cope, die Präsenz

---

9   Leaver-Yap, »Aesthetics and Anaesthetics in Charlotte Prodgers *BRIDGIT*«.
10   Ebd.

der queeren Subkultur in Aberdeen und Aberdeenshire und das Interesse an der Formulierung einer fluiden und situierten Subjektivität knüpfen an queere Ästhetiken an und richten sich an eine queere Community. Tatsächlich bezieht sich der Film nicht nur auf eine soziale und politische Realität, die außerhalb der Kunstwelt liegt, er will auch verändernd auf diese einwirken. Prodger formuliert dies klar in dem 5-minütigen Video für die Tate Gallery, in dem sie ihre Arbeit vorstellt: Ihr seien die queeren Kämpfe und die Erinnerung daran wichtig und dies auch und gerade heute, wo es einen Zugriff auf queere Räume gäbe, der zum Teil auf die Kommerzialisierung von queeren Ästhetiken in der Mode, der Musik und der Kunstwelt zurückzuführen sei. Durch die Ablösung der ästhetischen Formen komme es zu einer Entleerung des politischen Inhaltes, der ursprünglich so wichtig gewesen sei.[11]

Damit positioniert sie sich in kritischer Distanz zu aktuellen Zelebrationen von Vielgeschlechtlichkeit, die wesentlich von der Aufmerksamkeitsökonomie der digitalen Medien geleitet sind und die Anpassung an die Mehrheitsgesellschaft, deren Beifall und Anerkennung suchen. Verglichen mit den neoliberal-digitalen Produktionsbedingungen der Popkultur eröffnet die Kunstwelt aktuell Möglichkeitsräume, in denen politische und medienästhetische Probleme erforscht werden können: in denen die Ästhetik an die Politik zurückgebunden und mit neuen ästhetischen Formen und Medien, wie im Falle von *BRIDGIT* mit dem iPhone, experimentiert werden kann.[12]

Diese Beobachtung bestätigend hat der Hamburger Filmwissenschaftler Daniel Kulle vor kurzem vorgeschlagen, von Filmen und Videos, die sich an den Rändern dieses Mainstreams bewegen, als »queere Experimentalfilme« zu sprechen.[13] Kulle meint damit Filme,

---

11　　»Charlotte Prodger | Turner Prize Winner 2018 | TateShots«, *Tate Britain*, YouTube, 17. September 2018, 5:17 min, hier 3:06–3:43 <https://www.youtube.com/watch? v=AsVWk5DlbCE> [Zugriff: 3. Juni 2021].

12　　Ich denke an die Documenta 14 unter der künstlerischen Leitung von Adam Szymczyk, die gleichzeitig in Kassel und Athen stattfand, oder an die Documenta 13 unter der Leitung von Carolyn Christov-Bakargiev zum Thema »Collapse and Recovery« und ebenso an die 58. Biennale Venedig 2019, an der u. a. Prodgers *SaF05* gezeigt wurde und der afroamerikanische Videokünstler Arthur Jafa mit der Einkanal-Videoprojektion *The White Album*, in der er *Whiteness* und die zugehörige Ideologie der *White Supremacy* kritisch analysiert, den Goldenen Löwen für den besten Teilnehmer der internationalen Ausstellung »Living in Interesting Times« gewann.

13　　Daniel Kulle, »Innovation an den Rändern des Queer Cinema. Ästhetische Strategien des Queeren Experimentalfilms«, in *Queer Cinema*, hg. v. Dagmar Brunow und Simon Dickel (Mainz: Ventil, 2018), S. 226–44, hier S. 226.

die sich »in ästhetischer *und* politischer Opposition zum heteronormativen Mainstream wie auch zu assimilationistischen Strömungen
der LGBT-Bewegung« befinden;[14] die also die oben zitierte Kritik
von Prodger teilen. Der queere Experimentalfilm ist nach Kulle durch
seine »systematische Zwitterstellung zwischen Kunst und Kino« charakterisiert. Er stellt ein »hochgradig volatiles Feld ›dazwischen‹ dar,
zwischen Kunst und Film, zwischen der Filmwelt der Festivals und der
von *YouTube* und *Vimeo*«.[15]

In der Tat wies Prodger in einem Interview anlässlich der Nomi-
nierung für den Film London Jarman Award 2017 darauf hin, dass das
Kino die ideale mediale Umgebung für *BRIDGIT* sei.[16] Gezeigt wurde
der Film bisher jedoch nicht im Kino, sondern als Single-Screen-Video
in simulierten Kinosituationen, in Projektionsräumen in Galerien und
Ausstellungsräumen – etwa in der renommierten, 2005 von Lisa Pan-
ting und Malin Ståhl gegründeten Galerie Hollybush Gardens, die sich
als Experimentierfeld für visuelles Denken versteht und die, neben
Prodger, auch Andrea Büttner vertritt, die 2017 für den Turner Prize
nominiert war, und Lubaina Himid, die den Turner Prize 2017 erhalten hat.

Alternativ kann *BRIDGIT* bei der britischen Kunst- und Vertriebs-
agentur LUX angefordert werden und, je nach Bedarf und Preis, für
Forschungszwecke gesichtet, in Lernumgebungen eingesetzt oder öffentlich gezeigt werden. LUX ist eine 2002 gegründete, gemeinnützige
und nicht nichtkommerzielle Organisation, welche sich in der Nach-
folge der London Film-Makers' Co-op (LFMC) als Teil der »Counter
Culture« versteht, die bis in das London der 1960er Jahre zurückreicht. Die London Film-Makers' Co-op war von The Film-Makers'
Cooperative inspiriert, die 1962 u. a. von Jonas Mekas, Shirley Clarke
und weiteren zwanzig Filmkunstschaffenden in New York gegründet
wurde und der Verbreitung avandgardistischer Filmkunst gewidmet
ist. Die London Film-Makers' Co-op wurde in den 1970er und 1980er
Jahren zu einem wichtigen und produktiven Ort für experimentelle

---

14   Ebd., S. 227.
15   Ebd.
16   »CHARLOTTE PRODGER – shortlisted artist profile – Film London Jarman Award
     2017«, *Film London*, Vimeo, 23. August 2017 <https://vimeo.com/230803422> [Zu-
     griff: 3. Juni 2021].

visuelle Kunst. 1976 formierte sich die Gruppe London Video Arts, um die Produktion und Distribution der neu entstehenden Videokunst zu fördern. 1994 schließlich gründete sich London Electronic Art und 1997 zogen alle drei selbstverwalteten Organisationen in das Lux Centre, in dem eine Galerie, ein Kino, ein Archiv und Produktionsräume zur Verfügung standen. An diese Bewegungen schloss 2002 LUX mit dem Ziel an, die Sammlungs- und Distributionsaktivitäten fortzusetzen.[17] Dass Charlotte Prodger ihre Filme über LUX vertreibt, zeigt, wie konsequent sie die Politik der Unabhängigkeit versteht und auch im Hinblick auf die Distribution ihrer Arbeiten betreibt.

DER KÖRPER ALS VIRTUELLER ORT VON EMPFINDUNGEN

Daniel Kulle kommt im Fazit seines Textes zu dem Ergebnis, dass der »queere Experimentalfilm« kein Genre, sondern eine »lose Gruppe von Filmen umfasst, die sich der Kategorisierung weitgehend entzieht«.[18] Anstelle einer Kategorisierung macht er drei »ästhetische Reibungsflächen« aus, an denen, wie er schreibt »diese Filme mit dem Mainstream der LGBT-Festivals kollidieren können«.[19] Er charakterisiert diese Reibungsflächen als »subversive ästhetische Strategien, die sich im Sinne einer Mikropolitik der Macht gegen hegemoniale ästhetische wie politische Normen wenden«.[20] Diese von Kulle identifizierten ästhetischen Strategien lassen sich auch in *BRIDGIT* ausmachen.

   Die erste dieser Strategien bezieht sich auf die Herstellung von Evidenz und Sichtbarkeit. Sie richtet sich gegen die Marginalisierung, Verdrängung und Verleugnung von queeren Körpern, Lebensweisen und Begehren. Es geht dabei zentral um die »Geschichtlichkeit des Körpers und die Spuren, die Zeit und Wandel an ihm hinterlassen,

---

17   Eine sehr schöne Einführung in die Politik der Initiative gibt die Autorin, Kunstkritikerin und ehemalige Direktorin von LUX Schottland, Mason Leaver-Yap, in einem Vortrag im Rahmen der Konferenz »Archeology & Exorcisms: Moving Image and the Archive«, Art & Education, Online-Video, Dezember 2017 <https://www.artandeducation.net/classroom/video/168604/mason-leaver-yap-archaeology-exorcisms-moving-image-and-the-archive> [Zugriff: 3. Juni 2021].
18   Kulle, »Innovation an den Rändern des Queer Cinema«, S. 240.
19   Ebd.
20   Ebd.

die Formbarkeit des Körpers, um Biopolitik und Gouvernementalität«.[21] Es geht darum, den Körper in seiner »Vielseitigkeit und im Spannungsfeld zwischen erotischer Anziehung und semiotischer Aufladung« zu zeigen.[22] Kulle zählt dazu die postpornografische Darstellung von Genitalien in all ihrer Diversität und Bedeutungsvielfalt ebenso wie das von Jack Halberstam als Alternative zur figurativen Sichtbarkeit vorgeschlagene Konzept der »queer abstraction« oder das von Renate Lorenz formulierte Konzept des »abstract drag«.[23] Dazu gehört auch die »exzessive Ästhetik des Camp«, mit der »lustvolle Traumwelten aufgebaut werden, in denen die Möglichkeit eines Andersseins an sich im Mittelpunkt steht«.[24]

Auch in *BRIDGIT* ist die Frage nach dem Körper zentral. Der Körper erscheint hier jedoch weder in *abstraction* noch figurativ und auch nicht als Träger einer Utopie, sondern in prozessualer Verschränkung mit Technischem, Medialem und als eine subjektivierte relationale Raumzeitlichkeit. Man sieht den Körper nicht, sondern man empfindet ihn: Durch die Stimme(n) und die Spuren des Atmens in der Bewegung der Bilder, durch die erzählten Geschichten, durch die mit dem iPhone aufgenommenen Landschaftsbilder, durch den intensiven und sorgfältig ausgesuchten Sound, durch den Rhythmus, der den Film durchzieht. *BRIDGIT* adressiert den Körper nicht als eine materielle Substanz, sondern als virtuellen Ort von Empfindungen und Intensitäten in einem Beziehungsgefüge mit technischen Objekten, das man mit dem französischen Philosophen Gilbert Simondon als »transindividuelles« Beziehungsgefüge verstehen kann.[25] Dabei ist mit virtuell hier nicht das digitale Virtuelle gemeint, sondern es ist

---

21 Ebd., S. 229.
22 Ebd.
23 Ebd., S. 232.
24 Ebd., S. 234.
25 Für Simondon ist die »transindividuelle Relation« an ein im emphatischen Sinn »technisches Denken« gebunden. Dieses »technische Denken« ist die Voraussetzung dafür, dass sich über der »Gemeinschaft der Arbeit«, in der Technik allein als Instrument in einer durch Herrschaft geprägten Beziehung zur Natur gedacht werden kann, ein »geistiges und praktisches Universum der Technizität [errichtet, d. V.in], in dem die Menschen vermittels dessen kommunizieren, was sie erfinden«. In dieser Beziehung wird das technische Objekt als »erfundenes, gedachtes und gewolltes, als Objekt [erfasst, d. V.in] dessen sich ein menschliches Wesen angenommen hat«; siehe Gilbert Simondon, *Die Existenzweise technischer Objekte* (Zürich: Diaphanes, 2012), S. 228.

im Sinne der transzendentalphilosophischen Modallogik zu verstehen, die mit einer langen Tradition in die mittelalterliche Philosophie zurückreicht und auf die sich die Prozessphilosophie von Simondon ebenso bezieht, wie jene von Peirce und Deleuze. Das Virtuelle meint in diesem Sinn eine Kraft zur Veränderung der Aktualität und das meint eine Kraft zur Veränderung der Gegenwart. Als eine Kraft des Werdens ist das Virtuelle, wie Gilbert Simondon ausführt, zugleich in der Zukunft und in der Vergangenheit und vermag damit die Zukunft als Potentialität in die Gegenwart zurücklaufen zu lassen.[26]

Der Film gibt viel zu sehen und es geht zentral um den Körper und um Materialität. Materie wird jedoch nicht als eine Substanz oder Matrix adressiert, und der Körper auch nicht als Organismus mit definierten Grenzen zu einer Um- oder Außenwelt gedacht. Statt eine Evidenz zu vermitteln wird vielmehr die Vorstellung, man könne sich die *richtige* Vorstellung machen, oder sich auf eine *richtige* Vorstellung berufen, selbst fraglich. Der Körper verliert seine Grenzen und die Kontrolle entgleitet ebenso wie die Vorstellung, der Körper sei ein Eigentum und das Denken ein Kontrollorgan. Der Körper erscheint als Zentrum von Empfindungen und Intensitäten in einem transindividuellen Beziehungsgefüge.

LEDA UND DER SCHWAN, QUEER-LESBISCHES BEGEHREN

Die zweite ästhetische Strategie in Filmen, die als »queere Experimentalfilme« gelten können, besteht, so Kulle, darin, eine eigene

---

26　Ebd., S. 132. Simondon führt den Begriff des Virtuellen im Kontext der Unterscheidung von Grund und Form anstelle von Stoff, bzw. Materie und Form als Bedingung für die Möglichkeit von technischen Erfindungen ein. Während er die Gestalttheorie dafür kritisiert, dass sie den Grund nicht radikal genug gedacht habe und nach wie vor der Form die gestaltende Kraft zuspricht, wendet er dieses Kräfteverhältnis unter Rekurs auf die transzendentalphilosophische Modallogik, die mit einer langen Tradition auf Duns Scotus zurückreicht, um. Demnach ist »der Grund das System der Virtualitäten, der Potentiale, der Kräfte, die sich langsam ihren Weg bahnen, während die Formen das System der Aktualität sind«; siehe ebd., S. 54. In dieser Tradition ist das Virtuelle nicht weniger real als das Aktuelle. Die Differenz zwischen Virtuellem und Aktuellem setzt ein Prozessdenken voraus. Das meint: Das Aktuelle ist eine Realität, die durch den Prozess der Aktualisierung gegangen ist. Das Virtuelle ist aktuell geworden und nicht länger virtuell. Vgl. Astrid Deuber-Mankowsky, »›Für eine Maschine gibt es kein echtes Virtuelles‹: Zur Kritik des *Smartness Mandate* mit Felwin Sarrs *Afrotopia* und Gilbert Simondons *Philosophie der Technik*«, in *Digital/Rational*, hg. v. Dieter Mersch und Katerina Krtilova (= *Internationales Jahrbuch für Medienphilosophie*, 6, (2020)), S. 131–45.

»queere Stimme« bzw. Erzählposition zu finden. Dabei meint Stimme »sowohl eine queere Erzählposition [...], von der aus Sinn in die heteronormative Welt getragen wird, aber auch ganz explizit die körperliche oder akusmatische Stimme«.[27] Die akusmatische Stimme werde, so führt Kulle unter Berufung auf die Medienwissenschaftlerin Robin Curtis aus, zu einem »autobiografischen Marker«.[28] Während das Voiceover eine persönliche Geschichte erzählt, stellt es sich einer davon zunächst unabhängigen Bilder- und Soundwelt entgegen. Diese Bilder können Stadt-, Kultur- oder Naturlandschaften sein. Es können auch Körper sein, die zu der Stimme in einem Kontrast stehen. Kulle nennt als Beispiel dafür *El Abuelo* von Dino Dinco, der eine »sehnsüchtige und zärtliche Stimme [...] einem gangtätowierten, muskulösen Körper« entgegensetzt.[29] Dieses Verfahren ist nicht nur für eine lange lesbische und schwule Filmgeschichte charakteristisch, sondern, wie Kulle unterstreicht, zugleich eine seit den 1960er Jahren »klassisch gewordene ästhetische Strategie jeglicher gegenkulturellen Video- und Filmproduktion von Minoritäten«.[30] Die Gegenüberstellung von Off-Stimme und Bilder- und Soundwelten ermögliche die Formulierung einer minoritären Position und die gleichzeitige Unterwanderung der etablierten Repräsentationen, denen sie sich gegenübersieht. Durch den Kontrast zwischen Bildwelt und akusmatischer Stimme werde, so Kulle, der »vermeintlich unproblematische Individuationsprozess, den die Stimme performativ behauptet, jedoch gleichzeitig widerrufen«.[31] Das queere Selbst sei, so Kulle, damit notwendiger Weise ein »ironisches und metasubjektives: Indem das Selbst sich aus der Reibung an den Bildwelten heraus entwickelt, die Differenz zu diesen aber niemals überwinden kann, bleibt es als Konstrukt ohne Fundament, ein reines Provisorium«.[32]

Dass auch Prodger in BRIDGIT mit akusmatischer Stimme und Landschaft arbeitet, ist bereits deutlich geworden. Und mehr noch: Auch die Möglichkeiten der Generierung einer queeren Erzählpositi-

---

27 Kulle, »Innovation an den Rändern des Queer Cinema«, S. 234.
28 Ebd.
29 *El Abuelo*, Regie: Dino Dinco (Dino Dinco, 2004); Kulle, »Innovation an den Rändern des Queer Cinema«, S. 235.
30 Ebd.
31 Ebd.
32 Ebd.

on im Kontext der digitalen Remix Culture und des Found Footage, auf die Kulle hinweist, lassen sich wiederfinden. So setzt sich der Film aus Videosequenzen zusammen, die Prodger mit ihrem iPhone filmte und digital archivierte. Es handelt sich bei diesem Footage allerdings nicht, wie in den Beispielen von Kulle, um popkulturelle Bilderwelten, sondern um gefundene Bilder aus dem eigenen, persönlichen Archiv, die in der Montage zu einem neuen Ausdrucksgefüge finden. Unter Bezugnahme auf Filme von Barbara Hammer, wie z. B. *Nitrate Kisses* oder *Tender Fictions*,[33] bringt Kulle einen weiteren auch für die Analyse von *BRIDGIT* wichtigen Punkt ins Spiel: So weist er darauf hin, dass Voiceover und Remix insbesondere in der Reflexion über Formen queerer Kollektivität zum »Grundinventar des queeren Experimentalfilmes gehören«.[34] Auch dieses Anliegen, neue Ausdrucksformen queerer Kollektivität zu kreieren, finden wir in *BRIDGIT*.

Ich werde im Folgenden entlang einer besonders beeindruckenden Einstellung, in der akusmatische Stimme(n), queere Kollektivität, biographische Erfahrungen und Landschaftsbild und Sexualität zusammenkommen, darzustellen versuchen, in welcher Weise *BRIDGIT* an die von Kulle vorgestellte ästhetische Strategie einer eigenen Stimme anknüpft und wo und wie der Film diese ästhetisch und politisch überschreitet.

Die Sequenz dauert zweieinhalb Minuten und befindet sich genau in der Mitte des Films. Es ist eine statische Einstellung, mit dem bereits vertrauten, kaum wahrnehmbaren, leichten Schwanken, welches den Atem und durch diesen die Anwesenheit des Körpers anzeigt, mit dem die Kamera verbunden ist. Auf dem Bild sind im Vordergrund bemooste Steine zu sehen, zwischen denen das Wasser ins Meer zurückfließt (s. Abb. 2 und Abb. 3). Es ist offensichtlich Ebbe. Am Rand des Strandes, bevor das offene Wasser beginnt, steht eine Gruppe von weißen Schwänen, die ihre langen Hälse elegant zum Trinken winden und beugen, ihr Federkleid putzen, sich am Ort bewegen. Fast ununterscheidbar von den Steinen stehen drei Enten mit eingezogenen Köpfen. Der Wind geht und wir hören ihn und die Wellen und se-

---

33 *Nitrate Kisses*, Regie: Barbara Hammer (Barbara Hammer, 1992); *Tender Fictions*, Regie: Barbara Hammer (Barbara Hammer, 1996).
34 Kulle, »Innovation an den Rändern des Queer Cinema«, S. 236.

Abb. 2. Installation von BRIDGIT (Hollybush Gardens, London, 2016),
Foto: Andy Keate.

hen am Horizont die Wolken sich bewegen. Manchmal fliegen Vögel durchs Bild.

Derweil liest die bereits bekannte Stimme, die nicht jene von Prodger ist, folgende Tagebuchnotizen vor:

> November 14th: bought two t-shirts, a pair of jogging pants and some socks at jd sports. The check-out girl asked if it is my son I am buying for. I said, no it's me. She didn't say much after that.
> January 28th: I am on a shift at the bar where I worked as a DJ. I put on a long record and went to the toilet [...]. One girl sees me in the queue and shouts: there is a boy in the girl's toilets.
> March 23rd: Helen, in the bed next to me asks me if that was my daughter who visited me last night. I said no, actually it is my girlfriend. She raised her hands: Don't have a problem with that. My son is gay.

Es folgen weitere Einträge, die von der Unkenntlichmachung queeren Begehrens und lesbischer Lebensformen in einer heterosexuellen Umgebung handeln. Die Einstellung endet mit den folgenden Sätzen:

Abb. 3. Installation von BRIDGIT (Hollybush Gardens, London, 2016),
Foto: Andy Keate.

I told Isabelle. She said that usually her and Ellen get: are you
twins? And once Ellen got: is that your son? I told Irene. Wee
has variously been her mother and her brother.

Das lesbische Begehren wird in diesen Aussagen in einer heteronormativen Umgebung mit der Beziehung von Zwillingen, von Mutter und
Sohn und von Mutter und Tochter assoziiert. Statt dass das lesbische
Begehren in dieser Operation der Ersetzung jedoch verschwindet,
um unsichtbar und *non intelligible* zu werden, kommt es durch die
Montage von Stimme, Erzählposition und zitierten Tagebucheinträ-
gen zu einer Überlappung von erotischer und verwandtschaftlicher
Beziehung. Diese führt zu einer Erschütterung der symbolischen Po-
sition des Inzesttabus, das, wie Judith Butler in *Antigones Verlangen.
Verwandtschaft zwischen Leben und Tod* gegen Lacan und gegen Levi-
Strauss argumentierte, seinerseits auf der vorgängigen Verdrängung
und Tabuisierung der gleichgeschlechtlichen Liebe beruht.[35] In der

---

35   Judith Butler, *Antigones Verlangen: Verwandtschaft zwischen Leben und Tod*, übers.
v. Reiner Ansén (Frankfurt a. M.: Suhrkamp, 2001), S. 40. In *Psyche der Macht*

beschriebenen Szene kehrt sich nun die Tabuisierung des lesbischen Begehrens auf einmal gegen das Tabu des Inzests selbst. Es widersetzt sich dem Verschwinden und stellt damit durch die Überlappung von Verwandtschafts- und von sexueller Beziehung zugleich das symbolische Gesetz des Inzesttabus in Frage. In der Szene wird nichts weniger als der Rahmen selbst sichtbar, der die Prekarität queerer Körper und queerer Sexualität hervorbringt und reproduziert.

Gleichzeitig scheint in der Szene des sich konstant in reflektierter Bewegung befindenden Wassers, der Wolken und der Schwäne das virtuelle Bild eines kraftvollen queeren sexuellen Begehrens auf. Selbst ohne die Anwesenheit einer Leda-Figur erinnern die Schwäne an kunstgeschichtliche Darstellungen der sexuellen Begegnung von Leda mit einem Schwan. In der schriftlichen Überlieferung verliebte sich Zeus in Leda und näherte sich ihr eines Nachts in Gestalt eines Schwans. Leda hatte in der gleichen Nacht Sex mit ihrem Gemahl, dem spartanischen König Tynadereos, wurde schwanger und gebar zwei Eier mit zwei Zwillingspaaren: Die unsterblichen Zwillinge Helena und Pollus und die sterblichen Zwillinge Klytaimnestra und Kastor. Während die Geschichte von Zeus und Leda in der *schriftlichen* Überlieferung als einer der vielen sexuellen Übergriffe von Zeus erzählt wird, löste sich demgegenüber die *bildliche* Darstellung der sexuellen Begegnung von Schwan und Leda von Zeus ab. Die Begegnung von Leda – der Name heißt, übersetzt, nichts anderes als *Frau* – und dem Schwan, wurde bereits in der Antike bildlich dargestellt und entwickelte sich in der Renaissance-Malerei zu einem beliebten erotischen Motiv. Ausschlaggebend für diese bildlichen Darstellungen und ebenso für die Szene in *BRIDGIT* ist nun, dass Zeus in diesen Bildern nicht gezeigt wird; er ist, anders formuliert, nicht anwesend und kann entsprechend weggedacht werden. Anwesend sind Leda, der Schwan, manchmal Cupido, oder die von Leda gelegten Eier, manchmal Gespielinnen von Leda oder ihre Mägde. Ohne Zeus jedoch wandelt sich

---

unterscheidet Butler zwischen einer »heterosexuellen Melancholie« und einer »homosexuellen Melancholie«, um die jeweilig unterschiedliche Wirkung und Dynamik der Tabuisierung der Homosexualität zu erklären, die, wie sie überzeugend darstellte, sowohl dem Ödipuskomplex als auch dem Inzestverbot vorausgeht, und damit die heteronormative Verfasstheit des Verwandtschaftssystems stützt; siehe Judith Butler, *Psyche der Macht. Das Subjekt der Unterwerfung*, übers. v. Reiner Ansén (Frankfurt a. M.: Suhrkamp 1997), S. 135.

Abb. 4. Leonardo da Vinci, *Leda und der Schwan* (ca. 1508), Zeichnung auf
Papier, 16 × 13,9 cm <https://commons.wikimedia.org/wiki/File:
Leonardo_da_vinci,_Leda_and_the_Swan_study.jpg> [Zugriff: 3. Juni 2021].

die Szene von Leda und dem Schwan in eine beglückende sexuelle
Begegnung, die als eine nicht-heterosexuelle Szene auslegbar ist. Diese bildlichen Darstellungen wurden aus feministischer Perspektive als
Verharmlosung von sexueller Gewalt gegenüber Frauen und entsprechend als Männerphantasien interpretiert. Sie können jedoch, wenn
man nicht sieht, was auch nicht da ist – eben Zeus und die von ihm
repräsentierte heteronormative Markierung der Sexualität – auch als
nicht-heterosexuelle, queer-sexuelle Szenen wahrgenommen werden.
Überliefert sind, um nur einige Beispiele zu nennen, die Studien von
Leonardo da Vinci und eine Skizze, auf der auch die Eier zu sehen
sind, die Leda gebar und auf der Leda den Schwan zärtlich umarmt
(s. Abb. 4). Oder das Ölgemälde von Correggio, das in der Gemäl-
degalerie in Berlin hängt und die Szenen in einem Bild verbindet, in
denen sich Leda und der Schwan treffen, sich sexuell vereinigen und
danach voneinander trennen (s. Abb. 5). Auf dem Bild des Rokoko-
Malers François Boucher, der ein Vertrauter und Freund von Madame
de Pompadour war, liegen zwei Frauen beieinander und heißen den
Schwan mit offensichtlicher Freude willkommen (s. Abb. 6). In *BRID-*

Abb. 5. Antonio da Correggio, *Leda mit dem Schwan* (ca. 1532), Ölgemälde, 156,2
× 217,5 cm <https://commons.wikimedia.org/wiki/File:
1532_Correggio_Leda_mit_dem_Schwan_anagoria.JPG> [Zugriff: 3. Juni 2021].

GIT sieht man nur Steine, die Schwäne und die drei Enten. Sie werden
jedoch ebenso wie das Wasser, die Wolken, die Landschaft zu Verbündeten eines queer-lesbischen Begehrens, das die Szene über die
Bewegung des Atmens mit dem Körper von Charlotte Prodger verbindet, die das iPhone hält.

Prodger trägt die alltäglichen Situationen des Ausschlusses und
der Pervertierung queer-lesbischen Begehrens in ihrem Film in den
Raum der Ästhetik, wo sie zum Ausgangspunkt für die Erschaffung
von etwas Neuem werden. Wir können die Einstellung mit Deleuze
als einen »bloc de sensations«, einen Empfindungsblock, auslegen.
In einem Empfindungsblock wird, wie Deleuze ausführt, flüchtigen,
gelebten und vergänglichen Empfindungen ein Halt im Sinne eines
Da-Seins gegeben.[36] Kunst wird damit nicht nur zum ästhetischen
Ausdrucksmedium von Empfindungen, sondern Kunst bringt zugleich
die Virtualität zum Ausdruck, die diesen Empfindungen als Intensitäten zukommt. Diese Virtualität ist hier die Kraft eines queer-lesbischen

---

36   Gilles Deleuze und Félix Guattari, *Was ist Philosophie?*, übers. v. Bernd Schwibs und
     Joseph Vogl (Frankfurt a. M.: Suhrkamp, 2000), S. 191.

Abb. 6. François Boucher, *Leda und der Schwan* (1742), Ölgemälde, 59,5
× 74 cm <https://commons.wikimedia.org/wiki/File:
Boucher_Leda_och_svanen.jpg> [Zugriff: 3. Juni 2021].

Begehrens, das in der Szene aufscheint.[37] Die Bilderwelten werden
ebenso wie die in den Bildern zu sehenden Landschaften und Tiere im Sinne eines fluiden und transindividuellen Beziehungsgefüges
zu Verbündeten in der Herausbildung einer starken, fluiden queeren
Identität.

DAS IPHONE ALS EIN MEDIUM QUEERER ÄSTHETIK

Die dritte und letzte von Kulle analysierte ästhetische Strategie des
queeren Experimentalfilmes trägt die Überschrift »Performanz des
Selbst«.[38] Zu den Filmen, in denen es um die performative Aufführung eines queeren Selbst geht, zählt Kulle Filme, in denen Drag-
queens und Dragkings im Zentrum stehen. Auch hier wird ein »Queeres Selbst« mit »Ironisierung« und mit der Überschreibung von Natürlichem mit Künstlichem verbunden. Dazu kommt, dass diese Filme
als Low-/No-Budget-Produktionen eine »Do-it Yourself-Kultur« als
Gegenmodell entwickelten und das meint, mit begrenzten Ressourcen
und technischen Mitteln experimentierten.

---

37   Vgl. Astrid Deuber-Mankowsky, *Queeres Post-Cinema. Yael Bartana, Su Friedrich, Todd
      Haynes, Sharon Hayes* (Berlin: August Verlag, 2017), S. 68–71.
38   Ebd., S. 237.

An diesem Punkt könnte man Charlotte Prodgers Entscheidung, mit einem iPhone zu filmen, in der Tradition der queeren Experimentalfilme verorten. Prodger selbst betont, dass die Bedingungen der technischen Formate, mit denen sie arbeitet – seien dies 16-mm-Filme oder eben ein iPhone, ja selbst Drohnen-Kameras[39] – eng mit dem autobiografischen Inhalt ihrer Filme verbunden sind.[40] Allerdings bedeutet das nicht, dass sie in Kulles Sinn »>eine Ästhetik des Fragmentarischen, des nicht Abgeschlossenen, nicht Fertigen<« sucht.[41] Im Gegenteil: Präzision und konsequentes Durchdenken spielen eine zentrale Rolle. So ist es kein Zufall, wenn wir an einer Stelle für einen Augenblick die helle Fingerkuppe von Prodger im Bild sehen, sondern es sind, ebenso wie das hauchzarte Schwanken bei statischen Weitwinkel-Aufnahmen, die über zwei Minuten dauern und ohne Stativ gefilmt wurden, bewusst gesetzte materielle Spuren des Körpers, die für Prodger auf das spezifische Verhältnis von Körper und Technik im Filmen mit einem iPhone verweisen. Tatsächlich vermitteln sich die technischen Bedingungen für Prodger auch im Fall der digitalen Technik über Empfindungen, das heißt über ästhetisch vermittelte materielle Spuren mit dem Körper. Dies wird etwa deutlich, wenn sie beschreibt, dass das iPhone im Prozess des Filmens sehr materiell, geradezu »skulptural« geworden sei.[42] Man könne, so führt sie aus, das iPhone mitten in der Aufnahme drehen, die Finger können im Bild sichtbar werden, man kann das Blut in den eigenen Fingern sehen, wenn man sie nah an die kleine Kamera hält; wenn man in der Landschaft filmt, führt der Wind das kleine Mikrofon an seine Grenzen, zerreißt es fast und wenn man eine statische Aufnahme macht, sieht man den Körper atmen. Der Köper und seine Systeme verschränken sich mit der Kamera. Es ist eine Art Symbiose und zugleich eine Art Verklammern. In diesem bedachten Umgang erscheint das iPhone im emphatischen Sinn als ein »technisches Objekt«, von dem Simondon forderte, dass dieses als ein »erfundenes, gedachtes und gewolltes« zu behandeln sei.[43] Nur so könne es zu einem Element in einem

39 Vgl. den Beitrag von Henriette Gunkel in diesem Band.
40 »CHARLOTTE PRODGER – shortlisted artist profile – Film London Jarman Award 2017«, 6:56 min, hier 0:45.
41 Kulle, »Innovation an den Rändern des Queer Cinema«, S. 239.
42 »Charlotte Prodger | Turner Prize Winner 2018 | TateShots«, 5:17 min, hier 1:30.
43 Simondon, Existenzweise, S. 228. Vgl. auch Fußnoten 19 und 20.

transindividuellen Beziehungssystem werden, das er »Universum der Technik« nennt, »in dem die Menschen vermittels dessen kommunizieren, was sie erfinden«.[44] In Prodgers Experimentieren erweitern sich, um es zusammenzufassen, mit dem Denken der Technik auch die Möglichkeiten und das Vermögen, den Körper zu denken. Eben darin unterscheidet sich *BRIDGIT* auch von anderen, immer zahlreicher werdenden Handy- oder iPhone-Filmen.[45]

Wenn Prodger das Filmen mit dem iPhone skulptural nennt, so kann das Video selbst als eine Skulptur beschrieben werden. Wir erinnern uns, dass Prodger dem Bewusstseinsverlust beim Fall in die Narkose mit dem Versuch begegnete, das richtige Vorstellungsbild zu finden, das sie während der Narkose begleiten sollte und dass dieser Versuch darin mündete, dass sich die Vorstellungsbilder wie in einer Diashow abzulösen begannen und sie gleichzeitig nicht die »richtige Diashow« finden konnte. Das Aufwachen aus der Narkose ist wiederum mit einer Bewegung verbunden, die diesmal jedoch nicht horizontal, sondern vertikal ist: Wir sehen in einer statischen Aufnahme die Menhire eines keltischen Steinkreises in der Aberdeener Landschaft. In das Bild werden in der nächsten Einstellung weibliche Vornamen eingeblendet: »Margaret, Deborah, Eimear, Helen«. Im darauffolgenden, ebenfalls in gelben Buchstaben gesetzten Satz werden diese Namen als Punkte in einem sich bewegenden Gitter beschrieben. Und auf einmal wird klar: Bei diesem Gitter handelt es sich um die Darstellung des Bewegungsablaufes in einem Krankenhaus, in dem »Margaret«, »Deborah«, »Eimear«, »Helen« Namen von Frauen sind, die operiert werden. Sie kommen morgens in die Krankenstation, werden aufgenommen, werden im Lift in den *tran-*

---

44 Ebd.

45 Bei diesen mit einem Handy oder einem iPhone gedrehten Filmen handelt es sich zumeist um neue Formen von Dokumentarfilmen, vgl. Florian Krautkrämer, »Revolution Uploaded. Un/Sichtbares im Handy-Dokumentarfilm«, *Zeitschrift für Medienwissenschaft*, 6.2 (2014), S. 113–26, oder, wie bei den iPhone-Filmen von Steven Soderbergh, um Spielfilme, die sich an der Ästhetik des Kinofilms orientieren. Hier kommt das iPhone in erster Linie zum Einsatz, weil es günstiger ist und mehr Unabhängigkeit in der Realisierung von Filmprojekten ermöglicht. Dies gilt nicht nur für den iPhone-Film *Unsane*, Regie: Steven Soderbergh (Fingerpringt Releasing, Extension 765, New Regency Productions, 2018), sondern auch für die ebenfalls gänzlich per iPhone gefilmte Netflix-Serie *High Flying Bird* (Extension 765, Harper Road Films, 2019).

Abb. 7. Film-Still, *BRIDGIT*, Regie: Charlotte Prodger (Hollybush Gardens, Charlotte Prodger, 2016).

sition room hochgefahren, von dort in den Operationssaal gebracht, dann in den Aufwachraum, und mit dem Lift wieder in die Station zurückgefahren. Wir hören nur den Wind, der das Gras bewegt, und lesen die folgenden Sätze, die über die statische Einstellung auf die in der Landschaft stehenden Menhire eingeblendet werden:

> Coming in at 7.30 / Waiting, then down the lift / into theatre / out to recovery, back to the ward, next ones come in, go down, go in, come out, go up.

Prodger vergleicht das Diagramm, das sich über die Bilder der Landschaft legt, mit den minimalistischen Bildern der lesbischen Malerin Agnes Martin. Der sich wiederholende Ablauf sei wie eine »Agnes Martin with moving parts« – eine Reihe von Punkten, die sich in vertikalen Säulen, den Menhiren, bewegen (s. Abb. 7).

Im nächsten Schritt wird die Vorstellung des Steinkreises als einer Reihe von sich bewegenden Punkten noch einmal ausgeweitet. Er steht nun für einen »unendlichen Raum-Zeit-Rhythmus«, der, wie jetzt über den aus dem Gras zu wachsen scheinenden Steinsäulen zu lesen ist, da war, lang bevor »ich«, das meint Charlotte Prodger, da war. Der unendliche Raum-Zeit-Rhythmus war, wie es weiter geschrieben steht, da, als sie diese Sätze schrieb und als sie den Film schnitt, und er ist da und geht weiter, während wir, das Publikum, den Film sehen.

Prodger schreibt sich und uns auf diese Weise in eine Geschichte des Lebens ein, die sich nicht an der Ordnung des Stammbaums und der Verwandtschaft orientiert, sondern umfassender ist und die Geschichte der technischen Objekte ebenso umfasst wie jene der Lebewesen und der Landschaft.

Die nächste Einstellung beginnt mit einem Schwarzbild und wir hören Prodgers Stimme die verschiedenen Namen der trans* Medientheoretikerin, Soundtechnikerin, Performerin und Aktivistin »Alluquére Rosanne ›Sandy‹ Stone« aufsagen, es klingt fast wie ein Reim oder ein Gedicht und erinnert an die vielen Namen von Bridgit. Damit wird die 1936 geborene, unter den Namen Sandy Stone bekannte Autorin einschlägiger cyberfeministischer Texte und des ebenso einschlägigen 1987 veröffentlichten *The Empire Strikes Back: A Posttranssexuell Manifesto*, in enge Verbindung mit der fluiden Identität der keltischen Gottheiten gebracht. Nicht nur das: Die trans* Frau Sandy Stone, aus deren Texten der 1990er Jahre in *BRIDGIT* im Folgenden zitiert wird, erscheint mehr noch als Vordenkerin eben dieses Konzeptes einer fluiden Identität und der Verschränkung von Technik, Körper, Zeit und Geschlecht und der Idee, dass eine entkörperte Subjektivität mit Queerness durchaus zusammengeht.

Der Bezug auf Sandy Stone ist in vielen Hinsichten eminent politisch. In einer der nächsten Einstellungen zitiert die Off-Stimme Prodgers das online veröffentliche Interview mit Sandy Stone über ihr Verhältnis und ihre Erfahrungen mit dem *lesbian separatism* in den 1970er Jahren.[46] Sandy Stone arbeitete in jener Zeit als Tontechnikerin für den Frauen-Musik-Verlag Olivia Records. Olivia Records bekannte sich offiziell zu einem radikalen Feminismus und privat zu einem lesbischen Separatismus, heißt es im Interview. Anders als Vertreterinnen des radikalen Feminismus, wie Janice Raymond, die Sandy Stone unterstellten, keine »echte« Frau zu sein und das Label dafür kritisierten, mit einer trans* Frau zu arbeiten, hatten die lesbischen Separatistinnen kein Problem damit, die transsexuelle Sandy Stone in ihre lesbische Gemeinschaft zu integrieren. Im Gegenteil, sie fühlten

---

46   Zackary Drucker, »Sandy Stone on Living Among Lesbian Separatists as a Trans Woman in the 70s«, *Vice*, 19. Dezember 2018 <https://www.vice.com/en_us/article/zmd5k5/sandy-stone-biography-transgender-history> [Zugriff: 3. Juni 2021].

Abb. 8. Film-Still, *BRIDGIT*, Regie: Charlotte Prodger (Hollybush
Gardens, Charlotte Prodger, 2016).

sich Sandy Stone in vieler Hinsicht näher als vielen cis* Frauen. Für
Prodger stellten sie damit eine Form des lesbischen Separatismus vor,
die relational und sich stetig verändernd ist.

Man muss diese Stellungnahme einerseits vor dem Hintergrund
der aktuellen Kämpfe sehen, die in Großbritannien die Vertreterinnen der TERF (Trans-Exclusionary Radical Feminists) gegen die *trans
rights*, die Rechte von trans* Menschen, führen, da sie eine Auslö-
schung von cis* durch trans* Frauen befürchten. Vor diesem Hintergrund erst wird deutlich, dass die prominente Bezugnahme auf Sandy
Stone in *BRIDGIT* zugleich eine Distanzierung von der Politik der
TERF bedeutet. Andererseits jedoch ist Prodgers Stellungname für
einen lesbischen Separatismus, der eine fluide und relationale Identität
affirmiert, auch eine Absage an eine Identitätspolitik, die Identität mit
einem starken Selbst und einer partialen Gruppe verbindet. Dies zeigt
sich deutlich in den letzten beiden Einstellungen von *BRIDGIT*. Die
erste spielt Zuhause und zeigt ein über einer Heizung hängendes T-
Shirt mit dem Kopf eines Löwen, der unschwer als jene queere Löwin
zu erkennen ist, die in Prodgers nächstem, auf der Biennale von Venedig gezeigten Video *SaFo5* die Hauptrolle spielen wird (s. Abb. 8).
Es handelt sich um eine von jenen Löwinnen, die in Botswana im
Okavangodelta von Überwachungskameras beobachtet wurden, die

Abb. 9. Installation von BRIDGIT (Hollybush Gardens, London, 2016),
Foto: Andy Keate.

sich wie Löwen verhalten, eine Mähne haben, alleine auf die Jagd
gehen und aber eben doch Löwinnen sind.[47] Die stolze, gegen den
Himmel gerichtete Haltung des bemähnten Löwinnenkopfes begleitet uns in die nächste und letzte Szene, die eine Steinsäule in einer
Landschaft zeigt, überblendet von einem weißen Gitter, das sich weitet
und schließlich auflöst (s. Abb. 9). Es bleibt die Steinsäule aus der
Jungsteinzeit, die ebenso an Bridgit erinnert, wie in ihrem oberen Ende
an die stolze Mähne der queeren Löwin SaFo5.

Es gab eine solche *queer lioness* übrigens auch im Zoo von Okla-
homa. Dieser Löwin wuchs im Alter von 18 Jahren auf einmal ein
Bart. Das war genau zu der Zeit, als Prodger den Film fertigstellte. Die
Löwin mit der Mähne hieß: Bridget. Vielleicht ein Zufall, in jedem Fall
jedoch zeigt es, dass die fluide Identität, für die Prodger optiert, nicht
auf Menschen begrenzt ist. Die Landschaft, die Natur, das Wasser, die
Steine, die Pflanzen und die Tiere werden vielmehr, ebenso wie die
Technik, zu Verbündeten im Prozess einer queeren Subjektivierung,

<hr>

47   Vgl. den Beitrag von Henriette Gunkel in diesem Band.

die sich nicht um ein Bezugssystem zentriert, sondern sich konstant in relationaler Bewegung zu anderen Bewegungen befindet. Obwohl es dabei spielerisch zugeht, ist daran nichts ironisch. Es geht um eine virtuelle Kraft, um eine Veränderung der Gegenwart und darin liegt das politische Moment dieser queeren Ästhetik.

Codes, Raster, Technologien queerer Erinnerungslandschaften
Charlotte Prodgers SaF05
HENRIETTE GUNKEL

Charlotte Prodgers 39-minütiger Einkanal-Videofilm *SaF05* von 2019 beginnt mit einer Einstellung in schwarz-weiß.[1] Zu sehen sind die Hinterbeine und der Schwanz eines Löwen oder einer Löwin. Das Raubtier steht auf einer Lichtung; im Hintergrund sind trockenes Gras und Büsche zu sehen. Der abgebildete Kamerarahmen verweist darauf, wann die Aufnahme gemacht wurde: am 07.07.2017 um 6:34:50 Uhr morgens, bei sechs Grad. Allein der diegetische Sound sowie das kaum wahrnehmbare Heben und Senken des Brustkorbes und der fortlaufende Timecode verweisen darauf, dass kein Standbild, sondern ein Bewegtbild zu sehen ist (s. Abb. 1). Um 6:35:12 gibt es einen ersten Schnitt; der Timecode springt auf 6:35:44, just zu dem Moment, in dem sich das Tier niederlegt. Zu sehen ist jetzt nur noch das linke hintere Bein und ein Rückenansatz – hier kommen zu den vorherigen Atembewegungen die Bewegungen von kleinen fliegenden Insekten zum Bild hinzu, die sich um das Licht der Kamera sammeln. Bei

---

1   *SaF05*, Regie: Charlotte Prodger (Hollybush Gardens, Charlotte Prodger, 2019). Ein-Kanal-Video mit Sound, 39 min. Edition of 4 + 1 AP. Ich möchte den Herausgeber*innen sowie Ulrike Bergermann und Conny Mosley für die wichtigen und inspirierenden Anmerkungen zum Text danken.

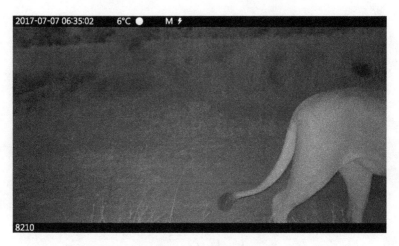

Abb. 1. Film-Still, *SaF05*, Regie: Charlotte Prodger (Copyright
Hollybush Gardens, Charlotte Prodger, 2019).

6:36:12 folgt ein zweiter Schnitt. Das Tier, dessen Vorderseite noch
immer nicht zu sehen ist, beginnt um 6:38:32 sich aus dem Kamera-
fokus herauszubewegen. Mittlerweile sind es sieben Grad. Zu sehen
ist die Raubkatze bis zum nächsten Schnitt nicht mehr, aber zu hören:
Langsam steigert sie sich in ein Brüllen (*roaring*), das als Zeichen der
Dominanz und Markierung des Raumes mit männlichen Löwen assoziiert wird.

   In den darauffolgenden Einstellungen, beginnend am 01.09.2018
um 22:00:57 bei 15 Grad, ist die Raubkatze dann in Gänze zu sehen.
Das Tier, das uns von mindestens zwei unterschiedlichen fest installierten Kameras mit Bewegungsmeldern gezeigt wird, hat eine kleine
(männlich kodierte) Mähne. Der Mähnenansatz ist mit dem eines
jungen Löwen vergleichbar; allein das Alter des Tiers in Relation zu
der Mähne scheint den Rückschluss zuzulassen, dass es sich bei den
Aufnahmen um eine Löwin handelt. Gleichzeitig wird in der Ankündigung des Films SaF05, so der Name der Löwin, als eine der insgesamt
fünf Löwinnen eingeführt, die im Okavango Delta männlich kodierte
Körperausprägungen und Verhaltensweisen (Brüllen, Besteigen von
anderen Löwinnen und das Markieren des Reviers) aufweisen, von
denen SaF05 jedoch scheinbar die letzte Verbliebene ist. Diese Informationen leiten das Schauen des Films an, aber auch das Schreiben
über den Film. SaF05 liegt auf der Lichtung, die Augen reflektieren

2018-09-01 22:39:14   16°C ◐   M ⚡

8174

Abb. 2. Film-Still, *SaF05*, Regie: Charlotte Prodger (Copyright
Hollybush Gardens, Charlotte Prodger, 2019)

das Licht der Kamera. Um 22:38:01 steht die Löwin gemächlich auf,
macht einen leichten Buckel zur Dehnung und beginnt zu brüllen,
indem sie den Kopf jeweils lang nach vorne zieht. Um 22:38:16 gibt
es wieder einen Schnitt, auf eine andere Kamera, gleiches Datum,
22:39:02, 16 Grad. SaF05 läuft kurz links unten mit dem Kopf ins Bild,
bleibt stehen, guckt und lauscht und dreht sich dann um 22:39:12 wieder links herum aus dem Bild. Die Kamera filmt weiter, und Prodger
nimmt noch weitere 16 Sekunden mit in ihren Film (s. Abb. 2).

Wie die ersten Minuten zeigen, geht es in dem Film unter anderem
um die Löwin SaF05, der Prodger im südlichen Afrika nachspürt – der
sie aber nur durch das Filmmaterial aus Kamerafallen näher kommt,
das Prodger vom Botswana Predator Conservation Trust (BPCT) für
ihren Film zur Verfügung gestellt wurde.[2] In den Ankündigungstexten
zu *SaF05* wird die Löwin als eine Art *cipher* verstanden, eine Wei-

---

2   Wie Linsey Young schreibt, reiste Prodger im November 2018 mit einem Dokumentar-
     filmteam nach Botswana, auf der Suche nach SaF05. Zu dem Zeitpunkt war die Löwin
     nicht mehr der Fokus eines Forschungsprojekts, weswegen es kaum Informationen zu
     ihrem Aufenthaltsort gab. Wie am Ende des Films zu hören, hat Prodger vor Ort mit
     dem BPCT gearbeitet, vor allem mit Bajaki Jacks Amos, dessen Stimme am Ende im
     Gespräch mit seinen Kolleg*innen über Funk zu hören ist. Auch weil Prodger und
     die unterschiedlichen Suchtruppen SaF05 nicht zu Gesicht bekommen, verschiebt
     sich Prodgers visueller Fokus auf Termitenhügel, während durch alte Logbucheinträge
     weiter von SaF05 in den Einsprechungen berichtet wird. Vgl. Linsey Young, »Hidden

se, queere Zuneigung und Begehren zu denken (»a way of thinking about queer attachment and desire«).[3] Eine Denkfigur, die es erlaubt, über prekäre queere Verkörperungen nachzudenken, aber es geht in dem Film auch um die Landschaft, in der sich SaF05 bewegt, um die audio-visuelle Atmosphäre vor Ort – und um die Rahmung durch die Kameras.

Dem Fokus auf die Landschaft des Okavango Delta folgt ein erster Bruch im Film, eingeleitet durch ein Schwarzbild, das eine halbe Minute lang zu sehen ist, begleitet von Geräuschen des Wassers und des Windes, der gegen das Mikrophon von Prodgers iPhone presst. Das Wassergeräusch geht in ein neues, jetzt farbiges Bild über: eine vertikale Aufnahme/Perspektive, die von oben mit dem Smartphone die Spitzen von Prodgers Turnschuhen auf Gesteinsformationen an der Küste der griechischen Insel Paxos aufnimmt (s. Abb. 3), gefolgt von einem plötzlichem 90 Grad-Schwenk, der den Unterschied zwischen der vorherigen Standkamera (*camera trap*) und den Möglichkeiten des iPhones nicht deutlicher aufmachen könnte. Die Kamera verweilt jetzt auf weißem Gestein mit interessanter Struktur, leichter Färbung, Rissen und Abbröckelungen. Das Wasser, das die Gesteinsküste der Insel umspielt, ist weiterhin zu hören, fast meditativ, bevor es zu einem Schnitt auch auf der akustischen Ebene kommt. Der Sound von Dudelsackpfeifen ertönt, der allein durch die Lautstärke im starken Kontrast zum vorangehenden Sound steht und über diesen gelegt wird. Gleichzeitig wird der Begriff »REVELATIONS« eingeblendet, eine Art Titel für ein Unterkapitel, das dem Film eine Struktur sowie eine inhaltliche Ausrichtung zu verleihen scheint. Die vertikale Perspektive wird auch nach dem Abwenden von der Gesteinsformation beibehalten; in einer ununterbrochenen Aufnahme von oben sehen

---

in Plain Sight«, in *SaF05: Charlotte Prodger* (Cove: Cove Park, Scotland + Venice, 2019), S. 11–17, hier S. 14–15.

3   »SaF05«, Ankündigung, Künstler*innenagentur LUX Scotland (2019) <https://lux.org.uk/work/saf05> [Zugriff: 2. Juni 2021]. Die Löwinnen-Sequenz ist wie ein Prelude, das dem Film den Titel gibt und ihn thematisch rahmt (Körper, Landschaften, Geschlecht), aber auch eine Verbindung zum vorherigen Film *BRIDGIT*, Regie: Charlotte Prodger (Hollybush Gardens, Charlotte Prodger 2016) aufmacht. Wie Astrid Deuber-Mankowsky schreibt, ist die Löwin bereits in *BRIDGIT* zu sehen, und zwar als Druck auf einem T-Shirt, das bei Prodger zu Hause über der Heizung hängt. Dieser Druck kann sich sowohl auf SaF05 als auch auf Bridget, eine Löwin mit Mähne im Oklahoma City Zoo, beziehen. Vgl. den Beitrag von Astrid Deuber-Mankowsky in diesem Band.

Abb. 3. Film-Still, *SaF05*, Regie: Charlotte Prodger (Copyright
Hollybush Gardens, Charlotte Prodger, 2019).

wir Prodgers Beinen beim Laufen und leichtem Anstieg zu, bevor die
Kamera wieder innehält und Ausschnitte der Gesteinsoberfläche ein-
fängt, die »rock strata, these layers upon layers of sedimentary rock all
on top of each other«.[4] Prodger hält die Kamera dabei nie ganz still,
dann läuft sie wieder weiter, die Bewegung der Kamera wirkt leicht
desorientierend, fast schwindelerregend.

Prodger situiert sich somit selbst in einer Umgebung, die eine
andere ist als die von SaF05, und zieht doch visuelle und narrative
Verbindungen zwischen beiden. Ihre Stimme aus dem Off, die über
die Bilder der Küstenlandschaft von Paxos gelegt wird, beginnt mit
den Worten: »I am thinking about a woman on TV in the last days
of Pompeii. I am trying to wake up as a boy«. Was folgt, ist eine
anekdotische Geschichte über die Zeit in einer sonntäglichen Bibel-
stundengruppe in Drumoak, Schottland, der sie aus Langeweile und
wegen ihrer einzigen Freundin beitrat, als sie ungefähr zwölf Jahre alt
war, und in der sie vor allem *The Book of Revelation* (das Buch der
Offenbarung, das letzte Buch des Neuen Testaments) liest. Prodger
erzählt, wie während eines Youth Fellowships eine Gruppe von Jungen
aus Durris zu Besuch kommt, um der Bibelgruppe Breakdance beizu-

---

4   *Charlotte Prodger on her Series Palace Prints* (Hollybush Gardens, 2019) <https://
     www.instagram.com/tv/B_qA9M8FtCJ/> [Zugriff: 2. Juni 2021].

bringen, und wie sie dem Ältesten unter ihnen beim Rauchen zusieht: »[T]o tap the ash, he flicks the filter in staccato with his indexfinger. He does it more than necessary. It's repeated often like the spitting. Tapping and spitting take turns.« Dabei sieht man sie weiter über karge Gesteinsformationen gehen, sich von einer zur anderen bewegen, mit kurzen Momenten dazwischen, in der sie auf einer bestimmten Oberfläche verweilt. Das Beobachten der Gesteinsformationen bzw. der Landschaft verbindet sich mit dem Beobachten der Performativität von Geschlecht, wie bereits vorher bei SaF05, in diesem Fall bei den männlich kodierten Gesten des Rauchens. Die Landschaft in Prodgers Aufnahmen ist jedoch weniger eine Leerstelle, die in Erscheinung tritt, wenn das eigentliche Subjekt nicht zu sehen ist – wie in den Kamerafallen, die im Kontext eines Forschungsprojekts zu SaF05 aufgestellt wurden – sie ist vielmehr selbst Subjekt des Films. Die filmische Praxis, die Art und Weise, wie Landschaften in dem Film präsentiert werden, muss dabei als aktive und gezielte Visualisierung des *attunement*, als ein Vorschlag für einen Umgang mit der Welt (»as a proposition for engaging with the world«), als ein verkörpertes Erfassen der Landschaften und Umherfühlen (»feeling around«) verstanden werden,[5] wie ich in diesem Artikel herausarbeiten werde. Dieses filmische Erfassen geht der Frage nach, was der queere Körper ist und sein kann und wie dieser die Welt navigiert, in der er eingebunden ist.

Prodgers essayistischer, autobiographischer Film besteht aus Indexen, Fragmenten, Fixierungen und Anekdoten, wie Jaclyn Bruneau schreibt, arrangiert wie bewegliche Punkte auf einem Raster (»arranged together like ›moving points on a grid‹«)[6] und bedient sich einer Anzahl unterschiedlicher Quellen – von Archivmaterial zu Tagebucheinträgen, Korrespondenzen, Journal-Einträgen, Geschichten und Mittel gegen das Vergessen (»correspondences, journal entries, stories, and other defenses against forgetting«).[7] In diesem Artikel

---

5   *Dust & Shadow Reader*, 1, hg. v. Maja Kuzmanovic, Nik Gaffney, Ron Broglio, Adam Nocek und Stacey Moran Nocek (März 2018) <https://libarynth.org/dust_and_shadow/reader_1> [Zugriff: 2. Juni 2021] und *Dust & Shadow Reader*, 2, hg. v. Maja Kuzmanovic, Nik Gaffney, Ron Broglio und Adam Nocek (März 2019) <https://libarynth.org/dust_and_shadow/reader_2> [Zugriff: 2. Juni 2021].

6   Jaclyn Bruneau, »New Artist Focus: Jaclyn Bruneau on Charlotte Prodger«, *LUX*, 23. Juli 2020 <https://lux.org.uk/writing/new-artist-focus-jaclyn-bruneau-on-charlotte-prodger> [Zugriff: 2. Juni 2021].

7   Ebd.

werde ich dieses Verhältnis zwischen queeren Körpern, queerem Begehren, Landschaften und Technologien, das in den ersten Minuten
des Films direkt aufgerufen wird, fokussieren. Ich werde dabei vor
allem die verkörperte Wahrnehmung der Landschaften über Technologien, die Situiertheit der Filmemacherin als selbstidentifizierte
queere Person in diesen Landschaften und das Einbringen von Erinnerungen an queere Beziehungen in Relation zu dem von Prodger als
queer zu lesendem Tierkörper mithilfe der Medien adressieren und der
Frage nachgehen, inwiefern die von Prodger entwickelte filmische Methode gleichzeitig eine Orientierung und Desorientierung aufmacht,
die in dem Begriff von Queerness bereits angelegt sind.[8] Dafür werde ich das Konzept der *mediated landscapes* produktiv machen, das
auf die Art und Weise verweist, in der das Verhältnis, die Beziehung
zu Landschaften oder der Umgebung (vor allem Orte der Extraktion
oder des Traumas) mediatisiert sind und zwar im weitesten Sinne,
von *deep listening* bis zu der Erkundung neuer Visualisierungstechno-
logien. Der Begriff der *mediated landscapes* drückt dabei auf zweifache
Weise das Verhältnis von Medien und Landschaften aus: zum einen
geht es darum, wie Landschaften durch unterschiedliche Medien erst
wahrnehmbar und kenntlich gemacht werden (z. B. durch Sensoren,
Satelliten und Mobiltelefone), zum anderen, wie Landschaften selbst
vermitteln bzw. in und als Medien in Erscheinung treten, und damit
selbst in einen Prozess des Wahrnehmens eingebunden sind.[9]

LANDSCHAFTEN UND ANDERE QUEERE RÄUME

SaF05 wurde für den schottischen Pavillon während der 58. Biennale
in Venedig produziert und ist der letzte Film einer Trilogie, die 2015
mit *Stoneymollan Trail* (Single channel HD video, 43 min) begonnen
hat, gefolgt von *BRIDGIT* (Single channel HD video, 32 min), für den
Prodger 2018 den Turner Prize gewann.[10] Die Trilogie markiert insofern eine Veränderung in Prodgers künstlerischer Praxis, als dass sie

---

8 Siehe dazu auch Sara Ahmed, *Queer Phenomenology: Orientations, Objects, Others*
   (Durham, NC: Duke University Press, 2006).

9 Siehe dazu z. B. Jussi Parikka, *A Geology of Media* (Minneapolis: University of Minnesota Press, 2015) und Benjamin H. Bratton, *The Terraforming* (Moskau: Strelka, 2019).

10 *Stoneymollan Trail*, Regie: Charlotte Prodger (Hollybush Gardens, Charlotte Prodger,
   2015).

sich von den vorangegangenen Multi-Monitor-Installationen hin zur
Einkanal-Filmprojektion bewegt. Allen drei Filmen gemeinsam sind
die Sequenzen langer Totalaufnahmen aus unterschiedlichen Filmar-
chiven, die Prodger gelagert/gesammelt hat und um die herum sie ihre
Filme strukturiert. Über diese legt sie eingesprochene Narrationen, die
im Bild keine direkte Entsprechung zu finden scheinen. In *Stoneymollan Trail* etwa greift sie auf ein Archiv von MiniDV-Kassetten zurück,
die in den Jahren zwischen 1999 und 2013 aufgenommen wurden und
deren materielle Konstitution sichtbar schlechter wird. In *BRIDGIT*
sind es vor allem iPhone-Aufnahmen, die den Film visuell struktu-
rieren und das Verhältnis zwischen dem (eigenen) Körper und der
Technologie noch einmal ganz neu aufmachen. *BRIDGIT* beginnt mit
einer Sequenz, in der Prodger die Kamera auf ihrer Brust, mit Blick auf
ihre ausgestreckten Beine, positioniert. Die Kamera bewegt sich mit
der Bewegung des Körpers; das Bild ist nie ganz still, genauso wenig
wie unsere Körper richtig still sein können – in *BRIDGIT* wird hier das
Verhältnis zwischen den Atembewegungen und der Kamerabewegung
sichtbar, wie Bridget Crone schreibt:

> The camera moves gently as the body breathes; it is a collabo-
> ration that produces a very particular image for here is a body
> present, embodied yet filmed as if geologic contours; it is at
> once both the map and its abstraction, the cosmos and a de-
> fined set of limits.[11]

Die iPhone-Kamera wird zu einer Verlängerung des Körpers und somit zu einem verkörperten Zeugen des In-der-Welt-Seins, wie Crone
argumentiert, ist aber gleichzeitig auch eine Einschränkung in der
Bewegung.[12] In diesem Sinne ist Prodger niemals außerhalb der Aufnahme, wie es Prodger selbst beschreibt:

---

11   Crone beschreibt damit, in Anlehnung an Nancy Holt und Robert Smithsons Film
     Swamp (Holt und Smithson, 1971; 16 mm-Film; 6 Min., Farbe, Sound), das Bild
     als verkörpertes: »Here there is sense of an image that is embodied, inhabited,
     and produced through the closure of the gap between body (eye) and apparatus
     (camera). What ensues from this is always a process *with* rather than *for* the cam-
     era, a process that remakes the limitations of both camera and eye.« Siehe Bridget
     Crone, »Swampy Ecologies«, *Holt/Smithson Foundation*, 20. Mai 2020 <https://
     holtsmithsonfoundation.org/swampy-ecologies> [Zugriff: 2. Juni 2021].
12   Ebd.

Your fingers get in the shot, they're fleshy, they're right here
when they're on the screen and you can see the blood inside
your fingers if you cover the tiny lens. You touch that and rub
the screen to alter the exposure [...]. The systems of the body
are enmeshed with the camera. It's a kind of symbiosis but also
a kind of grappling.[13]

In *SaF05* gibt es darüber hinaus eine längere Sequenz, in der die
Spiegelung von Prodgers Laptop-Screen zu sehen ist, markiert von
Schmutzflecken und Fingerabdrücken, die dort hinterlassen wurden,
als Prodger den Film geschnitten hat. Was Prodger zu interessieren scheint, ist die ständige Transformation audiovisueller Medien,
die Veränderung des Filmkörpers, die Veränderung des Formats des
bewegten Bildes, dessen Vergänglichkeit, dessen Zeiterfahrung und
Zeitlimitationen. So erzählt sie im Zusammenhang mit der Turner
Prize-Nominierung, wie erfahrene Kameraleute anhand des Gewichts
der 16mm-Filmrolle genau wussten, wieviel Filmzeit auf der Rolle war
– während das Gewicht des iPhones nichts über die Speicherkapazität
aussagt; die Speicherkapazität von Smartphones allerdings determi-
niert die mögliche Länge der einzelnen Aufnahmen.[14]

In *SaF05* bleibt Prodger bei der Dokumentation durch das Smartphone, aber kombiniert diese archivierten Aufnahmen mit denen
professioneller Kameras, mit Drohnenbildern und den oben erwähnten Kamerafallen; Prodger ist nur eine von fünf Kameraleuten, die
im Abspann aufgelistet werden. Low-tech/small handheld devices-
Aufnahmen wie die vom iPhone, die in bestimmten Momenten an ihre
Grenzen kommen (auf der Ebene des Sounds, aber auch der Belich-
tung), treffen auf High-tech-Aufnahmen wie denen von Drohnen, mit
denen ganz andere Machtpolitiken und Blickregime assoziiert werden.
Jede Kamera wird für ihre inhärenten materiellen Eigenschaften genutzt.[15] Dabei spielt Prodger explizit mit den technischen Eigenschaf-

---

13   »Charlotte Prodger | Turner Prize Winner 2018 | TateShots«, *Tate Britain*, YouTube,
      17. September 2018 <https://www.youtube.com/watch?v=AsVWk5DlbCE.> [Zu-
      griff: 2. Juni 2021].

14   Ebd.

15   »Charlotte Prodger: SaF05 – Scotland + Venice 2019 Official Collateral Event for
      the 58th International Art Exhibition – La Biennale di Venezia«, *Scotland + Venice*,
      7. Mai 2019 <https://scotlandandvenice.com/charlotte-prodger-saf05-scotland-
      venice-2019-official-collateral-event-for-the-58th-international-art-exhibition-la-
      biennale-di-venezia/> [Zugriff: 2. Juni 2021].

Abb. 4. Film-Still, *SaF05*, Regie: Charlotte Prodger (Copyright
Hollybush Gardens, Charlotte Prodger, 2019).

ten, die den unterschiedlichen Aufnahmemedien zugrunde liegen, und
stellt sie in einen queeren Kontext. Die Drohne z. B. wurde zunächst
für das Militär entwickelt und von Deutschland in Kriegen wie in Af-
ghanistan und dem Kosovo eingesetzt. In 'Desert Radio Drone' zeigt
Ursula Biemann, wie Überwachungsdrohnen auf der Suche nach Migrant*innen im Grenzgebiet des südlichen Libyen eingesetzt werden,
»transmitting televisual data back to a remote receiver in real time«.[16]
Interessanterweise nutzt Prodger die Drohne nicht in diesem Sinne,
um sie z. B. in die Suche nach SaF05 einzubinden (und damit die Suche
nach Migrant*innen auf die nach der Löwin zu verschieben). Sie nutzt
die Drohne allein, um die Termitenhügel zu fokussieren (s. Abb. 4), die
sie im Okavango Delta vorfindet und die sie von der Löwin abzulenken
scheinen, wie Bruneau schreibt:

> »Anthropomorphic spectres, analogues of human bodies« is
> what they became to her, soon finding that the magnetic pull
> she felt to them rivaled the pursuit of SaF05. It's fitting, then,

---

16 'Desert Radio Drone', in *Sahara Chronicle*, Regie: Ursula Biemann (Ursula Biemann,
2006–09). Das Zitat (dt.: zur Echtzeit-Übertragung televisueller Daten an einen
Funkempfänger) ist direkt aus Biemanns Film genommen; siehe 'Desert Radio Drone', in *Sahara Chronicle*, Online-Video, Vimeo <https://vimeo.com/534312667>,
16:00–21:40, hier: 16:35, sowie die Beschreibung auf World of Matter <http://www.
worldofmatter.net/desert-radio-drone> [Zugriff: 21. September 2021].

> that each character from her past is given an alphanumeric
> name comprised of three letters and two numbers, like SaF05's,
> and that the mounds are used as chapter headings: reminders
> of the subterranean, the sublimated at each turn.[17]

Wir hören, wie Prodger die Person anleitet, die die Drohne bedient. Mit diesen Drohnenbildern beginnt das zweite Kapitel des Films mit dem Titel »FAHRENHEIT«, der auf eine Temperatureinheit verweist, die sich auf die Temperatur im Termitenhügel selbst oder die hohen Temperaturen der Wüste des Okavango Deltas beziehen könnte. Der Titel verweist gleichzeitig auf ein Parfum, das in der kurz darauf beschriebenen intimen Begegnung mit einer Person in Erscheinung tritt, die sie – in Anlehnung an SaF05 – als BaF89 kodiert.

Im vertikalen Blick auf den Termitenhügel ist die Drohne hörbar und als Schatten sichtbar; sie schwirrt wie ein kleines Insekt links vom Hügel, das heißt, die Sonne steht sehr hoch. Prodger geht es also bei der Aufnahme weniger um das perfekte Bild, das sie in dieser Region vor allem mit dem warmen Licht der frühen Morgen- und Abendstunden einholen würde. Die sanft eingesprochenen Anweisungen von Prodger sind zu hören, die den vertikalen Blick von oben weniger destabilisierend machen:[18] »[S]tart very slowly moving upward«, »slowly«, »can you hold it?«. In der Bewegung der Drohne weiter nach oben lernen wir mehr von der wüstenartigen Landschaft rund um den Termitenhügel kennen.

Über diese Bilder wird die Erinnerung an eine Begegnung Prodgers mit BaF89 eingesprochen, als sie beide als Reinigungskräfte in Apartments in Barmorrow arbeiteten und zusammen Acid nahmen. Die Erinnerung an eine erotische Begegnung wird über den diegetischen Sound, die gleichzeitig gesprochene Technikanleitung an die Drohnensteuerung,[19] gelegt und korrespondiert mit dieser, die im Folgenden mit Anführungszeichen gekennzeichnet ist:

---

17 Bruneau, »New Artist Focus«.

18 Zur Desorientierung in Bezug auf Vertigo und Vertikalität siehe zum Beispiel Hito Steyerl, »In Free Fall: A Thought Experiment on Vertical Perspective«, *e-flux journal*, 24 (April 2011) <https://www.e-flux.com/journal/24/67860/in-free-fall-a-thought-experiment-on-vertical-perspective/> [Zugriff: 2. Juni 2021].

19 Prodger ist in ihren Arbeiten von Nancy Holt und Robert Smithson und ihrer Konzeption und Praxis von *land art* inspiriert. In dem gemeinsamen Film *Swamp*, Regie: Nancy Holt, Robert Smithson (Holt und Smithson, 1971) läuft Holt mit einer Bolex-Kamera durch die Marschenlandschaft New Jerseys, dicht gefolgt von Smithson, der

It's night-time

It's night-time

»can we go higher?«

I think it's winter

»a little bit higher«

I am wearing a woolen navy coat
like a duffle coat but less structured
My hands are in my pocket
there is a smell of Fahrenheit
we are facing each other with the mirror glass either side of us
lit up doorway
we are on acid
and we are just standing there
and it feels like a long time
and it feels like no one can see us
I am very aware of my mouth, how it feels
my hands are in my pocket and we are looking at each other
still in its pocket, I put my hand between her legs

»hold it«

she says nothing
just my name
I take my hand away

Die Drohnenkamera ist mittlerweile so weit oben, dass die unterschiedlichen Fährten und eine Wasserquelle in der Umgebung des Termitenhügels sichtbar sind. Es folgt ein Schwarzbild, über das das leise
Motorengeräusch der Drohne zunächst noch weiter zu hören ist. Dann
gibt es auch auf der Ebene des Sounds einen Bruch, Vogelgezwitscher
ist nun zu hören und ein Bild erscheint, das ebenerdig und von der Seite
einen Termitenhügel fokussiert (s. Abb. 5). Nach dem *scaling out* der
Drohne wechselt Prodger somit zum *zooming in* und *zooming out*.

Hier geht es um Rahmungen und Perspektiven, es geht aber auch
um das Spannungsverhältnis zwischen Macro und Micro, von Nähe
und Distanz, auch zwischen unterschiedlichen geographischen Kontexten sowie der Überlagerung von persönlichen Geschichten, die
vorwiegend im Kontext Schottlands verortet sind, und Bildern von

---

sie anleitet, da ihre Sicht durch den Sucher eingeschränkt ist. Prodger referiert in dieser
Drohnenszene auf Smithsons Filmanleitung und überträgt sie auf eine vertikale Ebene
sowie in einen explizit queeren Kontext.

Abb. 5. Film-Still, *SaF05*, Regie: Charlotte Prodger (Copyright
Hollybush Gardens, Charlotte Prodger, 2019).

Botswana und damit dem afrikanischen Kontinent. Und, damit zusam-
menhängend, geht es um das, was wir sehen, und das, was wir nicht
sehen, was vor uns verborgen bleibt. Beide Perspektiven auf den/die
Termitenhügel fokussieren die überirdische Struktur; das Kameraau-
ge sieht in diesem Sinne nicht mehr als das menschliche Auge, denn
der größte Teil der Termitenhügelstruktur bleibt weiterhin verborgen
(was vielleicht mit der extremen Fokussierung von der Seite, in der
das Bild an seine Grenzen kommt und verschwimmt, deutlich wird).[20]
Von oben wird die nördlich ausgerichtete Spitze des Hügels fokussiert,
der in der Region etwa bei 19 Grad liegt, was mit dem durchschnitt-
lichen Sonnenstand in der Region korrespondiert[21] und auf Prodgers
Entscheidung verweist, die Drohnenaufnahme dann zu machen, wenn
die Sonne am höchsten steht. Wir sehen von den unterschiedlichen

---

20   Zum Inneren des Termitenhügels, also dem Teil, der unter der Erdoberfläche angelegt
     ist, heißt es in der Forschung: »Inside the mound is an extensive reticulum of tunnels
     and conduits, which reveals its function: the mound is an organ of physiology for
     the termite colony superorganism, which is centered on the underground nest. The
     nest itself is a spheroidal structure consisting of numerous gallery chambers, each of
     which contains a fungus comb, where raw forage, such as grass and wood, is digested
     by the symbiotic fungi (*Termitomyces*) that the termites cultivate within their nest.«
     Siehe »Structure of the Termite Mound«, *Termite Research* <https://www.esf.edu/
     efb/turner/termitePages/termiteStruct.html#intArch> [Zugriff: 2. Juni 2021].
21   Ebd.

Blickrichtungen auf den Termitenhügel nur den kleinsten Teil von dessen Struktur – nur die Oberfläche der oberirdischen Struktur, die vorwiegend leer und unbewohnt ist. Termiten, die sich in diesem Bereich aufhalten, verteidigen entweder die Kolonie oder reparieren die Struktur, was vor allem nach Regenfällen (während der Regenzeit, also saisonal) der Fall ist.[22] Was wir gerade in der Seitenansicht sehen (dem *zooming in*, bevor das Bild undeutlich wird), ist diese Art der reparativen Arbeit, die aufzeigt, wie dynamisch und porös die Oberfläche der Termitenhügel ist: »As soil is eroded from the actions of wind and rain, it is replaced by the action of termites depositing fresh soil. This makes the mound structure malleable, which allows it to be modeled to local conditions.«[23] Durch diese neuen Ablagerungen auf der Oberfläche kann Wind dringen, der direkt in das Tunnelsystem des Termitenhügels strömt und zur Ventilation beiträgt. Durch das *zooming in* wird die Oberflächenstruktur in den Blick genommen und damit die Materialität des Hügels, die vorwiegend aus Quarzpartikeln besteht und mit einer Mixtur aus Speichel und Lehm verfestigt und verbunden ist.

Im Inneren des Termitenhügels – in dem Teil, den wir nicht sehen (aber auf den in einem der folgenden Untertitel als »TUNNELS« referiert wird) – befinden sich die zur Ventilation und Zirkulation von Luft angelegten Tunnel. Termiten leben in großen Kolonien und müssen ein bestimmtes Level an Temperatur (bis zu 30 Grad bzw. 86 Grad Fahrenheit), Feuchtigkeit und respiratorische Gase wie Kohlendioxid aufrechterhalten. Dazu gehen die Termiten in einigen Regionen eine Symbiose mit bestimmten Pilzen ein (in Namibia und Botswana sind es die Omajova-Pilze). Die Pilze bekommen Nahrung, Wasser und Schutz von den Termiten im Austausch für deren Verarbeitung der Zellulose. Wärme wird sowohl von den Pilzen als auch von den Termiten produziert.[24] Die Idee der Symbiose als Ermöglichung, die Prodger bereits in Bezug auf das iPhone und den eigenen Körper angesprochen

---

22   »The turnover of soil in the mound is seasonal, occurring solely during the rainy season. It is also quite prodigious, amounting to about 250 kg dry mass of soil annually. It is for this reason that these mounds have been likened to slow-motion ›soil fountains‹.« Siehe ebd.

23   Ebd.

24   Stephanie L. Richards, »Termite Mound Structures«, Terminix <https://www.terminix.com/termite-control/colonies/termite-mounds> [Zugriff: 2. Juni 2021].

und visualisiert hat, wird hier noch einmal anders thematisiert und auf
das nicht-menschliche, komplexe Netzwerk zwischen Termiten und
Pilzen, aber auch Bäumen, erweitert – auch in Bezug auf die Ener-
gieeffizienz (in Bezug auf externe und interne Struktur, Wetter und
Environment, und die Fähigkeit, die Temperatur der internen Struktur
zu regulieren): »The results indicate that the mound superstructure
and internal condition strongly depend on the combined effect of environmental forces.«[25]

In der Verbindung von den Drohnenbildern der komplexen Ter-
mitenhügelstrukturen, der verbalen Anleitung der Drohne und der
Narration queeren Begehrens werden die Machtpolitiken, die mit der
mobilen Technologie verbunden sind, unterwandert. In dieser Unterwanderung weigert sich Prodger, einen kolonialen Blick zu reproduzieren, der mit »leeren« Landschaftsaufnahmen auf dem afrikanischen
Kontinent eng verbunden ist und durch den u. a. der Mythos des
leeren Raums verortet wurde, die Idee der *terra nullius*.[26] In *SaF05*
sehen wir keine Menschen, aber wir hören sie, sie sind somit im Bild
– das wird auch in der letzten Szene des Films deutlich, in der Prodger
diejenige Person anleitet, die die Drohne lenkt: »Okay, bring it down
very slowly and keep it down all the way«. Gleichzeitig hören wir
eine Funkkommunikation zwischen Bajaki Jacks Amos vom BPCT,
der bei Prodger und ihrer Filmcrew ist, und einem anderen Suchtrupp,
der einer möglichen Spur von SaF05 weiter folgt. Es sind die letzten
Stunden, die Prodger in Botswana bleiben. Während also die zweite
Gruppe die verbleibende Zeit nutzt, SaF05 zu orten, zoomen Prodger
und ihre Gruppe auf den Termitenhügel – die Drohne bleibt über der
Spitze schweben, während wir das Geräusch hören, das auf die leere
Batterie aufmerksam macht, gefolgt von einem Schwarzbild; das Bat-

---

25 Tadeu Mendonca Fagundes, Juan Carlos Ordonez und Neda Yaghoobian, »How the
    Thermal Environment Shapes the Structure of Termite Mounds«, *Royal Society Open
    Science*, 7.1 (2020) <https://doi.org/10.1098/rsos.191332>.

26 Dieser Diskurs diente unter anderem zur Rechtfertigung der Landnahme bzw. Land-
    enteignung in den Kolonien und hat bis heute in vielen ehemaligen Kolonien Implika-
    tionen für die Landfrage und die Frage der Restitution – denn die Idee, da habe keiner
    gelebt, also sei die Fruchtbarmachung des brach liegenden Landes nicht nur wichtig
    gewesen, sondern habe auch niemandem Land weggenommen, bedeutet, es müsse
    auch nicht zurückgegeben werden. Für weitere Informationen zu dem Verhältnis von
    Landschaft und Kolonialismus siehe z. B. Renzo Baas, *Fictioning Namibia as a Space
    of Desire* (Basel: Basler Afrika Bibliographien, 2019) und Nicola Brandt, *Landscapes:
    Between Then and Now* (London: Bloomsbury, 2020).

teriegeräusch ist noch ein wenig zu hören, bis auch der Sound ausgeht, the end.

CODES, RASTER UND VERKÖRPERTE FILMPRAKTIKEN

Das Ende bringt die Denkfigur SaF05, die für Prodger für queere Subjektivität steht, mit der kollektiven Struktur, dem Schwarmbewusstsein (*hive mind*) der Termiten zusammen. Wie am Anfang des Films wird auch am Ende die Landschaft als immer schon medial vermittelt verstanden. Hier werden die verschiedenen Kameras dazu verwendet, Methoden und Politiken der Wahrnehmung und Orientierung sichtbar zu machen, der Berührung, der Bewegung und des Stillhaltens, die durch die unterschiedlichen Filmkörper möglich sind bzw. ermöglicht werden. Was Prodger mit den verschiedenen Technologien macht, wie sie sich mit der Kamera bewegt und wie sie beobachtet, wie sie das Verhältnis von Nähe und Distanz navigiert bzw. das Verhältnis zwischen Konzentrieren und Desorientieren (Wackeln, schnelles Gehen, Unschärfe durch zu große Nähe versus das genaue Fokussieren, dem Verweilen an einer Gesteinsformation, teilweise sinnierend, kontemplierend; manchmal kontrolliert, manchmal weniger), muss als eine komplexe Methodologie der verkörperten Wahrnehmung und Orientierung verstanden werden, die die Aufmerksamkeit hin auf Elemente, Rhythmen und Kräfte wendet, die am Rande unserer Erfahrung existieren. Anna Tsing spricht in diesem Zusammenhang von den »arts of noticing«[27] und W. J. T. Mitchell in *Landscape and Power* von einer Verschiebung vom Nomen »landscape« hin zum Verb »landscaping«: um danach zu fragen, wie Landschaft gedacht werden kann, nicht als ein zu betrachtendes Objekt oder ein zu lesender Text, sondern als ein Prozess, durch den soziale und subjektive Identitäten geformt werden (»[to] ask that we think of landscape, not as an object to be seen or a text to be read, but as a process by which social and subjective identities are formed«).[28]

---

27   Anna Tsing, *The Mushroom at the End of the World: On the Possibility of Life in Capitalist Ruins* (Princeton, NJ: Princeton University Press, 2015), S. 37.

28   W. J. T. Mitchell, *Landscape and Power* (Chicago: University of Chicago Press, 2002 [1994]), S. 1. In ihrem Text »Necrolandscaping« nimmt Jill Casid diese Verschiebung schließlich in einem explizit queeren Kontext vor, insbesondere in Bezug auf

Prodgers »embodied sensing« mithilfe der Kamera unterscheidet sich also fundamental von der Geschichte der Landschaftsdarstellung, die in der Landschaftsmalerei vielleicht ihren Ursprung hat und die Mitchell kontextualisiert. In *SaF05* haben wir es mit filmischen Methoden der visuellen Kontemplation zu tun (wie in der Geschichte der Landschaftsmalerei angelegt), und – ganz in der Tradition, neue optische Technologien in der Landschaftsdarstellung einzusetzen[29] – werden sie auch hier als visuelle Aneignung und Fokus der Identitätsformation (»site of visual appropriation, a focus for the formation of identity«) verhandelt, wie Mitchell schreibt.[30] Und weiter: »landscape is a dynamic medium, in which we >live and move and have our being,< but also a medium that is itself in motion from one place or time to another« (Landschaft ist ein dynamisches Medium, in dem wir leben, uns bewegen und sind; aber auch ein Medium, das selbst in räumlicher und zeitlicher Bewegung ist).[31]

Mit der Verschiebung auf das Prozessuale geht Prodger über die Subjekt-Objekt-Spaltung hinaus, die in klassischen Landschaftsdarstellungen angelegt ist und die eine bestimmte Blickperspektive beinhaltet. Ähnlich wie andere gegenwärtige Künstler*innen[32] desta-

Tod/Verlust durch Gewalt gegen Trans* Personen. Siehe Jill H. Casid, »Necrolandscaping«, in *Natura: Environmental Aesthetics after Landscape*, hg. v. Jens Andermann, Lisa Blackmore und Dayron Carrillo Morell (Zürich: Diaphanes, 2018), S. 237–64. Prodger selbst thematisiert das Konzept von *landscapes* folgendermaßen: »I feel very cautious about the term landscape as one thing, like a homogenous romantic blob, like a forest or a mountain as opposed to cities which are generally more individuated. People see a shot of a city in a film I feel like often as an impulse to try to identify that space. Where is that? Is that Paris? Which cross-section is that? So rather than depicting landscape generically, I try to foreground subjectivity like in the form of personal voiceover to explore landscapes as the distinct individual locations that they are.« Zit. aus »Charlotte Prodger | Turner Prize Winner 2018 | TateShots«.

29 Svetlana Alpers beschreibt z. B., wie die Techniken des Linsenschleifens und der Einsatz diverser Geräte mit den neu erfundenen Linsen im 17. Jahrhundert in den Niederlanden zu neuen Landschaftsbildern führten, sowohl in Maltechniken/Perspektiven, als auch in den Bedeutungszuschreibungen z. B. von Himmel und Horizont. Vgl. Svetlana Alpers, *Kunst als Beschreibung. Holländische Malerei des 17. Jahrhunderts*, übers. v. Hans Udo Davitt (Köln: Dumont, 1985).

30 Mitchell, *Landscape and Power*, S. 2.

31 Ebd.

32 Siehe z. B. das Projekt *Geocinema* (2018) von Asia Bazdyrieva, Alexey Orlov and Solveig Suess <https://www.geocinema.network/> [Zugriff: 2. Juni 2021] sowie die Arbeiten von Ignacio Acosta, *Copper Geographies* (2010–2016) <http://ignacioacosta.com/copper-geographies> [Zugriff: 2. Juni 2021]; Sam Nightingale, »Photochemical Alchemy in Sub-Arctic Finland«, samnightingale.com,

bilisiert Prodger somit bestimmte Landschaftskonventionen, um die
komplexe technologische geopolitische Situation, in der wir uns befinden, auszudrücken und mit ihren eigenen, ganz persönlichen queeren
Erfahrungen zu verbinden. Damit zeigt sie, dass Landschaften (und
Identitäten?) fragmentiert und porös sind, unbegrenzt, unstabil – und
als eine Art expansives Netzwerk von widersprüchlichen, aber verbundenen Systemen verstanden werden müssen, die es zu erkunden und
für sich selbst erfahrbar zu machen gilt:

> Each work reads as though Charlotte is using the tip of her
> finger to slowly, sedulously trace a thing's contours, every part
> of it – not so much to comprehend it, but to sustain proximity,
> to think of nothing else, to nurture its association, and then
> trace them too.[33]

Dieser verkörperte Umgang mit der Kamera als eine filmische Methode des *attunements* verweist auf den Prozess, den Crone als »a
process with rather than for the camera« beschreibt,[34] eine intensive
körperliche Erfahrung von Anwesendsein (»of being present«), und
gleichzeitig eine Expansion der eigenen sensorischen Welt durch diese Erfahrung. Landschaften werden uns somit als multidimensionale
Relationen zwischen Körpern und Daten und anderen Formen von
Leben und Materialien präsentiert.[35]

In *BRIDGIT* hat Prodger das Verhältnis zwischen Daten und
Landschaften nicht zuletzt über das Raster, das sie über einen Menhir
gelegt hat, dargestellt. Dieses Raster taucht auch in *SaF05* wieder auf

---

17. Mai 2019 <https://www.samnightingale.com/photochemical-alchemy-in-sub-arctic-finland/> [Zugriff: 2. Juni 2021] und Joshua Bonnettas *Lago* (2015) <http://shelter-press.org/sp069-joshua-bonnetta-lago/> [Zugriff: 2. Juni 2021].

33   Bruneau, »New Artist Focus«.

34   Bridget Crone, »Swampy Ecologies«.

35   Jussi Parikka begreift dies (in Anlehnung an Donna Haraways Konzeption von *na-turecultures*) als *medianatures*. So argumentiert er: »[t]he ties are intensively con-nected in material non-human realities as much as in relations, economy and work«; siehe Parikka, *A Geology of Media*, S. 14. Geologie, Natur und Medien kommen hier also zusammen. Laut Parikka sind diese Elemente untrennbar miteinander verbunden, denn wenn es um Medien geht, geht es immer auch um Mineralien und um chemische Komponenten. Diese sind wiederum untrennbar von den prekären Arbeitsbedingun-gen und der Ausbeutung von Arbeiter*innen in Minen, die die Mineralien bergen. Sie sind aber auch untrennbar von denjenigen, die in den Fabriken arbeiten und Kompo-nenten der iPhones produzieren, die oft in Umgebungen und Bedingungen arbeiten, die prekär, nicht sicher sind oder umgeben von Materialien, die einen schädlichen Effekt auf die Gesundheit haben.

– und zwar in der Arbeit mit Bildern von assyrischen Palastreliefs, die Löwenjagden darstellen und ursprünglich dreidimensionale Basreliefs sind:

> I'd always been blown away by these Assyrian reliefs, particularly in terms of perspective. So, for example, to show that one figure is behind another figure, in the background, rather than making it smaller than the figure in the foreground, it's put on top of the figure in the foreground to show there's distance between them. [...] I found these photographs in a book and I pulled some of them out and I started playing around with them on a cutting matt that I had in my studio, making collages. [...] The cutting matt is gridded. [...] I think about grids a lot, particularly in relation to coordinates. So, grids are used to map things, they contain and frame things. But in the end, grids are always infinite. What we can't see of them extends infinitely beyond the edges of the frame. And for me this feels very vast, like lot of the empty landscapes I am drawn to in my work.[36]

Was Prodger also konsequent in ihren Arbeiten betreibt ist die den Technologien inhärenten Möglichkeiten herauszufordern und in neuen Konstellationen produktiv zu machen. Somit wird das Raster, das nach Dimitris Papadopolous, Niamh Stephenson und Vassilis Tsianos unwahrnehmbare Körper und Subjektivitäten in Subjekte transformiert (und in Gruppierungen und Territorien einteilt)[37] gleichzeitig zu einer Ermöglichung, über queere Körper, Landschaften und Transformation nachzudenken – nicht nur in Bezug auf den Tierkörper, sondern auch in Bezug auf das eigene Selbst. Dabei führen die Überlagerung der persönlichen Geschichte und eigener Bilder mit den Bildern von SaF05 und von Botswana, die Effekte dieser Montage weniger zu einer Einschreibung oder Projektion der Sprechenden, die in den Landschaften ihren Erinnerungen nachhängt, sondern vielmehr zu einer Suche nach (queeren) Koinzidenzen.

Diese Form der Beobachtung des Selbst über Materialität, Verbindungslinien und Analogien spitzt Prodger in *SaF05* beim Vorlesen der Logbucheinträge zu, die im Rahmen eines Forschungsprojekts zu SaF05 angelegt wurden, und u. a. Bewegungsdaten und Verhalten

---

36   *Charlotte Prodger on her Series Palace Prints.*
37   Dimitris Papadopolous, Niamh Stephenson und Vassilis Tsianos, *Escape Routes: Control and Subversion in the Twenty-First Century* (London: Pluto Press, 2008), S. 10.

dokumentieren, und die Prodger mit eigenen Tagebucheinträgen zu intimen Begegnungen und Erfahrungen von Verlust, wie etwa den Tod von DuF96, zusammenbringt. In einer Sequenz, eine Dashcam-Aufnahme auf der Straße zu Nancy Holts Skulptur *Sun Tunnels* im ländlichen Utah z. B.,[38] hören wir Prodger unermüdlich und rhythmisch Einträge aus dem Logbuch vorlesen, vermischt mit einer sexuellen Erinnerung an GaF96 – eine Sequenz im Film, die die multidimensionalen Relationen zwischen Körpern, Codes und Daten noch einmal im Bild von Landschaften zusammenbringt und gleichzeitig die Frage aufmacht (ohne sie schlussendlich zu beantworten), was der (queere) Körper in einer Welt sein kann, die aus komplexen Verbindungslinien besteht:

Date: 16th November 2015. Start Time: 17:49. Location: -19.53368357 23.64108922 938.0 5.0. Behaviour: Approach. Behaviour time: 18:17. Who: SaF05. Habitat: Acacia scrub. Recipient ID: Woody. Outcome social: Rubs. Comments: SaF05 presenting. Count: 3. End time: 19:50.

Date: 21st November 2015. Start Time: 05:55. Location: -19.52420401 23.63942514 940.0 5.0. Behaviour: Grooming. Behaviour time: 06:59. Who: SaF05. Habitat: Acacia scrub. Recipient ID: SaF03. Outcome social: reciprocate. Count: 2. End time: 09:23.

GaF93 was training to be a radiographer. We met at Club X. She pushed me against the wall in a doorway somewhere around Renfrew Street. I've looked for it since when I've been in that area. But I don't know where it was because it was nighttime 27 years ago.

In daylight lying on her bed up against the window in her room inside the student halls in Paisley [GLASGOW] I looked down at the dark triangle of her pubic hair for the first time. I thought what I was seeing was her underwear [...] then realized her underwear wasn't on anymore.

[...]

Date: 21st November 2015. Start Time: 05:55. Location: -19.52420401 23.63942514 940.0 5.0. Behaviour: Moving. Behaviour time: 08:30. Who: SaF05. Habitat: Acacia scrub. Count: 2. End time: 09:23.

---

38   Nancy Holt, *Sun Tunnels*, 1973–76, Installation, Beton-Zylinder, Great Basin Wüste, Utah.

Daniel Kulle beschreibt den Einsatz der eigenen Stimme im queeren Experimentalfilm zu Bildern, die mit dem eingesprochenen Narrativ nicht korrespondieren, als einen autobiographischen Marker, der sich als »(provisorischer) Selbstfindungs- und Individuationsprozess lesen lässt«:

> Die Stimme dient dabei sowohl dazu, eine eigenständige Position als minoritäres Individuum zu finden, als auch dazu, die etablierten Repräsentationen und die Hierarchie der Bilder, denen sie sich gegenüber sieht, zu unterwandern. Durch den Kontrast zwischen Bildwelt und Voice-over wird der vermeintlich unproblematische Individuationsprozess, den die Stimme performativ behauptet, jedoch gleichzeitig widerrufen. Das queere Selbst, das diese Filme postulieren, ist ein notwendigerweise ironisches und metasubjektives: Indem das Selbst sich aus der Reibung an den Bildwelten heraus entwickelt, die Differenz zu diesen aber niemals überwinden kann, bleibt es als Konstrukt ohne Fundament, ein reines Provisorium. Im häufigsten Fall kontrastieren derartige akusmatische Filme die eigene Stimme mit Stadt-, Kultur- oder Naturlandschaften [...].[39]

In dem Sinne des von Kulle beschriebenen provisorischen, also nicht-definitiven, nicht-abgeschlossenen Selbstfindungsprozesses verstehe ich auch Prodgers Umgang mit den alphanumerischen Codes, die sie in Anlehnung an SaF05 jeder Person aus ihrer Vergangenheit gibt, die sie in *SaF05* erwähnt (was die genannten Personen gleichzeitig anonymisiert). Diese Analogisierung des eigenen Lebens nach den Maßgaben einer biologischen Studie verspricht somit weniger Gewissheit (wie in wissenschaftlichen Studien vermeintlich angelegt), sondern ist vielmehr als eine diffuse Artikulierung queerer Subjektivität und queerer Bindungen zu verstehen, wie Bruneau es beschreibt, und in dem Sinne als ein weiteres Suchen nach Antworten auf die Fragen, was Queerness ausmacht, was queere Körper ausmachen, welche Rolle Geschlechterkategorien dabei spielen und wie man diesen Fragen in einem komplexen Netzwerk von verbundenen Systemen, die über geopolitische Grenzen hinweg angelegt sind, auch ästhetisch näherkommen kann.

---

39 Daniel Kulle, »Innovation an den Rändern des Queer Cinema. Ästhetische Strategien des Queeren Experimentalfilms«, in *Queer Cinema*, hg. v. Dagmar Brunow und Simon Dickel (Mainz: Ventil, 2018), S. 226–44, hier S. 234–35.

– und zwar in der Arbeit mit Bildern von assyrischen Palastreliefs, die Löwenjagden darstellen und ursprünglich dreidimensionale Basreliefs sind:

> I'd always been blown away by these Assyrian reliefs, particularly in terms of perspective. So, for example, to show that one figure is behind another figure, in the background, rather than making it smaller than the figure in the foreground, it's put on top of the figure in the foreground to show there's distance between them. [...] I found these photographs in a book and I pulled some of them out and I started playing around with them on a cutting matt that I had in my studio, making collages. [...] The cutting matt is gridded. [...] I think about grids a lot, particularly in relation to coordinates. So, grids are used to map things, they contain and frame things. But in the end, grids are always infinite. What we can't see of them extends infinitely beyond the edges of the frame. And for me this feels very vast, like lot of the empty landscapes I am drawn to in my work.[36]

Was Prodger also konsequent in ihren Arbeiten betreibt ist die den Technologien inhärenten Möglichkeiten herauszufordern und in neuen Konstellationen produktiv zu machen. Somit wird das Raster, das nach Dimitris Papadopolous, Niamh Stephenson und Vassilis Tsianos unwahrnehmbare Körper und Subjektivitäten in Subjekte transformiert (und in Gruppierungen und Territorien einteilt)[37] gleichzeitig zu einer Ermöglichung, über queere Körper, Landschaften und Transformation nachzudenken – nicht nur in Bezug auf den Tierkörper, sondern auch in Bezug auf das eigene Selbst. Dabei führen die Überlagerung der persönlichen Geschichte und eigener Bilder mit den Bildern von SaF05 und von Botswana, die Effekte dieser Montage weniger zu einer Einschreibung oder Projektion der Sprechenden, die in den Landschaften ihren Erinnerungen nachhängt, sondern vielmehr zu einer Suche nach (queeren) Koinzidenzen.

Diese Form der Beobachtung des Selbst über Materialität, Verbindungslinien und Analogien spitzt Prodger in *SaF05* beim Vorlesen der Logbucheinträge zu, die im Rahmen eines Forschungsprojekts zu SaF05 angelegt wurden, und u. a. Bewegungsdaten und Verhalten

---

36 *Charlotte Prodger on her Series Palace Prints.*
37 Dimitris Papadopolous, Niamh Stephenson und Vassilis Tsianos, *Escape Routes: Control and Subversion in the Twenty-First Century* (London: Pluto Press, 2008), S. 10.

dokumentieren, und die Prodger mit eigenen Tagebucheinträgen zu intimen Begegnungen und Erfahrungen von Verlust, wie etwa den Tod von DuF96, zusammenbringt. In einer Sequenz, eine Dashcam-Aufnahme auf der Straße zu Nancy Holts Skulptur *Sun Tunnels* im ländlichen Utah z. B.,[38] hören wir Prodger unermüdlich und rhythmisch Einträge aus dem Logbuch vorlesen, vermischt mit einer sexuellen Erinnerung an GaF96 – eine Sequenz im Film, die die multidimensionalen Relationen zwischen Körpern, Codes und Daten noch einmal im Bild von Landschaften zusammenbringt und gleichzeitig die Frage aufmacht (ohne sie schlussendlich zu beantworten), was der (queere) Körper in einer Welt sein kann, die aus komplexen Verbindungslinien besteht:

> Date: 16th November 2015. Start Time: 17:49. Location: -19.53368357 23.64108922 938.0 5.0. Behaviour: Approach. Behaviour time: 18:17. Who: SaF05. Habitat: Acacia scrub. Recipient ID: Woody. Outcome social: Rubs. Comments: SaF05 presenting. Count: 3. End time: 19:50.
>
> Date: 21st November 2015. Start Time: 05:55. Location: -19.52420401 23.63942514 940.0 5.0. Behaviour: Grooming. Behaviour time: 06:59. Who: SaF05. Habitat: Acacia scrub. Recipient ID: SaF03. Outcome social: reciprocate. Count: 2. End time: 09:23.
>
> GaF93 was training to be a radiographer. We met at Club X. She pushed me against the wall in a doorway somewhere around Renfrew Street. I've looked for it since when I've been in that area. But I don't know where it was because it was nighttime 27 years ago.
>
> In daylight lying on her bed up against the window in her room inside the student halls in Paisley [GLASGOW] I looked down at the dark triangle of her pubic hair for the first time. I thought what I was seeing was her underwear [...] then realized her underwear wasn't on anymore.
>
> [...]
>
> Date: 21st November 2015. Start Time: 05:55. Location: -19.52420401 23.63942514 940.0 5.0. Behaviour: Moving. Behaviour time: 08:30. Who: SaF05. Habitat: Acacia scrub. Count: 2. End time: 09:23.

---

38   Nancy Holt, *Sun Tunnels*, 1973–76, Installation, Beton-Zylinder, Great Basin Wüste, Utah.

Archive queeren?
Prekäre Sichtbarkeiten und instabile Erzählungen in filmischen Post-Apartheid-Erinnerungsräumen
MARIETTA KESTING

Die installative und performative Filmarbeit *The Memories of Others* der weißen südafrikanischen Künstlerin Bettina Malcomess dient diesem Text als Ausgangspunkt für ein Auffächern der in ihr angelegten Spuren und Thematiken.[1] Malcomess' Familie hat britische und deutsche Migrationsgeschichten, die sie in ihren theoretischen und künstlerischen Arbeiten verfolgt. Für ihre performativen Projekte hat sie das Alter Ego Anne Historical geschaffen, die schon durch ihren Nachnamen mit der Geschichtsforschung verbunden ist. Zu den wiederkehrenden Topoi in ihrem Werk gehören mediale Spuren des britischen Empire und Repräsentationen im Museum, prekäre Archive, soziale Räume sowie Experimente mit Figuren, die Trickster, Mechaniker oder eben Alter Egos sein können und teilweise im Genre Slapstick stattfinden. Durch die unterschiedlichen Frames und Rahmungen, die in Malcomess' Arbeit verhandelt werden, lassen sich Aspekte einer dekolonialen und einer queeren Medienpraxis und -theorie formulieren. »Afrika darstellen«, so stellte Edward Said fest, »heißt in den Kampf um Afrika eintreten, der wiederum zwangsläufig mit dem späteren Widerstand, der Entkolonisierung verbunden ist.«[2]

---

1   *The Memories of Others*, Regie: Bettina Malcomess (Bettina Malcomess, 2015).
2   Edward Said, *Kultur und Imperialismus. Einbildungskraft und Politik im Zeitalter der Macht*, übers. v. Hans-Horst Henschen (Frankfurt a. M.: Fischer, 1994), S. 114.

Im heutigen Post-Apartheid-Südafrika finden sich komplexere Verflechtungen von Privilegien, Machtasymmetrien und Diskriminierung, als es die einfache Dichotomie »First World« (Europa) versus »Third World« (Afrika) vermuten lassen könnte, und deren gemeinsames Erbe und Beeinflussungen im Folgenden immer wieder aufscheinen. Durch die Betonung einer gemeinsam erlebten Moderne in den Metropolen Südafrikas und einer experimentellen Lesart von Archivmaterialien werden auch spekulative Narrationen möglich, in denen Malcomess sich nicht in der Rolle einer kanonischen Erzählerin befindet. Malcomess orientiert sich an dekolonialen Diskursen und untersucht die gleichzeitige Verwicklung der visuellen Medien mit Überwachungsregimen, (lückenhafter) Wissensproduktion und Entertainment und bietet eine Interpretation der imperialen Geschichte in der Gegenwart an.

QUEERE ZEITREISEN, TRAUMATISCHE LOOPS SOWIE IHRE UTOPISCHEN UND DYSTOPISCHEN MOMENTE

Die Arbeit *The Memories of Others* ist eine 2-Kanal-Projektion.[3] Der eine Kanal zeigt einen Experimentalfilm, der neben Archiv-Filmaufnahmen und einer Zeichentrickszene primär Standbilder enthält, und der zweite Kanal zeigt die Aufzeichnung einer Live-Performance von Luca Canal, unterlegt mit Musik von Richard Bruyn.

Malcomess mobilisiert unbekannte Archivaufnahmen und beginnt mit der Jahreszahl »1936«, gefolgt von der Texteinblendung »The Year of the Great African Air Race«.[4] Der Screen ist in drei Ebenen aufgeteilt, zwei Bildfenster links und rechts im oberen Bereich nebeneinander, und ein Textbereich darunter. Das linke Fenster zeigt

---

3   Die Arbeit wurde unterstützt vom Johannesburg Pavillion, Venedig Biennale; Kamera: Bettina Malcomess, Arya Laloo, Gabriel Hope; mit Bettina Malcomess, Luca Canal; Musikkomposition: Richard Bruuyn; digitale und 35mm-Film-Einzelbilder. Der ca. 9-minütige Film wurde in unterschiedlichen Versionen gezeigt, teilweise mit Live-Performances. Davon gibt es wiederum eine Dokumentation, die den Film und die parallel stattfindende Performance zeigt. Zuerst war sie sogar als 3-Kanal-Arbeit konzipiert, konnte aber noch nie so realisiert werden (unveröffentlichte E-Mail von Bettina Malcomess an die Autorin).

4   Es handelt sich um das Schlesinger-Flugzeugrennen, das im Folgenden noch genauer behandelt wird.

historische Aufnahmen aus dem Jahr 1936, in denen Männer Modellflugzeuge in den Händen halten und deren Propeller drehen. Im
rechten Bildfenster ist ein Performer, Luca Canal, vor einem weißen
Hintergrund zu sehen, dort wiederholt sein Schatten seine Bewegungen. Menschen können nicht fliegen, Canal versucht es pantomimisch
trotzdem, mit langen fließenden Bewegungen seiner Arme deutet er
es an. Außerdem sind seine emphatisch ausgeführten, betonten Bewegungen auch eine Parodie der standardisierten Sicherheitseinweisun-
gen durch Flugbegleiter_innen.

Grundlage für die Entstehung von *The Memories of Others* waren
Archivmaterialien des Schlesinger-Flugzeug-Rennens 1936,[5] benannt
nach Isidore William Schlesinger, einem österreich-jüdischen Großin-
dustriellen, der 1894 aus den USA nach Südafrika auswanderte und
dort als Finanzmagnat und Unternehmer in der gerade entstehenden
Unterhaltungsindustrie tätig war. Die Route des Rennens zeichnet den
Einflussbereich des britischen Empire nach: Sie sollte in Portsmouth,
Großbritannien beginnen, mit Zwischen-Stopps in Belgrad und Kairo,
dann quer über den afrikanischen Kontinent, über Khartum, Nairobi
und Johannesburg führen, um in Kapstadt zu enden. Als medialisiertes
Spektakel sollte es gleichzeitig die 1936 in Johannesburg zum ersten Mal stattfindende Empire-Ausstellung promoten, die mit dem 50.
Jubiläum der Stadtgründung zusammenfiel.[6] Jean-Louis Comolli be-
zeichnete die Verbreitung der medialen Reproduktionstechnologien
im 19. Jahrhundert im Rahmen der kolonialen Expansion Europas
als »frenzy of the visible« (visuellen Rausch): »By journeys, explo-
rations, colonisations, the whole world becomes visible at the same
time that it becomes appropriatable.«[7] Das imperiale Flug-Rennen
scheiterte als PR-Veranstaltung jedoch völlig, denn nur eines der zu

---

5   Viele von Malcomess' Arbeiten existieren in unterschiedlichen Ausführungen oder
    Inkarnationen, zuerst war sie auf die Materialien zu dem Flugzeugrennen bei der
    Recherche für das mit Dorothee Kreutzfeldt realisierte Buchprojekt, *Not No Place:
    Johannesburg. Fragments of Space and Time* (Johannesburg: Jacanda, 2013), gestoßen.
6   Die Empire-Ausstellung war eine 1936 im Stil der Weltausstellungen gehaltene Groß-
    veranstaltung der Union of South Africa, mit über 500 teilnehmenden Ausstellern.
    Cati Coe, »Histories of Empire, Nation and City: Four Interpretations of the Empire
    Exhibition, Johannesburg 1936«, *Folklore Forum*, 32.1–2 (2001), S. 3–30.
7   Jean-Louis Comolli, »Machines of the Visible«, in *The Cinematic Apparatus*, hg. v.
    Teresa de Lauretis und Stephan Heath (New York: St. Martin's, 1980), S. 121–42, hier
    S. 122–23 <https://doi.org/10.1007/978-1-349-16401-1_10>.

Abb. 1. Film-Still, *The Memories of Others*, Regie: Bettina Malcomess
(Bettina Malcomess, 2015).

Beginn noch vierzehn Teams gelangte überhaupt ins Ziel. Gerade dieses Scheitern scheint Malcomess' Interesse an dem Material geweckt zu haben.

In *The Memories of Others* sind zahlreiche Spuren zu finden, die von den Rezipient_innen entschlüsselt werden können, und die zum Teil erst bei wiederholtem Ansehen erkennbar werden. Es lohnt sich folglich einen zweiten Blick auf die Eröffnungssequenz zu werfen: Die Kamera vollführt einen Schwenk über die Piloten, scheinbar alles weiße Männer, fein angezogen mit Schlips und Anzug. Sie halten Modellflugzeuge in den Händen wie Spielzeuge, und drehen deren Propeller (s. Abb. 1). Die Geste des Drehens scheint die Erinnerung zu aktivieren, welche die Zeit zurückdrehen kann. Das Voiceover beginnt mit der autobiografischen Aussage von Malcomess »I was told that as a child I knew another language, I forgot that language and as a result, forgot myself«. In Südafrika gibt es nach Ende der Apartheid elf offizielle Sprachen, vorher waren es nur die zwei »weißen« Sprachen Englisch und Afrikaans.[8] Die andere Sprache, die Malcomess als weißes Kind verstehen konnte, war isiZulu, vielleicht weil sie von einer

---

8   Für einen Überblick über Südafrikas Sprachen und ihre Verteilung, siehe South African Government, »South Africa's People«, Sektion »Languages« <https://www.gov.za/about-sa/south-africas-people#languages> [Zugriff 5. Juni 2021].

schwarzen Nanny betreut wurde oder es schwarze Hausangestellte gab, die isiZulu mit ihr sprachen? Wie Derek Hook im Zusammenhang mit den intimen Verhältnissen von weißen Kindern zu den schwarzen Hausangestellten ihrer Familien herausstellt:

> Such are the complexities and ambivalences of psychical life: oppressor and oppressed alike might share a mode of melancholic (or nostalgic) attachment to what has gone before, just as there may be significant differences in how a given social constituency responds to unprocessed loss.[9]

Die Arbeit begibt sich somit auch auf persönliche Spurensuche und verfolgt das Nachwirken der südafrikanischen Geschichte in der Biografie der Künstlerin, die auch das Vergessen miteinschließt. Als Erwachsene kann sie die andere Sprache, isiZulu, nicht mehr aktiv erinnern (s. auch die unterschiedlichen Übersetzungen in Abb. 3, die unterste ist in isiZulu).

Ein Blick zurück ins visuelle Material: Der Schwenk wird aus einer erhöhten Position von links nach rechts fortgesetzt, die Kamera konzentriert sich auf die Aktion der Hände (das Drehen der Propeller) und schneidet daher die Köpfe der Männer ab. Durch die Vervielfältigung derselben Geste von unterschiedlichen Händen wird eine taktile Ebene aufgerufen. Ein kleinerer Mann ist in der Halbtotalen sichtbar, auch er blickt konzentriert nach unten auf seine Hände und das Spielflugzeug darin. Hatten die Männer Regieanweisungen erhalten, und sind die Modellflugzeuge vielleicht Requisiten? Wahrscheinlich wollten die Reporter sichergehen, dass die Piloten auch in diesem Gruppenbild als solche erkennbar werden, ohne dass sie im Cockpit sitzen. Zwar ist über die Piloten nichts weiteres bekannt, aber es ist davon auszugehen, dass sie qua ihrer Tätigkeit hegemoniale weiße koloniale Männlichkeit verkörpern, im Zeitalter des sich transformierenden britischen Empire. Südafrika hatte im britischen Commonwealth seit der Balfour-Erklärung 1926 Dominion-Status. Wie Elahe Haschemi Yekani ausführt, »Masculinity becomes an important realm of stabilising the construction of modern European superior-

---

9   Derek Hook, »Apartheid's Lost Attachments (2): Melancholic Loss and Symbolic Identification«, *Psychology in Society*, 43 (2012), S. 54–71, hier S. 69 <http://ref.scielo.org/t48grs> [Zugriff: 5. Juni 2021].

ity.«[10] Tatsächlich wirkt bereits die Idee eines Flugzeug-»Rennens«
wie aus (kolonialen) Abenteuergeschichten entnommen,[11] die häufig
eine nostalgische Sehnsucht und einen restorativen Impuls nach der
Norm einer (weißen) dominanten Männlichkeit beinhalteten.[12]

Einerseits lenkt Bettina Malcomess unsere Blicke auf die Geste
der Hände, und verwehrt den Männern damit die typisch heroische
Inszenierung. Die Piloten scheinen auf gewisse Art zu Kindern zu
regredieren, sie spielen unbeholfen mit den Modellflugzeugen. Man
sieht ihre Köpfe und Gesichter fast nicht, sie bleiben anonym und
sind bloß Techniker oder Schauspieler, die aber nicht genau wissen, als
wen sie sich ausgeben sollen. Eine andere Lesart wäre, die Piloten als
Inbegriff für ein imperiales Experiment zu sehen, für diejenigen, die
mit Südafrika wie mit einem Spiel- oder Modelland umgehen, einer
Experimentierzone des Westens, die man in Besitz nehmen und aus-
beuten kann – und für die dieser Aktion innewohnenden (grotesken)
Gewalt. Es ist gerade eine Stärke der Arbeit, dass sie mehrere Interpretationen erlaubt, und sich nicht auf eine festlegt und sich auch für die
(unfreiwillige) Komik und das Scheitern interessiert.

In der folgenden Einstellung wird eine Karte des afrikanischen
Kontinents gezeigt. Dort ist verzeichnet, welches Team an welchen Orten und unter welchen Umständen Zwischenstopps einlegte. Bei Khartum ist die Notiz: »Victor Smith Oil Tank Trouble Earlier« zu lesen.
Darunter steht der von Malcomess eingefügte Satz: »The movement
of these images is almost impossible to separate from the movements of
war.« Dieser Satz erinnert an Harun Farockis Filmtitel *Bilder der Welt
und Inschrift des Krieges* und bearbeitet verwandte Themen:[13] Der Blick
von oben und auf das, was zerstört oder in Besitz genommen werden
kann; das Flugzeug und die Landkarte als (neo-)koloniale Werkzeuge
der Bewegung, zur Beobachtung und Eroberung.

---

10   Elahe Haschemi Yekani, *The Privilege of Crisis: Narratives of Masculinities in Colonial and
     Postcolonial Literature, Photography and Film* (Frankfurt a. M.: Campus, 2011), S. 41.

11   Siehe z. B. Jules Verne, *Reise um die Erde in achtzig Tagen*, übers. v. Erich Fivian, franz.
     Erstveröffentlichung 1873 (Zürich: Diogenes, 1973).

12   Im Original: »a nostalgic longing for as well as a restorative impetus of unchallenged
     norms of dominant masculinity«; siehe Haschemi Yekani, *Privilege of Crisis*, S. 42.

13   *Bilder der Welt und Inschrift des Krieges*, Regie: Harun Farocki (Harun Farocki
     Filmproduktion, 1989). Für weitere Details zum Film siehe *Harun Farocki*
     <https://www.harunfarocki.de/de/filme/1980er/1988/bilder-der-welt-und-
     inschrift-des-krieges.html> [Zugriff: 5. Juni 2021].

Wie Paul Virilio in *Krieg und Kino. Logistik der Wahrnehmung* essayistisch entwickelte, gilt seit der Erfindung des Kinos: »Krieg ist Kino und Kino ist Krieg.«[14] Eine herausragende Rolle nimmt dabei der entfesselte, bewegliche Blick aus der Luft, die möglichst lückenlose Überwachung sowie der Zusammenschluss von Bewegtbild und (Kampf-)Flugzeug ein. Ebenso ist auf die Analogien zwischen »schießen« und »fotografieren«, etwa im technischen Zusammenschluss bei der von Étienne-Jules Marey konstruierten fotografischen Flinte, immer wieder hingewiesen worden. In der südafrikanischen Geschichte unter der Herrschaft des britischen Empires gibt es viele Belege für den Nexus Blick und Macht, wie ihn Virilio beschrieb. Die siegreichen Flugzeuge des Rennens sollten 1936 von einem extra für sie gebauten »Tower of Light« in Johannesburg empfangen werden, der eine Art futuristischer Leuchtturm der Empire-Ausstellung und gleichzeitig Navigationshilfe für den Flugverkehr sein sollte. Der Architekt und Professor Geoffrey Pearse hatte ihn konstruiert, er bestand aus Beton und einer leuchtenden Kuppel mit Aussichtsplattform. Der Licht-Turm erinnert an Albert Speers reine Lichtarchitekturen für die Nationalsozialisten 1933 in Berlin und 1937 in Nürnberg. Das Voiceover erzählt: »Hitlers Olympiade war die erste, die *live* im Fernsehen übertragen wurde.«[15] Die Aussage verweist auf die Verknüpfung von Entertainment, Medien und Krieg. Diese Spur bezieht sich auch auf die Biografie von Malcomess' eigenem Großvater, der zu jener Zeit sehr jung als Soldat eingezogen wurde, in der Nähe von Paris stationiert war und dort Selbstmord beging.

In Südafrika gehörte der allsehende Blick aus der Luft bis zum Ende der Apartheid der weißen Minderheit. Die Townships für die als »afrikanisch« klassifizierte Bevölkerungsmehrheit wurden so gebaut, dass sie einfacher zu überblicken und zu kontrollieren waren. Wie Jacob Dlamini es rückblickend anhand des Townships Katlehong beschreibt:

---

14 Paul Virilio, *Krieg und Kino. Logistik der Wahrnehmung*, übers. aus dem Frz. v. Frieda Grafe und Enno Patalas (München: Hanser, 1986), S. 47.

15 Übersetzung des Voiceovers durch die Autorin. Siehe die Olympia-Sondersendung am 1. August 1936 des Fernsehsenders Paul Nipkow, Berlin <http://www.fernsehmuseum.info/1936-die-olympiade.html> [Zugriff: 5. Juni 2021].

> It was laid out in a grid, with streets that intersected at
> 90-degree angles, followed by neat curves and ended in
> T-junctions. [...] The streets, on which sat houses of various
> sizes had no names. But each house had a number. [...]
> Kathlehong's house numbers were not daubed, it should be
> said, in blood, but black paint. But it is no exaggeration to say
> that they, too, were intended to give government officials a
> God's eye view of the township, to make the area legible.[16]

Weiße und europäisch codierte Orte erhielten von der Apartheidregierung offizielle Namen, afrikanische häufig nur Nummern oder
betont formale Bezeichnungen wie »South-Western Township« –
Soweto. Township-Bewohner_innen hatten auch keine »normalen«
Postadressen.[17] Dennoch betont Dlamini an späterer Stelle, dass er eine gewisse Verbundenheit zu dem Ort seiner Kindheit verspürt, denn
die sozialen und kulturellen Praktiken, die dort stattfanden, waren
nicht nur eine Reaktion auf die Unterdrückung durch die Apartheidregierung.[18] Dort fand trotz aller Einschränkungen ein anderes Leben
statt und mehr, als aus der weißen Perspektive aus der Luft mit dem
ominösen »God's eye view« sichtbar war.[19]

    In Malcomess' Arbeit wird neben einer Geschichte des »über-
legenen«, privilegierten Blicks aus der Luft jedoch auch ihr eigenes
Schwindelgefühl thematisiert und damit das Blick-Regime dekonstruiert. Vielleicht ließe sich sogar behaupten, ihre Beschäftigung
hiermit trägt auch Züge einer Selbsttherapie und damit einer teil-
weisen Überwindung ihrer Gleichgewichtsstörung. Die Arbeit führt
den »göttlichen« Blick von oben vor, um ihn im Überblickverlust,
Vertigo und dem Gefühl des Fallens zu dekonstruieren und letztere
durchzuarbeiten.

---

16   Jacob Dlamini, *Native Nostalgia* (Auckland, ZA: Jacana, 2009), S. 45.

17   Außerdem durften sie Postämter nur durch separate Eingänge und an einem von
     den Weißen getrennten Counter benutzen, dies fiel unter die sogenannte »petty
     apartheid«, die das Alltagsleben mit Gesetzen durchzog. Siehe hierzu auch Ivan Vla-
     dislavić, *Double Negative* (Kapstadt, ZA: Umuzi, 2011), S. 133: »Under apartheid,
     township dwellers and people in the rural areas had been denied access to mail services,
     the pamphlet said, many did not even have proper addresses.«

18   Dlamini, *Native Nostalgia*, S. 108.

19   Siehe Donna Haraways prominente Kritik des »God trick« in »Situated Knowledge:
     The Science Question in Feminism and the Privilege of Partial Perspective«, *Feminist
     Studies*, 14.3 (1988), S. 575–99, hier S. 581.

SOZIALITÄTEN, HYBRIDE ORTE, PREKÄRE MÖGLICHKEITSRÄUME – *SWING*

Das Voiceover in *The Memories of Others* informiert nüchtern: »The Merry Blackbirds performed swing on a boat on a man-made lake. Nobody danced.«[20] Die *Blackbirds* waren eine schwarze Jazz-Swing-Band, die zuerst nach ihrem Leiter *Motsieloa's Band* hieß.[21] Dieser Name wurde für das weiße Publikum in *Blackbirds* geändert. Dennoch war Musik einer der wenigen kulturellen Bereiche, in denen schwarze Südafrikaner_innen Erfolg haben durften. Wie Elizabeth Freeman – jedoch in einem allgemeineren Kontext prekärer Communities – schreibt: »Some groups have their needs or freedoms deferred or snatched away, and some don't. Some cultural practices are given the means to continue; others are squelched or allowed to die on the vine.«[22]

Während in den 1930er Jahren Apartheid und Segregation in Südafrika geplant wurden, wird gleichzeitig zu der Musik von schwarzen Performer_innen gefeiert. Es wirkt wie ein bizarres Bild, in dem ein Teil der politischen Widersprüche sichtbar wird. Konzerthallen, Jazzclubs und Bars waren einige der raren Orte, an denen sich als »schwarz« und »weiß« klassifizierte Menschen – zumindest für die Dauer eines Konzertes – noch treffen konnten. Musik und Gesang galten als harmlos und dienten daher hin und wieder auch als Vorwand oder Cover für politische oder aktivistische Projekte. Ein Beispiel ist, Ende der 1950er Jahre, Lionel Rogosins Film *Come Back, Africa*, der als Musikdokumentarfilm deklariert wurde, um die Dreherlaubnis der Apartheidregierung zu erhalten.[23] Folglich waren Gesangs- und Bandformationen eine signifikante Möglichkeit für die Bewohner_innen

20 Christopher Ballantine, »Music and Emancipation: The Social Role of Black Jazz and Vaudeville in South Africa between the 1920s and the Early 1940s«, *Journal of Southern African Studies*, 17.1 (1991), S. 129–52 <https://doi.org/10.1080/03057079108708269>.

21 Siehe weitere Stücke, wie *Nkosi Sikelel' IAfrika*, Griffiths Motsieloa and Company, Audio-Aufnahme, YouTube <https://www.youtube.com/watch?v=zt6qAunD8Us> [Zugriff: 5. Juni 2021].

22 Elizabeth Freeman, »Time Binds, or, Erotohistoriography«, *Social Text*, 23.3–4 (84–85) (Fall–Winter 2005), S. 57–68, hier S. 57 <https://doi.org/10.1215/01642472-23-3-4_84-85-57>.

23 *Come Back, Africa*, Regie: Lionel Rogosin (Lionel Rogosin, 1959); Script geschrieben von Bloke Modisane, Lewis Nkosi und Lionel Rogosin.

der Townships, eine gewisse Form von Freiheit sowie sozialen Trost
zu erleben. Gleichzeitig sollten sie auch nicht als zu positiv einge-
schätzt werden, denn die schwarzen Performer_innen wurden häufig
finanziell ausgebeutet. Einige hatten Suchtprobleme, die nicht behandelt wurden, und keine langfristigen Perspektiven, sodass viele
Musiker_innen dieser Periode jung starben, wenn sie nicht ins ame-
rikanische Exil gingen, wie es etwa Miriam Makeba tat.

Außerdem kommt im Voiceover die künstlich konstruierte Landschaft zur Sprache, das Boot mit der Swing-Darbietung befindet sich
auf einem »man-made lake«, also einem artifiziellen See. Die imperiale Imagination gibt vor, wie ein Park auszusehen hat, und wie folglich
nicht nur Siedlungen, sondern auch ihre Umgebungen gestaltet werden. Wenn es keinen See gab, wurde eben künstlich einer angelegt, wie
es auch der südafrikanische Schriftsteller Ivan Vladislavić kommen-
tierte:

> In Johannesburg, the Venice of the South, the backdrop is
> always a man-made one. We have planted a forest the birds
> endorse. For hills, we have mine dumps covered with grass. We
> do not wait for time and the elements to weather us, we change
> the scenery ourselves, to suit our moods. Nature is for other
> people in other places.[24]

Von der Landschaft, ihrer Einhegung und Konstruktion lassen sich
Verbindungen zu der psycho-sozialen Konstruktion des rassistischen
Apartheidstaates ziehen. In Südafrika zeigt sich historisch und gegenwärtig überaus deutlich die zur Formel gewordene Aussage: »Wie
Macht in (urbane und ländliche) Räume eingeschrieben ist«.[25] Die
Künstlichkeit der gebauten Umgebungen in Südafrika ist freilich, wie
das Beispiel von Vladislavić zeigt, immer wieder in ihren komischen
und ironischen Aspekten thematisiert worden, es gibt jedoch auch
kein »Zurück« zu einem vermeintlichen Natur-Zustand.

---

24 Ivan Vladislavić, *Portrait with Keys: The City of Johannesburg Unlocked* (London: Granta, 2006), S. 90.
25 Siehe hierzu u. a. auch die Arbeiten von David Goldblatt, *South Africa: The Structure of Things Then* (New York: Monacelli, 1998); David Harvey, »The Political Economy of Public Space«, in *The Politics of Public Space*, hg. v. Setha Low and Neil Smith (New York: Routledge, 2006); und Jonathan Cane, *Civilising Grass: The Art of the Lawn on the South African Highveld* (Johannesburg: Wits University Press, 2019).

SLAPSTICK, GESTEN, TRICKS IM MEDIUM (STUMM-)FILM

Slapstick beinhaltet immer eine tragische Komponente, doch er kann auch etwas Widerständiges entwickeln, indem er sich dem Realitätseffekt entzieht, und etwa den Gesetzen der Physik widerspricht. Jacques Rancière hat diesen Aspekt von Slapstick genauer anhand von Charlie Chaplins *The Great Dictator* entwickelt.[26] Rancière versteht Chaplins Film als eine »Erweiterung einer fiktionalen Form«, die schon Ende der 1990er Jahre nicht mehr auf dieselbe Art möglich wäre.[27] Denn, so führt er damals aus: »[…] unser Meinungsregime [lehnt] solch zweifelhafte Verknüpfungen des Sinnlichen ab, wie sie von der mimetischen Kette Chaplin/Charlie/der Barbier/Hynkel/Hitler gebildet werden, bei der man nicht mehr weiß, wer wer ist und wer wen imitiert, wo die Realität beginnt und wo sie aufhört«.[28]

Auch Malcomess experimentiert mit einer Neuzusammensetzung und einem Wiederaufführen von historischen Materialien mit fiktionalen Öffnungen, wie sie beispielsweise in dem Format der historischen Dokumentation im Fernsehen keinen Platz finden würden. So wird in *The Memories of Others* einer der ältesten Filmtricks vorgeführt – wir sehen die Szene rückwärts, in der die Piloten die Modellflugzeuge in die Luft gleiten ließen: Nun fliegen die kleinen Modellflugzeuge hier wie von selbst zurück in die Hände der Piloten.[29] Hier entsteht ein Slapstick-Moment in dem ruckartigen Wiederauffangen der Flugzeuge, welches eigentlich das Loswerfen zeigt. José Esteban Muñoz bezog sich teilweise auf Chaplin in seinen Überlegungen zur Bedeutung von Gesten als Ausdrucksspuren und stellte fest: »Concentrating on gesture atomizes movement. These atomized and particular movements tell tales of historical becoming.«[30] Malcomess betreibt durch das Rückwärts-Abspielen und den Loop auch Gestenanalyse. Sie »queert« die Bewegung der Piloten und versucht damit eine an-

---

26 Jacques Rancière, *Und das Kino geht weiter. Schriften zum Film*, übers. aus dem Frz. von J. Radlmaier, hg. v. Sulgi Lee und Julian Radlmaier (Berlin: August Verlag, 2012), S. 24; *The Great Dictator*, Regie: Charles Chaplin (Charles Chaplin Productions, 1940).

27 Ebd.

28 Ebd., S. 25.

29 *The Memories of Others*, ca. 9 min, hier 3:10.

30 José Esteban Muñoz, *Cruising Utopia: The Then and There of Queer Futurity* (New York: NYU Press, 2009), S. 67.

dere Geschichte zu erzählen und imperiale weiße Männlichkeit zu dekonstruieren. Sie ist als weiße Südafrikanerin in ihren historischen Spurensuchen immer wieder mit weißer imperialer und kolonialer Männlichkeit konfrontiert, mit einer Geschichte der Gewalt und Unterdrückung, in der es kaum weibliche Figuren als Handelnde gibt, und insgesamt kaum Figuren erinnert werden, mit denen ihr die Identifizierung leicht fallen könnte. Wie J. Jack Halberstam beim Nachdenken über queere Zeitlichkeiten und Räume betont hat: »They [queere Zeitlichkeiten und Räume] also develop according to other logics of location, movement, and identification. If we try to think about queerness as an outcome of strange temporalities, imaginative life schedules and eccentric economic practices, we detach queerness from sexual identity [...]«.[31] Um die monolithische Geschichtserzählung von Südafrika zu erweitern, ohne dabei die bekannten Fakten zu negieren, beschäftigt sich Malcomess auch mit, wie sie nach Deleuze und Guattari genannt werden könnten, »kleinen« Erzählungen.[32]

Die Auseinandersetzung mit Slapstick ist ein wiederkehrendes Motiv von Malcomess und wird in der späteren 8mm-Arbeit *Afterimages* (2019) weitergeführt, für die sie als Ausgangsmaterial ein kurzes Stück eines Filmes von Charlie Chaplin nutzt.[33] Eine historische Fußnote hierzu lautet, dass schwarze Minenarbeiter in Südafrika rassistische Bildungs- und Aufklärungsfilme ansehen mussten. Ihnen wurden aber auch Charlie Chaplin-Filme und Western gezeigt. Sie bevorzugten Chaplin, den sie in isiZulu »the drunken one« nannten. Malcomess performt in dem kurzen Stummfilm *Afterimages* selbst als ihr Alter Ego Anne Historical zusammen mit dem Tänzer Thabo Rapoo, beide arbeiten wiederum an Gesten und deren Re-Enactment. Muñoz verglich in *Cruising Utopia* den physischen Ausdruck von Chaplin aus den 1920er Jahren mit denen des schwarzen, queeren Performers Kevin Aviance und stellte fest:

---

31 J. Jack Halberstam, *In a Queer Time and Place: Transgender Bodies, Subcultural Lives* (New York: NYU Press, 2005), S. 1.

32 Gilles Deleuze und Félix Guattari, *Kafka. Für eine kleine Literatur*, übers. v. Burkhart Kroeber (Frankfurt a. M.: Suhrkamp, 1996).

33 *Afterimages*, Regie: Bettina Malcomess (Bettina Malcomess, 2019); Kamera: Bettina Malcomess, Gretchen Blegen, Eduardo Dumamede, Lauren Mulligan; mit Thabo Rapoo, Marc Gabriel, Anne Historical; 8mm-Film, 4:09 min.

> Although Kevin Aviance and Charlie Chaplin are an unlikely
> match, one a little white tramp and the other a big black
> queen, both are masters of the historically dense queer ges-
> ture. Aviance, like Chaplin before him, calls on an expressive
> vocabulary beyond the spoken word. For both men, the body
> in motion is the foundation of a visual lexicon in which the
> gesture speaks loud and clear.[34]

In dem dazugehörigen Verweis erklärt Muñoz weiter, dass er mit »historically dense queer gesture« eine Geste bezeichnet, deren Sinn und
konnotative Kraft mit antinormativen Bedeutungen verdichtet sind
(»whose significance and connotative force is dense with antinor-
mative meanings«).[35] Dieser Gestenvergleich, über lange Zeiträume
hinweg, ist nur möglich durch die Dokumentation dieser Körper-
sprache auf Filmaufnahmen der Performances. Malcomess verwendet
diese Methode in ihrer künstlerischen Film- und Performance-Arbeit,
indem ihre Performer_innen und sie selbst historische Gesten aufnehmen, wiederholen und dennoch auch in der Gegenwart abwan-
deln. Es geht nicht um ein perfektes Nachspielen von Chaplin oder
anderen Figuren, sondern um die Differenz in der Wiederholung, auch
im Sinne eines Scheiterns der genauen Wiederholung, und damit um
die Perspektive aus der Jetztzeit auf das historische Material.

In *The Memories of Others* folgt nach der rückwärts abgespielten
Sequenz ein grafisches Bild aus einer Broschüre der Notfallmaßnah-
men (s. Abb. 2). Dieses sollte zu dem ganz und gar eindeutigen und
normativen Bildmaterial dieser Welt zählen (s. auch Abb. 3, linker
Teil), dient es doch dazu, lebensrettende Maßnahmen zu vermitteln.[36]
Doch auch hier lässt sich beim genauen Hinsehen eine Irritation aus-
machen, deren Deutung und Ursprung nicht eindeutig zu klären sind.
Zu sehen sind die ersten zwei Reihen in einer Passagiermaschine, in
der jeweils eine Frau sitzt (sie haben Röcke an und ihre hochhackigen
Schuhe ausgezogen), und die *Brace*-Position einnimmt, so als ob eine
Notlandung bevorstünde.

---

34   Muñoz, *Cruising Utopia*, S. 67.
35   Ebd., S. 198, siehe Fußnote 5.
36   Selbstverständlich gibt es aber bereits künstlerische Appropriationen, Imitationen
     und Zitate dieser Art von Bildmaterialien wie etwa von Coco Fusco, *A Field Gui-
     de for Female Interrogators* (New York: Seven Stories Press, 2008). Einige Seiten
     sind online verfügbar auf *Coco Fusco* <https://www.cocofusco.com/a-field-guide-
     for-female-interrogators>[Zugriff: 5. Juni 2021].

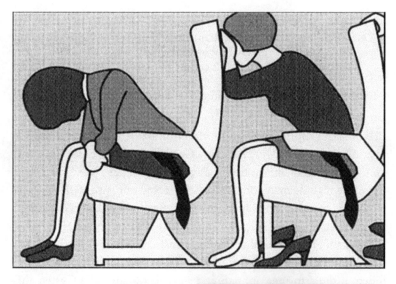

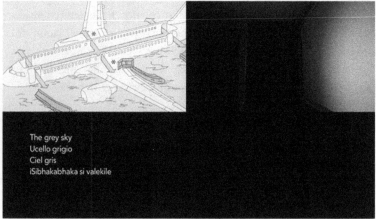

The grey sky
Ucello grigio
Ciel gris
iSibhakabhaka si valekile

Abb. 2 und 3. Film-Stills, *The Memories of Others*, Regie: Bettina
Malcomess (Bettina Malcomess, 2015).

Die Frau in der vordersten Reise hat eine schwarze Kapuze über
ihrem Kopf und schwarze Strümpfe an, ihre Beine und Hände sind
dagegen weiß. Ist das eine unvermutete und absurde Spur in Richtung
eines Uneindeutig-Werdens oder *Ethnic Drag*?[37] Oder ist sie eine Ter-

---

37   Siehe u. a. Katrin Sieg, *Ethnic Drag: Performing Race, Nation, Sexuality in West Germany* (Ann Arbor: University of Michigan Press, 2002).

roristin oder Kriminelle, die ihr Gesicht verstecken will oder muss? Je genauer hingesehen wird, desto merkwürdiger erscheinen selbst scheinbar einfach lesbare Bilder. Die Frau in der zweiten Reihe hat ihre Hände vor ihrem Gesicht, welches nur eine weiße Fläche ist – hält sie sich vor Angst die Augen zu? Oder versucht sie ihren Kopf im Falle eines Aufpralls zu schützen? Während die tatsächlichen Piloten selbstverständlich nur Männer sind, werden die Passagiere alle als weiblich dargestellt.

Die Übung des *case of emergency* ruft in Südafrika auch assoziativ die 1980er Jahre auf, als die Apartheidregierung immer wieder den »State of Emergency« deklarierte, welcher die sowieso schon stark reglementierte Zivilgesellschaft beschränkte, zu Massenverhaftungen führte und die Rechte der Polizei und Armee erweiterte.[38] Da der »State of Emergency« immer wieder verlängert wurde, bekam er den Charakter eines fast dauerhaften Ausnahmezustands.

ALTER EGOS, ZWILLINGE, VERDOPPLUNGEN, ZEITREISEN

Wie bereits erwähnt, tritt Malcomess auch als Performancekünstlerin unter dem Alter Ego Anne Historical auf. Mit dieser Figur, die sie als Maskierung strategisch einsetzt, verfolgt die Künstlerin eine Verdopplung und Multiplikation von Positionierungen, zwischen Mechanikerin und Trickbetrügerin oder *trickster*, woanders hinführend als zu ihrer subjektiven Perspektive. Sie beschreibt diese unsichere Position anhand des Einsatzes ihrer eigenen und anderer Stimmen wie folgt: »As such, the voice in my work is always multiple, at times even mechanical, like the trickster it is not necessarily rooted in my own subjective position.«[39] Diese Strategie weist Parallelen zu und Einflüsse vom performativem Umgang mit Archivmaterialien in den Arbeiten des libanesischen Künstlers Walid Raad und seiner imaginären Forma-

---

38 1985 wurde der »State of Emergency« zuerst für die Gegenden Eastern Cape sowie Pretoria-Witwatersrand-Vaal deklariert, und wenig später auch auf das Western Cape ausgedehnt, siehe South African History Archive (SAHA), »A State of Emergency«, n.d. <http://www.saha.org.za/ecc25/ecc_under_a_state_of_emergency.htm> [Zugriff: 5. Juni 2021].

39 Bettina Malcomess in einer unveröffentlichten E-Mail an die Autorin am 18. Januar 2020.

tion The Atlas Group sowie von Filipa César auf.[40] Gleichzeitig schafft
Malcomess auch ihre eigenen Figuren, damit ihr diese bei ihrer Arbeit
helfen. Ihre spekulativen Rekonstruktionen von Erinnerungen und der
Geschichte des urbanen Raumes werden auch durch eine Figur mit
dem Namen *Jack* vorangetrieben. Jack ist eine gender-fluide, zeitrei-
sende Person und Anne Historicals nicht-identische Zwillingsfigur,
die Malcomess aus einer Notwendigkeit heraus schuf:

> Jack emerged as a figure who I needed to walk the city of Joburg
> as a man on my behalf. >He< is a >he< because Joburg is such a
> masculine city. He may be read as a white man in some of the
> passages, but in fact he is not necessarily, and this is revealed at
> the end of the book [*Not No Place*] in a kind of clue. But again,
> I never know.[41]

Diese aktive Verweigerung einer eigenen festen Identitätsposition
zieht sich durch ihre gesamten Arbeiten, und hat auch Auswirkungen
auf den Output. Anstatt gesichertes historisches Wissen zu produzieren, entstehen spekulative Ideen und prekäre Erinnerungen, die sich
auf Archivmaterialien beziehen, ohne sie zu kanonisieren. Auf eine
gewisse Art wird damit das gesamte dokumentarische Dispositiv der
Fotografie als Spurensicherung erschüttert, wie Walter Benjamin und
Roland Barthes es beschrieben.[42] Es geht um mehr als das »Es ist
so gewesen ...«, der Prozess von Erinnerung als ständige Wieder-
aufführung und Rekonstruktion wird sichtbar. So zitiert Malcomess
in ihrer Stadtstudie *Not No Place: Johannesburg Fragments of Spaces
and Times* Sébastien Marot. Dieser fasst Erinnerung als Prozess der

---

40 Siehe z. B. Walid Raad, The Atlas Group <https://www.theatlasgroup1989.org>,
    Kassandra Nakas, »The Atlas Group (1989–2004): A Project by Walid Raad«, Nafas,
    2006 <https://universes.art/en/nafas/articles/2006/the-atlas-group>; sowie Filipa
    César, Video Data Bank <http://www.vdb.org/artists/filipa-c%C3%A9sar>
    zu ihrem Film *Spell Reel*, Regie: Filipa César (Spectre Production, 2017)
    <https://www.berlinale.de/de/archiv/jahresarchive/2017/02_programm_2017/
    02_filmdatenblatt_2017_201712135.html> [jeweils Zugriff: 5. Juni 2021], deren
    Arbeiten Malcomess verfolgt und sich teilweise von ihnen inspirieren lässt.
41 Bettina Malcomess in einer unveröffentlichten E-Mail an die Autorin am 18. Januar
    2020.
42 Walter Benjamin, »Kleine Geschichte der Photographie«, in ders., *Gesammelte Schrif-
    ten*, hg. v. Rolf Tiedemann und Hermann Schweppenhäuser, 7 Bde. (Frankfurt a. M.:
    Suhrkamp, 1972–91), II (1977), S. 386–85; Roland Barthes, *Die helle Kammer* [*La
    Chambre claire* 1980], übers. v. Dietrich Leube (Frankfurt a. M.: Suhrkamp, 1989), S.
    86–87.

Transformation, welcher, wie die Stadt selber, durch Reartikulation, Schichtung und Wiederverwendung von Fragmenten entsteht, kurz: durch Rekonstruktion.[43]

UN-SICHTBARKEITEN, BLICKE VON OBEN UND VON UNTEN

Das Voiceover im Film weist auf das hin, was man aus der Luft im Anflug auf Johannesburg hätte sehen können: »From the air you could see Orlando West.« »Orlando« könnte man vielleicht zuerst mit Orlando in Florida, USA, verbinden, und es wird auf der Bildebene auch ein Standbild mit Palmen gezeigt, aber Malcomess verweist hier auf ein Gebiet innerhalb des South-Western Townships (Soweto), welches ebenfalls Orlando heißt, und das in den 1930er Jahren gebaut wurde, zur selben Zeit also, wie die großen Kinopaläste in Johannesburg. Diese trugen Namen wie »His Majesty«, folgten also imperialen Palast-Assoziationen. Commissioner Street, die Straße, an der entlang die meisten Großkinos standen, wurde »The great white way« genannt. Orlando erlangte eine gewisse Prominenz, da dort auch Nelson Mandelas Haus stand. Seit dem »Urban Areas Act« 1923 hatte die weiße Regierung begonnen, die Wohnorte weißer und schwarzer Menschen zu segregieren, und alle Nicht-Weißen aus der Stadt zu verweisen.[44] Der Text »From the air you could see Orlando West« wird gleichzeitig eingeblendet, während eine Postkarte mit roten plüschigen Kinosesseln gezeigt wird, die den Schriftzug in Afrikaans »Hier is u sitsplekke« (»Hier ist Ihr Sitzplatz«) tragen. Im Township dagegen standen keine Kinos, es fehlte dort an allem, außer an Schlafhallen für männliche Arbeiter. Es gab keinerlei Freizeitmöglichkeiten.

Während in dieser Arbeit von Malcomess die weiße Geschichte der realen und filmischen Landvermessung und Inbesitznahme an-

---

43   »[A]s a process of transformation that, like the city, develops by rearticulation, layering and reuse of fragments, in short, by reconstruction«; siehe Sébastien Marot, *Sub-Urbanism and the Art of Memory* (London: Architectual Association Publications, 2003), S. 28, zitiert in: Malcomess und Kreutzfeldt, *Not No Place*, S. 20.

44   Auch wenn die »offizielle« Periode der Apartheid erst 1948 begann, so gab es viele ihr vorangehende diskriminierende Gesetzgebungen. Für einen historischen Abriss südafrikanischer Geschichte und die Gründung von Soweto, siehe South African History Online (SAHO), »Soweto« <https://www.sahistory.org.za/place/soweto> [Zugriff: 5. Juni 2021].

hand von Aufnahmen aus der Luft erzählt wird,[45] beschäftigt sich
beispielsweise die installative Filmarbeit von der Künstlerin Michelle
Monareng, *Removal to Radium* (2014), aus schwarzer Perspektive mit
der Geschichte der Landenteignung und Vertreibung.[46] Ohne die Arbeiten der weißen und schwarzen Aufarbeitung von südafrikanischer
Geschichte und deren Betrauerung gleichsetzen zu wollen, stehen
sie doch in einer Beziehung zueinander und weisen teilweise Parallelen, aber auch signifikante Unterschiede auf. Sie zeigen häufig eine
Auseinandersetzung mit Fragmenten der eigenen Familiengeschichte,
insbesondere der Biografie der Großväter, wie bei Malcomess, so auch
bei Monareng.[47] Beide thematisieren unabgeschlossene Prozesse, ihr
wichtigster Aspekt scheint die Öffnung des nationalen Geschichtska-
nons für weitere und komplexere Erinnerungen.

Removal to Radium ist eine essayistische Recherche von Monareng, die die Enteignung einer schwarzen Community, in welcher der
Großvater der Künstlerin lebte, nachzeichnet. Die Enteignung begann
bereits 1875 durch die Missionare der Berliner Lutheraner und wurde durch die Apartheidgesetzgebung vollendet. Hier zeigt sich eine
Kontinuität von Überwachung, Herrschaft und Kontrolle, einer an-
dauernden *slow violence*[48] – ein Problem, das auch in Post-Apartheid-
Zeiten, bis heute, noch nicht gelöst und kompensiert werden konnte.
Während sich in Monarengs Film die Perspektive der Kamera inmitten
von Vegetation auf dem Land befindet, von dem ihr Großvater und
seine Community nach und nach von den Weißen vertrieben wurden, inspiziert Malcomess Johannesburg von oben, aus der Luft. Bei
Monareng dagegen ist die Kameraperspektive am Boden verwurzelt,

---

45   Malcomess beschäftigt sich in anderen Arbeiten aber auch mit der Perspektive von
     unten, im Feld, und auf dem Boden, siehe z. B. in ihrem Vortrag: »Making the Signal of
     Empire Legible: The Journey of a Camera, a Soldier and a Signal«, Cinepoetics Work-
     shop *Mapping the Sensible: Distribution, Inscription, Cinematic Thinking*, FU Berlin, 18.
     November 2020 <http://www.cinepoetics.fu-berlin.de/activities/workshops/2020-
     11-ws/index.html> [Zugriff: 5. Juni 2021].

46   *Removal to Radium*, Regie: Michelle Monareng (Michelle Monareng, 2014) wurde
     bereits detaillierter in Marietta Kesting, *Affective Images* (Albany: State University of
     New York Press, 2017), S. 186–90, analysiert.

47   Ebenso geht die südafrikanische Künstlerin Lebohang Kganye vor, siehe Cat Lachow-
     skyjs Feature, »Her-story«, LensCulture [2018] <https://www.lensculture.com/
     articles/lebohang-kganye-her-story> [Zugriff: 5. Juni 2021].

48   Siehe Rob Nixon, *Slow Violence and the Environmentalism of the Poor* (Cambridge, MA:
     Harvard University Press, 2011).

und Land und Erde sind selbst positiv aufgeladen: Ihr Großvater berührt es; Wiesen und ein Stier sind zu sehen, der dort weidet. Es ist folglich fruchtbarer Boden, der die Menschen unterstützt, wohingegen der neue Ort mit dem bereits toxisch und lebensfeindlich klingenden Namen »Radium«, an dem sie siedeln mussten, sich als zu trocken für Subsistenzwirtschaft, wüstenähnlich und feindlich herausstellt.

MINING GOLD & MINING IMAGES? VOM ROHSTOFFABBAU, SEINEM ABFALL UND DEM »ABBAU« VON BILDERN

> In vielerlei Hinsicht waren die Minen Südafrikas die Versuchszonen der Apartheid, in denen die Form des südafrikanischen Staates überhaupt produziert worden war. In ihnen trat seine Geschichte, die Entstehung dieser Staatsform sedimentiert in Erscheinung: vom oszillierenden Migrationssystem über die ästhetische Logik der *compounds*, der Minenarbeiterhostels und -siedlungen bis hin zur Schaffung geradezu bizarrer Formen von Sozialität, in denen Stadt und Township in einem Verhältnis unglaublicher Asymmetrie – 20.000 zu 250.000 Anwohner_innen standen. Man konnte den Fetisch des Goldes geradezu sehen. Gleiches galt für den Fetisch der Mine, die einen riesigen Halbschatten warf, in dem alles irgendwie schillernd und zugleich unsichtbar war.[49]

Dieser Halbschatten der Bergbauindustrie, den Rosalind Morris ausmacht, ist bis heute auf unterschiedliche Art und Weise sicht- und messbar. Am Ende von *The Memories of Others* lösen sich die zwei Screenfenster auf und es wird eine fotografische Standbildsequenz gezeigt, die während eines Fluges über Johannesburg mit einer kleinen Propellermaschine in der Gegenwart aufgenommen wurde – der Propeller ist häufiger im Bild unscharf zu erkennen, außerdem werden die Schutthänge des Bergbaus sichtbar (s. Abb. 4). Auf einer Abbruchhalde nahe dem Stadtzentrum stand früher das Star-Autokino, das mittlerweile abgerissen wurde, da die Bergbaufirma, der der Grund gehört, ihn zurückforderte. Dies dient als abschließendes Indiz für die miteinander verwobene Geschichte von Kino und Bergbau, zu denen

---

49   Rosalind C. Morris und Daniel Eschkötter, »Versuchszonen des Spätindustrialismus. Goldabbau in Südafrika«, *Zeitschrift für Medienwissenschaft*, 11.1 (2019), S. 78–95, hier S. 80 <http://doi.org/10.25969/mediarep/3725>.

Abb. 4. Film-Still, *The Memories of Others*, Regie: Bettina Malcomess
(Bettina Malcomess, 2015).

auch die bereits erwähnten Screenings von rassistischen »Bildungs«-
Filmen für die schwarzen Bergarbeiter gehören, aber natürlich auch
umgekehrt die Produktion von Filmen und Fotos von zumeist weißen
männlichen Fotografen, die schwarze Kumpels abbilden.[50]

Noch spezifischer hat Ariella Aïsha Azoulay die miteinander verwobene Geschichte von Imperialismus und Fotografie gefasst:

> The idea of a universal right to see is a fraud. When photogra-
> phy emerged, it didn't halt this process of plunder that made
> others and others' worlds available to some, but rather acceler-
> ated it and provided further opportunities to pursue it. In this
> way the camera shutter developed as an imperial technology.[51]

An dem durch den Bergbau erwirtschafteten Reichtum hatten die
schwarzen Minenarbeiter_innen keinen Anteil. Azoulay argumentiert
darüber hinaus, dass der Rohstoffabbau Hand in Hand mit der Produktion von »dokumentarischen« Fotografien (und Filmen) ohne
Einwilligung der »native« people ging: »This negation of people's

---

50   Siehe z. B. die Fotografien von Greg Marinovich, Kevin Carter, João Sila und Ken
      Oosterbroek.

51   Ariella Aïsha Azoulay, *Potential History: Unlearning Imperialism* (London: Verso,
      2019), S. 5.

right to actively participate in (let alone give consent to) being photographed is not part of the ontology of photography, but is the outcome of the extraction principle on which photography was first institutionalized.«[52]

Malcomess liefert dagegen keine fotografischen oder filmischen, dokumentarischen Bilder von schwarzen Südafrikaner_innen, sondern erzählt nur von ihnen in Voiceover und Texteinblendungen. Damit verweigert sie bewusst die Wiederholung der Gewalt der Abbildung und Festschreibung, aber sie blendet schwarze Geschichte nicht aus, sondern legt immer wieder Spuren. So zeigt sie, dass in der Gegenwart die Schutthalden des Bergbaus weiterhin – und außerdem oft in nächster Nähe zu formellen und informellen Siedlungen vor allem schwarzer Südafrikaner_innen – existieren. Sie sind noch immer mit giftigen Materialien versetzt, da beim südafrikanischen Golderzabbau ein weiterer Bestandteil der Erde Uran war.[53] Auch wenn der offizielle Bergbau seit dem Verfall des Goldpreises zurückgefahren wurde, laufen die professionellen, multinationalen Minen, in denen Platinum und andere Metalle der seltenen Erden abgebaut werden, auf Hochtouren. Darüber hinaus gibt es den gefährlichen, informellen Abbau von Gold in stillgelegten Schächten.[54]

ANACHRONISMUS, SPERRIGE APPARATE, STÖRUNGEN UND TRÄUME

In Malcomess' Mobilisierung alter Apparate und von Archivmaterialien lässt sich sowohl ein Potenzial von »Queerness im Anachronismus« verorten, wie Elizabeth Freeman es nennt,[55] als auch das

---

52   Ebd., S. 146–47.
53   Frank Winde, Gerhard Geipel, Carolina Espina und Joachim Schüz, »Human Exposure to Uranium in South African Gold Mining Areas Using Barber-based Hair Sampling«, *PLOS ONE*, 14.6 (2019), e0219059 <https://doi.org/10.1371/journal.pone.0219059>.
54   Letzteres dokumentiert Rosalind C. Morris seit mehreren Jahren mit ihrem Zama-Zama-Projekt, siehe u. a., »The Zama Zama Project«, *slought* <https://slought.org/resources/the_zama_zama_project> und Online-Dokumentation und Video der Diskussion »The Gamblers: The Zama Zama Miners of Southern Africa«, *ICI Berlin*, 7. Januar 2019 <https://doi.org/10.25620/e190107>.
55   Elizabeth Freeman, *Time Binds: Queer Temporalities, Queer Histories* (Durham, NC: Duke University Press, 2010).

Potenzial einer Geste hin zum Archiv als etwas zu Verdichtendes. Es geht folglich nicht darum, *die* – im Sinne der einen, kanonisierten – Geschichte zu erzählen oder sie aus einem einzigen Blickwinkel neu zu erzählen, sondern darum, eine Kette von Assoziationen zu bilden, und die Geschichte/n zu verdichten. Malcomess setzt ihren Körper und ihre Stimme konkret und symbolisch auch als Geste ein, um sich selber zu lokalisieren – und sich auch als weiß zu erkennen zu geben, aber dennoch nicht auf ein »Ich« im Sinne einer festen Identität festzulegen. Daher erzählt das Voiceover in ihrem Projekt auch Träume, die, wie sie sagt, »ihre Träume oder die Träume ihrer Figur sind«.[56]

In dem Traumbericht ist ihr Zuhause überflutet, ein riesiger Fisch ist dort gestrandet, den sie versucht, zurück ins Wasser zu tragen. Er ist jedoch zu schwer und sie scheitert. Eine Interpretation dieses Traumes könnte sich auf ihre eigene Deplatzierung als »weiße« Frau in Südafrika beziehen, also darauf, im falschen Land, im falschen Element zu leben, fehl am Platz zu sein, wie es das englische Sprichwort »like a fish out of water« umschreibt. Gleichzeitig ist es eine Analogie der Situation im Flugzeug, wo sich Passagiere im »falschen« Element befinden, nämlich in der Luft und nicht am Boden – also an einem Ort, an dem sie ohne komplexe Technologie nicht atmen könnten, was aber nur im Notfall erfahrbar wird, wenn der Druckausgleich in der Fluggastkabine nicht funktioniert und Sauerstoffmasken automatisch aus der Deckenverkleidung fallen. Der Traum funktioniert in Malcomess' Film als Montagetechnik, um disparate Elemente zu verbinden, und weniger als narratives Kino – mehr wie Erinnerung und weniger wie kanonische Geschichte. Schon in dieser Unklarheit, wessen Träume es eigentlich sind, liegt auch ein Hinweis, dass im Kontext von Südafrikas heterogener Gesellschaft, ein »wir« nie gegeben ist und Zugehörigkeiten komplex sind.

Malcomess benutzt häufig analoge Technik, sie filmt auf schwarzweißem 16-mm- und Super-8-Filmmaterial mit dysfunktionalen Kameras. Dieses Material wird dann aber doch auch digitalisiert, es ist somit eine hybride, »unreine« Praxis. Für ihre Arbeitsweise gilt somit auch, was Anja Dornieden im Kontext der analogen Filmpraktiken in der digitalen Gegenwart formuliert:

---

56   Bettina Malcomess in einer unveröffentlichten E-Mail an die Autorin.

[...] machines that were broken or abandoned were brought
back to life, hundred-year-old-recipes were excavated from old
dusty handbooks and manuals and put back into use with
varying degrees of success; digital and analog tools were put
together in a loving and occasionally uneasy marriage.[57]

Sperrige Arbeiten und Objekte, die ständig im Prozess des Kaputt-
gehens sind, können auch als Verweigerung einer bestimmten, zu
»glatten« digitalen Produktions- und Rezeptionsebene verstanden
werden. Außerdem wirkt diese Arbeitsweise wie eine Umsetzung des
glitch feminism, in dem »die Kausalität von ›Fehlern‹« bejaht wird.[58]
Bei Vorführungen von Malcomess Arbeiten müssen ihre eigenen Hände ständig in die Technik eingreifen, um die Apparate irgendwie am
Laufen zu halten. Die Künstlerin ist mehr eine von ihren Geräten an-
gestellte Technikerin und gibt einen Teil ihrer *agency* an Material und
Instrument ab, mit allen Enttäuschungen, die gerissene Filme, kaput-
te Projektoren und Kameras mit Lichtlecks produzieren. Gleichzeitig
erhöht dies selbstverständlich auch eine gewisse Spannung auf Seite
der Rezipient_innen: Ist überhaupt etwas zu sehen und zu hören? Aus-
gebleichte, staubige, dreckige, falsch belichtete Filmbilder verstecken
mehr, als sie mitteilen und deuten an, dass es heutzutage im Zeitalter
der »totalen« Sichtbarkeit keineswegs von allem Bilder gibt.

VERWEIGERUNG, WEGSEHEN, UND DOPPELTE VERNEINUNGEN

Das Voiceover von *The Memories of Others* berichtet aber auch von
Unsichtbarkeiten und vom Wegsehen auf der Rezipient_innen-Seite:
»In Mali, people would attend the screening by colonial authorities,
keeping their eyes closed for the entire duration of the film.«[59]
     Da es nicht möglich ist, einmal Gesehenes willentlich zu verges-
sen, ist dies die radikalste Möglichkeit, sich bestimmten ungewollten

---

57   Anja Dornieden, »Introduction to the Symposium«, in *Film in the Present Tense: Why
     Can't We Stop Talking about Analogue Film?*, hg. v. Luisa Greenfeld et al. (Berlin:
     Archive Books, 2018), S. 7: »the causality of ›error‹«.
58   Legacy Russell, »Digital Dualism and the Glitch Feminism Manifesto«, *Cyborgology*,
     The Society Pages, 10. Dezember 2012 <https://thesocietypages.org/cyborgology/
     2012/12/10/digital-dualism-and-the-glitch-feminism-manifesto/> [Zugriff: 5. Juni
     2021].
59   Siehe *The Memories of Others*, ca. 9 min, hier 2:18.

Seheindrücken zu verweigern. Auf der Bildebene werden zu dieser
Aussage Zeichnungen von einem Schlüssel und einem Schwein gezeigt, die nachgezeichnet wurden, darunter steht »I still don't know,
could be a dog or any other animal.« Die Irritation, wenn Text und Bild
nicht übereinstimmen oder absichtlich verkannt werden, wie in dem
Bild des surrealistischen Malers René Magritte *Der Schlüssel der Träume* (1930), blitzt kurz auf. Auf der Sprach- wie auf der Bildebene geht
es um eine Ablehnung zu sehen, wahrzunehmen, zu verstehen, das koloniale Wissen aufzunehmen. Diese Verweigerung wird nun als aktiver
Akt beschrieben und nicht als passive Position oder etwa fast unbe-
absichtigtes Missverstehen, wie es z. B. Jean-Marie Teno in seinem
Dokumentarfilm *The Colonial Misunderstanding* behandelte (2004).[60]

Andersherum wurde in Chris Markers und Alain Resnais' Film *Les
Statues meurent aussi* (1953) dagegen nicht die Position der indigenen
Bevölkerung thematisiert, sondern die Position der Kolonisatoren und
ihr Nicht-Verstehen dessen, was sie sehen:[61]

> Colonizers of the world, we want
> everything to speak to us:
> the beast, the dead, the statues.
> And these statues are mute.
> They have mouths and don't speak.
> They have eyes and don't see us.[62]

Statuen und Filme, beide konservieren bestimmte Geschichte/n und
vergessen andere, oder schließen sie ganz aus. *Les Statues meurent aussi*
wurde nach seiner Fertigstellung zuerst zensiert, da er als Angriff auf
den französischen Kolonialismus verstanden wurde, und erst zehn
Jahre später, 1963, in einer gekürzten Version veröffentlicht.

---

60 *The Colonial Misunderstanding*, Regie: Jean-Marie Teno (Les Films du Raphia,
    Bärbel Mauch Films, 2004); siehe hierzu auch Olivier Barlet, »Le Malenten-
    du colonial (The Colonial Misunderstanding) by Jean-Marie Téno«, *africul-
    tures*, 10. Juli 2007 <http://africultures.com/le-malentendu-colonial-the-colonial-
    misunderstanding-6673/> [Zugriff: 5. Juni 2021].

61 *Les Statues meurent aussi*, Regie: Alain Resnais, Ghislain Cloquet, Chris Marker (Pré-
    sence Africaine, Tadié Cinéma, 1953).

62 Zitiert aus dem von Jean Négroni gesprochenen Voiceover in *Les Statues meurent
    aussi*, von der Autorin ins Englische übersetzt. Für weitere Informationen zu dem
    Film siehe »Les Statues meurent aussi: Filmnotes @ PFA«, 7. April 2008 <https:
    //chrismarker.org/les-statues-meurent-aussi/> [Zugriff: 5. Juni 2020].

Die Spannung zwischen Lernen und Verlernen,[63] der Frage, wie sich die Bereiche der Kunst und der Bildung dekolonisieren lassen, und die Figur der (doppelten) Verneinung und der Zurückweisung treten in den letzten Jahren in unterschiedlichen südafrikanischen Positionen innerhalb von Filmen, Publikationen und Kunstausstellungen auf. Die doppelte Verneinung findet sich sowohl im Titel von Malcomess' und Kreutzfeldts Publikation *Not No place*, aber auch in dem Titel des von William Kentridge gegründeten *Centre for the Less Good Idea*, in Ivan Vladislavić' Roman *Double Negative*,[64] in James Baldwins Zitat »I am not your negro« von 1979, welches durch den gleichnamigen Film von Raoul Peck 2016 prominent in Erinnerung gerufen wurde.[65] Auch in Malcomess' Film *Afterimages* halten sie und Thabo Rapoo sich gegenseitig erst nacheinander, dann gleichzeitig die Augen zu (s. Abb. 5) – eine so einfache und gleichzeitig so wirkungsvolle und verstörende Geste – insbesondere in einem Stummfilm –, die auf die Fehlbarkeit der Augen und des Sichtbaren, wie auch auf das Scheitern (nicht nur von visueller) Kommunikation hindeutet.

Die doppelte Verneinung fand sich ebenso im Titel der Veranstaltungen der Berlin Biennale 2018, unter der Leitung der südafrikanischen Künstlerin Gabi Ngcobo, *I'm Not Who You Think I'm Not* und deren gleichnamigen Statement, in dem es heißt: »What's not a question of power | Teacher, don't teach me nonsense.«[66] Hier lässt sich ein Echo des Schulboykotts der schwarzen südafrikanischen Schüler_innen 1976 während der Apartheid sowie der Studierendenproteste seit 2015 in Post-Apartheid-Zeiten ausmachen. Gleichzeitig

---

63 Siehe hierzu auch Nora Sternfeld, *Verlernen Vermitteln*, hg. v. Andrea Sabisch, Torsten Meyer und Eva Sturm, Kunstpädagogische Positionen, 30 (Köln: Universität Köln, 2014) <http://kunst.uni-koeln.de/_kpp_daten/pdf/KPP30_Sternfeld. pdf> [Zugriff 5. Juni 2021].

64 Vladislavić' Roman wurde zuerst in Kollaboration mit David Goldblatt veröffentlicht, siehe *TJ — Johannesburg Photographs 1948–2010 / Double Negative: A Novel* (Rom: Contrasto, 2010).

65 *I Am Not your Negro*, Regie: Raoul Peck (Velvet Film, 2016).

66 The 10th Berlin Biennale for Contemporary Art, »I'm Not Who You Think I'm Not #1«, 7. Juli 2018 <https://bb10.berlinbiennale.de/calendar/i-m-not-who-you-think-i-m-not-1> [Zugriff: 5. Juni 2021]; Christopher Cozier, Koleka Putuma und Las Nietas de Nonó, »I'm Not Who You Think I'm Not a Manifesto« mit Bessie Head, Jota Mombaça, Donna Kukama, Audre Lorde, EOTO, May Ayim, Tina Turner, Grace Jones, Nina Simone, Édouard Glissant, Fela Kuti and the Fallists, *South as a State of Mind*, 10 (Sommer/Herbst 2018), S. 94–95.

Abb. 5. Film-Still, *Afterimages*, Regie: Bettina Malcomess (Bettina
Malcomess, 2019).

klingt auch die positive Besetzung des gegenseitigen Unterrichtens,
nämlich des »Each One Teach One« an.[67] Darüber hinaus stellt die
Verneinung die Frage nach einem anderen postkolonialen Wissen, und
nach einem Verlernen (neo-)imperialer Inhalte, und versucht für diese
einen derzeit noch nicht existierenden Raum zu schaffen.

SCHLUSS

Die hier besprochenen Arbeiten verhandeln keine Nostalgie und feti-
schisieren keine dokumentarischen Archivmaterialien, sondern bleiben an den historischen und aktuellen Problemen dran. Sie wollen
nicht vergessen, können sich aber auch nicht an alles mehr genau
erinnern, und versuchen darüber eine Auseinandersetzung mit oftmals schmerzhafter Geschichte anzustoßen. In der Neubearbeitung

---

67 Der Satz geht auf die Zeit zurück, als afrikanischen versklavten Menschen in den
    USA Bildung verweigert wurde, und daher alle, die lesen und schreiben lernten, die
    Verpflichtung hatten, dieses Wissen weiter zu vermitteln. Er wurde u. a. von der
    Anti-Apartheid-Bewegung wiederaufgenommen, da auch die Gefangenen auf Robben
    Island teilweise nicht lesen und schreiben konnten. Die panafrikanische Zeitung *Chi-
    murenga*, gegründet von Ntone Edjabe, benutzt das ähnliche Motto »Who No Know
    Go Know« <https://chimurengachronic.co.za/> [Zugriff: 5. Juni 2021].

machen sie in den Materialien Verdichtungen aus,[68] probieren Aneignungen und Überschreibungen, und damit ein Aufbrechen bestimmter Positionen. Geschichtsfragmente werden zu Anreicherungen von Bildern, von Gesten, von Bewegungen, von denen wir immer nur die kennen, welche für immer auf Film festgehalten werden.

Die im Detail analysierte Arbeit *The Memories of Others* liest Raum und Zeit qu/e/er, indem sie historische Narrative und Subjektivierungsweisen hinterfragt und dekonstruiert, und damit auf das Verhältnis von Un-/Sichtbarkeiten und Abwesenheiten in der südafrikanischen Nationalgeschichte hinweist. Außerdem verfremdet sie das vorgefundene Material durch eine Re-Montage und legt den Fokus auf Ereignisse des Scheiterns, des Misserfolgs, der Unterbrechungen und Störungen.

Beiläufig wird hiermit auch die Frage nach der filmischen Dokumentation an sich und ihres Prekär-Werdens thematisiert. Heutige mit Archivmaterialien performativ umgehende, im Kunstfeld auftretende Dokumentationen positionieren sich gegen einen Dokumentarismus, wie ihn die BBC lange Zeit verkörperte, und im Sinne einer dekolonialen Filmpraxis gegen das Nachwirken des britischen Empire und auch gegen eine positive Auffassung von historischem Wissen, das sich eben nicht einfach zeigen, sehen und filmisch vermitteln lässt. Bettina Malcomess aktiviert dennoch mittlerweile obsolete, audiovisuelle Praktiken und eine Geschichte der optischen Technologien von Empire. Dabei zieht sie Parallelen und In-Eins-Setzungen des Filmens und des mobilen Blicks aus der Luft aus dem Flugzeug heraus. Sie zeigt damit außerdem, welche Körper wo sichtbar werden; weiße männliche Körper stellen die Piloten, die aufgrund von politischen, sozioökonomischen und technischen Bedingungen die Unterstützung haben, in einem lebensfeindlichen Medium zu überleben.[69] In ihren Arbeiten thematisiert sie gleichzeitig die Lückenhaftigkeit des kolonialen und imperialen Archivs selbst, dessen Dokumente oft fehlerhaft, kryptisch oder einseitig sind; sie bemüht sich um eine künstlerische Öffnung und stellenweise Auswertung und Umschreibung des ideologisch be-

---

68   Für die Idee der »Verdichtung« siehe auch Orit Halpern, *Beautiful Data: A History of Vision and Reason since 1945* (Durham, NC: Duke University Press, 2014).
69   Wie z. B. hoch in der Luft in der sauerstoffarmen Atmosphäre in einem Flugzeug zu überleben.

lasteten Materials, und mehr noch, auch der Aufnahmeapparate. Denn die rassistischen Strukturen sind in die audiovisuellen Technologien eingeschrieben, wie Jonathan Beller zu Bedenken gibt:

> If the making of whiteness and blackness is mediated by the dynamics of photography, then the reverse is also true: the making of photography is mediated by the dynamics of whiteness and blackness. Photography does not evolve in a vacuum [...]. Thus we may expect to find that »race relations« – that is to say, forms of racism – may be not only at the heart of »the meaning of sight« but inscribed in the technological platforms that enable sight and, therefore, in »photography itself«.[70]

In Südafrika, wo die Fotografie zur Überwachung, Klassifizierung und Kontrolle der schwarzen (afrikanischen) Bevölkerung eingesetzt wurde, ist die Verbindung zwischen optischen Medien und Rassifizierungen von zentraler Bedeutung. Dennoch weisen Isaac Julien und Kobena Mercer darauf hin, dass trotz der Kritik an der ideologischen Schließung im kolonialen Diskurs, postkoloniale Analysen häufig dazu tendieren, die kontextuellen Faktoren zu vernachlässigen, und damit eine »trans-historische oder de-historisierte Gewichtung« verfolgen, die »Binaritäten auf der Ebene der Theorie« reproduziere.[71]

Insbesondere aus diesem Grund werden gegenwärtig in der südafrikanischen Fotografie und im Film häufig performative Elemente eingesetzt, um einen Dialog mit den historischen und gegenwärtigen Bildern zu starten, die Archive zu queeren, ihnen zu widersprechen oder mit ihnen in der Gegenwart zu interagieren.[72] Damit kann auch ein Verlernen und Neu-Sehen provoziert, und in diesem Sinne Azoulays Vorschlag für »potentielle Geschichten« ausprobiert werden.[73]

---

70 Jonathan Beller, »Camera Obscura«, in ders., *The Message is Murder* (London: Pluto Press, 2018), S. 100.

71 Übersetzung der Autorin: »trans-historical or de-historicised emphasis« und »binarisms at the level of theory«. Siehe Isaac Julien und Kobena Mercer, »Introduction: De Margin and de Centre«, *Screen*, 29.4 (Autumn 1988), S. 2–11, hier S. 8 <https://doi.org/10.1093/screen/29.4.2>.

72 Siehe z. B. die Arbeiten von Lebohang Kganye, Kudzanai Chiurai, Sethembile Msezane, Tracey Rose, Donna Kukuma und Lerato Shadi; und siehe Nomusa Makhubu, »Visual Currencies: Performative Photography in South African Art«, in *Women and Photography in Africa: Creative Practices and Feminist Challenges*, hg. v. Darren Newbury, Lorena Rizzo und Kylie Thomas (Abingdon: Routledge, 2021), S. 227–48.

73 Azoulay, *Potential History*, S. 268–69.

Ferner kommen genau deswegen wichtige Impulse für das globale audiovisuelle Feld aus Südafrika, die dabei immer fragen: Was können »Auswege«, Öffnungen und Umschreibungen, gegensätzliche und ambivalente Einsätze sein? Sie arbeiten daran, kanonische Geschichten, das Erbe der Apartheid und »Weiß«- und »Schwarz«-Sein zu befragen, um sich auch in Post-Apartheid-Zeiten weiter damit auseinanderzusetzen und einerseits A-Historizität und Vergessen und andererseits eine monolithische Festschreibung von Subjektivierungsweisen zu verhindern.

Queere Ästhetiken des Algorithmischen in Zach Blas' *Contra-Internet: Jubilee 2033*

KATRIN KÖPPERT

Contra-Internet: Jubilee 2033. Der Titel legt die Fährte. Zach Blas' halbstündiger Kurzfilm,[1] den ich im Rahmen der Berlinale 2018 zum ersten Mal gesehen habe, der aber auch oft im Zusammenhang installativer Ansichten ausgestellt wird,[2] legt anhand des Titels zwei Lektüren nahe: Paul B. Preciados 2000 erschienenes *Kontrasexuelles Manifest* und Derek Jarmans Film *Jubilee* aus dem Jahr 1978.[3] Preciados Manifest zum Gegenentwurf heteronormativer Sexualität um die Jahrtausendwende trifft auf den anarchistischen Punk, wie er in *Jubilee* bezogen auf die 1970er Jahre zu sehen ist. Das mit dem Titel suggerierte fiktive Stelldichein linker queerer Punk-Politik wird mit der Andeutung auf das Jahr 2033 auf die Zukunft des Internets bzw. der digitalen Gesellschaft angewandt. Doch was ist das Ergebnis? Was ist eine linke queere Vision des Internets? Wie schaut es aus, das Kontra-Internet 2033? Auf welcher konzeptionellen Überlegung beruht das »gegen«? Haben wir es bei dem Film wirklich mit einer Dialektik der

---

1   *Contra-Internet: Jubilee 2033*, Regie: Zach Blas (Zach Blas, 2018).

2   Zach Blas, »Contra-Internet 2015–2019«, *zachblas.info* (2018) <http://zachblas. info/works/contra-internet/> [Zugriff: 1. Juni 2021].

3   Paul B. Preciado, *Kontrasexuelles Manifest*, übers. v. Stephan Geene, Katja Diefenbach und Tara Herbst (Berlin: b_books, 2004); *Jubilee*, Regie: Derek Jarman (Megalovision, Whaley-Malin Productions, 1978).

Entgegnung zu tun – insbesondere vor dem Hintergrund eines von Preciado behaupteten pharmakopornografischen Regimes, das heißt eines neuen Kapitalismus, in dem sich die Disziplinartechniken in die Moleküle zurückgezogen haben, die unsere Körper durchströmen?[4] Was ist innerhalb eines solchen Kapitalismus der Ort von Kritik, wer sind ihre Protagonist*innen? Wenn Hormone und Bilder, Sex und Drogen, Informationstechnologien und Liebe in ihren Verschaltungen wirken und in ihren komplexen Verwobenheiten und Intraaktionen[5] ein gesellschaftliches Verhältnis erzeugen, das – im Zustand der nicht-endenden Responsivität der Moleküle, Daten, Körper, Symbole, Emotionen – unhintergehbar scheint, dann setzt Entgegnung wo an, dann schaut Entgegnung wie aus?

Auf diese Fragen werde ich versuchen (!) zu antworten. Dabei ist der Film *Contra-Internet: Jubilee 2033*, der mir wie ein Kondensat Zach Blas' Auseinandersetzung mit queeren Fantasien des Internets erscheint, verschlüsselt, nahezu opak. Allein den Film zusammenzu-fassen fällt schwer, ist er doch auf narrativer Ebene episodisch und auf personeller wie auch ästhetischer Ebene mit unzähligen Referenzen angereichert. Fast könnte man* meinen, dies sei Teil des Arguments und müsse daher auch Teil meiner Auseinandersetzung sein. Und tat-sächlich operiert Blas oft mit der (ästhetischen) Figur der Opazität, um sie auf ihr queeres Potenzial hin zu befragen.[6] Dabei führt Opazität zuerst einmal an das Kernstück der algorithmisierten Gesellschaft her-an: In Form der Black Box verunmöglicht sie, Zugang zu den Formeln zu bekommen, die soziale Realitäten und Ungerechtigkeiten hervor-bringen. Es wird folglich zu überlegen sein, inwiefern Blas auf dieser Grundlage eine Vision entwirft, deren entgegnendes Potenzial nicht

---

4   Paul B. Preciado, »Pharmaco-Pornographic Politics: Towards a New Gender Ecol-ogy«, *parallax*, 14.1 (2008), S. 105–17, hier S. 107. Siehe auch Paul B. Preciado, *Testo Junkie. Sex, Drogen und Biopolitik in der Ära der Pharmapornographie*, übers. v. Stephan Geene (Berlin: b_books, 2016).

5   Intraaktion nach Karen Barad meint, dass Subjekt und Objekt erst in und durch eine Relation in Kraft gesetzt werden und vor den Relationen nicht existieren, siehe Karen Barad, *Agentieller Realismus. Über die Bedeutung materiell-diskursiver Praktiken*, übers. v. Jürgen Schröder (Berlin: Suhrkamp, 2012), S. 20.

6   Zach Blas, »Informatic Opacity«, *The Journal of Aesthetics and Protest*, 9 (2014) <http://www.joaap.org/issue9/zachblas.htm>[Zugriff: 1. Juni 2021]; Zach Blas und Jacob Gaboury, »Biometrics and Opacity: A Conversation«, *Camera Obscura*, 31.2 (2016), S. 155–65 <https://doi.org/10.1215/02705346-3592510>.

(visual) disclosure ist, sondern zum Beispiel eine queere Form des in die Kybernetik bzw. in Künstliche Intelligenz eingelassenen, verklausulierten Mystizismus. In diesem Sinne arbeiten sich ein Begriff und eine Ästhetik der Kontra-Prophezeiung in den Vordergrund. Die Prognose von Ereignissen in der Zukunft unterliegt dabei den Unberechenbarkeiten in der Berechnung des Kommenden. Das hat nicht nur diskursiv die Umkehr der den Machtregimen zuträglichen Prophetie in Form von *predictive computation* zur Folge, sondern wirkt sich auch auf das Genre der Zeitreise aus, das der Film mitverhandelt.

Nachdem ich den Film vorgestellt haben werde, sollen Konzept und Ästhetik der Kontra-Prophezeiung des Internets auf zwei Ebenen diskutiert werden. Dabei werde ich den Beitrag für eine Auffächerung von Fragen nutzen, die in weiteren Lektüren vertieft werden müssten. Zuerst wird mich am Beispiel von Symbolen interessieren, wie Blas den Mystizismus gegenwärtiger Internetkonzerne thematisiert, um dann eine queere, herrschafts- und marktkritische Version zu erarbeiten. Hierbei spielt insbesondere das Verhältnis von *queer temporality* und *queer sensibility* eine Rolle. Daran anschließend beschäftige ich mich mit den im Film artikulierten okkulten Objekten, die für digitale Unternehmen bedeutsam sind, aber oft in ihrer materiellen Medialität verschwiegen werden. Blas aktualisiert diese Objekte in ihrer queeren wie auch dekolonialen Potenzialität. Das Prophetische dieser Objekte verkehrt sich so in eine Version des Kontra-Prophetischen, auch weil die ansonsten immaterialisierte Medialität mit ihren unheimlichen Effekten zum Ausdruck kommt.

CONTRA-INTERNET: JUBILEE 2033

Contra-Internet: Jubilee 2033 erzählt die in den 1950er Jahren stattfindende, fiktive Zusammenkunft der US-amerikanischen, politischen Autorin Ayn Rand mit dem Ökonomen und späteren Vorsitzenden der US-Notenbank Alan Greenspan und dessen Frau Joan Mitchell. Ayn Rand, Philosophin des Objektivismus und überzeugte Anhängerin einer dem Selbstinteresse dienenden Rationalität sowie *mastermind* des Silicon Valley, möchte in der Fiktion des Filmes die Anwesenden überzeugen, mit ihr in Streik zu treten, »to secure reality and reason and rational self-interest«. Zu streiken bedeutet hier, die Welt zu verlassen,

Abb. 1. Film-Still, *Contra-Internet: Jubilee 2033*, Regie: Zach Blas
(Copyright Zach Blas, 2018).

um sie – objektiv – in wahrer Freiheit wiederherzustellen. Greenspan
schlägt daraufhin die Einnahme von LSD vor, um der Idee des Strei-
kes die zusätzliche Komponente zu verleihen, den Verstand streiken
zu lassen. LSD ist eine Droge, die 1955 von der CIA getestet wurde
und zu der Greenspan – so legt es der Film nahe – im wahren Leben
Zugang hatte. Unter dem Vorwand, die äußeren Bereiche des Gehirns
auf ihre Fähigkeiten hin zu testen und die vom Kapitalismus noch
nicht ausgeschöpften Ideale zu erreichen, willigt Ayn Rand ein. Auf
LSD verliest sie die Rede des John Galt aus ihrem zentralen fiktionalen
und ihre Philosophie umreißenden Buch *Atlas Shrugged* aus dem Jahr
1957. Rand schlüpft somit im Film in die Rolle ihres Protagonisten
und huldigt den zum Eigennutz führenden Verstand als wahre Tugend
allen Glücks.[7]

In diesem Moment erscheint Azuma (s. Abb.1). Azuma spielt
auf den in Japan entwickelten gleichnamigen holografischen Assis-
tenten an, der in der Gatebox »lebt« und die Steuerung des Smart-
Homes übernimmt. Als »vollständig interaktives virtuelles Anime-

---

7   Jerome Copulsky, »Atlas Shrugged Book Club, Entry 7: The Impotent Irrationality
      of John Galt«, *The Atlantic*, 22. März 2013 <https://www.theatlantic.com/politics/
      archive/2013/03/atlas-shrugged-book-club-entry-7-the-impotent-irrationality-of-
      john-galt/274273/> [Zugriff: 1. Juni 2021].

Abb. 2. Film-Still, *Contra-Internet: Jubilee 2033*, Regie: Zach Blas
(Copyright Zach Blas, 2018).

Mädchen«[8] ist Azuma die holografische Verkörperung des »feuchten
Traums« des Mannes, sich von einer Technologie versorgen zu lassen,
die Sex- und Repro-Arbeit willfährig vereint. In *Contra-Internet: Jubilee
2033* taucht Azuma als Prophetin im wahrsten Sinne des Wortes auf
und materialisiert sich wie ein gekreuzigter Jesus. Als solcher wird sie
von der durch das LSD bewusstseinserweiterten Ayn Rand nach der
Zukunft des Kapitalismus befragt. Erwartungsfroh und mit weit aufgerissenen Augen (s. Abb. 2) fragt Rand: »Have the market and the
mind successfully linked for moral obligation to political freedom?«
Azuma antwortet mit einer Projektion auf das Jahr 2033, die sich mit
einem lauten Knall in apokalyptische Bilder entlädt.

Die Imperien der kalifornischen Ideologie brennen, die in Konzernlogos verpackten Versprechen auf Singularität und Happiness –
thumbs up – stehen lichterloh in Flammen und die »techy wannabees«
des Post-Kapitalismus werden von einer queeren militanten Gruppe
in Gewahrsam genommen (s. Abb. 3 und Abb. 4). Anführer*in dieser
Gruppe ist die gender-non-conforming, in Silberfarbe getauchte und

---

8   Vera Bauer, »Azuma Hikari: Holografische Lebensgefährtin in der Gatebox«, *mo-
     bilegeeks*, 17. Dezember 2016 <https://www.mobilegeeks.de/news/azuma-hikari-
     holografische-lebensgefaehrtin-in-der-gatebox/> [Zugriff: 1. Juni 2021].

Abb. 3. Film-Still, *Contra-Internet: Jubilee 2033*, Regie: Zach Blas
(Copyright Zach Blas, 2018).

Abb. 4. Film-Still, *Contra-Internet: Jubilee 2033*, Regie: Zach Blas
(Copyright Zach Blas, 2018).

von der*dem Trans*Künstler*in Cassils gespielte Figur Nootropix (s.
Abb. 5, mittig im Bild hinten).

Nootropix liest im Rahmen von Azumas Prophezeiung aus their
Buch *The End of the Internet (As We Knew It)*[9] vor und führt an-

---

9   Zach Blas teilte mir in einer E-Mail-Konversation mit, dass es sich bei dem Buch um
     ein »utopian plagiarism« verschiedener Bücher und Texte u. a. von Paul B. Preciado

Abb. 5. Film-Still, *Contra-Internet: Jubilee 2033*, Regie: Zach Blas
(Copyright Zach Blas, 2018).

schließend zum Song *Time to Say Goodbye* von Andrea Bocelli (der
Lieblingssänger Elon Musks)[10] einen Tanz auf, der nicht nur in Form
der Posen, die they einnimmt, Rands Referenz auf den griechischen
Titanen Atlas in *Atlas Shrugged* parodiert, sondern auch den Titel ihres
ebenfalls zentralen Buches – *The Fountainhead* aus dem Jahr 1943 – in
eine queere, kontrasexuelle Dildotektonik konvertiert. Der virtuelle,
lesbische Phallus fungiert als Springbrunnen und deutet im Anschluss
an Paul B. Preciados kontrasexuelles Manifest den *fountainhead* um:
Der Kopf als Urquelle des Verstandes, wie ihn Rand in dem Text
verstanden wissen wollte, wird zur Sextechnik.[11] Rand, durch homophobe Statements bekannt, missinterpretiert im Film den Dildo als
Phallus und wird, LSD-berauscht, Protagonistin eines queeren sexuellen Aktes. Der Umstand, dass Nootropix in dieser orgiastischen Szene
nicht in der Lage ist, den Himmel zu halten (s. Abb. 6), lässt die
Oberfläche dieser post-Internet-Welt in tausend Scherben zerfallen.

---

handelt und eine Anspielung ist auf J. K. Gibson-Graham, *The End of Capitalism (As
We Know It): A Feminist Critique of Political Economy* (Minneapolis: University of
Minnesota Press, 2006).

10   Patricia de Vries, »Zach Blas – The Objectivist Drug Party \\\ Heather Dewey-
Hagborg – Genomic Intimacy«, *mu* (2018) <http://www.mu.nl/en/txt/zach-blas-
the-objectivist-drug-party-heather-dewey-hagborg-genomic-intimacy> [Zugriff: 1.
Juni 2021].

11   Preciado, *Kontrasexuelles Manifest*.

Abb. 6. Film-Still, *Contra-Internet: Jubilee 2033*, Regie: Zach Blas
(Copyright Zach Blas, 2018).

Abb. 7. Film-Still, *Contra-Internet: Jubilee 2033*, Regie: Zach Blas
(Copyright Zach Blas, 2018).

Rands in *Atlas Shrugged* verhandelte Frage, was passieren würde, wenn
die Menschen, auf deren Schultern die Gesellschaft ruht, plötzlich
verschwinden würden, scheint filmisch im Zusammenfall der Bild-
oberfläche beantwortet. Dieses Zersplittern der Welt treibt jedoch
intradiegetisch die Handlung voran und leitet das letzte Drittel des
Filmes ein.

Abb. 8. Film-Still, *Contra-Internet: Jubilee 2033*, Regie: Zach Blas
(Copyright Zach Blas, 2018).

Angesichts der Aussichten auf die Zukunft desillusioniert, aber noch immer auf LSD, befinden sich Rand, Greenspan und Mitchell mit Azuma im letzten Teil des Films am Strand der kalifornischen Westküste (s. Abb. 7). Während Azuma auf den Ozean als Grab der Netzwerk-Kriege mit all ihren Konsequenzen für Mensch und Natur verweist, fantasiert Rand über die metaphysische Kraft des Wassers und wird von Greenspan dazu motiviert, mit ihren Büchern eine bessere als eben gesehene Zukunft zu imaginieren. Von sich berauscht wenden sie sich dem Horizont zu, über den sich der Mensch – so Rand in ihrem finalen Satz – zu transzendieren in der Lage ist. Die fehlende Lernfähigkeit des Menschen, wie sie in diesem Moment zum Ausdruck kommt, steht dem lernenden System Azumas gegenüber. Sie ist es, die am Ende die Frage nach dem Geheimnis der Mineralien und Rohstoffe stellt (s. Abb. 8). Sind deren Mysterien der Schlüssel zu einer neuen Form der Kommunikation?

Der Kurzfilm *Contra-Internet: Jubilee 2033* lässt sich ästhetisch als eine vom Schmutz gereinigte, hochaufgelöste, *Glitz*-Welt protokoll-definierter Interaktionen aus der Feder kalifornischer Talbewohner*innen verstehen, der es noch dazu schafft, einen LSD-Trip eher meditativ-narkotisierend als euphorisch-halluzinogen zu erzählen, und der die halluzinogene Wirkung visuell in Feenstaub und

rotierende Quader übersetzt. Insofern steht der Film in Kontrast zu
dem qua Titel aufgerufenen Film *Jubilee* von Derek Jarman. Die auch
für Jarman außergewöhnliche Punk-Ästhetik[12] ist bei Blas auf die in
militärgrünen Hosenanzügen steckenden Mitglieder der militanten
Gruppe geschrumpft (s. Abb. 5, im Bild vorn). Gegebenenfalls ließe
sich noch die Ästhetik Susanne Sachsses in der Rolle Ayn Rands als
Referenz auf Bod – die in Jarmans Film als sadistische Anarchistin
gezeichnete Protagonistin – verstehen.[13] Abseits davon ergeben sich
vielmehr auf inhaltlicher Ebene Anleihen, die ich hier insbesondere
hinsichtlich der Frage von Mystizismus, später dann in Bezug auf *time
travelling* thematisieren möchte.

HIEROGLYPHEN KÜNSTLICHER INTELLIGENZ

In die von Ayn Rand vorgetragene Rede John Galts kristallisiert sich
Azuma aus einer Sternenstaubwolke und in Form des gekreuzigten
Jesus heraus. Insofern Azuma von Rand kurz darauf als Vorhersagerin
der Zukunft adressiert wird, scheint die Interpretation naheliegend,
sie käme als Botschafterin Gottes, als Prophetin. Doch Azuma ist
eine Künstliche Intelligenz. Sofern sich die Zusammenkunft Rands
mit Greenspan und Mitchell auf die Hochphase der Kybernetik und
die Grundsteinlegung maschinellen Lernens – die 1950er Jahre –
datieren lässt, suggeriert die Ankunft in Form einer Künstlichen Intelligenz, Azuma würde als Prophetin des Rationalismus erscheinen.
Aber schließt das eine das andere aus? Mir scheint, als würde Blas
eher damit spielen wollen, die prophetische Inszenierung heutiger
Technologieunternehmer (Steve Jobs, Jeff Bezos, Elon Musk), darauf
zurückzuführen, wie stark sich schon seit den 1950er Jahren der Glau-

---

12   Julian Upton, »Anarchy in the UK: Derek Jarman's *Jubilee* Revisited«, *Bright Lights
Film Journal*, 1. Oktober 2000 <https://brightlightsfilm.com/anarchy-uk-derek-
jarmans-jubilee-1978-revisited/> [Zugriff: 1. Juni 2021]; Steven Dillon, *Derek Jarman and Lyric Film: The Mirror and the Sea* (Austin: University of Texas Press, 2004),
S. 75.

13   Susanne Sachsse besetzt insbesondere im Werk von Bruce LaBruce linksterroristi-
sche Frauenfiguren, die sich ästhetisch am Vokabular von BDSM orientieren, z. B.
Ulrike's Brain, Regie: Bruce LaBruce (Jürgen Brüning Filmproduktion, Amard Bird
Films, 2017), *The Misandrists*, Regie: BruceLa Bruce (Jürgen Brüning Filmproduk-
tion, Amard Bird Films, 2017), *The Raspberry Reich*, Regie: Bruce LaBruce (Jürgen
Brüning Filmproduktion, 2004).

Abb. 9. Film-Still, *Contra-Internet: Jubilee 2033*, Regie: Zach Blas
(Copyright Zach Blas, 2018).

Abb. 10. Hieroglyphische Monade (*Monas Hieroglyphica*).

be an den Rationalismus religiös aufgeladen hat. Ayn Rand ist – in dieser Szene mehr als deutlich – für diesen Glauben symptomatisch. Doch damit nicht genug: Zach Blas stattet Azuma mit dem Symbol der Hieroglyphischen Monade aus, das nicht nur die Verbindung zu Jarmans *Jubilee*, sondern auch die zwischen den Grundfesten Künstlicher Intelligenz und Mystizismus offenbart. Von dieser Verbindung ausgehend – so meine These – entwickelt Blas Konzept und Ästhetik des Kontra-Prophetischen.

Auf den Schuhen Azumas befindet sich das Symbol der Hieroglyphischen Monade bzw. die *Monas Hieroglyphica* (s. Abb. 9). Das Symbol (s. Abb. 10) repräsentiert die kosmische Einheit mystischer Aspekte aus Astrologie, Astronomie und Alchemie. Die gleichnamige Publikation aus dem Jahr 1564 entstammt der Feder John Dees, einem englischen Mathematiker, Astronomen, Astrologen, Geographen und Mystiker, der im 16. Jahrhundert als Hofastrologe und königlicher Berater von Elizabeth I. fungierte. Mit dem Symbol referenziert Blas

Jarmans Film, in dessen Rezeption oft unterschlagen wird, dass es sich um einen Science-Fiction-Film im Subgenre der Zeitreise handelt.[14] John Dee ist es, der in *Jubilee* einen Engel anruft,[15] der Queen Elizabeth I. die Zukunft zeigen soll. Die Zeitreise führt sie in die 1970er Jahre und konfrontiert sie mit den Auswirkungen ihrer im 16. Jahrhundert forcierten nationalistischen, imperialistischen und kolonialistischen Politik. Queen Elizabeth II. ist (von Bod) brutal ermordet worden, die urbanen Zentren gleichen verwüsteten Brachen, es herrscht Gewalt und die Macht liegt in den Händen der Massenmedien. Die Reise in die Zukunft entpuppt sich als Horrortrip, der bei Elizabeth I. zwar einen Schrecken auslöst, sie aber nicht dazu veranlasst, etwas in der Vergangenheit, also ihrer Gegenwart, zu unternehmen, um die Zukunft begünstigend zu beeinflussen. So auch verhält es sich mit John Dee, der mittels seiner Kenntnisse in der Navigation den kolonialistischen Bestrebungen Elizabeths I. zuträglich war[16] und sich im Film durch die Zeitreise nicht geläutert sieht. Die Bezugnahme auf seine esoterischen und mystischen Lehren steht somit nicht im Widerspruch zu seinen mathematischen Forschungen, die den kolonialen Expansionsbestrebungen von Elizabeth I. zuarbeiteten.

Blas aktualisiert mit Azuma als Engel und anhand des Symbols der *Monas Hieroglyphica* nicht nur Jarmans Film, sondern auch den Link zwischen Mathematik und Mystizismus. Diese Verbindung thematisiert er unter anderem am Beispiel der Konzernlogos gegenwärtiger Technologieunternehmen. Neben Einblendungen auf die Logos von Adobe, Facebook und Google fallen insbesondere drei im Film

---

14   Jasmina Tumbas im Gespräch mit Zach Blas, »The Ectoplasmic Resistance of Queer: Metric Mysticism, Libidinal Art, and How to Think beyond the Internet«, *ASAP Journal*, 6. Februar 2018 <http://asapjournal.com/the-ectoplasmic-resistance-of-queer/> [Zugriff: 1. Juni 2021].

15   John Dee beschäftigte sich ausführlich mit Engeln, zu denen er mittels eines Mediums, Edward Kelley, Kontakt aufzunehmen versuchte. Siehe John Dee, *A True and Faithful Relation of What Passed for Many Years between Dr. John Dee … and Some Spirits …*, hg. v. Meric Casaubon (London: Askin, 1974 [1659]).

16   Nicht nur gebrauchte er als Erster den Begriff des *British Empire*, sondern er war als Experte für Navigation für die Entdeckungsreisen über den Atlantik maßgeblich. Vgl. John C. Appleby, »War, Politics, and Colonization«, in *The Oxford History of the British Empire*, 5 Bde. (Oxford: Oxford University Press, 1998–99), 1: The Origins of Empire: *British Overseas Enterprise to the Close of the Seventeenth Century*, hg. v. Nicholas Canny (1998), S. 55–78, hier S. 62 <https://doi.org/10.1093/acprof:oso/9780198205623.003.0003>.

Abb. 11. Film-Still, *Contra-Internet: Jubilee 2033*, Regie: Zach Blas
(Copyright Zach Blas, 2018).

Abb. 12. Detail von Abb. 11.

referenzierte Unternehmen auf, die hier zu erwähnen sind. Auf die
US-amerikanischen Software-Unternehmen Palantir und Forescout
komme ich später zu sprechen. Hier dient mir die Anspielung auf die
US-amerikanische Softwarefirma Oracle als Aufhänger (s. Abb. 11, im
Bild links mittig ist der Schriftzug »Oracle Team USA« zu sehen, s.
Detail, Abb. 12).

Bei der 1977 von Larry Ellison, einem Anhänger Ayn Rands, sowie Bob Miner und Ed Oats gegründeten Firma Oracle handelt es sich um einen Hersteller von Datenbanksystemen, die bis 1979 für die CIA entwickelt wurden. Die Zusammenarbeit mit dem US-amerikanischen Geheimdienst scheint bereits im Namen der Firma verankert und verdeutlicht, allen Algorithmisierungsanstrengungen zum Trotz, eine Faszination für das Geheimnis- und Orakelhafte, das Mystische sozusagen. Tatsächlich verschaltet sich dieser Widerspruch, der keiner ist, mit der Geburtsstunde des maschinellen Denkens und demjenigen, der als Gründungsvater dieses Denkens gelten kann: Alan Turing. Turing steht für die Firma Oracle Pate. Um Blas' Referenz auf Oracle besser verstehen zu können, möchte ich daher kurz auf die Verbindung von Mathematik und Mystizismus im Denken Turings eingehen.

Die Grundlagenkrise der Mathematik zu Anfang des 20. Jahrhunderts, mit der sich Turing ab den 1930er Jahren eingehend beschäftigt hat, verdeutlicht Unvollständigkeiten der Berechenbarkeit und Unentscheidbarkeiten, die den Algorithmen logische Grenzen setzen.[17] Innerhalb der mathematischen Fundamente eröffnet sich bereits die Kritik an algorithmischer Rationalität.[18] Dabei ist zentral, dass sich die Mathematik nicht einer durchgängigen Berechenbarkeit und Arithmetisierung von Problemen fügt. Als Theorie auch von Räumen und Relationen bzw. als Theorem der Unvollständigkeit z. B. nach Kurt Gödel bildet die Mathematik sich selbst ihre eigene Grenze.[19] Im Sinne der Unmöglichkeit ihrer eigenen Mathematisierbarkeit ist Mathematik das innere Außen und als solches der Grund, warum Künstliche Intelligenz als maschinelle Rechenoperation mit ihrer eigenen Unvollständigkeit konfrontiert bleiben muss. Auch das Modell der Turingmaschine, das wohl wichtigste Rechnermodell der theoretischen Informatik, beruht – laut Dieter Mersch – auf einem »nicht zu schließenden Abstand zwischen Berechenbarkeit und Nichtberechenbarkeit, der

---

17   Dieter Mersch, »Kreativität und Künstliche Intelligenz«, *Zeitschrift für Medienwissenschaft*, 11.2 (2019), S. 65–74, hier S. 68 <https://doi.org/10.25969/mediarep/12634>.

18   Ebd., S. 68.

19   »[D]ie Gödeltheoreme besagen, dass sich in jedem formalen System, das mächtig genug ist, die Arithmetik zu umfassen, wahre Aussagen formulieren lassen, die sich weder beweisen noch widerlegen lassen.« Siehe ebd., S. 70.

als Differenz nicht selbst wieder einer Algorithmisierung zugeführt werden kann.«[20] Und noch im Versuch Turings, den Abstand abzumildern, orakelt es. Um Unvollständigkeiten abzuschwächen und den Abstand zu verringern, hatte Turing vorgeschlagen, ein vollständiges System um weitere vollständige Systeme zu ergänzen. Dabei musste er sich eingestehen, dass sich die Übergänge zwischen den Systemen keiner maschinellen Berechenbarkeit zuführen lassen. Sie würden – so Turing – ein »Orakel« bleiben.[21] Dieter Mersch ergänzt hier und meint, dass die Übergänge einzig auf »Intuition« oder »kreativer Erfindung« beruhten.[22]

Dass sich mit Turings Verweis auf das Orakelhafte der Mathematik für Unternehmen wie Oracle noch lange nicht die Infragestellung programmierbarer Zukünfte ableiten muss, erklärt sich mit Blick auf deren Produkte. Auch Selbstaussagen des Firmengründers Larry Ellison verdeutlichen, dass die Bezugnahme auf das Orakelhafte und Intuitive eine Vorstellung von Prophetie aufgreift, die mit transzendenter Offenbarung gleichgesetzt wird. Das Orakel ist dabei lediglich neutraler Vermittler der göttlichen Botschaft. Die Biografie des Firmengründers Ellison beantwortet ganz in diesem Sinne die Frage, was der Unterschied zwischen Gott und Ellison sei, damit, dass Gott sich nicht für Ellison hält.[23] Ellison nutzt das Orakel, seine gleichnamige Firma, für seine Zukunftsvision der absoluten Verdatung. Zach Blas hingegen ermöglicht einen anderen, einen kontraprophetischen Zugang zum Orakelhaften. Ich möchte behaupten, dass sich ein solcher Zugang bereits bei Alan Turing finden lässt[24] und Blas auf diesen auch mit seinem Film *Contra-Internet: Jubilee 2033* anspielt.[25]

---

20 Ebd., S. 71.

21 Alan Turing, »Systems of Logic Based on Ordinals«, *Proceedings of the London Mathematical Society*, 2nd ser., 45.1 (1939), S. 161–228, hier S. 161 und 172 <https://doi.org/10.1112/plms/s2-45.1.161>.

22 Mersch, »Kreativität und Künstliche Intelligenz«, S. 72.

23 Mike Wilson, *The Difference Between God and Larry Ellison* (New York: Harper Business, 2003).

24 Siehe auch Katrin Köppert, »AI: Queer Art«, in *Wenn KI, dann feministisch. Impulse aus Wissenschaft und Aktivismus*, hg. v. netzforma e.V. (Berlin: netzforma e.V., 2020), S. 159–66.

25 Zach Blas und Micha Cárdenas, »Imaginary Computational Systems: Queer Technologies and Transreal Aesthetics«, *AI & Society*, 28 (2013), S. 559–66 <https://doi.org/10.1007/s00146-013-0502-y>.

In Alan Turings Text, der den Turing-Test beschreibt, geht es um die Untersuchung der Frage, ob Computer denken können.[26] Wie Ulrike Bergermann anmerkt, ist das Objekt der Untersuchung nicht die Maschine an sich, sondern die Frage.[27] Dabei ersetzt Turing die Frage, ob Computer denken können, durch die, ob Computer denkbar sind, die sich in ihrem Verhalten nicht vom Menschen unterscheiden.[28] Die Frage, die die Ausgangsfrage ersetzt, »is expressed in *relatively* unambiguous words«.[29] Das heißt, dass die Ursprungsfrage abgeändert wird und noch zudem in zweideutigen Worten zum Ausdruck kommt oder, um näher am Vokabular Turings zu bleiben, in »relativ unzweideutigen« Worten. Die Relativierung von Eindeutigkeit unterstreicht in gewisser Weise, dass er die Frage in ihrer abgeänderten Form untersuchen möchte *und* dass die Experimentalanordnung in ihrem Ergebnis offen ist. Die Beschreibung des Turing-Tests als Spiel hebt dies noch hervor.[30] Nicht nur, dass sich hier ein Wissenschaftsverständnis mitteilt, das innerhalb einer vom Objektivitätsglauben bemächtigten Naturwissenschaftsforschung vor allem zur Zeit Turings selten war, ist das Spielerische auch bedeutsam dafür, sich ins Verhältnis zu setzen und sozial zu sein. Durch das Spielen gestiftete Relationen, die sich im Wort »relatively« mit abbilden, implizieren offene Enden und Ambiguitäten.[31] Ich denke, dass es Turing, so sehr er darum bemüht war, Denken zu formalisieren, immer auch um die Herstellung von Ambiguität und um ein Verständnis von Künstlicher Intelligenz ging, das sich nicht im rein Logischen erschöpft, sondern das Spielerische,

---

26 Alan Turing, »Computing Machinery and Intelligence«, *Mind*, 59 (1950), S. 433–60.

27 Ulrike Bergermann, »biodrag. Turing-Test, KI-Kino und Testosteron«, in *Machine Learning – Medien, Infrastrukturen und Technologien der Künstlichen Intelligenz*, hg. v. Christoph Engemann und Andreas Sudmann (Bielefeld: trancsript, 2018), S. 339–64, hier S. 346.

28 Bettina Heintz, *Die Herrschaft der Regel. Zur Grundlagengeschichte des Computers* (Frankfurt a. M.: Campus, 1993), S. 263.

29 Turing, »Computing Machinery«, S. 433, Herv. K.K.

30 Gabriele Gramelsberger, Markus Rautzenberg, Serjoscha Wiemer und Mathias Fuchs, »›Mind the Game!‹ Die Exteriorisierung des Geistes ins Spiel gebracht«, *Zeitschrift für Medienwissenschaft*, 11.2 (2019), S. 29–38 <https://doi.org/10.25969/mediarep/12628>.

31 Gramelsberger et al. verweisen darauf, dass es sich beim Turing-Test um ein Gesellschaftsspiel handelt, dessen Verlauf auf die Rückwirkungen der Spielenden aufeinander zurückzuführen ist. Damit rückt nicht nur der soziale Aspekt »in den Mittelpunkt formalisierter (Spiele-)Handlungen«, sondern eine epistemische Zwischenräumlichkeit. Letztere bedingt die Ambiguität der Offenheit im geschlossenen System. Siehe ebd., S. 30 und 35.

Kreative, Fantastische inkludiert. Homay King findet in den sozialen und kulturellen Bedingungen Turings Begründungen dafür, dass sich Turings Konzeptualisierung von Künstlicher Intelligenz Formen queerer Sensibilitäten eingeschrieben haben, die sich insbesondere auf der Ebene des Märchenhaften, Romantischen und Rätselhaften abspielen.[32] Dabei müssen wir Turing gar nicht mal nur von seinem Ende her denken, also seines rätselhaften Todes, der – wenngleich von Steve Jobs bestritten – das wohl mächtigste Konzernlogo unserer Zeit geprägt haben dürfte: den angebissenen Apfel.[33] Stattdessen ließe sich beim Tod seiner ersten jugendlichen Liebe ansetzen. King argumentiert, dass die Erfahrung des plötzlichen Todes seiner Jugendliebe Christopher Marcom und der Unentscheidbarkeit, jemals erfahren zu können, ob seine schwule Liebe von Marcom erwidert wurde oder nicht, Anlass war, sich in seiner Dissertation mit den schöpferischen Grenzen der Berechenbarkeit auseinanderzusetzen.[34] So überträgt er gewissermaßen das romantische, zugleich kindliche und aufgrund des verfrühten Todes seines ersten Schwarms tragische Spiel »Er liebt mich, er liebt mich nicht« auf das Entscheidungsproblem der Maschine.[35] Im Spiel schränkt die ungewisse Anzahl an Blütenblättern die Vorhersagbarkeit des erwiderten Gefühls ein. In »On Computable Numbers with an Application to the Entscheidungsproblem« ist es die Maschine, deren mechanische Prozeduren sich auf keine allgemeingültige Formel einigen können, weswegen immer unsicher bleiben muss, in welcher Weise sich die Maschine fortbewegt.[36] Die Grenzen

---

32 Homay King, *Virtual Memory: Time-Based Art and the Dream* (Durham, NC: Duke University Press, 2015), S. 18–46.

33 Turing, der großer Fan des Märchens Schneewittchen war, ist durch den Biss in einen mit Zyanid vergifteten Apfel gestorben, wobei noch immer unklar ist, ob es sich um Mord handelte oder Selbstmord in Folge der homophoben Gewalt, die Turing im Zuge der »korrektiven« Hormontherapie erfahren musste. Turing wurde mit Östrogenen behandelt, um ihn von seiner Homosexualität zu »heilen«. Hierbei handelt es sich um eine in den 1950er Jahren praktizierte Therapie, die eigentlich von der US-amerikanischen Armee eingesetzt werden sollte, um den militärischen Feind mittels Feminisierung zu schwächen. Siehe u. a. J. Jack Halberstam, »Automatic Gender: Postmodern Feminism in the Age of the Intelligent Machine«, *Feminist Studies*, 17.3 (1991), S. 439–60, hier S. 440 und 445; Paul B. Preciado, *Testo Junkie*, S. 229.

34 King, *Virtual Memory*, S. 37.

35 Ebd., S. 29.

36 Alan Turing, »On Computable Numbers with an Application to the Entscheidungsproblem«, *Proceedings of the London Mathematical Society*, 2nd ser., 42.1 (1937), S. 230–65 <https://doi.org/10.1112/plms/s2-42.1.230>.

der Berechenbarkeit finden sich also bereits im Gründungstext Künstlicher Intelligenz wieder und deuten KI in ihrer queeren Sensibilität und Kreativität an.

Ich denke, Blas knüpft an die Möglichkeit queerer Kreativität innerhalb des mit Rationalität und Vorausberechenbarkeit apostrophierten maschinellen Denkens an. Schon die in Feenstaub verwandelten kleinen Quader, die Azuma umgeben, lassen an das Spielerische, »Schneewittchenhafte«, das Märchenhafte denken, das Alan Turings mathematischen Überlegungen innewohnt.[37] Aber auch noch einmal ein Blick auf die Inszenierung der Hieroglyphischen Monade: Allein dass Azuma – die Künstliche Intelligenz – Trägerin des Symbols der Hieroglyphischen Monade ist, spielt auf einen Mathematik-Begriff an, der das Orakelhafte inkludiert. Die Frage ist, inwiefern sich hier, wie bei Turing, Codes queerer Geschlechtlichkeit bzw. Sexualität einlagern. Da ist zum Beispiel der Hausschuh, auf dem sich das Symbol der Hieroglyphischen Monade befindet. Hausschuhe mit Motiv sind *queerness as childhood experience*: Wie Jack Halberstam schreibt, ist Kindheit eine queere Erfahrung, insbesondere auch weil Kinder als anarchische, rebellische Wesen, »out of order and out of time« betrachtet werden können,[38] die elterliches Training ›benötigen‹, um sich in Heteronormativität zu üben. Azuma als virtueller Hausroboter mit Hausschuhen, die noch zudem mit einem Motiv bedruckt sind, verstehe ich nicht nur als Queering der Vorstellung von weiblicher Haus(Sex-)arbeit, sondern als Durchkreuzung heteronormativer Erwartungen an das Erwachsensein. So fügt sich auch der an Teufelshörner erinnernde Halbkreis des Symbols in das Bild der rebellischen, queeren Kindheit. Gleichzeitig setzt der Halbkreis dem der Hieroglyphischen Monade ebenso eingelassenen Symbolik für Weiblichkeit Hörner auf. Kurzum: Prophezeiungen einer im Zeichen von KI und Heterosexismus stehenden Zukunft werden gehörnt. Kontra-Prophezeiung meint dabei, der mit dem Orakel versehenen Mathematik der Maschinen und Roboter mit dem rebellischen Humor des Kindes zu begegnen.

---

37 King, *Virtual Memory*, S. 23–25.
38 J. Jack Halberstam, *The Queer Art of Failure* (Durham, NC: Duke University Press, 2011), S. 27.

Abb. 13. Film-Still, *Contra-Internet: Jubilee 2033*, Regie: Zach Blas
(Copyright Zach Blas, 2018).

OKKULTE OBJEKTE UND DEREN VERKEHRUNG

Nachdem Azuma Rand, Greenspan und Mitchell erschienen ist und
sie die drei in das Jahr 2033 mitgenommen hat, durchschreiten sie das
Post-Internet-Inferno. Rand blickt auf eine von Flammen umgebene
Leiche und hebt, danach fragend, welche moralische Degeneration
hier herrschen würde, etwas vom Boden auf, das sich als Dienstausweis
von Peter Thiel entpuppt (s. Abb. 13).

Peter Thiel ist Mitgründer u. a. von Palantir Technologies, einem
Software-Unternehmen, das als Schlüsselunternehmen in der Überwa-
chungsindustrie bekannt ist. Es wurde mit finanzieller Unterstützung
des US-Geheimdienstes CIA aufgebaut: »Als Hauslieferant [solcher]
Behörden [wie CIA, FBI, NSA, Pentagon, Marines und Airforce]
ist die Firma tief in den militärisch-digitalen Komplex der USA ver-
strickt.«[39] Der Firmenname geht auf die sehenden Steine in J. R. R.
Tolkiens Fantasy-Saga *Herr der Ringe* zurück. Das Logo der Firma
nimmt das Motiv auf und versteht sich als grafische Umsetzung dieser
Steine. Es stellt eine Kristallkugel dar (s. Abb. 14). Mit der durch die
Firma Palantir aufgerufene Kristallkugel schließt sich auch der Kreis

---

[39] Rolf Gössner, »BigBrotherAwards-Laudatio: Behörden und Verwaltung: Peter Beuth,
hessischer Innenminister«, 2019 <https://bigbrotherawards.de/2019/behoerden-
verwaltung-hessischer-innenminister-peter-beuth> [Zugriff: 1. Juni 2021].

◯ Palantir

Abb. 14. Firmenlogo Palantir Technologies.

zu Jarmans Film. In *Jubilee* lässt John Dee Queen Elizabeth I. in eine Kristallkugel schauen, um nach Gottes Anwesenheit im Jahr 1977 zu fragen. Die Szene wird durch eine orgiastische Feier im »temple of heavenly delight« abgelöst, bei der Jesus mit seinen Aposteln sexuell verkehrt. Zu dieser Feier stößt Borgia Ginz hinzu, der als Medienmogul – so die These des Films – anstelle royaler Regentschaft die Herrschaft übernommen hat. König*in von Gottes Gnaden sind in den 1970er Jahren die Massenmedien.

Zach Blas geht in seiner die Einzelausstellung *Zach Blas: Contra-Internet* begleitenden Lecture-Performance »Metric Mysticism« ausführlich auf die Bedeutung der Kristallkugel in Jarmans Film, aber auch für aktuelle Technologieunternehmen ein.[40] Die Kristallkugel – so seine These – würde jeweils als Fenster zur Zukunft verhandelt. Die Kristallkugel sei zwar ein Objekt der Mediatisierung, doch ihre transparente Materialität und ihr mystisches Funktionieren scheinen immer darauf hinzudeuten, dass sie ein Objekt ohne Vermittlung ist. Das Objekt teile sich selbst nicht mit, sei lediglich transparentes Medium der Zukunft. Die Etymologie weise jedoch darauf hin, dass mystische Objekte mit Aktivitäten der Geheimhaltung in Verbindung stehen. So sehr die Kristallkugel suggeriere, Zukunft transparent und zugänglich zu machen, so sehr verberge sie auch etwas. Im Falle John Dees ist es die Geheimhaltung seiner Beteiligung am kolonialen Projekt des British Empire. Blas bezieht diese Geheimhaltungsfunktion des Mystischen in seinem Vortrag auch auf Unternehmen wie Palantir. Diese würden sich der Objekte des Mystizismus bedienen, um – in der Behauptung, die Zukunft qua Algorithmen vorhersehen zu können – zu verschleiern, wie sie und mit wem sie arbeiten. Okkulte Objekte, die wie die Kristallkugel Transparenz nahelegen, aber eigentlich Black

---

40 Zach Blas, *Zach Blas: Contra-Internet*, Ausstellung, 27. Januar 2018 – 7. April 2018, Art in General, New York; »Metric Mysticism«, Online-Video der Lecture-Performance von Zach Blas, e-flux, New York, 27. Januar 2018, 47:26 min <https://www.e-flux.com/video/180253/lecture-performance-zach-blas-nbsp-metric-mysticism/> [Zugriff: 1. Juni 2021].

Abb. 15. Film-Still, *Contra-Internet: Jubilee 2033*, Regie: Zach Blas
(Copyright Zach Blas, 2018).

Boxes darstellen, sind nach Blas der Taschenspielertrick von Technologieunternehmen.

Das evoziert regelrecht die Frage, wie die okkulten Objekte Eingang in Blas' künstlerische Arbeit finden. Die Kristallkugel als transparentes Objekt ist verschwunden. Erst ganz zum Ende des Films gibt es im Zusammenhang mit der Sehtechnik des In-die-Kristallkugel-Schauens eine Referenz. Am Strand hebt Azuma ein gestrandetes Siliziumkristall auf, über den sie mit ihrem holografischen Finger streicht, um zu fragen »What is the secret of minerals?« (Abb. 8). Im Anschluss zoomt die Kamera förmlich in das Mineral, als würde eine Kristallkugel befragt und eine Antwort auf die Frage insinuiert werden (s. Abb. 15).

Die Funktion der Kristallkugel ist aufgerufen, nicht aber ihre Ästhetik. Denn weder ist das Mineral rund, noch transparent. Es blockiert mit seiner schwarzen, glänzenden Oberfläche den Blick. Es weigert sich folglich, das Geheimnis der Mineralien zu lüften. In dieser Entgegnung – dieser Kontra-Vision – werden wir auf das Kristall selbst aufmerksam. Das langsame Zoomen auf das Mineral entfaltet eine Sogwirkung, die verführerisch ist, nicht, weil wir das Bedürfnis vermittelt bekommen, in es eindringen zu können, sondern weil wir herangeführt werden, um an der Oberfläche zu verbleiben. Dies problematisiert zum einen, wie sehr das Silicon Valley der Verführungskraft der Oberflächen unterliegt und den Mystizismus der Kristalle dafür nutzt, die Verschleierung von Prozessen und Algorithmen – die Black Box Internet – zu legitimieren. Der Zoom fungiert aber auch als ein Vergrößerungsglas, das den Blick verschwimmen lässt und einen Schwindel bzw. ein Unwohlsein erzeugt, das uns womöglich an die unheimliche Kehrseite der Materialien heranführt, das Trauma, das in ihnen verborgen liegt, und die Gewalt, die sich an sie heftet. Hierfür ist wichtig, sich noch einmal den Kontext der Szene in Erinnerung zu rufen.

Kurz bevor Azuma das Kristall aufhebt, reflektiert sie mit Blick auf das Jahr 2033 darüber, dass – obwohl das Internet bereits Vergangenheit ist – die Meere mit Elektro-Müll angereichert sind: »Beneath the shimmering water what is left of fibre optic lines, rests of fallen satellites and other debris of network war.« Glasfaserkabel, Satelliten und Internet-Trümmer sind der Welt nach dem Internet geblieben. Azuma umreißt damit, was Nicole Starosielski die »Stasis« digitaler Umgebungen nennt.[41] Starosielski beschreibt am Beispiel von Glasfaserkabeln, dass in ihre DNA die Temporalität von Dauer eingebaut ist. Sie werden dafür hergestellt, mindestens 25 Jahre äußeren Einflüssen zu widerstehen. Insofern die Kabel den kolonialen Kartographien folgen, dehnt sich mit ihnen auch die Zeit des Kolonialismus aus.[42] Mit der Ausdehnung kolonialer Zeit überkreuzt sich schließlich die zeitliche Ausdehnung toxischer Materialien im Meer. Der Ozean ist Speicher beider Temporalitäten. Als solcher ist er im Film das Gespenst der Post-Apokalypse im Jahr 2033. Nachdem das Internet untergegangen ist, sucht der Ozean die Welt mit seinen traumatischen Erzählungen heim. So heißt es im Film: »The ocean holds the Great Blackout at bay, as its depths are plunged for refuse.« Jedes Siliziumteil spült die kolonialen und ökozidalen Traumata an den Strand. Genau das scheint in der Vergrößerung des Minerals zum Ende des Films im Raum zu stehen. Die Vergrößerung der Oberfläche des Minerals drängt uns Zuschauer*innen nicht den Blick in die Zukunft auf,

41   Nicole Starosielski, *The Undersea Network* (Durham, NC: Duke University Press, 2015), S. x.

42   Katrin Köppert, »>Internet is not in the cloud.< Digitaler Kolonialismus«, *gwi-boell.de*, 10. April 2019 <https://www.gwi-boell.de/de/2019/04/10/internet-not-cloud-digitaler-kolonialismus> [Zugriff: 1. Juni 2021].

sondern die Notwendigkeit, in die Vergangenheit zu schauen, um die unzugänglichen Traumata zumindest zu erahnen. Insofern handelt es sich um eine Verkehrung des Kristallkugelmotivs. Dient – wie vorher dargelegt – die Transparenz der Kristallkugel dem Bewahren von Geheimnissen und somit den König*innen, Massenmedien und Internetkonzernen, ist es bei Blas die Opazität des Minerals, die auf die desaströsen ökologischen, ökonomischen und körperlichen Auswirkungen hindeutet. Im Zoomen auf die undurchdringliche Oberfläche wird uns schwummerig und unheimlich, sodass wir die Auswirkungen eher spüren, als rational verstehen. Doch darin liegt auch das Potenzial dieser mit der opaken Oberflächigkeit des Minerals vorgetragenen Kontra-Prophezeiung. Die sich als Unheimlichkeit artikulierende Gewalt der (digitalen) Kolonisierung kann an die Kraft der Dekolonisierung heranführen. Im Anschluss an Frantz Fanon schreibt Samira Kawash, Dekolonisierung sei

> an *uncanny* violence in excess of any instrumentally conceived ends, a violence that cannot be contained or comprehended within social reality. The absolute violence of decolonization is outside agency and representation; rather it interrupts and erupts into history and wrests history open to the possibility of a justice radically foreclosed by the colonial order of reality.[43]

Dekolonisierung ist insofern eine unheimliche Kraft, als sie über jeden erdachten Zweck hinausgeht. Das Unheimliche der Dekolonisierung befindet sich außerhalb von Handlung und Repräsentation; es unterbricht und bricht in die Geschichte ein. Als unheimliche Kraft ringt Dekolonisierung der Geschichte die Möglichkeit von Gerechtigkeit ab. In diesem Sinne wäre das Mineral – anders als die Kristallkugel – nicht einfach nur ein neutrales Medium, sondern eines, das zu der Möglichkeit einer anderen, einer besseren Geschichte verhilft – um schließlich wieder mehr als nur eine vorausberechnete Option auf Zukunft zu haben.

Ein weiteres okkultes Objekt rückt mit der schwarzen, glänzenden Oberfläche des Minerals ins Zentrum der Aufmerksamkeit: der schwarze Spiegel. Dieser gehört neben der Kristallkugel, diverser

43 Samira Kawash, »Terrorists and Vampires: Fanon's Spectral Violence of Decolonization«, in *Frantz Fanon: Critical Perspectives*, hg. v. Anthony C. Alessandrini (London: Routledge, 1999), S. 235–57, hier S. 239–40, Herv. K.K.

Wachssiegel und einem goldenen Amulett zur Ausstattung der mystischen Objekte John Dees, die heute allesamt im British Museum ausgestellt sind. Sie werden mit den Engelsgesprächen in Verbindung gebracht, weswegen der Spiegel auch in Jarmans Film die Verknüpfung zum Engel Ariel darstellt, der Dee und Elizabeth I. in die Zukunft »channelt«. Schon beim ersten Mal, als wir Ariel in *Jubilee* sehen, reflektiert ein Spiegel Sonnenlicht. Da sich der Spiegel am Gürtel Ariels befindet, argumentiert Steven Dillon, werde die kreative Kraft der Sexualität dargestellt und die Fluidität des poetischen Kinos allegorisiert, für das Derek Jarman steht.[44] Das sexuell aufgeladene Motiv Ariels mit dem Spiegel greift Jarman später in *The Angelic Conversation* auf und assoziiert es expliziter noch als in *Jubilee* mit homoerotischem Begehren.[45] Insofern ließe sich vielleicht sagen, dass der Engel auch schon in *Jubilee* Homoerotik im ansonsten eher bi- und heterosexuellen Umfeld markiert.[46] Ich finde das erwähnenswert deswegen, weil auch Blas mit dem Motiv des glänzenden Spiegels arbeitet. Er wird zur antizipierenden Umgebung des anfangs erwähnten kontrasexuellen, queeren Tanzes von Nootropix, der Anführer*in der queeren militanten Gruppe in der postapokalyptischen Vision Azumas im Jahr 2033.

Nootropix sitzt vor einer schwarzen, spiegelnden und fluiden Oberfläche, die den Rahmen bildet, um zu sagen »In any case, I started to dance« (s. Abb. 5). Es folgt eine längere Tanzsequenz, die wiederum Jarmans Film und die darin – nach Dillon – emblematische Balletttanz-Szene der Figur Amyl Nitrate zitiert.[47] Amyl Nitrate gehört der von Bod angeführten Frauen-Anarcho-Punk-Gruppe an und erinnert sich im Film an ihre Zeit als Balletttänzerin. Auffällig ist, dass zwar, aufgrund der Namensgebung, der Gesichtsbemalung und des Tanzes, Nootropix auf die Figur Amyl Nitrate anspielt, aber der leuchtende und glitzersprühende Dildo auf den spiegelnden Hüftgürtel Ariels rekurriert. Blas löst die bei Jarman noch herrschende Zweigeschlechtlichkeit auf und amalgamiert in der von der Trans*Künstler*in Cassils gespielten Figur Nootropix den schwulen Engel Ariel und die Punkästhetik Amyl Nitrates. Die poetische und sexuelle Funk-

---

44   Dillon, *Derek Jarman and Lyric Film*, S. 79.
45   *The Angelic Conversation*, Regie: Derek Jarman (Channel Four Films, 1985).
46   Upton, »Anarchy in the UK«.
47   Dillon, *Derek Jarman and Lyric Film*, S. 79–80.

tion des schwarzen Spiegels wird um die Frage der Durchquerung von Zweigeschlechtlichkeit und Heteronormativität erweitert.[48] Damit problematisiert Blas die transphobe Gewalt, die in Jarmans Film von den Anarcho-Punks ausgeht. Er thematisiert aber auch kritisch, inwiefern Funktionsmechanismen der Spiegelung auf die Bipolarität von Reflektion heruntergebrochen werden und als solche Eingang in das Symbolarsenal derjenigen Internetkonzerne finden, die sich der (heteronormativen) Vorausberechnung von Zukunft widmen. Dafür sei nochmal kurz auf *Jubilee* geschaut: In der Szene, in der Elizabeth I. sich verzweifelt über die von Bod und ihrer Anarcho-Gang getötete Trans*Künstler*in Lounge Lizard beugt, fragt sie Ariel, ob es Gott noch gebe. Ariel fordert daraufhin Elizabeth I. auf, tief in die Kristallkugel zu schauen. Die Kamera zoomt in diesem Moment in seine schwarz-glänzenden Augen. Die schwarzen Augen, hier als Objekt des schwarzen Spiegels thematisiert, werden in der Funktion der Kristallkugel aufgerufen. Bei Blas finden die Augen in dieser Bedeutung neuerlich über ein Firmenlogo Eingang (s. Abb. 16 und Abb. 17).

Das das Sujet des Sehens aufgreifende Auge im Logo der Software-Firma Forescout markiert – dem Firmennamen entsprechend – die Potenz der Algorithmen, Zukunft im Sinne binärer Codes vorauszuberechnen und vorherzusehen. Der Schwerpunkt liegt bei Forescout auf der Überwachung zur Abwehr möglicher Bedrohungen.

Kontra-prophetisch wird diese Bedeutung des Objekts des schwarzen Spiegels erst dann, wenn Blas mit Nootropix und dem leuchtenden Dildo die sexuelle Kraft des bei Ariel auf Hüfthöhe reflektierenden Spiegels aufgreift und in Form der vierminütigen Tanzperformance zeitlich Raum greifen lässt. Der performative Einschub, der im poetischen Film die Funktion übernimmt, diachrone Erzählweisen zu unterbrechen, zu verlangsamen oder zu transformieren, verkoppelt sich hier mit queerem Begehren. In dieser Verknüpfung verstehe ich ihn als kontra-sexuelle und kontra-prophetische Verhandlung des schwarzen

---

48   Insofern die sexuelle Funktion des schwarzen Spiegels in Zusammenhang mit dem zur orgiastischen Hingebung Rands führenden Tanz der Figur Nootropix aufgerufen wird, ließe sich auch über die Bedeutung des Körpergenres als exzessives Aussetzen der filmischen Narration nach Linda Williams nachdenken. Siehe Linda Williams, »Filmkörper: Gender, Genre und Exzess«, übers. v. Andrea B. Braidt, *montage AV*, 18.2 (2009), S. 9–30 <https://doi.org/10.25969/mediarep/323>.

Abb. 16. Film-Still, *Contra-Internet: Jubilee 2033*, Regie: Zach Blas
(Copyright Zach Blas, 2018).

<) FORESCOUT.

Abb. 17. Firmenlogo Forescout.

Spiegels und des filmischen Mediums zugleich. Ein letzter Aspekt soll
sich dieser Perspektivierung anschließen.

Der schwarze Spiegel wird in der Populärkultur spätestens seit der
Netflix-Serie *Black Mirror* mit der Bedeutung bzw. der Wirkung von
Drogen in Verbindung gebracht. So erklärte Charlie Brooker den Titel
seiner Serie folgendermaßen:

> Wenn Technik eine Droge ist – und es fühlt sich wie eine
> Droge an – was genau sind dann die Nebenwirkungen? [...]
> Der »schwarze Spiegel« im Titel ist der, den man an jeder
> Wand, auf jedem Tisch, in jeder Handfläche findet: der kalte,
> glänzende Bildschirm eines Fernsehers, eines Computers, ei-
> nes Smartphones.[49]

Die Figur Nootropix im Film von Blas komprimiert diese Lesart insofern, als sie nicht nur mit dem schwarzen Spiegel, sondern mit dem As-

---

49   Charlie Brooker, »The Dark Side of our Gadget Addiction«, *Guardian*, 1.
      Dezember   2011   <https://www.theguardian.com/technology/2011/dec/01/
      charlie-brooker-dark-side-gadget-addiction-black-mirror> [Zugriff: 1. Juni 2021],
      übers. <https://de.wikipedia.org/wiki/Black_Mirror_(Fernsehserie)> [Zugriff: 1.
      Juni 2021].

pekt der Droge in Zusammenhang steht. Waren es bei Jarman Poppers, die mit der Figur Amyl Nitrate ins Spiel gebracht wurden, sind es bei Blas die *mind-enhancing* und arbeitsproduktivitätssteigernden Nootropika, die mit dem Namen der Figur Nootropix aufgerufen werden. Bei Nootropika handelt es sich um *smart drugs*, die zum Arbeitsalltag im Silicon Valley gehören und bestes Beispiel des Narkokapitalismus sind, das heißt eines Kapitalismus, der darauf beruht, Emotionen durch chemische Stimulation in einem Gleichgewicht zu halten und Produktivität so zu ermöglichen. Laurent de Sutter spricht in seinem Buch *Narcocapitalism* vom Zeitalter der Anästhesie, das nicht Begehren und Bewusstsein im potenziell transgressiven Sinne intensiviert, sondern Produktivität dadurch steigert, dass Gefühle und Emotionen gedrosselt werden.[50] Dieser Anästhesie stellt Blas nun die Figur Nootropix als eine queere Toxizität gegenüber. Mit Referenz auf die Etymologie des griechischen Wortes Nootropix arbeitet Blas schließlich den Aspekt der Bewusstseinserweiterung und damit das potenziell Toxische der nootropischen Substanzen heraus, die per Definition eigentlich nur eine positiv kognitive, also neuroprotektive Wirkung haben sollen. Er zielt also auf die Nebenwirkungen. Mit den nicht berechenbaren Nebenwirkungen wendet er sich gegen die Konzerne, die so abhängig sind von ihren schwarzen Spiegeln, dass sie verlernt haben zu spüren. Ihm geht es um die Vergiftung der kalifornischen Ideologie, was Blas selbst als queeres »mind-bending« bezeichnet.[51] Im Sinne dieser anfechtenden Intoxikation adressiert er die Substanz des Nootropikums als subversiv insofern, als sie »entgegen ihrer medizinischen Intention« wirkt und selbst performativ ist.[52] Dass Blas die Substanzen mittels der Transgender-Figur Nootropix und als theatralischen Akt des Tanzens aufführt, artikuliert, wie sehr auch Materialität performativ bzw. *drag* ist. Preciado bezeichnet die performative Kraft der Substanzen als »biodrag« und verdeutlicht damit, dass Substanzen

50 Laurent de Sutter, *Narcocapitalism: Life in the Age of Anaesthesia*, übers. v. Barnaby Norman (Oxford: Polity, 2017).

51 Jasmina Tumbas und Zach Blas, »The Ectoplasmic Resistance«.

52 Kathrin Peters diskutiert im Anschluss an Preciados *Testo Junkie* die gegenläufige Wirkung von Substanzen am Beispiel von Geschlechtshormonen, siehe Kathrin Peters, »Politische Drogen. Materialität in *Testo Junkie*«, in *Ecologies of Gender: Contemporary Nature Relations and the Nonhuman Turn*, hg. v. Susanne Lettow und Sabine Nessel (London: Routledge, im Erscheinen).

an der Produktion somatischer Fiktionen beteiligt sind.[53] Die Kontin-
genzen und Ungewissheiten der chemischen Wirksamkeit einer Droge
wie Nootropikum artikuliert, dass jeder Körper, jeder Geist fiktiv ist,
Science-Fiction sozusagen. Als fiktive können weder Körper noch
Geist vollständig errechnet, oder vorherbestimmt werden. Genau hier
knüpft Blas' Konzept des Kontra-Prophetischen an.

Die Unmöglichkeit der Berechenbarkeit – die bei Blas als das Spielerische, das Kindische, das Unheimliche, das Begehren, das Poetische
(des Films), das Performative (der Substanzen) erscheint – führt dazu,
sich beständig zu fragen, was nicht funktioniert und was nicht domes-
tiziert werden kann. So sind wir gezwungen, uns auf die strukturellen
Dysfunktionalitäten von Gesellschaft zu fokussieren und schließlich
nach immer wieder neuen Ansätzen zu suchen. Zukunft im Moment
der Prophezeiung kann so in all ihrer Potenzialität offen gehalten werden.

---

53   Preciado, *Testo Junkie*, S. 191.

SICHTBARMACHUNG UND STRATEGIEN DES GEGENDOKUMENTARISCHEN

Rotlicht im/als Filmlicht
Zur performativen Ästhetik des dokumentarischen Blicks

ANDREA SEIER

> »Die Bowery ist der Archetypus einer
> Pennergegend und deshalb schon im-
> mer für Fotografen interessant gewesen.«
>
> Martha Rosler

Der dokumentarische Blick auf Armut und prekäres Leben durchzieht nicht nur die Geschichte der Medien und Repräsentationen. Er verleiht auch den historisch jeweils neuen Medien, wie Caroline Braun am Beispiel des Films oder Sara Blair am Beispiel von Fotografie und Kunst gezeigt haben, ihre spezifische Relevanz.[1] Mit dem Anliegen der Sichtbarmachung von Armut und prekärem Leben wurden und werden Entwicklungen medientechnischer Innovationen begründet.[2]

---

1 Sara Blair, *How the Other Half Looks: The Lower Eastside and the Afterlife of Images* (Princeton, NJ: Princeton University Press, 2018); Caroline Braun, *Von Bettlern, Waisen und Dienstmädchen: Armutsdarstellungen im frühen Film und ihr Anteil an der Etablierung des Kinos in Deutschland* (Trier: WVT – Wissenschaftlicher Verlag Trier, 2018). Für den Literaturhinweis auf Sara Blair danke ich Philipp Hanke. Am Beispiel New Yorks Lower East Side führt Blair auch zahlreiche Beispiele aus Kunst und Literatur sowie eine Einzelstudie über D. W. Griffith an.

2 Vgl. Blair, *How the Other Half Looks*. Aktuelle Beispiele umfassen auch bildungspolitische Kontexte, in denen z. B. Virtual-Reality-Tools eine wichtige Funktion einnehmen. Siehe hierzu den Filmwettbewerb »Through the Eyes of a Migrant« im Rahmen des Global Migration Film Festivals. International Organization for Migration, »IOM Launches Virtual Reality Film Competition ›Through the Eyes of a Migrant‹«, iom.int, 26. Oktober 2018 <https://www.iom.int/news/iom-launches-virtual-reality-film-competition-through-eyes-migrant> [Zugriff: 31. Mai 2021].

Und auch auf der Ebene von Sujets und ästhetischen Konventionen der Literatur-, Kunst- und Mediengeschichte führ(t)en Repräsentationen von Armut und prekärem Leben zu Innovationsschüben, insbesondere dann, wenn sie mit der Geste des Dokumentarischen in fiktionalen Kontexten experimentier(t)en. Sara Blair geht in diesem Zusammenhang etwa auf die Entwicklung neuer Figuren im frühen 20. Jahrhundert ein, die sie am Beispiel der/s Ghetto-Bewohner_in in in fotografischen, filmischen und künstlerischen Darstellungen der Lower East Side in New York untersucht.[3] Auch das schriftsprachliche Experimentieren mit tendenziell mündlichen Ausdrucksformen im Bereich der Literatur oder bestimmte Formen der Massendarstellung in Malerei und frühem Film zählen zu ihren Beispielen.

Im Unterschied zu diesen dokumentarischen Experimenten im fiktionalen Kontext zeichnen sich die explizit dokumentarischen Genres der Fotografie- und Filmgeschichte dadurch aus, dass sie sich dem Anliegen einer mehr oder weniger objektiven Sichtbarmachung verpflichten. Darüber hinaus gehen sie zwangsläufig aus einer sozialen Situation hervor, die in die erstellten Produkte mehr oder weniger erkennbare Spuren einträgt. Der dokumentarische Blick auf Armut und prekäres Leben[4] berührt damit auch diejenigen Problemstellungen, die die Medienwissenschaft unter der Überschrift »Connect and Di-

---

3   Siehe hierzu auch Martha Roslers Auseinandersetzung mit der Bowery in Text und Bild: »Die Bowery ist der Archetypus einer Pennergegend und deshalb schon immer für Fotografen interessant gewesen. Das Spektrum der Ansichten reicht von Bildern, die wie ein Aufschrei moralischer Entrüstung wirken, bis hin zu solchen, die sich am Schauspiel der elenden Verhältnisse weiden. Warum übt die Bowery auf Dokumentarfotograf_innen eine derartige Anziehung aus? Der Impuls, den Säufern und kaputten Existenzen zu ›helfen‹ oder auf ihr gefahrvolles Leben ›aufmerksam zu machen‹, klingt bestenfalls nach Verschleierung und taugt deshalb nicht mehr als Erklärung.« Siehe Martha Rosler, »Drinnen, Drumherum und nachträgliche Gedanken (zur Dokumentarfotografie)«, in dies., Positionen der Lebenswelt, hg. v. Sabine Breitwieser, übers. v. Roger M. Buergel, Dagmar Fink und Johanna Schaffer (Köln: Walther König, 1999), S. 105–48, hier S. 105.

4   Die Unterscheidung von Armut und prekärem Leben ist historisch begründet und folgt einer begrifflichen Trennung von Laurie Ouellette, die im Hinblick auf die frühe sozialdokumentarische Fotografie von Armutsdarstellungen spricht (»poverty«), während etwa gegenwärtige Film- und Fernsehproduktionen mit den Bedingungen einer umfassenden Prekarisierung (»precarity«) umzugehen haben. Vgl. Laurie Ouellette, »How the Other Half Lives: The Will to Document from Poverty to Precarity«, in Media and Class: TV, Film, and Digital Culture, hg. v. June Deery und Andrea Press (New York: Routledge, 2017), S. 98–113.

vide«[5] diskutiert: Wie Medien ihre Nutzer_innen miteinander und mit der Welt verbinden und/oder diejenigen, die sie »zeigen«, von Zuschauer_innen und User_innen aus gesehen als »Andere« konstituieren (*Othering*),[6] zählt zu den zentralen Fragestellungen gegenwärtiger Analysen nationaler und transkultureller Medienkulturen. Die Auseinandersetzung mit dem dokumentarischen Blick auf Armut und prekäres Leben gewinnt vor diesem Hintergrund ihre besondere Relevanz.

Aus fernsehhistorischer Sicht hat Laurie Ouellette diesen Blick im Kontext eines »Willens zum Wissen« verortet, in dem Sichtbarmachung und *Othering* in enger – wenn auch nicht festgelegter – Verbindung stehen. Die Armen werden, so die These von Ouellette, etwa im Kontext der frühen sozialdokumentarischen Fotografie unter anderen gesellschaftspolitischen und ästhetischen Vorzeichen als die prekär lebenden Familien und/oder Individuen des gegenwärtigen Reality-Fernsehens ins Bild gesetzt. Von passiven Opfern über emblematische Figuren eines universell-menschlichen Leidens bis hin zu aktiven Unternehmer_innen ihrer Selbst bringt das Dokumentieren von Armut und prekärem Leben ein überschaubares Feld visueller Konstruktionen und ein dazu gehörendes Figurenarsenal hervor, das eine ausgeprägte historische Kontinuität aufweist. Sara Blair spricht in diesem Zusammenhang von Bildern und Nach-Bildern (»After-Images«), die sich gleichermaßen in dokumentarischen wie fiktionalen Kontexten auffinden lassen. Mit Blick auf die gesellschaftliche Entwicklung einer sich ausdehnenden, unterschiedliche soziale Milieus erfassenden Prekarisierung verlangen allerdings nicht nur die historischen Kontinuitäten, sondern gerade auch die Diskontinuitäten eine besondere Aufmerksamkeit.

Einigen dieser historischen Brüche und Kontinuitäten möchte ich im Folgenden anhand eines aktuellen Beispiels nachgehen. Patric

---

5   Vgl. hierzu den Workshop eines medienwissenschaftlichen Doktorand_innen-Netzwerks, der vom 16.–20. April 2020 am TFM-Institut der Universität Wien unter dem Titel »Dis(s)-Connect II: Wie Medien uns trennen und verbinden« stattgefunden hat. Vgl. auch *Connect and Divide: The Practice Turn in Media Studies*, hg. v. Ulrike Bergermann, Monika Dommann, Erhard Schüttpelz, Jeremy Stolov und Nadine Taha (Zürich: Diaphanes, 2021).

6   Vgl. Stuart Hall, »Das Spektakel des ›Anderen‹«, in ders., *Ausgewählte Schriften*, 5 Bde. (Berlin: Argument, 2000–13), IV: *Ideologie, Identität, Repräsentation*, hg. v. Juha Koivisto und Andreas Merkens, übers. v. Kristin Carls et al. (2004), S. 108–236.

Chihas 2016 in Wien entstandener Dokumentarfilm *Brüder der Nacht* befasst sich mit bulgarischen Arbeitsmigranten, die in Wien als Stricher arbeiten.[7] Das Porträt der jungen Männer dehnt die Grenzen des Dokumentarischen maximal aus und begegnet dem Problem ihrer Viktimisierung auf besondere Weise. Der Film bietet sich daher an, mit ihm und über ihn hinaus, das komplexe Verhältnis zwischen Sichtbarmachung und *Othering* zu reflektieren.

PREKÄRES LEBEN IM DOKUMENTARFILM *BRÜDER DER NACHT*

Der Film *Brüder der Nacht* zeigt und erzählt nächtliche Episoden aus dem Alltag junger bulgarischer Roma, die in Wien als Stricher arbeiten. Sie sind zwischen 16 und 22 Jahre alt, die meisten definieren sich als heterosexuell, haben Frauen und Kinder in Bulgarien. Einige von ihnen haben sehr jung geheiratet bzw. wurden verheiratet. Ihre Kunden sind ältere schwule österreichische Männer, die sie in einer Bar im ehemaligen Arbeiterbezirk Margareten (5. Bezirk) treffen.[8]

In der Bar »Rüdiger« in der Rüdigergasse zeigt der Film die jungen Roma bei der Arbeit, die sie »bizness« nennen, beim routinierten Warten und Anbahnen, Billard spielen, Bier trinken, Rauchen und Feiern. Zwei kurze Szenen dokumentieren Anbahnungsgespräche mit österreichischen Freiern, die sich zwischen Ausbeutung und väterlicher Fürsorge bewegen. Wien und Österreich sind ansonsten abwesend im Film. Bulgarien, Kinder und Ehefrauen sind ebenfalls nur durch Fotos auf dem Smartphone und durch Anrufe präsent. Die Abwesenheit von Österreich und Bulgarien im Film ist die Folge einer konzeptuellen Entscheidung, die den Film in die Nähe dessen rückt, was die Bochumer Filmwissenschaftlerin Eva Hohenberger als »Neuen Österreichischen Formalismus (NÖF)« bezeichnet hat.[9] Benannt

---

7   *Brüder der Nacht*, Regie: Patric Chiha (WILDart FILM, 2016).

8   Rosa von Praunheims Film *Die Jungs vom Bahnhof Zoo* aus dem Jahr 2011 befasst sich in ähnlicher thematischer Ausrichtung mit der gegenwärtigen Stricherszene in Berlin. Dieser Film versteht sich im Unterschied zu *Brüder der Nacht* als soziologisch interessierter Milieufilm, der mit ausgedehnten Interviews arbeitet. *Die Jungs vom Bahnhof Zoo*, Regie: Rosa von Praunheim (Basis-Film Verleih, 2011).

9   Eva Hohenberger, »Sind Kamerafahrten politisch? Zur Frage von Form und Politik im Dokumentarfilm«, in *Zooming in and out. Produktionen des Politischen im neueren deutschsprachigen Dokumentarfilm*, hg. v. Aylin Basaran, Julia B. Köhne und Klaudija Sabo (Wien: Mandelbaum, 2013), S. 63–78.

ist damit, laut Hohenberger, eine sich seit den 1990er Jahren abzeich-
nende Tendenz zur Verselbstständigung der filmischen Form zum
Formalismus.[10] Auf der Basis einer strikten Trennung von Politik und
Moral formuliert Hohenberger die These, dass der (selbst-)reflexive
Umgang mit der filmischen Form und Gertrud Kochs Losung »Die
Einstellung ist die Einstellung«[11] nicht zwangsläufig politische, son-
dern zunächst moralische Fragen eröffnet: »Die Moral hat es mit
Werten zu tun und besagt, was als gut und böse gilt, die Politik betrifft
die Formen des Zusammenlebens, die Organisationsweisen des Sozia-
len und die Möglichkeiten und Beschränkungen der Teilhabe aller.«[12]

Das politische Potenzial des Dokumentarfilms wird allerdings nur
dann ausgeschöpft, so argumentiert Hohenberger mit Rancière, wenn
Filme es schaffen, »Identitäten, die durch eine natürliche Ordnung der
Verteilung von Funktionen und Plätze bestimmt sind, in eine Streiterfahrung« umzuformen und sie ihrer Selbstverständlichkeit zu entreißen.[13] Den von ihr diskutierten Filmen spricht Hohenberger diese
Form von Politisierung ab.[14] Und auch der Film *Brüder der Nacht*, der

---

10   Ihre stark von Jacques Rancière angeleiteten Thesen macht Hohenberger an Filmen
      fest, die sich mit Geschlechterverhältnissen beschäftigen: *Die letzten Männer*, Regie:
      Ulrich Seidl (Lotus Film, 1994), *Whores' Glory*, Regie: Michael Glawogger (Lotus
      Film, 2011) und *Kurz davor ist es passiert*, Regie: Anja Salomonowitz (Amour Fou
      Filmproduktion, 2006).
11   Gertrud Koch, *Die Einstellung ist die Einstellung. Visuelle Konstruktionen des Judentums*
      (Frankfurt a. M.: Suhrkamp, 1992).
12   Hohenberger, »Sind Kamerafahrten politisch?«, S. 64. Hohenberger verdeutlicht die-
      se Trennung am Beispiel des filmischen Umgangs mit Konzentrationslagern. Im Text
      heißt es dazu: »Filme über Konzentrationslager haben eine politische Einrichtung
      zum Thema; sich über Konzentrationslager zu äußern ergibt dagegen nicht in jedem
      Fall eine politische Äußerung. Man kann sich mit einem Konzentrationslager aus einer
      theologischen Perspektive auseinandersetzen oder eine psychologischen. Und es ließe
      sich gegebenenfalls darüber streiten, ob eine solche Perspektive angesichts des Ge-
      genstands legitim ist oder nicht. Man sollte daher Moral und Politik nicht miteinander
      verwechseln.« (ebd.).
13   Ebd. Politisch wird es nach Rancière immer dann, wenn die Grundlosigkeit polizeili-
      cher Ordnungen, sei es in der Welt oder in Repräsentationen, wahrnehmbar wird.
14   Im Hinblick auf die Filme von Ulrich Seidl und Michael Glawogger stimme ich den
      Analysen von Eva Hohenberger vollumfänglich zu. Der Film *Kurz davor ist es pas-
      siert* von Anja Salomonowitz lässt sich aus meiner Sicht allerdings auch ambivalenter
      diskutieren. Hohenbergers Kritik an den im Film abwesenden Frauen, die Opfer von
      Menschenhandel geworden sind, stützt sich aus meiner Sicht (zu) stark auf das Pro-
      blem der Sichtbarkeit. Allerdings ist es gerade *nicht* die Sichtbarkeit der Frauen, die
      zwangsläufig eine »Streiterfahrung« garantiert. Die im Film eingesetzten Tonauf-
      nahmen verschaffen den von Menschenhandel betroffenen Frauen durchaus Gehör.
      Richtig ist allerdings auch, dass sie sich dadurch, im Sinne Jacques Rancières, nicht

sich durch ein ambitioniertes ästhetisches Konzept auszeichnet, gerät vor diesem Hintergrund mindestens in eine Schieflage.

Auch wenn ich der strikten Trennung zwischen Politik und Moral nicht folge, da sie aus meiner Sicht das intrinsische Verhältnis von Politik und Ästhetik tendenziell wieder aus den Augen verliert,[15] scheint mir Hohenbergers Problematisierung des »Neuen Österreichischen Formalismus (NÖF)« geeignet, dem Verhältnis von Politik und Ästhetik im Film *Brüder der Nacht* nachzugehen. Dabei möchte ich aufzeigen, dass die Frage, wer wie von wem und für wen ins Bild gesetzt wird, keinesfalls »nur« moralisch zu bewerten ist. Sie betrifft vielmehr die politische Frage nach den Organisationen des Sozialen recht konkret. Anders formuliert: Die Praxis des dokumentarischen Filmemachens ist gerade nicht auf eine Auseinandersetzung mit ästhetischen Entscheidungen zu reduzieren, sondern selbst als eine soziale Praxis zu verstehen, die mit den Bedingungen der gegenwärtigen Organisationen des Sozialen umzugehen hat. Diese lassen sich allerdings von Fragen der Wahrnehmung, von Macht- und Begehrensrelationen und damit auch von Fragen der Moral nicht trennscharf abgrenzen. Gerade vor diesem Hintergrund reflektiert Rancière das Problem der Sichtbarkeit weniger mit Blick auf die Frage »Was darf man zeigen?«, sondern mit Bezug auf die Bedingungen und Möglichkeiten des in Erscheinung Tretens und Wahrgenommen-Werdens. Das Angewiesensein von Politik auf Fragen der Wahrnehmung ist nicht nur für Rancière von Interesse. Es ist vielmehr auch das Kernanliegen einer Medienwissenschaft, die dafür eintritt, Politisches und Mediales nicht in eine (wie auch immer ausfallende) hierarchische Reihenfolge zu bringen. Wer fragt »Was darf man zeigen?« stellt implizit immer auch

---

als »Gleiche« etablieren. Sie bleiben Bestandteil eines experimentell-ästhetischen Settings, das in sich stimmig ist und an keiner Stelle des Films droht, außer Kontrolle zu geraten. Die Verschiebung der Aufmerksamkeit von den Frauen weg auf die potentiellen Milieus, die die Bedingungen des Menschenhandels mit ermöglichen, halte ich grundsätzlich allerdings für gelungen, auch wenn sie in Hohenbergers Unterscheidung zwischen Politik und Moral nicht auf die Seite des Politischen fällt.

15   Der selbstreflexive Umgang mit Bildern im Dokumentarfilm garantiert, so die These von Hohenberger, keine Überschreitung existierender sozialer Segregationen, sondern tendiere, ganz im Gegenteil, zu ihrer Bestätigung, insofern er Subjektivierungseffekte eines ästhetisch interessierten Publikums affirmiere und in erster Linie entsprechende Aufführungsorte bzw. Absatzmärkte (wie Museen oder Film-Festivals) erschließe. Vgl. Hohenberger, »Sind Kamerafahrten politisch?«.

die Frage nach den Konsequenzen für die Organisationen des Sozialen bzw., umgekehrt, nach den Möglichkeiten und Beschränkungen des Sicht- und Wahrnehmbaren, die aus den Organisationen des Sozialen hervorgehen.[16]

Das Konzept des Films *Brüder der Nacht* verlangt u. a. eine fast durchgängig eingehaltene Beschränkung auf Nachtszenen, womit die Protagonisten, für die die gegenwärtigen Arbeitsmärkte ohnehin nur eine Existenzsicherung bei Nacht vorsehen, auch in der filmischen Inszenierung auf den Typus der »Nachtgestalt« festgelegt werden. Der Film *Brüder der Nacht* spielt darüber hinaus mit der Konnotation der Zwielichtigkeit und verspricht einem, tendenziell als milieufremd imaginiertem Publikum, Einblicke in unbekannte Welten. Im Hinblick auf die Frage nach der politischen Subjektivierung ist damit allerdings noch längst nicht alles über den Film gesagt. Denn in anderer Hinsicht weist er durchaus das Potenzial auf, Identitäten ihrer vermeintlich natürlichen Ordnung zu entreißen. Was der Film leistet, ist, dass er seine Protagonisten konsequent von Selbstauskünften entlastet. Durch bildkompositorische Zitate aus Filmen von Rainer Werner Fassbinder, Pier Paolo Pasolini und Kenneth Anger rückt er sie vielmehr in die Nähe fiktionaler Figuren, die in ihrem Spiel vor der Kamera fließende Übergänge zwischen Realität und Fiktion, Alltag und Traum zur Aufführung bringen. Neben den Szenen im »Rüdiger« findet ein Großteil des Films in opulent inszenierten Räumen statt, in denen das Rotlicht der Bars und das virtuos gesetzte Filmlicht diese Übergänge auch bildlich realisieren.

Spielerisch-professionelle Posen, Gesten, Prahlereien und Selbstaufführungen der jungen Männer, die Szenen aus ihrem Arbeitsalltag nachstellen, werden im Film an keiner Stelle ins Tageslicht überführt oder gar auf ihre Plausibilität hin befragt. Sie bleiben konsequent im künstlich erzeugten, weitgehend entrückten Ambiente, das sie vom Zwang der authentischen Selbstauskunft enthebt. Die konzeptuelle Einschränkung auf Nachtszenen trägt in diesem Sinne auch dazu bei, das dokumentarische Anliegen der Sichtbarmachung zurückzuweisen oder mindestens zu relativieren. Sie erweist sich so als eine Entscheidung, die nicht nur ästhetische, sondern durchaus

---

16   Vgl. Andrea Seier, *Mikropolitk der Medien* (Berlin: Kadmos, 2019).

moralisch-politische[17] Überlegungen impliziert. Die Protagonisten des Films werden ebenso zu »sehen gegeben« wie dem Blick des Publikums zugleich auch entzogen. Der Film evoziert kein analytisch-hierarchisches Durchdringen seiner Hauptfiguren, sondern einen zugewandten, queeren Blick, der sich auf die Attraktivität, Ausstrahlung und Energie der jungen Männer konzentriert. Dieser Blick verläuft zwar nicht gänzlich am Thema der prekären Lebensumstände vorbei, aber er irritiert die Konventionen des Milieufilms und damit das, was über bulgarische Roma sagbar und von ihnen sichtbar ist, auf überzeugende Art und Weise.[18] Ob die Protagonisten, denen in anderen Medien oftmals abgesprochen wird, etwas zu sagen zu haben, sich auf diese Weise Gehör verschaffen und sich im Sinne Jacques Rancières als »Gleiche« etablieren (können), ist allerdings fragwürdig.

DAS PROBLEM DES *OTHERING*

Die ästhetisch-theatrale Gestaltung des Films erweist sich als Versuch, eine »Lösung« für das Problem einer vorurteilsbehafteten Wahrnehmung seiner Protagonisten zu finden. An die Stelle von Sozialrealismus und Sichtbarmachung setzt der Film das Recht auf Fiktionalisierung. Die entrückte Stimmung der arrangierten szenischen Kompositionen, die in blaues, rotes, manchmal goldenes und pinkfarbenes Licht getaucht und mit einer Symphonie von Gustav Mahler unterlegt werden (s. Abb. 1),[19] zielt nicht direkt darauf ab, die »harte Realität des Stricher-Alltags« zu überschreiben.[20] Sie dient vielmehr einer bewusst erzeugten Verschiebung der Wahrnehmung: In den Fokus rücken Reflexionen über Existenzweisen, die durch paradoxale Konstellationen von fiktionalisiertem Alltag, spielerischem Ernst, erfundenen

---

17 Diese Formulierung sei hier nur als vorläufige Zwischenlösung verwendet.

18 Im Interview mit Knut Elstermann gibt Regisseur Patric Chiha an, dass nicht das Thema für den Film ausschlaggebend war, sondern seine Faszination für die jungen Männer, die er in der Bar »Rüdiger« angetroffen hat. Vom ersten Moment an habe er sie, so Chiha, als Filmfiguren wahrgenommen. Vgl. »Brüder der Nacht« – *Berlinale Nighttalk 2016*, Radio Eins, YouTube, 18. Februar 2016 <https://www.youtube.com/watch?v=R1RhB-a-KPo> [Zugriff: 31. Mai 2021].

19 Alle Abbildungen aus dem Film *Brüder der Nacht* mit Genehmigung von und Dank an WILDart FILM, Wien.

20 Einige wenige Sequenzen zeigen zum Beispiel die provisorische Unterkunft der Protagonisten in Wien.

Abb. 1. Film-Still, *Brüder der Nacht,* Regie: Patric Chiha (Copyright
WILDart FILM, 2016).

gelebten Identitäten und einer um Selbstachtung kämpfenden Selbstvermarktung gekennzeichnet sind.

Betont wird damit gerade *nicht* die Differenz zwischen den Protagonisten des Films und seinen Zuschauer_innen. Vielmehr wird ein
Nachdenken über strukturelle Ähnlichkeiten und damit zugleich über
die ökonomisch-politischen Bedingungen, die die Lebensumstände
dieser jungen Männer und die der Zuschauer_innen hervorbringen,
angeregt.[21]

Das Hauptinteresse des Films liegt offenbar darin, seine Protagonisten zwar als Betroffene globaler Markt- und Ausbeutungslogiken
und innereuropäischer Machtgefälle, nicht aber als Opfer zu inszenieren. Der Film bemüht sich vielmehr darum, Interesse für ihre vom
Filmemacher Patric Chiha angeleiteten Selbstaufführungen zu erzeugen.[22] Gesagt und gezeigt wird somit nicht das, was sich von einem

---

21 Das Vorgehen kommt dem Film von Anja Salomonowitz *Kurz davor ist es passiert* in
    dieser Hinsicht sehr nahe.

22 Auf der Duisburger Filmwoche (2016) hat Patric Chiha im Gespräch mit Kathrin
    Mundt Auskunft über die Entstehung der Szenen gegeben. Demnach wurden von
    Chihas Filmteam Räume angemietet, in denen sich das Team und die Protagonisten
    über den Zeitraum von einem Jahr getroffen haben. Die Dialoge der gespielten Szenen
    waren, laut Aussage von Chiha, nicht vorgegeben, das künstliche Ambiente und die
    filmhistorischen Bezüge hingegen schon. Aufgrund von Sprachbarrieren entstand vor
    den Augen des Filmteams ein inhaltlich nur wenig durchdrungenes Schauspiel. Chiha

Dokumentarfilm über bulgarische Sexarbeiter in Wien erwarten lässt. Aber lässt sich damit dem Problem des *Othering* entgehen? Überführt der Film seine Protagonisten in eine »Streiterfahrung«, insofern er übliche genrespezifische Festlegungen und soziopolitische Vereindeutigungen vermeidet?

Die Protagonisten Stefan, Yoko und seine Freunde werden in durchaus ungewohnter Art und Weise ins Bild gesetzt. Themen, die über ihre gegenwärtige Lebenssituation oder auch nur die Nacht hinausweisen, besetzen sie allerdings nicht. Mehr noch, ihr aktiver Part im Film sprengt nicht etwa das ästhetische Konzept des Films, sondern arbeitet diesem zu.[23] Die aktive Selbstaufführung der Protagonisten lädt nicht zuletzt zu einer medienvergleichenden Perspektive ein: Worin unterscheiden sich die angeleiteten Selbstinszenierungen in *Brüder der Nacht* etwa von derzeit gängigen Selbstaufführungen prekär lebender Familien und Individuen im Reality-Fernsehen? Der wichtigste Unterschied zwischen *Brüder der Nacht* und Fernsehformaten wie etwa das auf RTL 2 gesendete *Armes Deutschland*[24] liegt darin, dass die Protagonisten in *Brüder der Nacht* zwar etwas aufführen, das Aufgeführte allerdings nur in loser, wenngleich auch struktureller Entsprechung zu ihnen selbst oder ihren eigenen Bedingungen steht. Auch im Reality-Fernsehen wird selbstverständlich mit »ausgedachten« und vorformulierten Realitäten gearbeitet, die von Teilnehmer_innen der Sendungen umgesetzt werden. Die Erfindungen des Fernsehens

---

beschreibt dies nicht als Nachteil, sondern als Hilfestellung für die Entwicklung seines Konzepts. Es ging ihm weniger darum, *was* geredet wurde, als vielmehr *wie*.

23 Anders verhält es sich beispielsweise im Dokumentarfilm *Lucica und ihre Kinder* von Bettina Braun (B. Braun Filmproduktion, 2018), der eine Arbeitsmigrantin aus Rumänien proträtiert, die mit ihren sechs Kindern in Dortmund lebt. Der Film setzt die teils heftigen Auseinandersetzungen und Machtkämpfe zwischen Regisseurin und Protagonistin ins Bild, die während der Dreharbeiten entstanden sind und verweist somit auf die aktiven Anteile und filmischen Gestaltungsanliegen beider Seiten. Auch wenn sie nicht die »Streiterfahrung« im Sinne Rancières hervorbringen, zeigen diese Szenen mit großem Nachdruck und ohne Anspruch auf eine »Lösung« die soziokulturelle Situierung der dokumentarischen Arbeit auf. Der von Colorado Velcu und Philip Scheffner im Jahr 2016 realisierte Film *And-Ek Ghes...* (Grandfilm, 2016) wäre hier als ein weiteres Beispiel zu nennen, in dem auch ästhetische Entscheidungsprozesse fortlaufend ins Bild gesetzt werden. Vgl. hierzu auch Hilde Hoffmann, »Zum Politischen des Dokumentarfilms: *Revision* und *And-Ek Ghes*«, in *Kino, Arbeit, Liebe. Hommage an Elisabeth Büttner*, hg. v. Christian Dewald, Petra Löffler und Marc Ries (Berlin: Vorwerk 8, 2018), S. 189–200.

24 *Armes Deutschland* (Good Times Fernsehproduktions-GmbH, 2016–).

Abb. 2. Film-Still, *Brüder der Nacht*, Regie: Patric Chiha (Copyright
WILDart FILM, 2016).

dienen allerdings in der Regel der Zuspitzung von Realitäten und Ver-
eindeutigung von Identitäten, auch wenn diese nicht gelingen und
ihrerseits unbeabsichtigte Effekte erzeugen. Der Film *Brüder der Nacht*
nähert sich seinen Protagonisten mit einem nahezu gegenteiligen Anliegen. Er sucht nach einem »anderen«, weniger erwartbaren Blick,
lässt sich vom eigenen Begehren antreiben und schließt auf Seiten der
Zuschauer_innen »Wissenslücken«, die noch gar nicht als solche in
Erscheinung getreten sind. Vermeintlich Relevantes und Irrelevantes
geraten in Bewegung und dem affektiven Zugang zu den Protagonisten wird eine deutliche Präferenz gegenüber soziographischen Daten
und Analysen gegeben. Mit voller Absicht berührt der Film die Bedingungen der Sexarbeit »nur« über ihre Ränder, wie etwa die von den
Protagonisten besprochenen notwendigen Investitionen in die eigene
Attraktivität oder die strategischen Möglichkeiten im Führen von Ver-
handlungsgesprächen (s. Abb. 2).

DAS PROBLEM DER SICHTBARMACHUNG

Vor dem Hintergrund der bisherigen Überlegungen liegt die Frage
nahe, wie der Film *Brüder der Nacht* mit dem dokumentarischen Anliegen der Sichtbarmachung umgeht. Macht er überhaupt etwas sichtbar?
Was den Film vor allem ausweist, ist die Handschrift und der Gestal-

tungswille seines Regisseurs, der sich punktuell allerdings auch mit den Anliegen seiner Protagonisten trifft. Die Protagonisten erscheinen weniger als Repräsentanten einer sozialen Gruppe, sondern vielmehr als individuelle »Kunst«-Figuren, die unterschiedlich vor und mit der Kamera agieren. Kamera und Montage heben ästhetische Stilsicherheiten, soziale Kompetenzen, bis zum Perfektionismus reichende Ambitionen, Selbstreflexion und vor allem Solidarität in der Gruppe hervor. Üblicherweise ins Bild gesetzte, weitgehend mit Passivierung konnotierte Bedingungen prekärer Lebensbedingungen, wie problematische Wohnverhältnisse, wartende Personen in anonymisierten Gebäuden usw., umgeht der Film konsequent. Stattdessen arbeitet er mit dem Recht auf Selbstverkennung und Selbstidealisierung, die durch die filmische »Überhöhung« der Protagonisten nicht entlarvt, sondern geradezu verdoppelt wird.[25] Ist hier womöglich gerade im Weglassen der sozialpolitischen Gefüge, in denen die Protagonisten agieren (müssen), eine Form der politischen Subjektivierung zu erkennen? Überführt der Film in diesem Weglassen die Identitäten und Orte seiner Protagonisten in eine »Streiterfahrung«?

Auf den ersten Blick muss die Antwort »Nein« lauten. Mehr noch: Die aktive Selbstaufführung der Protagonisten geht aus einer Zeit hervor, in der die passive Opferinszenierung tendenziell ihre politische Währung verliert[26] und die gegenwärtigen »Bilder des Prekären«, die nicht nur das Fernsehen, sondern mit (wieder) ansteigender Intensität auch Kino und Theater bereithalten, durch Praktiken der Selbstaufführung (von Betroffenen) ersetzt wird. Auch wenn der Film *Brüder der Nacht* sich von Inszenierungen des Reality-Fernsehens grundlegend unterscheidet, profitiert auch er von der aktivierenden Logik des unternehmerischen Selbst, in der das »passive Opfer seiner Verhältnisse« massiv unter Druck gerät und dabei auch mehr und mehr seine Solidaritätsansprüche verliert.[27]

---

25   Die filmischen Referenzen situieren die Protagonisten nicht nur innerhalb einer queeren Filmgeschichte, sondern rücken sie auch in die Nähe des Melodramas.

26   Vgl. Ouellette, »How the Other Half Lives«.

27   Vgl. Ulrich Bröckling, *Das unternehmerische Selbst. Soziologie einer Subjektivierungsform* (Frankfurt a. M.: Suhrkamp, 2007).

BILDER DER SELBSTIDEALISIERUNG UND IHRE
VERWENDUNGSLOGIK

Aus ebenso professionellen wie privaten Gründen setzen sich Stefan, Yoko und seine Freunde mit ihrem eigenen Bild intensiv auseinander. Viele Szenen zeigen ihr Interagieren mit Smartphones und die Herstellung von Fotos, die zur Kunden-Akquise, aber auch als Freizeitvergnügen und zur Kontaktpflege mit der Familie dienen. Der Umgang mit dem eigenen Bild garantiert in mehrfacher Weise ihre Existenzsicherung. Die Logik der Verwendung dieser Fotos diktiert dabei den Anspruch an sie, der sich vom dokumentarischen Anliegen der Sichtbarmachung deutlich unterscheidet. Aus der Sicht der Protagonisten geht es weniger um Authentizität und Dokumentation als um das notwendige Ausloten von und Auseinandersetzen mit einem potentiellen und bewusst idealisierten Selbst.[28] Der aktive Umgang mit dem eigenen Bild »löst« allerdings nicht das Problem der filmischen Produktion von Alterität, insofern der Mediengebrauch der Protagonisten wiederum zum vielfach eingesetzten Bildmotiv wird.[29]

Patric Chiha lässt sich vom Anliegen der bildlichen Selbstidealisierung allerdings inspirieren und fügt eigene Assoziationen hinzu. Zum Thema werden so Selbstfiktionalisierungen, die die Grenzen zwischen Alltag und filmischer Fiktion kaum noch adressierbar machen. Die zugespitzten und zugleich dramatisch fragilen Männlichkeitsentwürfe werden als gelebte Realität *und* medialisierte Fiktion lesbar.

PREKÄRE SEXUELLE IDENTITÄTEN

Die temporäre Sex-Arbeit in Österreich, die durch mehr oder weniger regelmäßige Reisen nach Bulgarien zu Frauen, Familien und Kindern unterbrochen wird, lässt die Grenze zwischen Arbeit, Nicht-Arbeit und Freizeit erodieren, auch wenn sie als »bizness« bezeichnet wird. Die Art des Geschäfts verursacht die Anstrengungen einer Identitäts- und Emotionsarbeit, in der um Selbstbehauptungen (im Sinne von: Ich erfülle nicht alle Kundenwünsche, sondern entscheide selbst und

---

28 Ich beziehe mich hier ausschließlich auf die Art und Weise, in der mir die Protagonisten im Film begegnen.

29 Danke an Anja Sunhyun Michaelsen für diesen Hinweis.

Abb. 3. Film-Still, *Brüder der Nacht,* Regie: Patric Chiha (Copyright WILDart FILM, 2016).

wäge ab), Durchhaltevermögen (Anderen geht es schlechter) und Zwangsheterosexualität (Ich erfülle nicht alle Kundenwünsche, ich bin ja nicht schwul) gerungen wird.

Der Grad zwischen sexueller Selbstbestimmtheit und Zwangsheterosexualität wirkt ohnehin schmal. Angesichts des eigenen Arbeitsalltags wird die sexuelle Identitätsarbeit allerdings aufwändig, wenn nicht unmöglich. Und so oft die Phantasie des guten Lebens in der Zukunft beschworen wird,[30] zu der neben Heterosexualität noch ein »normaler« Job, Kinder, Konsum, Freiheit, Autos und Geld gehören, desto mehr bemüht sich der Film um Einblicke in diejenigen Momente des Wiener Nachtlebens, die die alles andere als zwanglosen Erwartungen von Familie und Umfeld konterkarieren. Bild und Ton heben immer wieder, besonders aber in der fulminanten Partyszene am Ende des Films,[31] die Solidarität und Freundschaft zwischen den teils verwandtschaftlich verbundenen Männern hervor (s. Abb. 3).

Feiern, Drogen und durchgemachte Nächte, in denen die Arbeit soviel Geld einbringt, um sich selbst weibliche Prostituierte leisten zu können, sind fixe Bestandteile ihres Alltags in Wien, der sich für die

---

30 Vgl. hierzu Lauren Berlant, *Cruel Optimism* (Durham, NC: Duke University Press, 2011).

31 Diese Szene stellt den deutlichen, wenn auch späten Höhepunkt des Films dar, in dem sämtliche der hier beschriebenen Anliegen kulminieren.

teils sehr jungen Männer zwischen Zumutung und Freiheitsversprechen bewegt. Für einige von ihnen gehört das »Nicht Schwulsein« zum notwendigen Bestandteil einer Phantasie des guten Lebens, die angesichts des gelebten Alltags allerdings in erhebliche Bedrängnis gerät, vor allem dann, wenn man nicht bereit ist, diesen Alltag ausschließlich als Zwangslage zu definieren.[32]

MÄNNLICHE UND WEIBLICHE SEXARBEIT

Der Stellenwert der Geschlechterdifferenz fällt vor allem im Vergleich zu Filmen auf, die sich mit der Arbeitsmigration weiblicher Sexarbeiterinnen auseinandersetzen. Ein im fiktionalen Genre angesiedelter Film, der allerdings ebenfalls mit der Überlagerung dokumentarischer und fiktionaler Inszenierungsformen spielt, ist der österreichische Film *Joy* von Sudabeh Mortezai, der am 30. August 2018 im Rahmen der 75. *Filmfestspiele* von Venedig seine Premiere feierte.[33] Auch dieser Film positioniert sich im Wiener Rotlichtmilieu und erzählt die Geschichte einer nigerianischen Prostituierten, die, wie Stefan, Yoko und seine Freunde, das in Wien verdiente Geld dazu verwendet, ihre Familie in Nigeria zu unterstützen (s. Abb. 4).[34]

Im Unterschied zu *Brüder der Nacht* versieht der Film *Joy* die Sex-Arbeit und das sie bedingende Milieu allerdings nicht mit Freiheitsversprechen, Feierstimmung oder Nuancen von Selbstbestimmung. Vielmehr konzentriert er sich auf die Auseinandersetzung mit Gewalt und Abhängigkeiten und entwirft pessimistische Aussichten im Hinblick auf die Möglichkeiten, dem Milieu zu entkommen. Diese Schwierigkeit macht Frauen, das zeigt der Film deutlich, sowohl zu Opfern als auch zu Täterinnen. Wer den Ausstieg nicht schafft, aber innerhalb des Milieus die existierenden hierarchischen Strukturen durchläuft und sich »hoch« arbeitet, wird unter Umständen selbst zur Zuhälterin und damit zur Ausbeuterin jüngerer, unerfahrener Frauen. Die titelgebende »Freude« ist im Film abwesend, auch wenn seine Protagonistin

---

32   Lauren Berlants Formulierung eines grausamen Optimismus kommt hier deutlich zum Tragen.

33   *Joy*, Regie: Sudabeh Mortezai (FreibeuterFilm, 2018).

34   Alle Abbildungen aus dem Film *Joy* mit Genehmigung von und Dank an Freibeuter-Film GmbH, Wien.

Abb. 4. Film-Still, *Joy*, Regie: Sudabeh Mortezai (Copyright
FreibeuterFilm, 2018).

diesen Namen trägt. Die Hauptfigur Joy ist Teil eines ausbeuterischen
Systems, dessen Wirkung nicht erst in Wien, sondern mit einem in
Nigeria abgelegten Schwur beginnt, der es der Hauptfigur verbietet,
bei den europäischen Behörden gegen ihre Landsleute auszusagen.
Erst im Verlauf erschließt sich für nicht eingeweihte Zuschauer_innen
das sogenannte Juju-Ritual zu Beginn des Films als Teil eines brutalen
Kreislaufs.

Ähnlich wie *Brüder der Nacht* ist im Film *Joy* kaum etwas von
Wien bei Tag zu sehen. Wieder dominieren Nachtszenen, die den
Glanz und Glamour von Wien als altehrwürdige europäische Metro-
pole ausblenden. Obwohl *Joy* sich im Unterschied zu *Brüder der Nacht*
als Spielfilm definiert, wird er an keiner Stelle »unterhaltsam« oder
gefällig. Das dokumentarische Anliegen der Sichtbarmachung steht im
Vordergrund, auch wenn das inszenierte Setting fiktiv ist (s. Abb. 5).

Der dokumentarische Duktus ergibt sich nicht zuletzt durch den
Einsatz von Laiendarstellerinnen, die zwar keine Erfahrung mit Schauspiel, dafür aber Erfahrungen mit dem Thema des Films mitbringen.
Ob es hier (noch) um die Frage der Authentizität geht oder nicht vielmehr schon um die Frage der Teilhabe am Filmgeschäft, ist eine Frage,
die der Film dringlich werden lässt. Die Organisation des Sozialen und
die Formen des Zusammenlebens werden damit direkt berührt. Auch
wenn sich der Titel dem Namen seiner Hauptdarstellerin Joy Anwulika

Abb. 5. Film-Still, *Joy,* Regie: Sudabeh Mortezai (Copyright
FreibeuterFilm, 2018).

Alphonsus verdankt, so argumentiert die Erzählung, dass es vor ihr
und nach ihr andere Prostituierte gab und geben wird, die sich in ähnlichen Zwangs- und Abhängigkeitsgefügen bewegen. Auch diejenigen,
so legt der Film nahe, die sich nicht mit ihrem »Schicksal« abfinden
und sich anfangs noch gegen die Gesetze des Milieus auflehnen, sehen
sich aus Mangel an Alternativen oftmals gezwungen, schließlich doch
innerhalb des Systems ihr Überleben zu sichern. Am Ende sind es
somit auch sie selbst, die das System von Gewalt und Abhängigkeit
mittragen.

Im Vergleich der beiden Filme fällt auf, dass der Spielfilm *Joy* seine
pessimistische Grundstimmung kaum verlässt. Anders als *Brüder der
Nacht* sucht der Film auch kaum nach den »positiven« Momenten in
der Tristesse und findet im Milieu der Ausbeutung von Körpern auch
keine oder nur sehr minimale Nuancen von Selbstbestimmung und
nur wenige Freiheitsmomente. Benannt sind damit nicht nur ästhetische Differenzen, die Zielsetzungen der Filmemacher_innen oder die
Art und Weise, wie sie sich ihren Protagonist_innen nähern.[35] Grun-
diert werden diese Entscheidungen vielmehr auch durch die unter-

---

35 Während Chiha sich seinen Protagonisten über ein queeres Begehren nähert und
    dieses Begehren nicht zuletzt von ästhetischen Komponenten geprägt ist, findet die
    Regisseurin Sudabeh Mortezai ihren Zugang über das Thema und entsprechende
    Milieukenntnisse.

schiedlichen Zugänge zu und Bedingungen von Sexarbeit für Männer und Frauen. Beide Filme behandeln dieses Thema nicht explizit, seine Relevanz ergibt sich vor allem implizit.

SUBJEKTIVIERUNG ZWISCHEN POLITIK UND MORAL

Unter dem Blickwinkel von Eva Hohenberger wäre auch dem Film *Joy* keine Form der politischen Subjektivierung zuzuschreiben, insofern auch dieser Film Identitäten nicht zur »Streiterfahrung« werden lässt. Viel mehr noch als in *Brüder der Nacht* werden im Film *Joy* die Erfahrungshorizonte von Zuschauer_innen und Protagonist_innen als »anders« unterstellt. Die Verbindungen zwischen diesen Horizonten, die der Film *Brüder der Nacht* immerhin sucht, werden in *Joy* nicht adressiert. Der Film *Joy* gewinnt allerdings seine Stärke dadurch, dass er die Sehkonventionen eines europäisch geprägten Kino- oder Festivalpublikums nicht oder nur bedingt erfüllt. In seinem Changieren zwischen dokumentarischen und fiktionalen Modi des Erzählens wirkt er stellenweise irritierend bis verstörend. (Unterstellte) Vorlieben seines Publikums für selbstreflexive filmische Formen werden nicht bedient. Demgegenüber setzt der Film *Brüder der Nacht* auf ein ästhetisch und filmhistorisch gebildetes Publikum, auch wenn sich die Zitate aus Fassbinders *Querelle*[36] und Bezüge von Pasolini über Jean Genet bis zu den übersteigerten Männlichkeitsentwürfen eines Kenneth Anger auch ausblenden oder übersehen lassen.

Ob sich die hier porträtierten Ungleichen als Gleiche etablieren, kann nur negativ beantwortet werden. Die Frage ist allerdings auch, ob es klug ist, ein Verständnis des Politischen zu verfolgen, das in seiner sozialpolitisch tendenziell gegebenen Unerreichbarkeit selbst ein wenig (zu) polizeilich daherkommt. Demgegenüber lässt sich feststellen, dass beide Filme durchaus Momente aufweisen, in denen sie die »Aufteilungen des Sinnlichen«[37] mit den Mitteln des Kinos herausfordern und andere, in denen sie diese tendenziell affirmieren. Beide Tendenzen werden in der Rezeption der Filme relevant und finden, nicht zuletzt auch durch kontroverse Auseinandersetzungen, Eingang in die

---

36   *Querelle*, Regie: Rainer Werner Fassbinder (Gaumont, 1982).
37   Jacques Rancière, *Die Aufteilung des Sinnlichen. Die Politik der Kunst und ihre Paradoxien*, übers. v. Maria Muhle, Susanne Leeb und Jürgen Link (Berlin: b_books, 2006).

Organisationen des Sozialen. Insofern das Soziale immer auch »gelebt« bzw. praktiziert werden muss, interferieren Politik und Wahrnehmung auf mehr oder weniger unübersichtliche und vor allem nicht festzulegende Art und Weise. Aus der Sicht der Mikropolitik lässt sich daher auch die Bereitstellung neuer Ausdrucksformen und/oder die Schaffung eines neuen Imaginären als politisch verstehen. Und wenn man überhaupt bereit ist, Filme als Instanzen anzuerkennen, an denen Politisches mindestens (mit-)verhandelt wird, dann heißt das auch, dass das Politische in zuvor unbekannter Weise und damit auch in einem nicht festzulegenden Verhältnis zur Moral auftauchen kann und wird. In der oben skizzierten Weise bearbeiten beide Filme die politische Dimension von Wahrnehmungsformen, auch wenn sie selbst ihre jeweiligen soziokulturellen Situierungen nicht hinter sich lassen. Wie könnten sie auch?

Reparative Reenactments
Ming Wongs *Lerne deutsch mit Petra von Kant* (2007) und Cana Bilir-Meiers *This Makes Me Want to Predict the Past* (2019)

ANJA SUNHYUN MICHAELSEN

In ihrem Aufsatz »Paranoid Reading and Reparative Reading, or, You're So Paranoid, You Probably Think This Essay Is about You« setzt sich Eve Kosofsky Sedgwick für eine reparative Perspektive in den Queer Studies ein. Sedgwick bezieht sich auf die Objektbeziehungstheorie Melanie Kleins und überträgt deren allgemeine psychoanalytische Überlegungen auf die Situation systemisch und strukturell marginalisierter und unterdrückter Subjekte.[1] Reparativ meint dabei die Art und Weise, wie »Individuen oder Communities erfolgreich einen Nährwert aus kulturellen Objekten gewinnen, selbst noch einer Kultur, deren erklärtes Interesse häufig nicht ist, sie zu erhalten« (selves and communities succeed in extracting sustenance from objects of a culture, even of a culture whose avowed desire has often been not to sustain them).[2] Vor dem Hintergrund der AIDS-Krise fragt

---

[1] Melanie Klein nach Eve Kosofsky Sedgwick, »Paranoid Reading and Reparative Reading, or, You're So Paranoid, You Probably Think This Essay Is about You«, in *Touching Feeling: Affect, Pedagogy, Performativity* (Durham, NC: Duke University Press, 2003), S. 123–51, hier S. 128.

[2] Sedgwick, »Paranoid Reading«, S. 151–52. Zum reparativen Ansatz in deutschsprachigen Queer Studies und Anschlussmöglichkeiten in der Medienwissenschaft, siehe Anja Michaelsen, »Sedgwick, Butler, Mulvey: Paranoide und reparative Perspektiven in Queer Studies und medienwissenschaftlicher Geschlechterforschung«, in *Kulturwissenschaftliche Perspektiven der Gender Studies*, hg. v. Manuela Günter und Annette Keck (Berlin: Kadmos, 2018), S. 97–116.

sie, was ein (Über-)Leben mit systemischer und struktureller Gewalt ermöglicht, und wie dabei sogar eine lustvolle Existenz möglich sein könnte. Eine solche reparative Perspektive erlaubt, die Aufmerksamkeit von den Ursachen und der Art der Gewalt wegzulenken, diese als ausreichend bekannt vorauszusetzen. So werden Kapazitäten frei, um ein anderes Wissen zum Vorschein zu bringen. Studien, die unter den Rubriken Queer Performance- und Queer Temporality-Studies gefasst werden können, haben im Anschluss an Sedgwick reparative Momente vor allem in Beziehungen zu Objekten der Vergangenheit gefunden. Reparative Praktiken, die Identifikation ermöglichen, trösten und nähren, erscheinen häufig »rückwärtsgewandt«.[3] Beziehungen zu häufig negativ besetzten, anachronistischen Objekten scheinen ein besonderes reparatives Potenzial zu haben.

Im Folgenden betrachte ich zwei im deutschsprachigen Kontext entstandene Film- bzw. Videobeispiele in Hinblick auf ihre reparativen Strategien. In dem Video *Lerne deutsch mit Petra von Kant* stellt der Film-/Video- und Performancekünstler Ming Wong eine Beziehung zwischen sich selbst und der Hauptfigur aus Rainer Werner Fassbinders Spielfilm *Die bitteren Tränen der Petra von Kant* her.[4] Zum Zeitpunkt des Videodrehs ist Wong dabei, seinen Lebensmittelpunkt in London aufzugeben und nach Berlin zu ziehen. Durch die Auseinandersetzung mit Fassbinders Film bereitet sich Wong auf seine neue Heimat und seine Existenz darin als schwuler, nicht-weißer Ausländer vor. Der Ausgangspunkt für den Kurzfilm *This Makes Me Want to Predict the Past* der Filmemacherin und Künstlerin Cana Bilir-Meier ist der rassistische Anschlag auf ein Einkaufszentrum in München 2016, bei dem neun nichtmehrheitsdeutsche Personen erschossen wurden.[5] Bilir-Meier entwirft mit ihrem Film ein Raum und Zeit übergreifendes Beziehungsnetz von Subjekten, die in (postmigrantischer) Vergangen-

3   Vgl. z. B. Heather Love, *Feeling Backward: Loss and the Politics of Queer History* (Cambridge, MA: Harvard University Press, 2007); Ann Cvetkovich, *Depression: A Public Feeling* (Durham, NC: Duke University Press, 2012); José Esteban Muñoz, »Ephemera as Evidence: Introductory Notes to Queer Acts«, *Woman & Performance*, 8.2 (1996), S. 5–16.

4   *Lerne deutsch mit Petra von Kant*, Regie: Ming Wong (Ming Wong, 2007); *Die bitteren Tränen der Petra von Kant*, Regie: Rainer Werner Fassbinder (Tango-Film, 1972).

5   *This Makes Me Want to Predict the Past*, Regie: Cana Bilir-Meier (Cana Bilir-Meier, 2019).

heit und Gegenwart nicht nur kollektiv rassistischer Gewalt ausgesetzt waren, sondern durch ein geteiltes Wissen um diese verbunden sind.

Die Arbeiten von Wong und Bilir-Meier stellen durch unterschiedliche Formen des Reenactments vergangener Figuren und Szenen transgressive, prekäre Beziehungen her. Sie sind prekär, weil sie auf überraschende Weise *gender-* und *race*-Kategorien unterlaufen (*Lerne deutsch mit Petra von Kant*) oder eine postmigrantische Geschichte aufrufen, die dem Druck dominanter Geschichtsschreibung widerstehen muss (*This Makes Me Want to Predict the Past*).[6] Die Arbeiten beziehen ihre reparative Bedeutung und Kraft gerade aus dem Umstand, dass sie strukturell nicht vorgesehene »transhistorische Beziehungen«[7] vorstellbar machen, das heißt, das Vorstellungsvermögen für lebenserhaltende Beziehungen erweitern. Dabei respektieren beide durch unterschiedliche formale und ästhetische Mittel die zeitliche und mediale Lücke, die einen direkten Zugriff auf die Vergangenheit verwehrt. Bemerkenswert ist auch, dass beide Arbeiten humorvoll und spielerisch sind. Das Herstellen transhistorischer Beziehungen erzeugt sichtliches Vergnügen, der prekäre Kontakt mit der Vergangenheit produziert eine Art sanfte Ekstase.

---

6   Der Begriff des Postmigrantischen geht auf das Ballhaus-Theater in Berlin Kreuzberg und dessen ehemalige Leiterin Shermin Langhoff zurück. Das Präfix »post« bezeichnet sowohl eine zeitliche Situation nach der (Gastarbeiter_innen-) Migration der zweiten und dritten Generation, siehe Naika Foroutan, »Postmigrantische Gesellschaften«, in *Einwanderungsgesellschaft Deutschland: Entwicklung und Stand der Integration*, hg. v. Heinz Ulrich Brinkmann und Martina Sauer (Wiesbaden: Springer VS, 2016), S. 227–54, hier S. 230; als auch, wie im Begriff des Postkolonialen, die anhaltenden Folgen von Migration in der Gegenwart, siehe Maja Figge und Anja Michaelsen, »Ein Erbe gespenstischer Normalität. Postmigrantisches und multidirektionales Erinnern in Filmen von Sohrab Shahid Saless, Hito Steyerl und Ayşe Polat«, in *Anerkennung und Sichtbarkeit. Perspektiven für eine kritische Medienkulturforschung*, hg. v. Tanja Thomas, Lina Brink, Elke Grittmann und Kaya de Wolff (Bielefeld: transcript, 2017), S. 105–20, hier S. 105. Postmigrantisch dient sowohl als Identitätskategorie, wie auch als gesamtgesellschaftliche Zustandsbeschreibung, in der sowohl die Präsenz von »Migrant_innen« Normalität ist, wie auch ihre kontinuierliche Produktion als fremd und minderwertig; siehe Foroutan, »Postmigrantische Gesellschaften«, S. 234. Postmigrantisch benennt eine Gesellschaft, die »immer schon« Migrationsgesellschaft und durch konjunkturelle, komplexe Formen von Rassismus strukturiert ist; siehe Kijan Espahangizi et al., »Rassismus in der postmigrantischen Gesellschaft. Zur Einleitung«, *movements*, 2.1 (2016), S. 9–23, hier S. 15–16; *Konjunkturen des Rassismus*, hg. v. Manuela Bojadžijev und Alex Demirović (Münster: Westfälisches Dampfboot, 2002).

7   Sharon Hayes, »Temporal Relations«, in *Not Now! Now! Chronopolitics, Art & Research*, hg. v. Renate Lorenz (Berlin: Sternberg, 2014), S. 57–71, hier S. 71.

DEUTSCHUNTERRICHT: MING WONG UND PETRA VON KANT

Lerne deutsch mit Petra von Kant prägt eine unentscheidbare Mischung aus Komik und Ernsthaftigkeit. Die Arbeit ist sehr lustig und kann zugleich ganz wörtlich genommen werden. In der Projektbeschreibung schreibt Wong:

> With this work the artist rehearses going through the motions and emotions and articulating the words for situations that he believes he may encounter when he moves to Berlin as a post-35-year-old, single, gay, ethnic-minority mid-career artist – i.e. feeling bitter, desperate, or washed up. (»Ich bin im Arsch«)
> With these tools, he will be armed with the right words and modes of expressions to communicate his feelings effectively to his potential German compatriots.[8]

Wong nähert sich der neuen Umgebung von außen, als Fremder und als solcher auf quasi anthropologische und historiografische Weise.[9] Wong wurde mit Reinszenierungen klassischer Autorenfilme bekannt.[10] In seinen Projekten verkörpert er oft selbst mehrere oder alle

---

8   Ming Wong, »Lerne Deutsch mit Petra von Kant / Learn German with Petra von Kant«, 16. Mai 2007 <http://www.mingwong.org/lerne-deutsch-mit-petra-von-kant-learn-german-with-petra-von-kant> [Zugriff: 31. Mai 2021].

9   Deutungen, die Wongs Performances in erster Linie als Entblößungen normativer Kategorien verstehen, werden meiner Meinung nach ihrer Ernsthaftigkeit und ihrem Humor sowie ihrer reparativen Ausrichtung nicht gerecht. Siehe etwa Katrin Sieg, »Remediating Fassbinder in Video Installations by Ming Wong and Branwen Okpako«, *Transit*, 9.2 (2014), S. 1–29. Siehe dagegen Feng-Mei Heberer für eine mittlere Position: »The Asianization of *Heimat*: Ming Wong's Asian German Video Works«, in *Asian Video Cultures: In the Penumbra of the Global Account*, hg. v. Joshua Neves und Bhaskar Sarkar (Durham, NC: Duke University Press, 2017), S. 199–213, hier S. 198–99 <https://doi.org/10.1215/9780822372547-010>. Im Unterschied zu Heberer verstehe ich Wongs Perspektive jedoch als die eines tatsächlich Außenstehenden, der Deutschsein zum Zeitpunkt des Videodrehs nicht für sich beansprucht. Siehe für eine Deutung von Wongs Performances als Arbeiten, die Begriffe wie Identität, Diversität, Einschluss und Ausschluss sowie Hybridität überschreiten: »False Front: Joan Kee on the Art of Ming Wong«, *Artforum*, 50.9 (May 2012), S. 262–69 und Homay King, »Tenuous Frames: Ming Wong's *Persona Performa*«, *Film Criticism*, 39.2 (Winter 2014/15), S. 103–14.

10   Z. B. *Tod in Venedig*, Regie: Luchino Visconti (Alfa Cinematografica, Warner Bros., 1971); *In the Mood for Love*, Regie: Wong Kar-Wai (Block 2 Pictures, Jet Tone Production, Orly Films, Paradis Films, 2000); *Persona*, Regie: Ingmar Bergman (AB Svensk Filmindustri, 1966); *Teorema*, Regie: Pier Paolo Pasolini (Aetos Produzioni Cinematografiche, 1968), aber auch *Imitation of Life*, Regie: Douglas Sirk (Universal International Pictures, 1959) und *Chinatown*, Regie: Roman Polanski (Paramount Pictures, Long Road Productions, Robert Evans Company, 1974).

Abb. 1. Film-Still, *Lerne deutsch mit Petra von Kant*, Regie: Ming Wong
(Ming Wong, 2007).

Figuren des Originals. *Lerne deutsch mit Petra von Kant* ist ein frühes
Beispiel dieser Methode. Er erforscht darin die ihm fremde Kultur
durch imitierende, expressive Verkörperung, Gestik, Mimik und Aus-
sprache. Die Video-Version, auf die ich mich hier beziehe, zeigt im *split
screen* das Original und Wongs Version nebeneinander.[11] In Wongs
Performances verschmelzen Original und Imitation miteinander, ohne
dass das Original verschwindet. Die Figuren sind »co-extensive with
one another, echoing each other formally and occasionally becoming
one, while still retaining distinct outlines«.[12]

Links im Bild ist Fassbinders Original zu sehen. Petra von Kant
(Margit Carstensen) kniet auf dem Teppichboden, vor einem Telefon
und einer Flasche Gin, rechts befindet sich Wong in einer ähnlichen
Position, mit den gleichen Requisiten (s. Abb. 1). Wong ist größer
im Bild, sein Reenactment zeitlich leicht versetzt, als spräche Petra
tatsächlich Sätze vor, die Wong zum Zweck des Übens wiederholt. Im
Original ist die Einstellung dreigeteilt, eine weiße Wand rechts, ein

---

11 In einigen Installationsversionen zeigt Wong das Video auf einem Fernsehbildschirm
und den Originalfilm auf einem anderen Gerät, vgl. Sieg, »Remediating Fassbinder«,
S. 9.
12 King, »Tenuous Frames«, S. 112.

Abb. 2. Film-Still, *Lerne deutsch mit Petra von Kant.*

weißer Wollteppich im Vordergrund und im Hintergrund eine Bild-tapete, auf der eine beschnittene und stark vergrößerte Reproduktion von Nicolas Poussins Gemälde *Midas und Bacchus* (um 1624) zu sehen ist. Die Figuren in *Die bitteren Tränen der Petra von Kant* sind so im Raum positioniert, dass sie als Teil der Bildtapete erscheinen (s. Abb. 2 und Abb. 3).[13]

Lerne deutsch mit Petra von Kant konzentriert sich ganz auf die Figur der Petra – erfolgreiche, selbstständige Modedesignerin, die von ihrer jüngeren Partnerin Karin aus opportunistischen Gründen verlas-sen wurde. Durch Wongs Performance wirkt ihr Sprechen und Agie-ren wie vergrößert, zugleich verfremdet und deutlicher erkennbar.[14] Im Video reinszeniert Wong die zentralen Geburtstagszenen, die in

---

13   Tanja Michalsky, »Spielräume der Kamera. Die ästhetische Dekonstruktion eines
      weiblichen Interieurs in Rainer Werner Fassbinders ›Die bitteren Tränen der Petra von
      Kant‹«, in *Geschlechter-Räume: Konstruktionen von »gender« in Geschichte, Literatur
      und Alltag,* hg. v. Margarete Hubrath (Köln: Böhlau, 2001), S. 145–60, hier S. 158.

14   Auch in *Lerne deutsch mit Petra von Kant* wirkt die Transformation in beide Richtun-
      gen, wie Homay King für *Persona Performa,* Wongs Bergman-Reenactment, feststellt:
      »In Wong's reinterpretation [...], outlines are rendered yet more imprecise, the frame
      yet more tenuous than they already are in the original, after seeing Wong's restaging we
      cannot see *Persona* in quite the same way again, it is more than that our interpretation
      of the film has changed: the film itself has somehow changed, as if it were new.« Siehe
      King, »Tenuous Frames«, S. 112.

Dieses miese kleine Dreckschwein
The lousy little filthy swine

Abb. 3. Film-Still, *Lerne deutsch mit Petra von Kant.*

Fassbinders Original gegen Ende des Films zu sehen sind. Darin ist Petra zunächst allein in ihrem leergeräumten Studio/Schlafzimmer. Sie wartet verzweifelt auf einen Anruf von Karin, betrunken, monologisierend. Wong, auf ähnliche Weise wie Petra gekleidet und geschminkt, befindet sich ebenfalls in einem leeren Raum, nur mit Telefon und Ginflasche ausgestattet. Hingebungsvoll spricht er Petras verbale Ausbrüche nach, während diese gleichzeitig unterhalb des Bildausschnitts eingeblendet werden:

> »O ich hasse, hasse, hasse dich. Ich hasse dich, ich hasse dich«
> »Wenn ich nur sterben könnte. Einfach weg sein. Diese Schmerzen, ich halt's nicht aus. Ich kann nicht mehr.«
> »Dieses miese kleine Dreckschwein. Ich werd's dir zeigen eines Tages. Ich mach dich so fertig, so fertig. Du sollst kriechen vor mir, du kleine Hure. Du sollst mir die Füße küssen.«
> »Oh Mann, ich bin so im Arsch. Lieber Gott, womit hab ich das verdient. Womit bloß?«
> »Ich liebe dich doch. Sei doch nicht so gemein, Karin. O Scheiße, scheiße, ich brauch dich so sehr.«

Petras Äußerungen wirken im Original krass, in Wongs Reenactment werden sie durch seinen Akzent zugleich stärker betont und durch die Verfremdung in ihrer Wirkung gemildert. Wong hat die Arbeit selbst explizit in den Kontext seines Umzugs von London, wo er Kunst studiert und bereits einige erfolgreiche Projekte durchgeführt hat, nach Berlin gestellt. Probeweise testet Wong anhand von Petra, wie es sich »in« einem anderen, »deutschen« Körper anfühlt. Dabei lernt er mehr als Sprache. Im Original benutzt Petra die Menschen um sie herum und die Menschen benutzen sie. Der Untertitel zum Film lautet »Ein Krankheitsfall«, für Wong ist sie »ein tragischer Clown«.[15] Der Titel des Originals (»die bitteren Tränen«) stellt sie bloß. Wong dagegen nimmt sich Petra auf liebevolle Weise an, rettet sie vor Fassbinders Verurteilung und umarmt sie als queere Wahlverwandte. Dabei kommt auch eine komische Seite von Petra zum Vorschein, die schon im Original vorhanden, aber schwerer zu erkennen ist. Die Deutschlektion ist für Wong ein sichtliches Vergnügen und ihm dabei zuzusehen, bereitet ein großes Glücksgefühl. Was ist das für eine Lektion, die Petra Wong erteilt?

DRAG UND DESIDENTIFIKATION

Wong inszeniert den Sprachunterricht als Drag-Performance, die hier zugleich *gender* und *racial*-Drag ist. Dabei handelt es sich nicht um »ethnic drag« im Sinne einer Projektion von Ängsten und Begehren auf ein rassifiziertes, stummes Andere aus einer dominanten Perspektive.[16] Drag wirkt hier mit Sedgwick reparativ.[17] Der Unterschied zwischen parasitärer und liebevoller Aneignung ergibt sich aus der strukturellen Positionierung der Beteiligten. José Esteban Muñoz beschreibt etwa die reparative Wirkung von *gender*- und *race*-Crossing bei James Baldwin. In *The Devil Finds Work* beschreibt Baldwin seine Zuneigung zu Bette Davis:

> So here, now, was Bette Davis, on that Saturday afternoon,
> in close-up, over a champagne glass, pop-eyes popping. I was

---

15 »Ming Wong: Interview by Travis Jeppesen«, *Art in America*, January 2014, S. 82–89, hier S. 86.

16 Katrin Sieg wirft Fassbinder objektivierende und aneignende Exotisierung vor. Ich teile diese Einschätzung nicht. Siehe Katrin Sieg, *Ethnic Drag: Performing Race, Nation, Sexuality in West Germany* (Ann Arbor: University of Michigan Press, 2002), insbesondere »Ethnicity, Gender, and the Economic Miracle in Fassbinder's *Katzelmacher*«, S. 161–68.

17 Sedgwick, »Paranoid Reading«, S. 149–50.

astounded. [...] For here, before me, after all, was a *movie star*: *white*: and if she was white and a movie star, she was *rich*: and she was *ugly* [...] Out of bewilderment, [...] and also because I sensed something menacing and unhealthy (for me, certainly) in the face on the screen, I gave Davis's skin the dead white greenish cast of something crawling from under a rock, but I was held, just the same, by the tense intelligence of the forehead, the disaster of the lips: and when she moved, she moved just like a nigger.[18]

Baldwin schwärmt nicht nur für Davis, sondern erkennt sich in ihr wieder, macht sie sich zu eigen. Die resignifizierte rassistische Verunglimpfung am Ende des Zitats signalisiert die strukturelle Kluft zwischen ihr und ihm, die Baldwin in einem skeptisch-liebevollen Akt der Aneignung Davis' überwindet. Muñoz nennt dies Desidentifikation — die Identifikation mit Momenten oder Objekten, deren kulturelle Kodierung eine Verbindung mit dem desidentifizierenden Subjekt nicht vorsieht.[19]

Desidentifikation findet mit Objekten statt, zu denen ein strukturell »toxisches« Verhältnis besteht. Baldwin und Davis treffen in einer rassistisch strukturierten Umgebung aufeinander, etwas ist »menacing and unhealthy (for me, certainly)« (bedrohlich und gesundheitsschädlich). Baldwins Desidentifikation mit Davis unterliegt strukturell anderen Bedingungen als etwa die weißer schwuler Männer mit weißen weiblichen Stars. Sie steht Baldwin als schwarzer Mann nicht auf dieselbe Weise zur Identifikation zur Verfügung bzw. sie erfordert eine andere, größere Widerstände überwindende identifikatorische Leistung, eben Desidentifikation. Was hat Davis Baldwin zu bieten und was erfordert es von Baldwin, sie sich aneignen zu können? »Pop-eyes popping«, »disaster of the lips«, »she was ugly«

18 James Baldwin, »The Devil Finds Work: An Essay«, in *Baldwin: Collected Essays* (New York: Library of America, 1998), S. 477–549, hier S. 482. Hervorhebungen im Original.

19 José Esteban Muñoz, *Disidentifications: Queers of Color and the Performance of Politics* (Minneapolis: University of Minnesota Press, 1999), S. 12. In dem 25 Minuten langen Video *Kırık Beyaz Laleler – (Off)White Tulips*, Regie: Aykan Safoğlu (Aykan Safoğlu, 2013) führt der Künstler Aykan Safoğlu indirekt diese Desidentifikationskette fort, indem er seine eigene Beziehung zu Baldwin und dessen Zeit in Istanbul 1961–1971, auslotet. Siehe zu dieser desidentifikatorischen Arbeit und dem darin manifesten transhistorischen und transnationalen queeren Begehren: Rena Onat, *Strategien des Widerstands, Empowerments und Überlebens in den Arbeiten queerer Künstler_innen of Color im deutschsprachigen Kontext*, unveröffentlichtes Manuskript 2020.

Abb. 4. Film-Still, *Lerne deutsch mit Petra von Kant.*

— unter den gegebenen strukturellen Bedingungen erlaubt Davis'
vermeintliche Hässlichkeit Baldwin, sich in ihr wiederzuerkennen, eine Verbindung zu imaginieren, die ihn »hält«. Desidentifikation, so
scheint es, ist hier auf der Grundlage möglich, dass das Objekt als
zugleich begehrenswert und abjekt empfunden wird. Für Muñoz ist
dies eine Frage des Überlebens: »A black and queer belle-lettres queen
such as Baldwin finds something useful in the image; a certain survival
strategy is made possible via this visual disidentification with Bette
Davis and her freakish beauty.«[20]

DIE KRAFT EXZESSIVER NEGATIVITÄT

Desidentifiziert sich Wong auf vergleichbare Weise mit Petra? Auch
Petra ist »häßlich«, aber auf andere Weise. Carstensens Gesicht ist
auffällig weiß geschminkt, ihre Haare wirken künstlich. Um den Hals
trägt sie ein schwarzes Band mit einer großen roten Kunststoffblüte
in der Mitte — eine versetzte Clownsnase (s. Abb. 4). Wongs Assoziation des »tragischen Clowns« ist bereits bei Fassbinder angelegt.
Auf Poussins Gemälde fleht Midas Bacchus an, die Wunscherfüllung

---

20   Muñoz, *Disidentifications,* S. 18.

Eine dreckige, elende, miese Hure
A dirty, miserable, lousy whore

Abb. 5. Film-Still, *Lerne deutsch mit Petra von Kant.*

rückgängig zu machen, nach der alles, was er anfasst, zu Gold wird, was ihn reich, aber lebensunfähig macht.[21] Die allegorische Kapitalismuskritik bildet buchstäblich den Hintergrund für Fassbinders Film, in dem alle privaten und intimen Verhältnisse, intergenerationellen Familienbeziehungen, Freundschaften und Liebesbeziehungen von ökonomischer Abhängigkeit und Ausbeutung deformiert sind. In der zweiten, von Wong reinszenierten Szene, werden die Geburtstagsgäste, Petras Teenager-Tochter Gabriele (Eva Mattes), ihre Mutter Valerie von Kant (Gisela Fackeldey) und ihre beste Freundin Sidonie von Grasenabb (Katrin Schaake) in einem exzessiven Höhepunkt wüst von Petra beschimpft (s. Abb. 5):

>»Ihr ekelt mich alle so an. Ihr seid alle so verlogen. Kleine miese verlogene Schweine [...]. Wenn ihr wüsstet, wie dreckig ihr seid. Lauter kleine Schmarotzer.« (Zur Mutter): »Du hast in deinem ganzen Leben noch keinen Finger krumm gemacht. Du hast dich zuerst von Vater aushalten lassen und dann von mir. Weißt du, was du bist für mich? Eine Hure, Mutter. Eine dreckige, elende, miese Hure.«

---

21 Michalsky, »Spielräume der Kamera«, S. 158.

Abb. 6. Film-Still, *Lerne deutsch mit Petra von Kant*.

Im Unterschied zu den vorherigen Einstellungen imitiert Wongs Version das Original hier nicht in identischen Einstellungen. Anstatt von hinten ist Petra/Wong von vorn zu sehen, der Fokus bleibt auf ihrem/seinem Ausdruck. Petra lehrt Wong Lektionen in Negativität, bis zum Todeswunsch. Das Video endet damit, dass Petra/Wong auf dem Boden liegen, zum Teil auf dem Rücken wie ein Käfer mit Beinen und Armen in der Luft strampelnd (s. Abb. 6 und Abb. 7). Sie lallen:

> »Haut doch ab [...] Ich hab nichts mehr zu geben. Ich bin
> im Arsch. Gin, Gin, Marlene [...] Ich möchte sterben, Mama.
> Ich möchte wirklich sterben. Für mich gibt's nichts auf dieser
> Welt, für das es lohnt zu leben. Der Tod. Da ist alles ruhig. Und
> schön. Und friedlich, Mama. Alles friedlich. [...] Man nimmt
> Tabletten, Mama. Tut sie in ein Glas mit Wasser. Schluckts
> hinunter. Und schläft. Es ist schön zu schlafen, Mama. Ich habe
> so lange nicht mehr geschlafen. Ich möchte schlafen, Mama.
> Lange, lange schlafen.«

In Wongs Reenactment verschwindet Fassbinders bittere Kapitalismuskritik. Reduziert auf eine weiße Wand und einen beigen Teppich, fehlen die allegorische Rahmung und die Beziehungen zwischen den Figuren. Wie sprachliche Schablonen sind die Sätze in allen möglichen Kontexten, in denen sich Wong in der Zukunft in der neuen Heimat

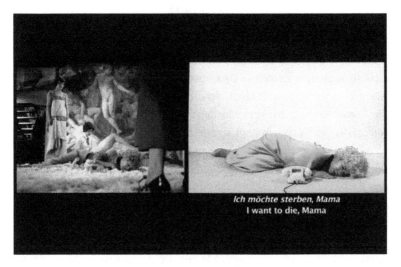

Ich möchte sterben, Mama
I want to die, Mama

Abb. 7. Film-Still, *Lerne deutsch mit Petra von Kant.*

wiederfinden könnte, beliebig einsetzbar. Was bleibt sind die Intensität und Negativität des Affekts, bzw. sie werden im Reenactment noch verstärkt.

Während sich Baldwin als afroamerikanischer schwuler Mann in Davis' »Hässlichkeit« wiedererkennt, macht sich Wong Petras exzessive Negativität zu nutze. Sein Reenactment der bei Fassbinder historisch und kontextuell spezifischen Negativität Petras hat einen tendenziell entpolitisierenden Effekt. Dabei entsteht jedoch etwas Neues. Der Umstand, dass es für Wong möglich ist, sich über den spezifischen Kontext hinaus in einer Verbindung zu Petra zu imaginieren, zeugt von der Kraft des exzessiv negativen Affekts für reparative Zwecke, über nationale, kulturelle, Geschlechter- und Sexualitätsgrenzen hinweg. Das Objekt wird im Reenactment unspezifisch, aber nicht beliebig.

Vermittelt durch die Negativität des Affekts treten Wong und Petra in eine, mit Elizabeth Freeman »erotohistoriographisch« genannte, transhistorische, physische und zugleich lustvolle Beziehung zueinander.[22] Wongs Performance unterstützt Freemans Verständnis von

---

22 »[Erotohistoriography] uses the body as a tool to effect, figure, or perform that encounter. Erotohistoriography admits that contact with historical materials can be

drag als ein nicht vorrangig Geschlechter- sondern Zeit-Phänomen. Sie verweist auf den charakteristischen Anachronismus von *drag*-Inszenierungen und auf die wörtliche Bedeutung von »to drag« – ziehen, schleifen, zerren – also etwas, das »herunterzieht«, Ballast ist und als solches zurückhält, an die Vergangenheit bindet.[23] Durch die Ausstaffierung mit vermeintlich veralteten (Geschlechter-)Accessoires tritt der Körper in der Gegenwart in Kontakt und Kommunikation mit der Vergangenheit.[24] Das, was herunterzieht und zurückhält, erzeugt zugleich immenses Vergnügen. Wong bindet sich »freiwillig« an den Ballast, die Negativität Petras und erhält dadurch einen (zunächst nur imaginierten und empfundenen) Zugang zu einer Welt, in der er nicht vorgesehen ist. Dass es ihm, trotz grundlegender struktureller Widerstände, möglich ist, diesen Kontakt verkörpernd herzustellen, überrascht und löst Glücksgefühle aus. Im Anschluss an Muñoz und Sedgwick ist Wongs vorausschauende Deutschlektion als Übung in einer voraussetzungsvollen, prekären Überlebensstrategie zu verstehen.

EINE ANDERE DEUTSCHSTUNDE: *THIS MAKES ME WANT TO PREDICT THE PAST*

Bilir-Meiers 16 Minuten langer Super 8-Film *This Makes Me Want to Predict the Past* ist in schwarz-weiß gedreht und hat die für das Medium typisch körnige Bildqualität, die geringen Helligkeitskontraste und die sanften Konturen. Die etwas wackelige Kameraführung bringt die Kameraperson (Lichun Tseng) indirekt mit ins Bild und erzeugt dadurch den Eindruck einer kommunikativen Situation (s. Abb. 8 und Abb. 9). Die Ästhetik erinnert an experimentelle Filme der 1970er und 1980er Jahre. Das Medium bindet den Film an eine Vergangenheit künstlerischer Praxis des Post-Cinematischen, die insbesondere für

---

precipitated by particular bodily dispositions, and that these connections may elicit bodily responses, even pleasurable ones, that are themselves a form of understanding. It sees the body as a method, and historical consciousness as something intimately involved with corporeal sensations.« Siehe Elizabeth Freeman, *Time Binds: Queer Temporalities, Queer Histories* (Durham, NC: Duke University Press, 2010), S. 95–96.

23 Freeman, *Time Binds*, S. 62. Freeman weist selbstironisch darauf hin, dass z. B. die »lesbische Feministin« im Kontext queerer Politiken oft als »big drag« empfunden wird.

24 Freeman, *Time Binds*, S. xxi.

Abb. 8 und 9. Film-Stills, *This Makes Me Want to Predict the Past*, Regie:
Cana Bilir-Meier (Cana Bilir-Meier, 2019).

low budget-Produktionen, politisch und sozial transgressive Formate
und Themen sowie häufig queere Filmpraxis steht.[25]

Die in München und Wien lebende Künstlerin Bilir-Meier setzt
sich in ihren experimentellen und poetischen Arbeiten mit der deut-

---

25 Vgl. Astrid Deuber-Mankowsky, *Queeres Post-Cinema. Yael Bartana, Su Friedrich, Todd Haynes, Sharon Hayes* (Berlin: August Verlag, 2017).

schen postmigrantischen Geschichte auseinander, wobei sie auf oft überraschende Weise die Recherche in persönlichen Familienarchiven mit politischer Arbeit verbindet. 2013 erinnerte sie in ihrem Video *Semra Ertan* an ihre Tante, die sich 1972 im Alter von 25 Jahren in Hamburg öffentlich selbst verbrannte, aus Protest gegen den Rassismus, dem sie als »Gastarbeiterin« ausgesetzt war.[26] Der Entmenschlichung, die Semra Ertan erlebt hat, setzt Bilir-Meier in ihrer Arbeit ein Bild ihrer Tante als Dichterin entgegen. Das Video konzentriert sich auf Ertans zahlreiche Gedichte, dazwischen geschnitten sind fragmentarische Auszüge aus Archivmaterial öffentlicher Fernsehsender, in denen über den gewaltsamen Tod berichtet wird. Das Video *Bestes Gericht* (2017), das im Kontext des NSU-Prozesses und des begleitenden aktivistischen Tribunals »NSU-Komplex auflösen« entstanden ist, zeigt Bilir-Meier gemeinsam mit ihrer Cousine, der Schauspielerin Lale Yilmaz.[27] Sie sehen sich Archivaufnahmen der Gerichtsshow *Richter Alexander Hold* an. In einigen der Folgen hat Yilmaz mitgespielt, als »Putzfrau« und zur »Zwangsheirat verschleppte Tochter«. Die Kamera zeigt die Fernsehausschnitte und die Gesichter von Yilmaz und Bilir-Meier im Wechsel, sie wirken zunächst amüsiert, dann zunehmend fassungslos, schließlich ermüdet. Schon in *Semra Ertan* und *Bestes Gericht* stellt Bilir-Meier eine explizite Verbindung zwischen rassistischer Gewalt in Deutschland und gelebtem postmigrantischem Alltag her. Dabei steht nicht die Gewalt im Vordergrund. Stattdessen vermittelt Bilir-Meier die Perspektiven derjenigen, die gleichermaßen »betroffen« sind und ihre Umgebung beobachten, auswerten und um Sprache und Ausdrucksformen für ihr Leben darin ringen.

Bilir-Meiers Arbeiten zeichnet aus, dass sie trotz der eindeutigen thematischen Verknüpfung mit der Geschichte des Rassismus in Deutschland über ein dokumentierendes und aufklärendes Interesse hinausgehen. Das ist keine zu unterschätzende Leistung. *This Makes Me Want to Predict the Past* ist im Rahmen von Bilir-Meiers Soloausstellung im Hamburger Kunstverein 2019 entstanden. Der Film war zugleich Teil der Ausstellung *Tell Me about ~~Yesterday~~ Tomorrow* im Münchner NS-Dokumentationszentrum, die aktuelle künstlerische

26   *Semra Ertan*, Regie: Cana Bilir-Meier (Cana Bilir-Meier, 2013).
27   *Bestes Gericht*, Regie: Cana Bilir-Meier (Cana Bilir-Meier, 2017).

Auseinandersetzungen mit historischer deutscher Erinnerungsarbeit zur Dauerausstellung in Bezug setzt. *This Makes Me Want to Predict the Past* bezieht sich auf den 2016 im Münchner Einkaufszentrum Olympia verübten neonazistischen Anschlag, bei dem neun nicht-mehrheitsdeutsche Jugendliche ermordet, fünf weitere angeschossen und weitere schwer verletzt wurden. Der Attentäter hatte sich auf die Anschläge 2011 in Oslo und Utøya berufen, der Anschlag in München fand an deren Jahrestag statt.

Im Film folgt die Kamera zwei jungen Frauen, gespielt von Aleyna Osmanoğlu und Sosuna Yildiz, die einen Tag im Einkaufszentrum verbringen. Die Super-8-Ästhetik verhindert eine eindeutige zeitliche Einordnung, die jungen Frauen wirken sehr »gegenwärtig« und zugleich entsteht der Eindruck einer zeitlichen Distanz, verstärkt durch den fehlenden Originalton. Das zu Sehende erscheint zugleich ganz nah und einem unmittelbaren Zugriff entzogen. Zu Beginn und immer wieder zwischendurch hält die Kamera ein paar Sekunden den Blick der Protagonistinnen. Sie gucken selbstbewusst in die Kamera, haben Spaß miteinander, scheinen unbeschwert. Sie fahren die Rolltreppen rauf und runter, laufen raus und rein, schlendern durch die Geschäfte. Sie probieren Kleidung, Sonnenbrillen, Hüte und Kosmetik aus, posieren und betrachten sich zufrieden im Spiegel. In Außenaufnahmen folgt die Kamera den beiden dabei, wie sie die Straße überqueren, hin zum Mahnmal, das an den Anschlag erinnert. Osmanoğlu und Yildiz sehen sich kommentarlos die Bilder der Ermordeten, die Blumen und Kerzen an (s. Abb. 10–12). Ein ganz normaler Tag.

INTERGENERATIONELLE POSTMIGRANTISCHE VERBINDUNGEN

Dabei wird der Rassismus nicht ignoriert oder geleugnet. Fast ganz zu Beginn stellen Osmanoğlu und Yildiz auf den Eingangstreppen eine Szene nach, deren Referenz zunächst unklar ist. Die eine hält den Kopf der anderen in ihren Händen und blickt ihr in den Mund. Die Szene erscheint harmlos, spielerisch, sie wechseln die Positionen, ihre Handgriffe sind sanft, sie müssen lachen (s. Abb. 13–15). Einige Einstellungen später: Ortswechsel, Innenraum, eine Fotografie ist zu sehen und als Referenz zu der vorherigen Szene erkennbar. Auch hier zieht eine Person Kopf und Kinn einer anderen zurück, blickt ihr

Abb. 10–12. Film-Stills, *This Makes Me Want to Predict the Past.*

Abb. 13–15. Film-Stills, *This Makes Me Want to Predict the Past.*

Abb. 16. Film-Still, *This Makes Me Want to Predict the Past.*

prüfend in den Mund, auf der Fotografie sind es zwei männliche Personen. Die Fotografie zeigt ein Reenactment der Situation, in der die sogenannten Gastarbeiter_innen im Auswahlprozess oder bei Ankunft in Deutschland auf ihre »Arbeitsfähigkeit« untersucht wurden (s. Abb. 16). Die Geste vermittelt in konzentrierter Form die demütigenden und entmenschlichenden Elemente der »Gastarbeitergeschichte«. Die Kamera wechselt zwei Mal zu größeren Einstellungen, zuerst ist eine Hand sichtbar, dann eine zweite, dann andere Fotografien und ein runder Tisch, auf dem sie liegen, Unterarme. Später sind die Fotografien ein drittes Mal zu sehen sowie mindestens drei Paare Hände, Finger, die auf etwas zeigen, es entsteht der Eindruck einer Gruppensituation, eines Gesprächs. Auf einigen der Fotografien ist nun deutlich eine Bühnensituation zu erkennen (s. Abb. 17). Die Fotografien dokumentieren das Kinder- und Jugendtheaterstück *Düşler Ülkesi* (*Land der Träume*), das 1982 an den Münchner Kammerspielen aufgeführt wurde.[28] Darin spielten minderheits- und mehrheitsdeutsche Laiendarsteller_innen Alltagsszenen aus dem Leben der »Gastarbeiter_innen« nach. Bei der Premiere des Stücks erhielt das Theater eine Bombendrohung.

---

28   *Düşler Ülkesi* (*Land der Träume*), Regie: Erman Okay (1982).

Abb. 17. Film-Still, *This Makes Me Want to Predict the Past.*

Es gibt diese direkte Verbindung zwischen Vergangenheit und Gegenwart, aber *This Makes Me Want to Predict the Past* bezieht sich nicht nur auf die Kontinuität rassistischer Gewalt in Deutschland, sondern auf die ebenso bereits existierende postmigrantische Geschichte der Auseinandersetzung mit dieser. Die Mutter der Künstlerin, die Sozialpädagogin und Psychotherapeutin Bilir-Meier war selbst Darstellerin in dem Stück *Düşler Ülkesi* und hat ihre Dimplomarbeit über ihre Arbeit mit den Jugendlichen im Stück geschrieben. Bei *This Makes Me Want to Predict the Past* war sie für das Casting verantwortlich. Der Film stellt eine intergenerationelle Verbindung her, die auf einer kontinuierlichen Geschichte der Beschäftigung mit dem Rassismus in Deutschland beruht. Dadurch erzählt Bilir-Meier, in Fragmenten, eine andere Geschichte des Postmigrantischen. Als verbindendes Element stehen nicht die Familienbeziehungen im Vordergrund (wie sonst oft in Darstellungen postmigrantischer Geschichte), sondern ein vielfach mediatisiertes, prekäres, weil nur unter erschwerten Bedingungen erinnertes, »migrantisches Wissen«[29] eines nicht festgeschriebenen Kollektivs. Als ein solch prekäres, unbestimmt intergenerationelles

---

29 Ayşe Güleç, »Cana Bilir-Meier: Begegnungen zwischen Archiven – Dekolonisierung von Disziplinen«, *Camera Austria*, 141 (2018), S. 33–44.

und transhistorisches Wissen geht es in die spielerische Reinszenierung durch Osmanoğlu und Yildiz, in die gegenwärtigen Körper und alltäglichen Situationen ein.

SANFTE EKSTASE

Mit Blick auf den Ausgangspunkt des rassistischen Anschlags ist die bloße Darstellung von Osmanoğlus und Yildiz' scheinbar unbeschwertem Aufenthalt am Tatort riskant und auf paradoxe Weise utopisch. *This Makes Me Want to Predict the Past* zeigt scheinbar nichts Ungewöhnliches, sondern alltägliche Normalität deutscher Jugendlicher in einem Einkaufszentrum. Bilir-Meier setzt diese Bilder jedoch an die Stelle der zu erwartenden Bilder der Gewalt, diese stellen in ihrer Abwesenheit den Untergrund der gezeigten Alltagsszenen dar. Das Gefühl alltäglicher und zugleich utopischer Leichtigkeit auf prekärem Grund manifestiert sich nicht nur in der Referenz zu einer postmigrantischen Geschichte, sondern auch medial in der Verbindung von Bild und Ton. Die unkommentierten Aufnahmen von Osmanoğlu und Yildiz werden auf der Tonebene aus dem Off von Zitaten begleitet, die wiederum von den beiden eingesprochen sind. Es handelt sich um Zitate der YouTube-Kommentare zu dem Lied *Redbone* des US-amerikanischen Musikers Childish Gambino, von dessen Album *Awaken, My Love!* (2016). In den Kommentaren zum Lied formulieren YouTube-Nutzer_innen in hunderttausendfachen Variationen, was der Song in ihnen auslöst, ausgehend von der Formel »This song makes me want to … «. Die beliebtesten und aktuellsten Kommentare lauten zu dem Zeitpunkt, an dem ich dies schreibe: »This song makes me want to read the terms and conditions and then decline them.« (56.616 Likes), »This song makes me wanna tell the coronavirus to stay home« (vor 1 Woche), »This song makes me want to break into somebody's house at night and clean it« (vor 1 Woche).[30] Die Kommentare, die sicherlich inzwischen einer Eigendynamik folgen und nicht mehr (nur) ernst gemeinte Reaktionen auf das Lied sind, drücken einen kontraintuitiven Wunsch aus, kreieren Fantasien umgekehrter oder auf andere Weise aus den Fugen geratener, alltäglicher

---

30 *Redbone* ist nicht das einzige Lied, das einen solchen Kommentardrang ausgelöst hat, aber die schiere Masse ist beachtlich.

Verhältnisse. Sie vermitteln einen Zustand formalisierten Außer-Sich-Seins, eine sanfte Ekstase.

Für den Film hat Bilir-Meier einige Kommentare ausgewählt und die Formulierung leicht verändert. Die Formel lautet jetzt »This makes me want to …«, anstatt von »This song makes me want to …«. Osmanoğlu und Yildiz sprechen die an den neuen Kontext angepassten Zitate zunächst in größeren Abständen, dann in zunehmend schnellerer Abfolge:

> This makes me want to brush my toothbrush
> This makes me want to predict the past
> This makes me want to rob my own bank account
> This makes me want to listen to my therapist's problems
> This makes me want to arrest the police
> This makes me want to tell depression to kill itself
> This makes me want to remember the future
> This makes me want to forget what I can't remember.

Wie in den YouTube-Kommentaren vermitteln die kontraintuitiven sprachlichen Bilder auch in Bilir-Meiers Film ein gebrochenes, verhaltenes Glücksgefühl. In *Redbone* geht es vordergründig um befürchtete Untreue in einer Liebesbeziehung, aber Childish Gambino bzw. Donald Glover, Komiker, Schauspieler und Schöpfer der subversiven US-Fernsehserie *Atlanta*,[31] ist für eine doppelbödige Mischung aus Komik, Ernsthaftigkeit und Exzess bekannt. 2018 brachte Gambino/Glover den Song und das Video *This is America* heraus, in dem er in expliziten, schockierenden Bildern und abgründiger Satire den anti-Schwarzen Rassismus und die Allgegenwärtigkeit von Polizei- und Waffengewalt in den USA ausstellt. *Redbone* ist im Vergleich atmosphärischer, langsamer, aber gleichermaßen voller Referenzen auf afroamerikanische Populärkultur. »Redbone« ist ein Slang-Begriff für eine hellhäutige afroamerikanische Person. Childish Gambino war bis dahin vor allem für Rap-Musik bekannt, der Sound in *Redbone* ist von George Clintons *psychedelic funk* inspiriert. Childish Gambino singt das Lied mit einer außergewöhnlich hohen Falsett-Stimme. Nach einem harmonischen Beginn werden die Klänge zunehmend schriller und disharmonisch, die Stimmung ist nicht eindeutig unheimlich, aber

---

31 *Atlanta*, Konzept: Donald Glover (FX Productions, MGMT Entertainment, 2016–).

latent beklemmend. Das Lied ist zugleich gefühlvoll und unbehag-
lich. Es passt perfekt zu Jordan Peeles Schwarzem Horrorfilm *Get Out*
(2017), in dem *Redbone* den Eröffnungscredits unterlegt ist.[32] *Redbone* vermittelt in konzentrierter Form das Gefühl der Paranoia, das der
anti-Schwarze Rassismus in den USA erzeugt:

> (Refrain)
> But stay woke (Stay woke!)
> Niggas creepin' (They be creepin')
> They gon' find you (They gon' find you)
> Gon' catch you sleepin' (gon' catch you sleepin', put your hands up
>   now, baby)
> Ooh, now stay woke
> Niggas creepin'
> Now, don't you close your eyes
> But stay woke, ooh
> Niggas creepin' (They gon' find you)
> They gon' find you
> Gon' catch you sleepin', ooh
> Now stay woke
> Niggas creepin'
> Now, don't you close your eyes
>
> (Outro)
> But stay woke
> But stay woke

Insbesondere die Wiederholung der Formulierung »stay woke« verbindet *Redbone* mit der jüngeren Schwarzen Widerstandsbewegung
in den USA.[33] In *This Makes Me Want to Predict the Past* sind direkt
und indirekt vielfältige Referenzen auf ein zeitliche und räumliche
Grenzen überschreitendes Wissen um rassistische, systemische und
strukturelle Gewalt eingeflochten. Bilir-Meier zeigt keine zu erwartenden Bilder des Anschlags, des Leidens. Sie erklärt nicht, klärt nicht auf.
Sie entlastet sich und die Beteiligten von der Anforderung, die Realität
des Rassismus' beweisen, ihre Folgen veranschaulichen, belegen zu

---

32 *Get Out*, Regie: Jordan Peele (Universal Pictures, 2017).
33 »Woke« ist *slang* für »awake«, »I stay woke« war der wiederholte Refrain des
    Liedes *Master Teacher* (2008) von Erykah Badu. Seit den Protesten in Ferguson und
    dem Erstarken der Black Lives Matter-Bewegung 2014 steht »wokeness« für ein
    aufmerksames soziales und politisches Bewusstsein, insbesondere für anti-Schwarze
    Gewalt.

müssen. Diese Anforderung hatte sich im Zusammenhang der skan-
dalösen Ermittlungspraxis um die NSU-Morde und noch im Prozess
im Umgang mit den Betroffenen und Angehörigen in aller Brutalität
gezeigt. Auch nach dem Anschlag in München mussten die Angehörigen jahrelang mit den staatlichen Behörden darum kämpfen, dass
die Tat als rassistisch, rechtsextrem und politisch motiviert anerkannt
wurde.[34] Sich dieser Beweislast, die Teil der Gewalt ist, zu verweigern,
ist bereits eine bemerkenswerte, überraschende Leistung. Auf unaus-
gesprochene, sanfte Weise gibt *This Makes Me Want to Predict the Past*
damit eine mögliche, reparative, durch komplexe Referenzen Vergnügen bereitende Antwort auf Sedgwicks Frage, wie es marginalisierten
und unterdrückten Subjekten gelingt, in einer Kultur zu (über-)leben,
deren erklärtes Interesse es häufig nicht ist, sie zu erhalten.

---

34   Laurenz Schreiner, »Attentat in München 2016. Denkmal mit falscher Inschrift«, *die
     tageszeitung*, 22. Juli 2020 <https://taz.de/Attentat-in-Muenchen-2016/!5698832/>
     [Zugriff: 2. Juni 2021]; Ingrid Fuchs und Kassian Stroh, »OEZ-Anschlag war rechte
     Gewalt«, *Süddeutsche Zeitung*, 25. Oktober 2019 <https://www.sueddeutsche.de/
     muenchen/anschlag-muenchen-2016-rechtsextremismus-polizei-neubewertung-1.
     4655637> [Zugriff: 2. Juni 2021].

A Future Not/To Come

Queere Störungen reproduktiver Ordnungen

NANNA HEIDENREICH

MIT SEX ANFANGEN

Dieser Text fragt nach queeren Momenten im Kino, die nicht als programmatische Setzungen, sondern als Verstörungen oder mindestens als Störungen und dies insbesondere als Störung in/der Reproduktion zum Erscheinen gebracht werden. Dabei geht es mir weniger darum, ein Kino als queer zu benennen, das zunächst nicht als solches kategorisiert wird, als darum, über ein grundsätzlich queeres filmisches Vermögen, in normative Ordnungen zu intervenieren, nachzudenken.[1] Und damit die Frage danach, was queeres Kino heute ist, zwar nicht zu beantworten, aber als Frage zunächst einfach präsent zu halten

---

1   »Die Frage nach dem queeren Film ist auch immer die Frage nach einem Film, der in normative Ordnungen intervenieren kann«, so Natascha Frankenberg in einem Interview auf dem Blog des Institut für Medienwissenschaft der Ruhr-Universität Bochum; siehe »Natascha Frankenberg. ›Queerer Film und seine Festivals: warum Repräsentation diskutiert werden muss‹«, *IFMLOG*, Julia Germer und Alina Nolte im Interview mit Natascha Frankenberg (November 2018) <https://ifmlog.blogs.ruhr-uni-bochum.de/forschung/forschungsprojekte/festivalpraxis/film-kunst-identitaet/natascha-frankenberg/> [Zugriff: 4. Juni 2021]. Das Kino ist auch immer wieder als Ganzes, genauer in seiner Potentialität – weil das Kino ja kein »glattes Ganzes« ist, wie Heide Schlüpmann Karsten Witte zitiert; siehe dies., »Raumgeben«, *nach dem film*, Rubrik Essaysb, 12. April 2019

und die jeweiligen Antworten stets nur als Schritt zur nächsten Runde des Fragens zu begreifen. Was oder wann ist queeres Kino? Die Antwort auf die Frage oszilliert beständig zwischen der Perspektive *auf* die Filme (im Auge der Betrachterin, des Festivals, der community, in der kuratorischen Geste) und der Perspektive *in* den Filmen (deren Geschichten, Ästhetiken und immer wieder die Frage nach der Repräsentation). Dieses Oszillieren verweist auf das, was Kino wesentlich ausmacht: Nicht einfach das Werk, oder die Werke, oder deren Macher*innen, sondern Distribution, Zirkulation, das heißt Bewegung. Eine Bewegung, die das Kino im Reden/Schreiben über Filme und in den Filmen selbst »am Laufen hält«. Das heißt: Ich greife in diesem Text zum einen auf Rezensionen und Kritiken zurück (die immer auch etwas über diejenigen aussagen, die sie schreiben, also darüber, was die Filme jeweils mit den Autor*innen gemacht haben, und nicht nur darüber, was sie mit diesen Filmen machen), zum anderen aber auch auf (meine) Beschreibungen der Filme selber, die Re-Aktualisierung (m)einer konkreten Filmerfahrung.[2]

Um also die Frage nach dem queeren Kino (erneut) zu stellen, beginne ich damit, zunächst »Zurück auf Los« zu gehen und fange mit zwei Sexszenen an. Sex ist der Ausgangspunkt von Queer Theorie,[3] die Sexszene ist aber zugleich immer auch die Grundlage heterose-

---

<https://www.nachdemfilm.de/essays/raumgeben> [Zugriff 5. Juni 2021]) – von verschiedenen Autor*innen in je unterschiedlichen Begriffen als queer beschrieben worden. Oder zumindest lese ich ganz unterschiedliche Beschreibungen des Kinos als veruneindeutigendem, gerade nicht identifizierendem Möglichkeitsraum als queer. So schreibt Gilles Deleuze, dass es nicht erstaunlich sei, »daß sich die komplexesten Beispiele der Disjunktion Sehen-Sprechen im Bereich des Films finden«; siehe Deleuze, *Foucault*, übers. v. Hermann Kocyba (Frankfurt a. M.: Suhrkamp, 1987), S. 92. Eliza Steinbock verweist hierauf (ebenso wie auf Patricia MacCormacks Konzept der *cinesexuality*), indem sie die »linking and delinking practices of transfiguration« des Kinos und »film's potential for thinking/feeling in a nonbinary way« zur Grundlage ihrer »cinematic philosophy of transgender embodiment« macht; siehe Steinbock, *Shimmering Images: Trans Cinema, Embodiment, and the Aesthetics of Change* (Durham, NC: Duke University Press, 2019), S. 2–3. Oder, ganz anders gelagert, bei Heide Schlüpmann, für die das Kino (allerdings nur als Kino, nicht als Film) im positiven Sinne die Einheit des Subjekts bedroht; vgl. Heide Schlüpmann, *Öffentliche Intimität. Die Theorie im Kino* (Frankfurt a. M.: Stroemfeld, 2002), S. 81.

2   Zur Praxis der Beschreibung siehe Heather Love, die den schlechten Ruf von Beschreibung in Literatur hinterfragt. Heather Love, »Close Reading and Thin Description«, *Public Culture*, 25.3 (2013), S. 401–34 <https://doi.org/10.1215/08992363-2144688>.

3   Sexualität ist darin stets das »alliierte Paradigma« geblieben, wie Gabriele Dietze, Elahe Haschemi Yekani und Beatrice Michaelis in Relation zu den Gender Stu-

xueller Reproduktion, wie die Literaturwissenschaftlerin Judith Roof in ihrer Monografie *Come As You Are: Sexuality and Narrative* argumentiert.[4] Die Narrativierung von Sexualität, so Roof, reproduziert Heterosexualität,[5] zumindest da, wo sie daran interessiert ist, zu(m Ende zu) kommen. In den Filmen, denen die folgenden Sexszenen entnommen sind, gibt es jedoch kein An/Kommen, auch wenn, wie ich gleich ausführen werde, gekommen wird und wenn es jeweils eine Schlussszene gibt: Die Lieferung eines Pakets, in dem sich ein Trollbaby befindet, und das Eintauchen in ein Schwarzes Loch. Aber beides sind eigentlich, um einen musiktheoretischen Begriff zu nutzen, *Trugschlüsse*: Eine Auflösung der Geschichten findet nicht statt.

Die beiden Filme, um die es mir hier geht – *High Life* von Claire Denis und *Border* (*Gräns*) von Ali Abbasi, beide aus dem Jahr 2018 – gehören einerseits zum sogenannten »großen Kino« (A-Festivalfilme, Kinostart), zählen jedoch nicht zum Mainstream.[6] Sie könn(t)en damit jene perversen Erzählungen sein, die Judith Roof mit dem Text anstelle der Narration verbindet, mit dem, was eine »fixed narrative« (auch die der Homosexualität) unterläuft: »textual, rather than narrative, that is, produced by properties of the text as text [...] as they play through and around narrative«.[7] Hier: filmisch (nicht textuell) statt narrativ, auch wenn es sich bei beiden ohne Frage um Spielfilme –

---

dies formuliert haben. Vgl. dies., »Queer und Intersektionalität«, *Portal Intersektionalität*, 2012 <http://portal-intersektionalitaet.de/theoriebildung/ueberblickstexte/dietzehaschemimichaelis/> [Zugriff: 5. Juni 2021].

4   Judith Roof, *Come As You Are: Sexuality and Narrative* (New York: Columbia University Press, 1996). Roof hat im selben Jahr mit *Reproductions of Reproduction* eine queere Medientheorie vorgelegt, die zudem sehr früh über die Verschiebung von analog zu digital nachdenkt. Siehe Judith Roof, *Reproductions of Reproduction: Imaging Symbolic Change* (New York: Routledge, 1996). Jan Künemund verdanke ich den Hinweis auf Roofs Arbeit. Ohne ihn hätte ich ihre Texte ziemlich sicher nicht gefunden. Ich hege eine kleine Faszination für die Frage, warum sie so wenig gelesen wird und denke mir immer mal wieder kleine imaginäre Gossip-Szenarien zur Begründung aus. Über sachdienliche Hinweise auf Details ihrer Rezeptionsgeschichte würde ich mich sehr freuen.

5   Was wiederum interessante Anschlüsse an Heather Loves Infragestellung der Priorisierung von Erzählung (statt Beschreibung) anbietet. Siehe zu Love Fußnote 2 sowie das Interview mit Love im Podcast *How to Read* (ohne Datum) <https://www.howtoreadpodcast.com/heather-love-why-description-matters/> [Zugriff: 5. Juni 2021].

6   *High Life*, Regie: Claire Denis (Alcatraz Films, 2018); *Border* (*Gräns*), Regie: Ali Abbasi (Meta Film Stockholm, Black Spark Film & TV, Kärnfilm, 2018).

7   Roof, *Come As You Are*, S. xxiv.

also um narrative Filme – handelt, wobei allerdings die Erzählstruktur des einen Films (*High Life*) verschiedentlich als »frustrierend«[8] und die des anderen (*Border*) als »aufgesetzt«[9] beschrieben worden sind. *High Life* ist Claire Denis' (erster) Science-Fiction-Film, den sie aber nicht als solchen verstanden sehen will,[10] und der wie andere ihrer Filme auch neo/koloniale Topologien verhandelt (und die zugleich stets auch koloniale Aphasie inszenieren/ihr unterliegen).[11] *Border* (*Gräns*) ist der zweite Langfilm des dänisch-schwedisch-iranischen Regisseurs Ali Abbasi und die Verfilmung einer Kurzgeschichte von John Ajvide Lindqvist;[12] ein Film, der wie *High Life* Genrezuordnungen zur Aufführung bringt sowie zur Verhandlung stellt: Krimi, Horror, Fantasy.

In *Border* ist die Figur, die gleich ekstatisch kommen wird, zuvor als jemand eingeführt worden, die keinen Sex haben will. Tina (Eva Melander) schmeißt ihren Freund Roland (Jörgen Thorsson), mit dem sie zusammen in einem Holzhaus im Wald lebt, aus dem Bett, als der sie nachts betrunken zum Sex nötigen will (sie sagt, dass sie nicht kann, weil es ihr weh tut). Zu diesem Zeitpunkt der Filmerzählung wurde sie außerdem bereits neben ihrer Arbeit beim dänischen Zoll aufgrund ihrer besonderen Fähigkeiten, Scham und Schuld aufzuspüren – förmlich zu riechen – für eine Sonderkommission zur Aufklärung organisierten Kindesmissbrauchs eingesetzt. Wir haben auch bereits gesehen, wie sie im Wald Kontakt zu Tieren aufnimmt (oder vielmehr die Tiere mit ihr) und wie sie ein Tabu, das des »Ekligen«, bricht, in-

8   Nathan Mattise, »Whatever You Expect from Robert Pattinson in Space Sci-Fi, *High Life* Isn't It«, *ars technica*, 4. Juli 2019 <https://arstechnica.com/gaming/2019/04/whatever-you-expect-from-robert-pattinson-in-space-sci-fi-high-life-isnt-it/> [Zugriff: 5. Juni 2021].

9   Rüdiger Suchsland, »Wenn wilde Tolle trollen«, *artechock* <https://www.artechock.de/film/text/kritik/b/border0.htm> [Zugriff: 5. Juni 2021].

10 Denis beschreibt den Film dagegen häufig als Gefängnisfilm; vgl. »Lust und Einsamkeit«, Interview mit Claire Denis, *der Freitag*, 29. Mai 2019 <https://www.freitag.de/produkt-der-woche/film/high-life/lust-und-einsamkeit> [Zugriff: 5. Juni 2021].

11 Vgl. Ann Laura Stoler, »Colonial Aphasia: Disabled History and Race in France«, in dies., *Duress: Imperial Durabilities in our Times* (Durham, NC: Duke University Press, 2016), S. 122–70.

12 Der schwedische Filmtitel ist mit der literarischen Vorlage, *Gräns* (Grenze), identisch. Dass ich den Film – im Kino zumal – gesehen habe, verdanke ich dem freundlichen Insistieren meines Bruders, Andreas Heidenreich, einem echten *cinéfils* und Kino-/Festivalmacher, der wusste, dass das ein Film für mich sein würde.

dem sie Larven ausgräbt und lustvoll lebendig verspeist. Dazu verlockt wurde sie von Vore (Eero Milonoff), der ähnlich wie sie »anders« aussieht und den sie während ihrer Arbeit beim Zoll kennengelernt hat. Er wurde gefilzt, eine Situation, die zur Krise der Ordnung gerät, weil dabei herauskommt, dass er keinen Penis hat und daher »kein Mann« sei.[13] Tina hat Vore zum Zeitpunkt der kommenden Szene erzählt, dass sie ebenfalls »da unten« anders sei, keine Kinder bekommen könne und die Träume ihrer Kindheit, etwas Besonderes, Anderes zu sein, aufgegeben habe, weil sie eben nur ein Mensch sei, allerdings mit einer Chromosomenveränderung.

Wie Tina zieht Vore Blitze an. Und damit beginnt auch die folgende Szene, die ungefähr die Mitte des Films markiert und insgesamt gut zehn Minuten dauert. Tina und Vore, den sie in der Hütte neben ihrem Haus untergebracht hat, überstehen gemeinsam ein Gewitter, zusammen geknotet unter ihrem Küchentisch, von Kurzschlüssen durch Blitzeinschläge umgeben. Sie beginnen sich zu küssen. Sie gehen dann nach Draußen, in die Abenddämmerung, in einen von Regentropfen glitzernden Wald. Das Begehren wird von ihrem Zögern unterbrochen – »Ich bin missgebildet« »Du bist perfekt« – und bricht sich schließlich Bahn. Zähnefletschen, geblähte Nasenflügel, Küsse, Schnaufen, geteilter Atem und kaum zurückgehaltenes Beißen-wollen, sein Griff in ihren Schritt, sie wirft ihn auf den Boden, er macht die Beine breit, sie zieht ihre Jogginghose herunter. Die Kamera wechselt immer wieder die Position, jetzt blickt sie von der Seite, in einem Blickdreieck mit Tina und Vore zwischen und mit den beiden. In diesem triangulierten Blick ist ein Dreieck aus Schamhaaren zu sehen, aus dem langsam, zum Sound von Vores knarzender Lederjacke, ein erigiertes Organ wächst, in meinen Assoziationen irgendwo zwischen Augenfühler einer Schnecke und Tiefseeröhrenwurm. Kein Penis, wie in manchen Rezensionen identifiziert, aber wie dieser ein »Bio-Dildo«.[14] Kurzes

---

13   Die Möglichkeit eines »man with a pussy«, um die Selbstbeschreibung (und Selbstvermarktung) von Buck Angel zu zitieren, der als schwuler trans* Mann erfolgreich zum Star seiner eigenen Pornos wurde und heute Unternehmer ist (siehe die Webseite von Buck AngelTM Entertainment <https://buckangel.com/> [Zugriff: 5. Juni 2021]), taucht weder in der Diegese noch in der Rezeption des Films auf.

14   Siehe das Interview von Tim Stüttgen mit Paul B. Preciado, »Proletarier des Anus«, *Jungle World* 49, 2. Dezember 2004 <https://jungle.world/artikel/2004/49/proletarier-des-anus> [Zugriff: 5. Juni 2021].

Entsetzen und schiere Lust vermischen sich, sie dringt in ihn ein, die Kamera geht auf Abstand und wir sehen, wie sie ihn fickt: Eindringen, Stöße, Stöhnen, und sie kommt in ihm. Ein anhaltender, brüllender, ekstatischer Orgasmus, mit sämigem Speichel, der aus ihrem aufgerissenen Mund auf sein Gesicht tropft, ein Cumshot-Moment. Schnitt. Sie liegen nackt im fast dunklen Wald, die Kamera bleibt zunächst eher auf Abstand und Tina fragt: »Wer bin ich?« »Du bist ein Troll. Genau wie ich.« Dann geht es in ihrem Gespräch noch ums Verrücktsein und darum, dass sie mal einen Schwanz gehabt hat, der abgeschnitten und entsorgt wurde (»armer kleiner Schwanz«). Die Szene endet aber auch dann nur uneigentlich, weil die Ekstase nach dem nächsten Schnitt – es ist wieder hell, es müssen Stunden vergangen sein – weitergeht: Die beiden rennen nackt durch den Wald, schwimmen im Regen im See (dies ein bereits bekannter *happy place* von Tina, wie wir in einer früheren Szene sehen konnten, dort allerdings als ein ruhiges Beobachten ihres Eins-Seins mit der Natur auf Abstand. Eine Szene, die sich später noch einmal wiederholen wird), beides begleitet von Glücksschreien, ein gemeinsames Außer-sich-sein. Die Szene endet mit Küssen, mit Zungenküssen im besten Wortsinn, Zungen als höchst komplexe Organe eines anderen Weltzugangs, umrandet von gefletschten Zähnen, die die rauen Begehrenssounds modulieren.

Ali Abbasi hat die Komposition der Sexszene interessanterweise als besonders »natürlich« und »realistisch« beschrieben, und auch als »casual«: »My main concern was realism […] I wanted to make a sex scene that would actually be natural.«[15] Mit Natürlichkeit umschreibt Abbasi seinen Versuch, den Figuren gerecht zu werden und unterläuft damit die normative Unterscheidung von natürlichem und unnatürlichem Sex. Auch seine Betonung der »Beiläufigkeit« »kadriert« die Szene nicht nur in der Kamera, sondern auch in der Rezeption, mit einem anderen Verständnis von Selbstverständlichkeit. Er nimmt damit eine andere Setzung vor als die in Rezensionen so häufige Beschreibung der Szene als verstörend: Als »besonders schrä-

---

15 So wird Ali Abbasi in einer Rezension zum Film auf der vom *New York Magazine* betriebenen Webseite *Vulture* zitiert, in der die Sexszene als »intersex troll love scene« betitelt wird. Jordan Crucchiola, »Let's Talk about That Wild Intersex Troll Love Scene in *Border*«, *Vulture*, 5. November 2018 <https://www.vulture.com/2018/11/lets-talk-about-borders-wild-intersex-troll-love-scene.html> [Zugriff: 5. Juni 2021].

ge Sex-Szene im Wald – möglicherweise die schrägste der jüngsten Filmgeschichte«,[16] »... eine der bizarrsten, heftigsten Kinosexszenen seit Langem«.[17] Es ist eben in der Tat eine queere (Sex-)Szene, die aber nicht im Hetero-/Homo-Gefüge verortet werden kann, und zwar in einigen Texten mit Intersexualität und Transgender verknüpft (ebenfalls nicht unproblematisch),[18] aber kaum explizit als queer verhandelt wird. Dennis Vetter beispielsweise hat *Border* für das *Sissy Magazin* (»Zeitschrift für den nicht-heterosexuellen Film«) rezensiert. Er verknüpft seine Sicht auf den Film interessanterweise mit einer Kritik der Kritik an der Darstellung von Trans*-Körpern im Film durch cis-Männer oder Frauen, ohne dies jedoch anhand der Filmfiguren abzuhandeln, ohne diese also als trans* oder inter* zu beschreiben, sondern als Körper, »die in keine Kategorie passen« und sich ihre eigene Realität erfinden.[19] Und dennoch kommt genau das Queere des

---

16 Jan Hestmann, »Die seit langem schrägste Sex-Szene gibt es in der Grusel-Romanze ›Border‹«, *ORF Radio FM4*, 8. April 2019 <https://fm4.orf.at/stories/2974090/> [Zugriff: 5. Juni 2021].

17 Martina Knoben, »Bin ich schön?«, *Süddeutsche Zeitung*, 10. April 2019, online 15. April 2019 <https://www.sueddeutsche.de/kultur/kino-border-ali-abbasi-1.4402491> [Zugriff: 5. Juni 2021].

18 Tina und Vore als intersexuell zu verstehen (siehe auch Fußnoten 16 und 20), ist ebenfalls eine identifizierende Lesart, eine menschliche/vermenschlichende zumal, siehe u. a. Siddhant Adlakha, »›Border‹ Is the Year's Ugliest and Most Beautiful Movie«, *Slashfilm*, 18. Oktober 2018 <https://www.slashfilm.com/border-meaning-and-analysis> [Zugriff: 20. Februar 2021]. Interessant ist, wie häufig in den Texten zu *Border* von transgender die Rede ist, was hier wohl auch eher versucht, zu identifizieren, aber umso deutlicher zur Sprache bringt, dass hier etwas aus der heteronormativen Menschenordnung fällt (die Verteilung von Pronomen und Genitalien beispielsweise). Wenngleich das Insistieren auf das eigene Begehren, wie Kate Bornstein bei der Postposttranssexual-Konferenz 2011 bemerkt hat, als zentrales Moment für trans* zu verstehen sei; siehe dazu Steinbock, *Shimmering Images*, S. 61.

19 Dennis Vetter, »Seid Verschlungen«, *Sissy*, 11. April 2019 <https://www.sissymag.de/border/> [Zugriff: 5. Juni 2021]. Dagegen setzt beispielsweise Simon Abrams trans* und inter* über seine Lektüre des Films gewissermaßen gleich, im Anschluss an seine überforderte Diagnose: »Tina and Vore's sex scene is a bit much, to put it mildly«; siehe ders., »Border«, *Roger-Ebert.com*, 26. Oktober 2018 <https://www.rogerebert.com/reviews/border-2018> [Zugriff: 5. Juni 2021]. Abbasi hingegen sieht die Figuren nicht als Metaphern für Trans* Identitäten, die Bedeutungsvielfalt in der Rezeption ist für ihn dennoch wesentlich: »The important thing to me, I think, is that it's not a metaphor for being a transgender person, or how immigrants are treated – those are really important subjects, politically. [...] I don't like people who can't say what they mean without metaphors. But I appreciate that there are layers of meaning there for people to read, and I agree that they are there, but for me it's more about the general experience of being a minority rather than a specific one.« Siehe das Interview von Nicolas Rapold mit Ali Abbasi, *Film Comment*, 21. September 2018

Films letztlich in allen Rezensionen deutlich zur Sprache: Als Unbehagen, Irritation, auch als Abwehrhaltung, oftmals aber vor allen Dingen
als Verunklarung des Werturteils der Filmerfahrung: Ist das ein guter
Film? Oder ein schlechter Film? So schreibt Howard Fishman im *New
Yorker* beispielsweise: »›Border‹ is a furnace of unfiltered, wild expression, an attack on normalcy and complacency, a jubilee of mystery
and weirdness.« Gefolgt von: »wincingly disgusting, and transgressive, and gross«.[20] Nicht nur in dieser Filmkritik vermischt sich das
positive Urteil – Fishman titelt schließlich, der Film habe irgendwie
sein Leben verändert – mit negativen Geschmacksvoten. Die Suche
nach den richtigen Worten scheint für die Übersetzung der Filmerfahrung in einen Text vor allen Dingen in der Aneinanderreihung von
Gegensätzen von statten zu gehen: »It is a film for anyone who has
ever felt like an outsider and for anyone who has ever felt bad for being
different in some indefinable, fundamental way.«[21] *Etwas ist hier nicht
in Ordnung.* Wie auch in der nächsten Szene bzw. im nächsten Film.

High Life beginnt im Weltraum. Die erste Szene des Films zeigt
Monte (Robert Pattinson) mit seiner kleinen Tochter Willow (Scar-
lett Lindsey/später Jessie Ross), einem Baby zu diesem Zeitpunkt,
die letzten Überlebenden einer Mission auf dem Weg zur Explorati-
on des Energiepotentials eines Schwarzen Lochs. Monte ist bereits
als »Misfit« eingeführt und als enthaltsam. Die Personen im Con-
tainerraumschiff sind allesamt Strafgefangene, denen die Mission als
(vermeintlicher) Ausweg angeboten wurde, sie sind alle un/freiwillig
hier. Das Baby ist das Ergebnis der IWF Praxis von Dr. Dibs (Juliette
Binoche), der Ärztin an Bord, die, wie die anderen auch, eine Strafe zu
verbüßen hat (sie hat ihre Kinder und ihren Mann ermordet).

Dr. Dibs steht im Zentrum der folgenden Sexszene. Sie beginnt
mit der Einführung ihrer Person durch Montes Voicover: »Dr. Dibs,
struggling to harvest healthy fetuses, ones that will survive childbirth.
The guys are in it for a fix.« Die Männer an Bord – alle außer Monte

---

<https://www.filmcomment.com/blog/nyff-interview-ali-abbasi/> [Zugriff: 5. Juni
2021].

20   Howard Fishman, »I Accidentally Walked into ›Border‹, and It Kind of Changed my
     Life«, *The New Yorker*, 28. November 2018 <https://www.newyorker.com/culture/
     culture-desk/i-accidentally-walked-into-border-and-it-kind-of-changed-my-life>
     [Zugriff: 5. Juni 2021].

21   Ebd.

– spenden ihr Sperma gegen Drogen. Dr. Dibs leitet die Transaktion im weißen Arztkittel, aber mit schwarzen Handschuhen, die eher Safer Sex-Praktiken signalisieren als Arztpraxis. Und in der Tat geht es hier um eine Art leidenschaftslosen und sicheren Chemsex. Keine gesenkte Hemmschwelle, nur eine gesenkte Gefühlsschwelle. Betäuben, um zu entfliehen. An den Sperma-gegen-Drogen-Austausch schließt ein Gespräch mit Nansen (Agata Buzek), der Pilotin, an. Warum versucht sie, Schwangerschaften zu erzeugen, wenn die Babys dann vermutlich an der Strahlung sterben werden? »The odds are not in our favor, but when my work is accomplished, when perfection is achived …!« »Then what? Fly away?« Nachdem Monte als einziger einen »Treat« ohne Gegenleistung erhalten hat, sich also der Zirkulation von Körpersäften verweigert, schließen sich eine Reihe von Einstellungen an, in denen die anderen Flüssigkeitskreisläufe des Raumschiffcontainers gezeigt werden: Rohre, Abflüsse, die Urin-Trinkwasseraufbereitung. Das offensichtliche Brechen jenes Tabus, mit dem der Film auf der Tonspur begonnen hat: Im Tonfall beruhigender Babysprache erklärt Monte Willow, dass die eigene Scheiße zu fressen Tabu ist. Aber genau aus diesem Tabu bestehen jene lebenserhaltenden Kreisläufe, die alle 24 Stunden am Rechner neu freigeschaltet werden müssen, also genau an jenem System, das beständig den Found Footage-Bilderstrom erzeugt, der so etwas wie die Untertitelspur der Filmerzählung und zugleich eine Art Nabelschnur mit der Erde bildet (vielleicht eher infektiös verbindet? Monte bezeichnet diese Bilder an einer Stelle auch als »Viren«). Das Universum der Bilder und die Bilder des Universums, der audiovisuelle Bildraum im Filmbildraum.

Alle bis auf Monte haben masturbiert. Jetzt ist Dr. Dibs dran. In den Tiefen des Raumschiffs, im Maschinenraum, gibt es eine Kabine, die ein bisschen einer öffentlichen Toilette ähnelt (so Robert Pattinson),[22] die mit roten Neonröhren beleuchtet wird, wenn sie jemand betritt und deren Tür sich hinter der Person schließt. Eine »literal interpretation of a sex box«,[23] so Pattinson über die »Fuckbox«, wie sie

22 Vgl. Patrick Ryan, »Robert Pattinson Surprised by ›Sex Box‹ in New Sci-Fi Movie High Life«, *Toronto Star*, 10. April 2019 <https://www.thestar.com/entertainment/movies/2019/04/10/robert-pattinson-surprised-by-sex-box-in-new-sci-fi-movie-high-life.html> [Zugriff: 5. Juni 2021].

23 Ebd.

im Raumschiff genannt wird. Dr. Dibs fädelt sich auf: Erst die Schnür-
senkel ihrer Schuhe, ihr langer geflochtener Zopf. Sie setzt sich auf
den roten Schemel, ihre Hände umfassen das Kunstleder, aus dem sich
ein silberner metallener Dildo hervordreht. Die Szene bleibt weiterhin im Safer-Sex-Modus, Dr. Dibs streift ein schwarzes Kondom über
den Dildo, der sich wieder wegdreht, und von einem schwarzen Dildo
gefolgt wird (ein Zahnrad aus Dildos gar, das aber nicht wirklich als
solches sichtbar wird?). Dann folgt ein filmischer Striptease-Moment,
in dem Dr. Dibs ihren Kittel abstreift und ihre Brüste umfasst. Die
Bewegung des Umfassens wird durch das Erfassen der Kamera aufgegriffen, die an ihrem nackten Oberkörper entlangfährt und an den
Narben auf ihrem Unterbauch verweilt, ein langer dünner Wulst und
eine zopfartige Narbe. Sie sitzt wie auf einem Sattel, die Hände recken
sich nach oben, ergreifen Halteschlaufen aus schwarzem Leder und
silbernen Ringen, Sex Sling oder Sportgerät? Ihr muskulöser Rücken
wird von langen dunklen Haarsträhnen gezeichnet, sie zieht sich hoch
wie an Turnringen, und fickt zugleich sich und den Dildosattel in
kreisenden Bewegungen. Dann wird das Bild plötzlich dunkel, rötlich-
schwarz, und wir sehen den stoßenden Dildo – ist die Kamera in sie
eingedrungen? Sind wir in ihr? Haben wir, sie, die Kamera, den Dildo umschlossen?[24] Dann ergreift die Hand ein lockiges Tierfell, die
Kamera filmt Dr. Dibs von vorne, ihr wildes rötlich-braunes Scham-
haar, eine Farbe, die plötzlich auch in ihren Haaren aufleuchtet, so
konturiert und fellartig, dass es wie ein Schamhaartoupet erscheint,
taxidermische Momente, die zwar tierisch, aber eben auch artifiziell
erscheinen, der Ficksattel wird zum Tierrücken, ein phallisches Objekt räkelt sich von hinten über sie, ein bisschen wie ein übergroßer
Hühnerhalsknochen strukturiert, der sich aus dem räudigen Fell em-
porhebt, ein schwanzartiges Erektil (wie bei *Border*: Nicht im Sinne
von Penis, hier meint Schwanz explizit das hintere Ende einer Wir-

---

24   Ein visueller Moment der Circlusion, dem Gegenbegriff zur Penetration, siehe: Bini
Adamczak, »Come on«, *ak – analyse & kritik – zeitung für linke Debatte und Praxis*, 614
(15. März 2016) <https://archiv.akweb.de/ak_s/ak614/04.htm> [Zugriff: 5. Juni
2021]. Eine schöne Assoziation hierzu bietet sich mit Dennis Vetters Rezension von
Border über den Namen der Figur des Vore an: »Der Vorname klingt nicht typisch
Dänisch und scheint auch sonst in keine Kultur zu passen. Danach fragt im Film aber
niemand, denn die hier gezeigte Welt ist offen und durchlässig. Beim engagierten
Suchen findet sich die Vorarephilie als Begleiterscheinung des Begriffs: Der Fetisch
vom Verschlungenwerden.« Siehe Vetter, »Seid verschlungen«.

belsäule wie bei Tieren). Die Szene endet mit einem Gerät, das halb
an einen Flogger, halb an eine Autowaschanlage erinnert, und sich
auf den jetzt leeren roten, vorne und hinten mit dem silbernen und
dem schwarzen Dildo bestückten Sitz/Sattel absenkt, von dem eine
schwarze ölige Flüssigkeit zu tropfen scheint. Die Kammer ist jetzt
weiß statt rot beleuchtet, unten tritt eine milchige Flüssigkeit aus ihr
heraus, gleichzeitig mit Dr. Dibs, die die Fuckbox verlässt. Monte emp-
fängt sie, scheint auf sie gewartet zu haben. Die Szene wird erneut
mit einem Dialog zu Dr. Dibs' Glauben an die Reproduktion gerahmt.
Erst unterstellt Monte ihr, dass die Fuckbox ihr nicht gut tun würde,
»Better than you think!« entgegnet Dr. Dibs, woraufhin er sie als
Sperma-Schamanin bezeichnet, deren Glaube an die Class 2 Mission
»just a new religion« für sie sei. Woraufhin sie ihm wie zuvor schon
Nansen entgegen hält: »I am totally devoted to reproduction.«

»BIN ICH SCHÖN?«[25]

In dem die Sexszene beschließenden Dialog kommentiert Dr. Dibs
sich selbst: »I know I look like a witch.« Woraufhin Monte ihr entgegnet: »You are foxy, and you know it.« Ettore, der später Boyse ver-
gewaltigen wird (beide zählen zu den ursprünglich neun Insass*innen
des Raumschiffs), murmelt im Vorbeilaufen: »Fucking cock-block.« –
einer jener sexistischen Kommentare, die gehört werden sollen, ohne
laut zu sein: Ich bin hier derjenige, der die Situation definiert. Eine
Definitionshoheit, die für sich beansprucht, Attraktivität mit sexueller Verfügbarkeit gleichzusetzen. Diese Grundgleichung des Sexismus
basiert selbst auf der Voraussetzung der Definition von begehrenswert
als schön, von der Gleichsetzung von Schönheit und Begehren. Und
sie informiert eben auch die Rezeption und die Rezensionen beider
Filme. So schreibt Josef Grübl in der *Süddeutschen Zeitung* unter der
Überschrift »Die Schwedin und der Sex« im März 2020, als *Border*
im Stream auf Amazon Prime verfügbar wird: »Sex, den man ohne
Übertreibung als animalisch bezeichnen kann«.[26] Grübels Text ist

---

25   So die Überschrift von Martina Knobens Rezension von *Border* in der *Süddeutschen
     Zeitung*, Knoben, »Bin ich schön?«.

26   Josef Grübl, »Die Schwedin und der Sex«, *Süddeutsche Zeitung*, 25. März 2020 <https:
     //www.sueddeutsche.de/muenchen/drama-die-schwedin-und-der-sex-1.4856328>
     [Zugriff: 5. Juni 2021].

beispielhaft für jene (vielen) Texte, die ebenso offensichtlich irritiert sind, von dem, was *Border* ihnen zeigt, und das dann ebenso offensichtlich versuchen, einzuhegen (und die mich hier in ihrer Queerness, ihrer Verstörung, interessieren). In diesem Fall durch den launig gehaltenen Versuch, die Geschichte des Films zu normalisieren und unter einer Überschrift, die die Geschichte schwedischer Pornofilme mit aufruft (die Hauptdarstellerin Eva Melander ist Schwedin), zugleich »weg« zu sexualisieren (animalisch ist hier daher auch kein anerkennend posthumanistischer Begriff, sondern stammt aus derselben normativen – sexistischen, rassistischen – Pornobegriffskiste wie »rassig«).

Zwischen Tina und Vore besteht ein fundamentaler Konflikt über den Umgang mit Menschen und deren Gewalt. Tina versteht sich weiterhin auch als Mensch, während Vore in den Kinderpornographie-Ring, gegen den Tina ermittelt, involviert ist, weil er damit die Menschen ihrer eigenen Niedertracht überantworten will: »Ich helfe ihnen, sich selbst zu schaden. Aber so viel Hilfe brauchen sie nicht.« Für Grübl, der Tina als »furchtbar hässliche Heldin« beschreibt, ist das dann lediglich eine mangelnde innere Annäherung, »aber das ist ja bei den meisten Paaren so«. Die meisten Rezensionen kommen ebenfalls nicht umhin, sich mit negativen Worten dem Erscheinen von Tina zu nähern: Neben hässlich (Rüdiger Suchsland erlaubt sich sogar ein »potthässlich«)[27] wird mindestens von anders und von der Assoziation mit »behindert« geschrieben.[28] Es gibt aber auch den Versuch, zu benennen, was der Film zu sehen gibt, ohne die Logik der

---

27   Suchsland schreibt ihr auch »schlechte Manieren« zu. Das ist insofern relevant, weil Tina für mich nur von den »schlechten Manieren« der Menschen um sie herum umgeben ist – den Männern. Ihrem Freund, der sie offensichtlich nicht wertschätzt, ihrem Vater, der sich, als sie ihn damit konfrontiert, sie ihr ganzes Leben über ihr wahres Sein als Troll belogen zu haben, in seiner Demenz verschanzt, wie Suchsland ihr vorwerfend, »nicht nett zu sein«, die Distanziertheit der Kollegen, die sie stets nur als Andere zu sehen scheinen. Sie selbst erscheint lediglich introvertiert, reserviert, sich selbst schützend, nicht daran interessiert, sich für die Blicke anderer anzupassen. Suchsland liest hier – ganz heterosexistisch – eine Frau, die den Vertrag der Heterosexualität bricht und sich nicht für die Dienstleistung, die soziale Situation gefällig zu gestalten, zuständig fühlt und nicht ständig lächelt, deswegen als grundsätzlich anders gilt, als »hässlich« eben; siehe Suchsland, »Wenn wilde Trolle«.

28   Dunja Bialas spricht in ihrer Rezension »Im Wald, da sind die Träume« durchaus bedacht von Assoziationen, *Der Tagesspiegel*, 11. April 2019 <https://www.tagesspiegel.de/kultur/mystery-drama-border-im-wald-da-sind-die-traeume/24204494.html> [Zugriff: 5. Juni 2021].

diegetischen Veranderung Tinas im Blick auf den Film zu wiederholen. So wird sie in verschiedenen Ankündigungen zum Kinostart als eine »bemerkenswerte Erscheinung« beschrieben.[29]

Ich glaube es ist wichtig, zu erwähnen, dass ich beide Sexszenen großartig finde, faszinierend, nachhallend. Es spielt sicher auch eine Rolle, dass ich beide Filme im Kino gesehen habe, dass sie Raum einnehmen konnten mit ihrer Dildotektonik und den muskulösen haarigen Körpern. Diese Faszination unterscheidet sich zwar in ihrer Tonalität von jenen Rezensionen, die aus Tinas Sexorgan einen konventionellen Penis machen, aber selbst jene Texte legen ihre Faszination offen, auch dann, wenn sie sich um negative ästhetische Begriffe herum organisieren. Genau hier, in diesen Unterschieden in den Stimmungen, die häufig in ein und demselben Text gleichzeitig in Erscheinung treten (»›Border‹ is the Year's Ugliest and Most Beautiful Movie«),[30] sind die Filme wie gesagt queer: in dem, was sie verstören und dem Unterlaufen der dyadischen Rezeptionskonzepte von Identifikation (»so schön queer«) und von Fremdheit/Alterität (»so hässlich/behindert/anders«). Die verstörten Rezensionen sind auf seltsame Art auch noch »näher« dran an den Filmen, weil sie zwar aus einer befremdeten Distanz heraus formuliert werden, zugleich distanzlos affirmativ zu den affektiven Aufladungen der Machtrelationen zwischen den Figuren stehen. Wenn also Martina Knoben in der *Süddeutschen Zeitung* zu *Border* schreibt, dass das Fremde immer eine Herausforderung sei (selbst wenn die Forderung nach Diversity offene Türen einzurennen scheint, wie sie zu Beginn ihres Textes bemerkt),[31] überlagert sich hier, wenn auch subtil, die innerfilmische Logik des Anderen mit der Logik (in) der Rezeption. Die Geschichte des Troll-Genozids im Film – Tina weiß nicht, dass sie ein Troll ist, weil ihre Eltern, wie andere Trolle auch, erst inkarzeriert und zwangspsychiatrisiert und schließlich ermordet wurden, und sie vom Portier der Euthanasieinstitution adoptiert wurde – ruft in ihrer »Märchenhaftigkeit« reale Geschichten der Einschließung und von genozidaler Gewalt auf, und auch *High Life* ist eine Geschichte der Inkarzerie-

---

29   Siehe u. a. AG Kino-Gilde Screenings, Ankündigung zum Kinostart von *Border* am 11. April 2019 <https://screenings.agkino.de/border> [Zugriff: 25. Juli 2021].

30   So der Titel von Siddhant Adlakhas Rezension des Films.

31   Knoben, »Bin ich schön?«.

rung und des »Prison Industrial Complex«.[32] Die Filme lassen sich
so auch als Aktualisierungen europäischer Geschichte begreifen, deren
Gewalt, deren Epistemologien unseren Alltag – und unser Filmsehen
– weiterhin informiert. An dieser Stelle ist hervorzuheben, dass *Border*
explizit Rassismus verhandelt (die Tendenz zur Einhegung durch die
Parallelisierung mit Abbasis Migrationserfahrungen in einigen Rezensionen sprechen daher Bände).[33] Und wenn *High Life* als Film über
das Gefängnis nachdenkt, dann muss es auch um Rassismus gehen.
Allerdings wird in diesem Film Rassismus zwar als Tatsache einerseits
deutlich benannt, aber im Grunde als zynische Fußnote – als Anmer-
kung im Dialog – wie im realen Leben, an die schwarzen Figuren
delegiert und damit letztlich aus dem Film entfernt, denn: »even up
here, black ones are the first to go«, wie Tcherny (André Benjamin)
den ersten Tod einer der Insassinnen, Elektra (Gloria Obianyo), aufgrund von Schwangerschaftskomplikationen kommentiert.

Aber zurück zur Ambivalenz von Anziehung und Ablehnung. Die
Filme lassen sich eben auch »anders« sehen und gerade nicht »als anders« – und wer weiß, was sie nachträglich auch bei jenen auszulösen
vermögen, die der Veranderung in der Narration zunächst folgen. Für
mich war beispielsweise beim ersten Sehen nicht klar, dass Tina das
Ergebnis von Maskenbildnerei war – Abbasi hatte sehr lange beim Casting versucht, Darsteller*innen zu finden, die ohne Maske die Figuren
der Trolle hätten spielen können.[34] Auch wenn die Wahl der Darstellerin der Tina (die ja eigentlich auch anders heißt, nämlich Reva, wie ihre
ermordeten Eltern sie genannt haben) dann auf Eva Melander gefallen
ist, die für den Film jeden Tag stundenlange Make-Up-Prozeduren

---

32   Siehe auch Fußnote 10.
33   Wogegen sich Abbasi verwehrt. Die Filmkritikerin Katja Nicodemus zitiert ihn wie
     folgt: »Nein, sagt Abbasi, in seinem Film spiegele sich nicht die Minderheitenerfah-
     rung eines Fremden im hohen Norden: ›Nur weil ich aus dem Mittleren Osten stamme
     und hier lebe, heißt das noch nicht, dass ich marginalisiert bin.‹ In *Border* sei es
     ihm um etwas ganz anderes gegangen: ›Wir leben im Zeitalter der Identitätspolitik.
     Und natürlich kann ich meine Herkunft nicht ändern. Aber für mich ist Identität
     etwas Fließendes, genauso wie Gruppenzugehörigkeiten, politische oder sexuelle Ori-
     entierungen.‹« Siehe Katja Nicodemus, »Troll-Sex ist schön«, *Die Zeit*, 10. April
     2019, editiert am 11. April 2019 <https://www.zeit.de/2019/16/border-kinofilm-
     troll-sex-schweden-regisseur-ali-abbasi> [Zugriff: 5. Juni 2021].
34   So berichtet zumindest Crucchiola, »Let's Talk About«. Zur Maske siehe auch: Chris
     Koseluk, »Troll Models«, *Make-Up Artist Magazine*, 30. Oktober 2018 <https://
     makeupmag.com/troll-models/> [Zugriff: 5. Juni 2021].

durchlaufen musste, so sieht diese ihre Figur – im wörtlichen Sinne – als ihre: »>It's my fat! It's my muscles!< the actress declares when asked if prosthetic padding was used to fill out her frame.« Sie spricht von körperlicher Dichte, von »density«,[35] wo andere eher Unförmigkeit sehen. Auch für mich erscheint ein gedrungener muskulöser Körper mit Haaren an Brustwarzen, am unteren Steißbein, und wo sich sonst noch so wuschelige Pelzchen ansiedeln mögen, eher vertraut.[36] Aber das heißt nicht, dass diese Szenen mich nicht überraschend affiziert haben: Als filmische Inszenierungen eines Möglichkeitsraums. Der aber eben auch nicht mit dem Rezeptions- (und Repräsentations-)Konzept der Identifikation beschreibbar wäre. Das Aufscheinen von etwas Möglichem eben (auch: Visualisierung statt Enthüllung).[37] Und das beinhaltet nicht nur Positivität – sex positivity heißt nicht, Sex gefällig zu machen, sondern ihn eben auch dirty zu lassen: Unbequem, irritierend, andere Verläufe nehmend, als geplant, und dabei immer auch die Abwesenheit von Sex denkbar zu halten. Beide Sexszenen bewegen sich so zwischen Enthaltsamkeit/Asexualität und Extase. Und High Life huldigt der Masturbation und dem public sex, aber gerade nicht als Begegnung von Körpern, nicht als Kontakt oder Verbindung, und daher auch ohne Cruisen. Außer wir entscheiden, dass die sich ewig beschleunigende und sich zugleich rückwärts bewegende Raumfahrt im Containerschiff auf dem Weg zum immer nächsten Schwarzen Loch als ein einziges langes Cruisen auf dem Weg nicht zur Penetration, sondern zum hingebungsvollen Aufsaugenlassen zu verstehen sei.[38]

---

35 Ebd.

36 Zum Verhältnis schön/hässlich und zur Maske der Schaupielerin, zu Narben und zur Ent-Stellung siehe auch die Diskussionen um Charlize Therons Darstellung von Aileen Wuornos in Monster, Regie: Patty Jenkins (K/W Productions, Denver and Delilah Productions, 2003), u. a. Andreas Borcholte, »Ungeheuer schön«, Der Spiegel, 14. April 2004 <https://www.spiegel.de/kultur/kino/monster-ungeheuer-schoen-a-295264.html> [Zugriff: 5. Juni 2021].

37 Zur Problematik der Enthüllung, der Fixierung auf den nackten Körper in der Darstellung von Transsexualität im Film siehe u. a. Annette Raczuhn, Trans*Gender im Film: Zur Entstehung von Alltagswissen über Transsex* in der filmisch-narrativen Inszenierung (Bielefeld: transcript, 2018). Siehe dazu auch den Verweis auf »the reveal« bei Steinbock, Shimmering Images, S. 4–5.

38 So beispielsweise Jan Künemund, der in Spiegel Online schreibt: »Der Film [...] entwirft ein queeres, wunderschön anzuschauendes Labor unfruchtbarer Leidenschaften, das in lustvoller Passivität in ein obszönes Loch eingesogen wird.« Siehe Jan Künemund, »Trieb der Sterne«, Der Spiegel, 28. Mai 2019

»DER ZEITGENÖSSISCHE KAPITALISMUS PRODUZIERT >NICHTS<: NICHTS ALS DIE SPEZIES.«[39]

Ich möchte nun auf den Aspekt der Verstörung von Reproduktion eingehen, die die beiden Filme »so queer« machen. Dass dieses queere Unbehagen in/der Reproduktion filmisch verhandelt wird, ist dabei nicht zufällig: Reproduktion ist eine Sache der Medien. Bettina Mathes argumentiert, dass der Begriff – anders als der der Produktion – erst im Laufe des 19. Jahrhunderts relevant wird, im Zusammenhang mit der Industrialisierung und den entsprechenden Medien-/Technologien Fotografie und Kino. Kulturelle Fruchtbarkeitsvorstellungen und mediale Reproduktionstechniken sind seither, so ihr Argument, aufs engste miteinander verknüpft.[40] Reproduktion ist aber auch deswegen so relevant, weil sie die Voraussetzung kapitalistischer Produktion bildet: Reproduktionsarbeit steht für die Herstellung jener Arbeitskraft, die die Warenproduktion benötigt.[41] Dabei ist wichtig, dass diese Arbeit nicht als (Lohn-)Arbeit verstanden, sondern als unbezahlter Liebesdienst konfiguriert wird, als geschlechtliche »Selbstverpflichtung«, als das, was Frauen (aus)macht, als solche naturalisiert. Reproduktion ist aber nicht nur vergeschlechtlicht, auch das, was wir unter Geschlecht verstehen, verweist beständig auf Reproduktion (und deren Medien). So beinhaltet die Bedeutungsvielfalt des Begriffs Geschlecht neben *gender* auch Genre, Genealogie, Familie, Herkunft. Gender steht für *rank*, aber auch für *race* und für die Spezies

<https://www.spiegel.de/kultur/kino/high-life-mit-robert-pattinson-und-juliette-binoche-im-all-hoert-dich-keiner-stoehnen-a-1269684.html> [Zugriff: 5. Juni 2021]. Siehe dazu auch Fußnote 19.

39   Paul B. Preciado, *Testo Junkie. Sex, Drogen und Biopolitik in der Ära der Pharmapornographie*, aus dem Französischen übers. v. Stephan Geene (Berlin: b_books, 2016), S. 51 und 52.

40   Bettina Mathes, »Reproduktion«, in *Gender@Wissen. Ein Handbuch der Gender-Theorien*, hg. v. Christina von Braun und Inge Stephan, 3. überarb. Auflage (Köln: Böhlau, 2013), S. 121–41, hier S. 121 und 122. Mathes' Unkenntnis von Roofs Arbeiten zum Zusammenhang von Geschlecht und Reproduktion ist bedauerlich, insbesondere für ihre Studie *Under Cover. Das Geschlecht in den Medien* (Bielefeld: transcript 2006).

41   Siehe u. a. Silvia Federici, *Caliban und die Hexe. Frauen, der Körper und die ursprüngliche Akkumulation*, übers. v. Max Henninger, 7. Aufl. (Wien: Mandelbaum, 2020). Siehe auch »Von der Hausfrau zur Leihmutter«, Interview mit Silvia Federici und Melinda Cooper, *Luxemburg. Gesellschaftsanalyse und linke Praxis*, 2012, no. 4 <https://www.zeitschrift-luxemburg.de/von-der-hausfrau-zur-leihmutter/> [Zugriff: 5. Juni 2021].

und für die Hervorbringung: *to en-gender*. *To gender* ist ein »produktives« Verb: *to bring forth, to engender, beget, give birth to*, to produce, kurz – *generation* und Generation. Auch daher sind Geschlecht und Sexualität aufs engste miteinander verwoben: Heterosexualität ist Reproduktion und Reproduktion ist Heterosexualität. Wie Judith Roof in ihrer Analyse der »Intimität« von Narration und Sexualität formuliert (die sie als strukturierende Episteme und als Ausdruck einer figurativen heterosexuellen reproduktiven Ideologie versteht): »Interwound with one another, narrative and sexuality operate within the reproductive and/or productive, metaphorically heterosexual ideology that also underwrites the naturalized understanding of the shape and meaning of life.«[42] Reproduktion informiert so auch die Unterscheidung und Binarisierung von hetero- und homosexuell:

> The reduction of a larger field of sexuality to two categories is partly an effect of narrative's binary operation within a reproductive logic; in this sense there are really only two sexualities: reproductive sexuality, which is associated with difference and becomes metaphorically heterosexual, and nonreproductive sexuality associated with sameness, which becomes metaphorically homosexual.[43]

Natürlich/unnatürlich, hetero/homo, un/re/produktiv: Wie Mathes argumentiert, wurde der abstrakte Begriff der Reproduktion im 19. Jahrhundert auf die Natur übertragen. Natur ist nunmehr das, was sich reproduziert.[44] Daher ja auch die absurde These von der »Sinnlosigkeit« des weiblichen Orgasmus, dem lange keine reproduktive Notwendigkeit zugeschrieben wurde (auch das, was wir als Evolutionstheorien bzw. Evolutionsbiologie verstehen, begann sich im 19. Jahrhundert zu formen). Auf abstruse Weise scheint weiterhin Forschung notwendig zu sein, um zu begründen, warum der weibliche Orgasmus nicht »unnütz« ist.[45] Dabei, so zeigt sich, ist sexuelle Dif-

---

42 Roof, *Come As You Are*, S. xxvii.

43 Ebd., S. xxix. Siehe hierzu auch Lee Edelman, *No Future: Queer Theory and the Death Drive* (Durham, NC: Duke University Press, 2004); sowie die kritische Auseinandersetzung mit Edelman, insbesondere auch dessen Ausblendung von Rassismus, bei José Esteban Muñoz, *Cruising Utopia: The Then and There of Queer Futurity* (New York: NYU Press, 2009).

44 Mathes, *Reproduktion*, S. 121.

45 »Hat der weibliche Orgasmus doch einen Sinn« betitelt *Der Spiegel* einen Beitrag von Julia Köppe (koe) vom 1. Oktober 2019, bezugnehmend auf die Arbeit von

ferenz – die Verbindung von Samen & Eizelle, aus der eine Keimzelle hervorgeht – ohnehin wenig arterhaltend,[46] auch wenn die menschliche Vorstellung von der Bedrohung der eigenen Art, aus der sich auch die vielen neokolonialen Science-Fiction-Topologien speisen, absurd ist, wie Ursula Heise ausgeführt hat.[47] Queere Theorie, die beginnt, sich mit der Klimakrise zu befassen, fokussiert daher die Potentialität sexueller Indifferenz:[48]

> Sexual indifference – or the thought of production and »life« that does not take the form of the bounded organism reproducing itself through relation to its complementing other might not just be a thought worth entertaining for the curiosity it presents to the life sciences. Such a thought might provoke us to think beyond the lures and laziness that the sexual dyad as a figure has offered for thinking.[49]

Mit Bezug auf Colebrooks Entwurf eines anderen evolutionären Werdens, einer »queer technobacterial future«, denkt Heather Davis über die Potentialität von Plastik nach. Ausgehend vom sexuellen Vergnügen der Dildotektonik – »We take full advantage of our chemically engineered present, with its wonderful array of malleable objects«[50] – bringt sie Plastik als Substanz, die reproduktive Zukünfte gefährdet und Plastik als Substanz, die unreproduktive Gegenwart zelebriert, zusammen: »There is an uncanny resemblance between the modalities of queerness and plastic's expression, despite the fact that one emerges

---

zwei US-Forscher*innen, die entsprechende Publikationen in 2016 und 2019 veröffentlicht hatten <https://www.spiegel.de/wissenschaft/mensch/klitoris-forscher-entschluesseln-nutzen-des-weiblichen-orgasmus-a-1289561.html> [Zugriff: 5. Juni 2021].

46   Siehe Claire Colebrook, »Sexual Indifference«, in *Telemorphosis: Theory in the Era of Climate Change*, hg. v. Tom Cohen (Ann Arbor, MI: Open Humanities Press, 2012), S. 167–82.

47   Ursula Heise, *Nach der Natur. Das Artensterben und die moderne Kultur* (Berlin: Suhrkamp, 2010), hier v. a. das Kapitel »Das posthumane Menschentier«, S. 115–49.

48   Damit ist ungeschlechtliche Fortpflanzung gemeint, nicht die mit diesem Begriff von Teresa de Lauretis theoretisierte Un-/Möglichkeit der Repräsentation lesbischen Begehrens. Siehe Teresa de Lauretis, »Sexual Indifference and Lesbian Representation«, *Theatre Journal*, 40.2 (Mai 1988), S. 155–77.

49   Colebrook, »Sexual Indifference«, S. 167.

50   Heather Davis, »Imperceptibility and Accumulation: Political Strategies of Plastic«, *Camera Obscura*, 31.2 (2016), S. 187–93, hier S. 188 <https://doi.org/10.1215/02705346-3592543>.

from liberatory struggle and the other from advanced ›petrocapital-
ism‹.«[51]

High Life erzählt so scheinbar eine weitere Version der vielen
Weltraummissions-Filme, in denen es um das Überleben der Menschheit im Anthropozän geht.[52] Aber nichts ist, wie es im Sinne reproduktiver Ordnungen sein sollte. Schon die Figuren selbst sind »wiederher-
gestellt«: »We were scum, trash, refuse that didn't fit into the system
until someone had the bright idea of recycling us to serve science«, so
Montes Analyse. Und Dr. Dibs huldigt zwar einerseits dem Kult der
Reproduktion, andererseits ist ihre Praxis von sexueller Reproduktion
losgelöst (sie besteht nur mehr als sexuelle Phantasie). Sie ist nicht
nur die Sperma-Schamanin, sie ist auch diejenige, die die Dildos rei-
tet und eine »plastic pussy« hat, wie Boyse kommentiert (ein nicht
näher erläutertes Ergebnis ihres Mordes der Urzelle heterosexueller
Reproduktion, der/ihrer Familie). Babys entstehen im Labor und in
Brutkästen.

In *Border* wiederum gibt es unbefruchtete Eier, die von Vore
geboren/gelegt werden und von denen er eines im Kühlschrank aufbewahrt. Diese Hiisits sehen aus wie ein dem Uterus entzogener Fötus.[53]
Sie sind damit visuell jener Veräußerung von Schwangerschaft ver-
wandt, die deren Kontrolle organisieren soll (siehe die Bildpolitik der
vermeintlichen »Pro Life«-Abtreibungsgegner*innen), werden hier
aber in einen Bildraum überführt, in dem dieses unbefruchtete *Ei*
für eine andere Natur steht. Damit wird Donna Haraways Analyse
des leuchtenden, frei schwebenden Fötus als technowissenschaftli-

---

51 Ebd.

52 Ich wähle hier den Begriff des Anthropozäns und nicht Kapitalozän/Plantagozän oder
Chthuluzän, weil es hier gerade um eine anthropozentrische Perspektive geht, die um
einen universellen Menschenbegriff herum gruppiert ist, der Ungleichheit ausblendet
und der mit dem Überleben der Menschheit eigentlich nur das Überleben von wenigen
meint.

53 Hiisits, so erklärt Vore Tina, sehen nur so aus wie Babys, oder eher wie Föten, ihre Körper sind weich wie Lehm, sie fühlen nichts, können nur essen und schlafen und leben
nicht lange. Vore bedient sich der gewaltvollen Menschengeschichte des Wechselbalgs
(als »behindert« oder »missgebildete« Kinder galten im europäischen Mittelalter,
zeitgleich zu den Jahrhunderten der Hexenverfolgung, als von nichtmenschlichen
Wesen »untergeschoben« und wurden misshandelt oder ermordet) und hinterlässt
Hiisits da, wo er Menschenbabys stiehlt, die er für den Kinderpornographiering »verwendet«: »Sie haben uns geraubt, ich raube ihre Kinder.« So Vore zur entsetzten
Tina: »Sie sollen so leiden, wie wir gelitten haben.« Sie bezeichnet ihn als krank, was
er verneint: »Wenn ich ein Mensch wäre, ja. Aber das bin ich zum Glück nicht.«

chem Wissensobjekt, das seine Existenz als öffentliches Objekt Visualisierungstechniken verdankt, weitergeschrieben und zugleich das Bild/»das Objekt« einer anderen Logik übergeben.[54] Ein ähnliches Bild taucht auch in *High Life* auf, als immersives Eintauchen in die bekannte kitschige visuelle Verkürzung der Entstehung von Leben, hier als Farb- und Lumineszenz-Rausch im Universum. Dr. Dibs vergeht sich an dem sedierten Monte (sie benutzt ihn wie die Fuckbox als Masturbationstool, begleitet vom *dirty talk* ihrer Phantasie, dass er in sie eindringt),[55] sie raubt ihm sein Sperma und inseminiert die ebenfalls sedierte Boyse (Mia Goth). Auch auf ihren Körper legt sie sich, deren Unterbauch massierend und beschwörend, »grow inside my baby, grow inside, my baby«,[56] seufzend, fast wie ein zweiter Orgasmus. Dann folgt ein Schnitt zu eben jener Sequenz, in der der Uterus als Weltraum erscheint, gefolgt von einem weiteren harten Schnitt zu einem Baby im Brutkasten, dem Resultat dieser Aktion, die Boyse das Leben gekostet haben wird (wir sehen noch ihre von Milch überquellenden Brüste, dann wird sie von der Geschichte entlassen). Auch Dr. Dibs wird sich nach dem Erfolg ihrer »Class 2 Mission« das Leben nehmen, indem sie sich selbst dem Weltraum übergibt. Das visuell vielfältig präsente Sperma in *High Life* wird wie ein Produkt gewonnen, Masturbation wie für eine Samenbank – allerdings nicht gegen Bezahlung, sondern im Austausch gegen Psychopharmaka, eine »gamete grocery«, um einen Begriff von Judith Roof zu entlehnen,[57] ermöglicht durch die Übertragbarkeit von Sperma, das metonymisch für die »künstliche Reproduktionsmedizin« als Ganze steht. Bislang ist der Uterus noch nicht vom Körper trennbar, nur Mutterschaft kann »ersetzt« werden, in Form von Surrogat- oder »Leih«-Mutterschaft.[58]

---

54   Siehe Donna J. Haraway, »Fötus. Das virtuelle Spekulum in der Neuen Weltordnung« [1997], übers. v. Katharina Maly und Josef Barla, in *Gender & Medien Reader*, hg. von Kathrin Peters und Andrea Seier (Zürich: Diaphanes, 2016), S. 249–78, hier S. 249 und 250.

55   »[D]efinitiv eine Vergewaltigung«, so Claire Denis, »Lust und Einsamkeit«.

56   Sie macht ihrem Namen damit alle Ehre und beansprucht sowohl Montes Sperma, Boyses Uterus und den Moment der Befruchtung für sich: Das ist meins, *I got dibs on that.*

57   Roof, *The Reproduction*, S. 118.

58   So werden Babys in beiden Filmen in unbelebten Objekten der Aufbewahrung verortet: Kühlschrank, Brutkasten, Pappschachtel. Zu Leihelternschaft und reproduktiver Gerechtigkeit siehe die kluge Streitschrift von Sophie Lewis, *Full Surrogacy Now: Feminism against Family* (London: Verso, 2019).

Eine Tätigkeit, die *High Life* ebenfalls ins Bild setzt, als Teil des Vertragsverhältnisses, das die Figuren des Films auf ihre Reise ins All geschickt hat und damit Reproduktion als Arbeit und diese wiederum als Teil der Zwänge der Verhältnisse – Kapitalismus, Expansion, Kolonialismus, Inkarzerierung, das Gesetz (des Vaters) – sichtbar macht.[59] In diesem Film ist entscheidend, dass es kein An/Kommen gibt, dass es keine Möglichkeit zum Abbruch der Mission gibt (außer Suizid), keine Möglichkeit zum Abort. Zudem ist Zeitlichkeit auf den Kopf gestellt, wie mehrfach im Film ausgeführt wird: Asynchron mit der Erdenzeit werden sie rückwärts nach vorne katapultiert, die Bewegung ist eine beständige Beschleunigung, die aber als umgekehrt erlebt wird, als verqueert: »I keep getting blown backward«,[60] wie Carla Freccero in einer Roundtable-Diskussion des GLQ Journals zu queeren Zeitlichkeiten formuliert hat, oder mit Lee Edelman in derselben Gesprächsrunde: »Call it the queerness of time's refusal to submit to a temporal logic – or, better, the distortion of that logic by the interference, *like a gravitational pull, of some other, unrecognized force.*«[61]

EINE SEXSZENE WIE EINE ZWEITE GEBURT

Diese Störungen reproduktiver Ordnungen – Heterosexualität ist wie gesagt zuallererst eine geordnete Erzählung, die sich zu reproduzieren weiß[62] – werden von Erzählungen gerahmt, in denen zu Reproduktionszwecken nicht penetriert, sondern inseminiert, hineingesogen und ausgestülpt wird und Tabus gebrochen werden, indem Dinge in den Mund gesteckt werden, die da »nicht hingehören« – Dinge, die man nicht tut, die tabu sind oder eklig (Larven, Käfer, die eigene Scheiße und Pisse, recycled zwar, aber eben dennoch).

Wenn also in Rezensionen von *Border* von animalischem Sex die Rede ist, bedarf es einer Lektüre gegen den Strich. Also nicht im Sinne der zumeist zugrundeliegenden normativen sexistischen und rassisti-

---

59   Zu diesen Zusammenhängen und einer feministischen Kritik kapitalistischer und
      kolonialer Re/Produktionsverhältnisse siehe u. a. Federici, *Caliban und die Hexe.*
60   Carolyn Dinshaw et al., »Theorizing Queer Temporalities: A Roundtable Discus-
      sion«, *GLQ,* 13.2–3 (2007), S. 177–95, hier S. 184.
61   Ebd., S. 188.
62   Siehe Roof, *Come As You Are.*

schen Pornokonvention (wilder lauter Sex ist »tierisch«), sondern
im Sinne einer Infragestellung des Projekts Humanismus: Trolle sind
keine Menschen, weil Menschlichkeit auf brutaler genozidaler Gewalt
und Missbrauch beruht, so Vores Logik, die als Gegenentwurf letztlich
immer auf diesen Humanismus bezogen bleibt, ein Spannungsverhältnis, das der Film ausstellt, aber nicht auflöst. Die Nettigkeit, die Tinas
Vater ihr abfordert, als diese ihn zur Rede stellt, steht so auch für die
dem Humanismus eingeschriebene epistemische Gewalt, die eigene
Gewaltgeschichte nicht als Voraussetzung und Bedingung der Gegenwart anzuerkennen. Eine sowohl *Border*, als auch *High Life* rahmende
Gegenwart, die von Klimakrise und Artensterben gekennzeichnet ist.
Und in/zu der Claire Colebrook daher fragt:

> How then, we might ask [...] has theory and gender studies
> addressed the question of climate change in its broadest sense?
> The change of the literal climate cannot be delimited from
> the accompanying change in intellectual, social, political and
> systemic climates. At the very least, this is because a certain
> sexual feedback, whereby the imaginary of human reproduc-
> tion that has allowed human life to figure itself as organically
> self-sustaining, has come to destroy the very system that would
> allow human life to sustain itself into a future imaginable as
> human.[63]

Auch an anderer Stelle gibt es queere Theorieeinsätze, die Gegen-
entwürfe zum Denken in (reproduktiven) Kreisläufen vorlegen, wie
beispielsweise Kathryn Yussof und Nigel Clarks pyrosexuelle Gegen-
erzählung.[64] Diese Einsätze könnten auch für eine queere Filmpraxis
geltend gemacht werden. Damit komme ich auf meine Einstiegsfrage
zurück: Was oder wann ist queeres Kino? Von dieser Frage ausgehend
habe ich mich in diesem Beitrag mit Störungen im Kino der Gegenwart
befasst, Störungen insbesondere in/der Reproduktion – der Prokrea-
tion, der Reproduktion der Art(en), aber auch der Verhältnisse, der
Erzählungen. Abschließend stellt sich – stelle ich mir – eine neue Frage

---

63   Colebrook, *Sexual Indifference*, S. 169.
64   Nigel Clark und Kathryn Yussof, »Queer Fire: Ecology, Combustion and Pyrosexual
     Desire«, *Feminist Review*, 118.1 (2018), S. 7–24 <https://doi.org/10.1057/s41305-
     018-0101-3>.

(die auch die eines queeren Kinos ist): Wie werden wir in (die) Zukunft kommen?[65]

65 Ich bedanke mich bei den Teilnehmer*innen des Masterseminars »Medien der Reproduktion oder Fuck the Future? Queering the Screen«, das ich im Sommersemester 2020 an der Heinrich-Heine-Universität Düsseldorf abgehalten habe. Sie haben nicht nur wesentliche Fragen gestellt, ihre Klarheit hat mir überhaupt erst geholfen, meine Gedanken zu sortieren: Milena Baumgart, Laura Boullay, Henning Chmielewski, Anja Hegenbarth, Dustin Heye, Jolande Hörrmann, Ina Holev, Jean Maher, Meryem Askin, Jean Maher, Lisa Tracy Michalik, Samantha Mutsch, Lan Nguyen, Victoria Parker, Katharina Stahlhoven, Johanna Töpel, Justine Zapolski.

Prekäre Dokumentarismen – mediale Trans/Individuationen
Von *Challenge for Change* bis *Wapikoni Mobile*
JULIA BEE

EINFÜHRENDES

In diesem Text möchte ich über digitale dokumentarische Medien als Milieus für Individuationen nachdenken. Dafür soll, ausgehend von der Verhandlung prekärer Lebensbedingungen in zwei kanadischen Filmprojekten, eine Perspektive des medienphilosophischen Pragmatismus entwickelt werden.[1] Dies meint nicht einfach vom Film zum Handeln überzugehen, sondern Film selbst als Weise des Werdens, als Individuation zu beschreiben.[2] Die dokumentarischen Projekte verstehe ich als Milieus, die soziale, psychokulturelle und infrastrukturelle Transformationen ermöglichen können. Dokumentarische Bilder diskutiere ich dabei als direktes Handeln in der Welt, in konkretem

---

1   Gemeint ist nicht das Projekt des Semiopragmatismus.
2   Vgl. Gilbert Simondon, »Das Individuum und seine Genese. Einleitung«, übers. v. Julia Kursell und Armin Schäfer, in *Struktur, Figur, Kontur. Abstraktion in Kunst und Lebenswissenschaften*, hg. v. Claudia Blümle und Armin Schäfer (Zürich: Diaphanes, 2007), S. 29–45; Gilbert Simondon, *Individuation in Light of Notions of Form and Information*, übers. v. Taylor Adkins (Minneapolis: University of Minnesota Press, 2020).

Zusammenhang mit Projekten soziokultureller Selbstrepräsentation. Diese werden u. a. durch digitales Kuratieren von einem Medium der Selbstrepräsentation selbst zu einer digitalen Trans/Individuation. Mir geht es nicht darum zu fragen, was Dokumentarfilmnetzwerke auf welche Weise abbilden, sondern in einer methodischen Verschiebung zu fragen, was sie *machen*: Was sind mögliche Effekte in der Welt, wie wird mit Medienproduktionen (und nicht in ihnen) gehandelt. Dazu betrachte ich zwei Filminitiativen: *Challenge for Change* wollte im Kanada der 1960er bis 1980er Jahre gesellschaftlichen Wandel durch Film unterstützen; *Wapikoni Mobile* ist eine webbasierte Plattform für die Distribution und Entwicklung indigener Filmkulturen. *Wapikoni Mobile* ermöglicht gleichzeitig Vielfalt *und* Kollektivität durch die Infrastruktur der digitalen Plattform im Medium auszudrücken und kann den Blick von der Identität und Repräsentation zur Individuation verschieben.

WAPIKONI MOBILE – VON PRAKTIKEN DER SELBSTREPRÄSENTATION ZU MEDIALEN INDIVIDUATIONEN

In *Walk with my Spirits*, einem Kurzfilm auf *Wapikoni Mobile*, stellt der Modedesigner Tyler Jacobs seine Kleidungsstücke vor und rahmt diese als Crossdressing und »two-spirit«.[3]

Eine kurze Synopsis begleitet das Video: »Dancer and fashion designer Tyler Jacobs asks us to tag along on his journey to reclaiming his two-spirit heritage and knowledge.« Jacobs interpretiert Squamish-Kleidung u. a. durch Pailletten, synthetische Materialien und Farben neu und führt diese auch in einer Choreographie für die Kamera auf. Der Begriff *reclaiming* in der Synopsis verweist auf die Aneignung des Begriffs *two-spirit* als nichtbinäres Gender.

In einem anderen Kurzfilm auf *Wapikoni Mobile*, *Niish Manidoowag (Two Spirited Beings)*,[4] spazieren drei Teenager in einem Wald

---

3   *Walk with my Spirits*, Regie: Tyler Jacobs (Wapikoni Mobile, 2018) <http://www.wapikoni.ca/movies/walk-with-my-spirits> [Zugriff: 2. Juni 2021].

4   *Niish Manidoowag (Two Spirited Beings)*, Regie: Debbie S. Mishibinijima (Wapikoni Mobile, 2017)<http://www.wapikoni.ca/movies/niish-manidoowag-two-spirited-beings> [Zugriff: 2. Juni 2021].

und erzählen dabei von ihrer Identität als *two-spirit*.[5] Diese Art von
Coming-out-Filmen findet man auch auf YouTube.

Durch den semiprofessionellen, künstlerischen Rahmen der Produktion wird hier besonders deutlich, dass es auch um eine Auseinandersetzung mit dem Medium Film geht und durch die gemeinsame Arbeit am Film eine Reflexivität durch das Medium auf sich,
Kultur und Geschichte stattfindet. YouTube schließt dies nicht aus,
Filme auf *Wapikoni Mobile* spitzen die Auseinandersetzung aber thematisch auf kulturelle Genealogien und die Auseinandersetzung mit
der eigenen kulturellen Positioniertheit zu und unterstützen dies mit
Filmworkshops und Postproduktion in einem mobilen Studio. Zudem
ist *Wapikoni Mobile* an künstlerischer Professionalisierung und damit der Möglichkeit der Gestaltung indigener Filmkultur interessiert,
die Filme sind nahezu alle aus Workshops entstanden, die mit dem
Wapikoni Mobile-Team umgesetzt wurden. Indem nicht nur frontale,
im Selfie verwendete Naheinstellungen, sondern *long takes* einer Kameraperson, atmosphärische Momente, poetisches Voiceover, Musik
und Gesang eingesetzt werden, wird im oben angesprochenen Beispiel auf ästhetisierende Weise an einem Selbst/Porträt gearbeitet.
Es geht in beiden Filmen um eine sehr bewusst künstlerisch stattfindende Reflexion, etwa wie im hier erstgenannten Beispiel auf die
kulturelle Interpretation eines präkolonialen Begriffs von queerem
Begehren und nichtbinärem Geschlecht. Diese künstlerischen Interventionen im Medium des Dokumentarischen lassen sich als Weise
verstehen, Kultur nicht nur medial zu vermitteln, sondern auch zu
»tradieren« und in der »Vermittlung« gleichzeitig Infrastrukturen
für Kollaboration, Austausch, interkulturelle Kommunikation und intergenerationelle Genealogie entstehen zu lassen. Vermittlung oder
Selbstrepräsentation führen so in einem medienphilosophischen Sinne zu Transformationen, beides widerspricht sich nicht. Kultur und

---

5   In den letzten Jahren wurde ein präkoloniales und weitgefächertes, also durchaus auch
     regional und kulturell nicht zu homogenisierendes Verständnis von *two-spirited* restau-
     riert. *Two-spirit* bezeichnet nicht für alle First Nations das Gleiche, es existiert ein sehr
     unterschiedlicher Umgang mit dem Begriff. Tyler Jacobs Film ist in einem Diskurs
     um *two-spiritedness* in Nordamerika zu situieren. Die Berufung auf *two-spiritedness*
     grenzt sich zuweilen auch von der Verwendung von LGBTQI* ab und verfolgt ein
     intersektionales Verständnis von verschiedenen sozialen und z. T. spirituellen Rollen
     in einer Gruppe. Umso problematischer ist es wiederum, wenn sich Nachkommen von
     Siedler*innen selbst als *two-spirited* bezeichnen.

Vermittlung sind so nicht unabhängig zu denken, wie immer, wenn wir über Dokumentationen sprechen.

Noch stärker jedoch ist dies eine technisch-soziale Ausgangslage: Wie ich im Folgenden argumentieren möchte, führt die Performanz der dokumentarischen Medien einerseits und jene der Selbstrepräsentation andererseits zu einer technisch-sozialen Trans/Individuation im digitalen Milieu von *Wapikoni Mobile*. So wird der Blickwinkel von der Repräsentation zu einer prozessualen und technisch-ästhetisch-sozialen Individuation verschoben.

Wapikoni Mobile ist eine digitale Film-Plattform mit Sitz in Montréal, welche durch ein mobiles Studio First-Nations- und Inuit-Filmschaffen fördert und Filme vor allem online distribuiert.[6] *Wapikoni Mobile* ist dabei in eine Reihe kollaborativer Filmprojekte einzuordnen, die den Blick von außen auf indigene Gruppen in eine selbstbestimmte Medienpraxis umgewandelt haben.[7] *Wapikoni Mobile* hat einen lokalen Schwerpunkt in Kanada, aber auch in anderen Regionen der Welt entstanden durch lokale Kooperationen und Initiativen Kurzfilme und Porträts von über 45 Gruppen aus 11 Nationen. Ein mobiles Team aus Filmschaffenden reist seit 2004 durch Kanada und produziert mit einem mobilen Schnittstudio Kurzfilme in Kollaboration mit lokalen Akteur*innen. In (z. T. mehrwöchigen) Workshops entstehen essayistische, dokumentarische, experimentelle und animierte Filme, deren Fokus die Selbstrepräsentation von Inuit und First Nations, deren Kultur, Probleme und Kosmologien sind. *Wapikoni Mobile* arbeitet mit 76 Gruppen aus 14 verschiedenen Ersten Nationen in Kanada und Nordamerika. Aktuell sind über 1295 Kurzfilme und 817 musikalische Aufnahmen öffentlich auf der Plattform zugänglich.

Kooperiert hat die nichtkommerzielle Organisation u. a. mit dem NFB (*National Film Board of Canada / L'Office National du Film du*

---

6   Mit *cinéma des premières nations* wird eine Kollektion betitelt, die anlässlich des 15-jährigen Bestehens zusammengestellt wurde. Auf der Website heißt es: »Travelling studio for training and audiovisual creation of the first nations.« <http://www.wapikoni.ca/home> [Zugriff: 2. Juni 2021].

7   Dass Souveränität der Medienproduktion nicht heißt, frei von Machtstrukturen und Fremdbildern zu sein, wurde vielfach in der postkolonialen Theorie argumentiert, z. B. von Rey Chow mit ihrem Begriff der Fabulation: »Film as Ethnography; or, Translation between Cultures in the Postcolonial World«, in *The Rey Chow Reader*, hg. v. Paul Bowman (New York: Columbia University Press, 2010), S. 148–71.

Canada). Sie lässt sich in eine Reihe von Initiativen zur Förderung von Amateur*innen- und Dokumentarfilmen einbetten, die historisch gesehen Film als Ausdruck von kultureller Identität in Kanadas Mehrkulturalität aufgefasst haben. Der kollaborativ mit Filmschaffenden und Pädagog*innen produzierte Kurzfilm fungiert als Medium kultureller Selbstrepräsentation, aus dem eine an indigenen Belangen orientierte Öffentlichkeit und Medienkultur entsteht.[8] *Wapikoni Mobile* besteht aus mobilen Workshops, die ein Filmnetzwerk bilden und kann so als dynamisches, wachsendes Medium kulturellen Selbstausdrucks beschrieben werden. Filminteressierte werden durch das mobile Team technisch unterstützt und in Workshops in Kamera und Schnitt ausgebildet. Daraus entstehen meist Kurzfilme, die eine Person und/oder ein räumliches und kulturelles Umfeld repräsentieren. Die Länge der Filme ist an die Netzwerkumgebung angepasst und spiegelt eine durch soziale Medien geprägte Filmkultur wider. Dabei ist der Grad der Professionalisierung z. T. hoch und es werden starke ästhetische Positionen vertreten. Zahlreiche Filme werden bei Festivals gezeigt und haben auch professionelle Karrieren unterstützt, etwa des Filmemachers Réal Junior Leblanc.[9]

Die Öffentlichkeit von *Wapikoni Mobile* kreiert eine Gelegenheit, ja eine Proposition, sich zu medialen Techniken, zu Film und Videoästhetiken und letztendlich zu dem, was man zeigen will, mit audiovisuellen Ausdrucksformen in Beziehung zu setzen. Was will ich zeigen? Was macht mein Leben, meinen Alltag, meine Kultur aus? Welche Philosophien und Kosmologien kann Film transportieren?

Die Filme beziehen sich auf Ästhetik, Kultur und die eigene Biografie. Die Medien Kurzfilm und Essayfilm wirken hier potentiell rückbezüglich und können zu einem kulturellen oder individuierenden Prozess beitragen, den ich noch genauer ausführen werde. Die eigene künstlerische dokumentarische Arbeit wird so Teil der media-

---

8 Projekte, die sich auf Selbstrepräsentation fokussieren, können sich natürlich nicht vollends von internalisierten Fremdbildern, die auch auf sich selbst angewendet werden, befreien. Die Souveränität am eigenen Bild kann so vielfach auch als Durcharbeiten dieser Fremdzuschreibungen verstanden werden. Dieser Prozess verbindet Fremd- und Selbstrepräsentation, die einander durchdringen. Weiter unten gehe ich daher auch auf ein Beispiel ein, das den Prozess einer kreativen Aneignung verdeutlicht, indem verschiedene Medienformen als eine Art der Bricolage verbunden werden.
9 Siehe das Profil für Réal Junior Leblanc auf den Webseiten von *Wapikoni Mobile* <http://www.wapikoni.ca/filmmakers/real-junior-leblanc> [Zugriff: 2. Juni 2021].

len Aushandlung dessen, was Kultur und wer man selbst »ist«. Sie unterstützt aber auch neue Ästhetiken und Weisen, audiovisuelle und digitale Medien als soziokulturelle und aisthetische – auf die Wahrnehmung bezogene – Form der Weltbeziehung zu nutzen. Filmarbeit kann so zu einem Werden und weniger zu einer starren Repräsentation des Selbst beitragen. Darauf komme ich im letzten Teil dieses Textes zurück.

Die Gestaltung von *Wapikoni Mobile* mit thematischer Zuordnung, Kommentarfunktion und Verlinkung ist vergleichbar mit YouTube oder Vimeo (eine Plattform, auf die teilweise auch verlinkt wird), hat sich jedoch spezifisch dem Zweck verschrieben, First-Nations- und Inuit-Filmkultur durch Amateur*innen eine Plattform zu geben. Es handelt sich um kein algorithmisch gesteuertes, nichtsdestotrotz aber digitales Kuratieren, unter der Verwendung von Begriffen, Serien oder Reihen. Die Filme erscheinen nicht referenzlos, sondern sind in Synopsen mit Bezügen und Texten eingebettet. Durch die Bricolage aus Stilen, Themen und Medienformen wird mit über aktuell 1295 Filmen die Vielfalt und Heterogenität des Alltags von hunderten Kindern und (jungen) Erwachsenen erfahrbar[10] – ohne dass diese Erfahrung als Exotisierung der Indigenität im Sinne eines Otherings erscheint. Das digitale kuratorische Konzept reflektiert hier selbst die Problematik der Heterogenität sehr unterschiedlicher Gruppen und damit Kulturen und Ästhetiken, indem durch Schlagworte Themen benannt werden. Dadurch werden übergreifende Probleme heterogener indigener Gruppen wie sexuelle Gewalt, traumatische Dekulturalisierung oder Generationenkonflikte benannt und damit als gemeinsame Themen politisierbar. Man kann sich auf sie beziehen, sie vermitteln dadurch vielgestaltige Perspektiven auf Diskriminierung, Gewalt und Prekarisierung. So verbindet das Schlagwort *two-spirit* audiovisuelle Arbeiten, in denen sich Menschen als LGBTQI* in einem indigenen Sinne verstehen. Der Begriff beschreibt die Lebbarkeit von Geschlecht und Begehren jenseits der Binarität in einigen Gruppen wie, im Falle

---

10   Auf der Website heißt es: »Since its inception, 5,000 participants were trained or initiated to documentary film or musical recording; 300 to 500 new participants each year.« <http://www.wapikoni.ca/about/who-are-we/wapikoni-in-brief> [2. Juni 2021].

des eingangs beschriebenen Films von Tyler Jacobs, den Küsten-Salish in und bei Vancouver.

Wapikoni Mobile ermöglicht durch dieses kuratorische Konzept nicht nur die Selbstrepräsentation, sondern auch die *Transformation* von Medienkulturen zu verdeutlichen, ja, *Wapikoni Mobile* ist lebendiger Ausdruck dieser Transformationen. *Wapikoni Mobile* grenzt sich so von anthropologischen Filmen der ersten Hälfte des 20. Jahrhunderts ab, die Gruppen und Individuen mit ihren visuellen Techniken überwiegend fixierten. Dabei geht es mit dem Begriff Transformation nicht darum, dass *Wapikoni Mobile* Medien einführt und/oder angeblich unmedialisierte Kulturen in einem kolonialen Sinne mediatisiert, sondern Film und andere kulturelle Praktiken in einen Zusammenhang setzt. Transformation ist eher eine prozessuale Weise, Kultur und Subjektivität zu medialisieren. Im Sinne Johannes Fabians wird hier Zeitgenoss*innenschaft hergestellt, anstatt einen vormodernen Status festzuschreiben.[11] Der Prozess der Produktion des eigenen *Wapikoni Mobile*-Beitrags und seine Gestaltung ist nicht nur eine (selbstbestimmte) Abbildung von Kultur, sondern schreibt diese und damit eben auch eine veränderte Filmkultur kreativ fort.

CHALLENGE FOR CHANGE – FILM ALS SOZIALE PRAXIS

Schon das vom NFB geförderte Programm *Challenge for Change* antizipierte eine Social Media-Funktion des kollaborativen Filmemachens, indem Filme zwischen Gruppen zirkulierten, um Allianzen herzustellen. Die infrastrukturellen Projekte, die mit den Filminitiativen einhergehen, haben gleichermaßen zum Ziel, Prekarität zu begegnen und mit den Mitteln von Film zu adressieren.[12] Beide Projekte sind auf die Kollaboration mit lokalen Akteur*innen und Gruppen ausgerichtet.[13]

---

11 Vgl. Johannes Fabian, *Time and the Other: How Anthropology Makes its Object* (New York: Columbia University Press, 1983).

12 Vgl. auch zur Idee der Infrastruktur als nachhaltige Zusammenarbeit durch Filmprojekte Sven Seibel, »Die Kamera übergeben. Montage und kollaboratives Filmemachen in *Les Sauteurs*«, in *Cutting Egde! Aktuelle Positionen der Filmmontage*, hg. v. Martin Doll (Berlin: Bertz + Fischer, 2019), S. 157–85.

13 Allerdings stehen bei *Challenge for Change* viel stärker Kollektive im Vordergrund, die repräsentiert werden und die kollaborativ in Gruppen arbeiten. *Wapikoni Mobile* hingegen ist durch die Autor*innenschaft auch kritisch als Technik der Individualisierung oder Modularisierung zu beschreiben, die sich selbstdokumentarischen Praktiken ver-

Wapikoni Mobile lässt sich als ebenso im filmphilosophischen Sinne pragmatisches, aktuelles Projekt im Sinne des in den 1960er Jahren installierten kanadischen Dokumentarfilmprogramms *Challenge for Change* deuten. Filmphilosophisch-pragmatisch meint, dass man die Philosophie des Films als Handlung verstehen kann. In diesem Fall wirkt diese prozessual und performativ auf die Gruppe und/oder Kultur zurück. In dessen Rahmen sind zahlreiche vom NFB geförderte Sozialdokumentationen entstanden, Filme mit und von First Nations – etwa 1969 *These Are my People...* von der Indian Film Crew –,[14] aber auch weitere kollaborative Filmexperimente mit frankophonen Gruppen in Québec. Vergleicht man *Challenge for Change* und *Wapikoni Mobile* als zwei kulturaktivistische Programme, fällt auf, dass nicht nur *Wapikoni Mobile* als *expanded* Netzwerk der früheren soziologischen Filmarbeit verstanden werden kann, sondern auch umgekehrt *Challenge for Change* bereits seit den 1960er Jahren Film als soziales Netzwerk zum *community building* kultureller und lokaler Gruppen beitragen sollte.[15] Trotz institutioneller Differenzen gibt es ideelle Anknüpfungspunkte. Denn die Filme wurden nicht nur eingesetzt, um zu dokumentieren, sondern auch um Akteur*innen einer kritischen Medienkultur auszubilden,[16] damit Dokumentarfilmästhetiken zu verändern und Menschen durch und um Filmprojekte zu versammeln. D. h., auch hier ging es um die Wechselwirkung von Film und Prozessen in

---

schrieben hat. Wie ich weiter unten argumentieren möchte, entstehen daraus aber andere Individuationen und auch individualisierende Regime des Selbst können befragt werden.

14 *These Are my People...*, Regie: Roy Daniels, Willie Dunn, Michael Kanentakeron Mitchell, Barbara Wilson (National Film Board of Canada, 1969); Noel Starblanket, »A Voice for Canadian Indians: An Indian Film Crew«, in *Challenge for Change: Activist Documentary at the National Film Board of Canada*, hg. v. Thomas Waugh, Michael Brendan Baker und Ezra Winton (Montréal und Kingston: McGill-Queen's University Press, 2010), S. 38–40.

15 Siehe hierzu Freya Schiwy, die in ihrer Monographie lateinamerikanische indigene Filmkollektive entlang von Begriffen epistemischer Dekolonisierung beschreibt. Der Begriff der Netzwerkbildung spielt hier eine privilegierte Rolle zum panindigenen Austausch. Freya Schiwy, *Indianizing Film: Decolonization, the Andes, and the Question of Technology* (New Brunswick, NJ: Rutgers University Press, 2009), S. 46.

16 Eine Ausbildung im Bereich Film in den Workshops tradiert natürlich bestimmte Erwartungen und Normen bezüglich des Mediums Films und ist nicht wertfrei zu verstehen. Hier geht es aus meiner Sicht um die Vermittlung der Möglichkeit, sich auch kritisch mit Medien- und Filmkultur auseinanderzusetzen – vor allem aber zunächst diese erst einmal durch die eigene Perspektive und kulturelle Verortung zu bereichern.

communities.[17] Bekannt sind z. B. die Filme, die auf Fogo Island in der Provinz Neufundland und Labrador entstanden sind. Hier werden der Alltag und die existenziellen Probleme von Fischer*innengruppen gezeigt, z. B. in *Billy Crane Moves Away* deutlich von dem wirtschaftlichen Wegfall des ersten Sektors geprägt.[18] In *Children of Fogo Island* entsteht ein Porträt der Spiele der Kinder und jungen Erwachsenen, welches einen offensichtlich positiven Blick auf die ländliche Kultur vermitteln will.[19] In den 1960er Jahren machte dieses Programm vor dem Hintergrund der Ideen und Programme der New Left Armut und Arbeitslosigkeit zum Thema. Anders als in den USA existiert in Kanada ein Sozialhilfeprogramm, für dessen Installierung in den 1960er Jahren die Dokumentation sozialen Ausschlusses als entscheidend verstanden wurde.[20] Die Dokumentationen des NFB interpretieren die Realität teilweise auch durch den Blick der Akteur*innen. Im Zentrum steht dabei immer wieder die Situation von Verarmung betroffener Menschen, zu sehen in Filmen wie *The Things I Cannot Change.*[21] Das Programm lässt sich somit in ein soziologisches Paradigma des ethnographischen Films einordnen, da es einerseits um die Darstellung einer *Kultur* der Armut geht, die sich in intergenerationellen Kreisläufen spiegelt, die in der Filmarbeit untersucht werden.[22] Andererseits geht es um den Blick der Akteur*innen, der durch Selbstermächtigung und Kontrolle des eigenen Bildes Teilhabe durch Medienkompetenz verspricht.[23] D. h., nicht die Abbildung, sondern das Durchbrechen sozialer Exklusion ist das zentrale Anliegen. Durch leichtgewichtige

---

17   Vgl. Zoë Druick, »Meeting at the Poverty Line: Government Policy, Social Work, and Media Activism in the Challenge for Change Project«, in *Challenge for Change*, hg. v. Waugh, Baker und Winton, S. 337–53, hier S. 345.

18   *Billy Crane Moves Away*, Regie: Colin Low (National Film Board of Canada, 1967). Vgl. Druick, »Meeting at the Poverty Line«, S. 344.

19   *The Children of Fogo Island*, Regie: Colin Low (National Film Board of Canada, 1967).

20   Vgl. Druick, »Meeting at the Poverty Line«, S. 343.

21   *The Things I Cannot Change*, Regie: Tanya Ballantyne (National Film Board of Canada, 1967).

22   Armut wird außerdem in ein kulturelles Paradigma eingeordnet. Es erscheint aus heutiger Sicht u. a. als Dokument des Übergangs in die Dienstleistungsgesellschaft, bei der etwa die Fischerei massiv umstrukturiert wird, wie es in Bezug auf Labrador mit den Fogofilmen thematisiert wurde.

23   Marit Kathryn Corneil, »Winds and Things: Towards a Reassessment of the Challenge for Change/Société nouvelle Legacy«, in *Challenge for Change*, hg. v. Waugh, Baker und Winton, S. 388–403, hier S. 399.

Kameras können Filmpraktiken an Amateur*innen vermittelt werden, wie es in Bonnie Sherr Kleins *VTR St-Jacques* geschieht:[24]

> People on the St-Jacques committee use the video equipment supplied to them by the NFB to clarify their own positions on issues that affect them, to enable them to approach people on the street, and to generate interest – and possibly a larger membership – in their group.[25]

Challenge for Change förderte bereits Filme von First Nations Gruppen,[26] ein Themenbereich, den *Wapikoni Mobile* mit den nordamerikanischen Gruppen Inuit und First Nations explizit zu einem Schwerpunkt erklärt hat.

Auf der Plattform von *Wapikoni Mobile* finden sich zahlreiche Filme, die Gewalt, soziale Exklusion und intersektionale Oppressionen schildern, etwa die hohe Rate verschwundener und ermordeter First Nation Frauen, auf die Jerilynn Webster mit dem Musikvideo *The Most Unprotected Girl* aufmerksam macht.[27] Der 13-jährige Cree David Coon-Come, der in der Gemeinde Mistissini lebt, berichtet für den Kurzfilm *My Box* seiner Schwester, der Regisseurin Allison Coon-Come, vom Mobbing in seiner High School;[28] Merrill Lemaigre schildert auf essayistische Weise in *Just Merrill* von seinem*ihrem Umzug vom Land in die Stadt und wieder zurück sowie zugleich von seiner*ihrer Transition.[29] *Blocus 138 – La Résistance Innue* von Réal Junior Leblanc dokumentiert die Protestaktionen angesichts der Errichtung eines hydroelektrischen Damms.[30] In diesen sehr heterogenen Beispielen wird Film Ausdruck biografischer und individueller

24 *VTR St-Jacques*, Regie: Bonnie Sherr Klein (National Film Board of Canada, 1969).

25 Druick, »Meeting at the Poverty Line«, S. 351.

26 *Cree Hunters of Mistassini*, Regie: Tony Lanzelo und Boyce Richardson (National Film Board of Canada, 1974); *You Are on Indian Land*, Regie: Michael Kanentakeron Mitchell (National Film Board of Canada, 1969).

27 *The Most Unprotected Girl*, Regie: Jerilynn Webster (Wapikoni Mobile, 2018) <http://www.wapikoni.ca/movies/the-most-unprotected-girl> [Zugriff: 2. Juni 2021].

28 *My Box*, Regie: Allison Coon-Come (Wapikoni Mobile, 2010) <http://www.wapikoni.ca/movies/my-box> [Zugriff: 2. Juni 2021].

29 *Just Merrill*, Regie: Merrill Lemaigre (Wapikoni Mobile, 2018) <http://www.wapikoni.ca/movies/just-merrill> [Zugriff: 2. Juni 2021].

30 *Blocus 138 – La Résistance Innue*, Regie: Réal Junior Leblanc (Wapikoni Mobile, 2012) <http://www.wapikoni.ca/films/blocus-138-la-resistance-innue> [Zugriff: 2. Juni 2021].

Vielfalt ebenso wie alltäglicher Repressionen und Ausschlüsse. *Wapikoni Mobile*-Filme zeigen aber auch in ihrer Form, dass der kulturelle Selbstausdruck hochgradig politisiert ist und im Film fortgeschrieben wird. Statt über Selbstrepräsentation Identitäten festzuschreiben, kann ein Film die Selbstverortung prägen und sie in eine andere Form überführen. Film wirkt hier als Medium von Transformationen – und zugleich als Wissensspeicher und stetig wachsendes, bewegliches Archiv. Etwa werden Filme genutzt, um Sprachen und orale Traditionen als zentralen Bestandteil indigener Kultur zu archivieren und zu vermitteln, so etwa in dem Film *Innu Aiminan* (*Speak To Us In Innu*) in dem Inuit-Kinder durch Protestaktionen einfordern, in der Schule Innu zu lernen und zu sprechen.[31]

Das NFB hat nicht nur eine lange Tradition von Dokumentation als staatlich subventioniertes und sozialpolitisches Programm begründet, u. a. durch den Dokumentarfilmer und ersten Direktor des NFB John Grierson, sondern auch in verschiedenen Programmen Film als soziale und kulturelle Technik des Selbstausdrucks von Filmamateur*innen zu verstehen gegeben: Kurz, was hier deutlich wird, ist ein Vertrauen in filmische Medien als Vehikel des Wandels und der soziokulturellen Praxis. Gerade in Québec hat dies aufgrund der Mehrkulturalität eine lange Tradition, und Filme aller Kulturen werden aktiv in die Festival- und Kulturpolitik eingebunden.[32] Davon profitiert auch *Wapikoni Mobile*. Gleichzeitig lässt sich darin ein in der »Pragmatik« dieser Projekte und Netzwerke verkörpertes medienphilosophisches Argument anführen, welches ich weiter unten genauer betrachten möchte.

Viele Filmproduktionen des NFB, auch *Challenge for Change*, sind in diesem teils regionalen kulturpolitischen Sinne zu verstehen. Ähnlich wie *The Children of Fogo Island* sind es Pierre Perraults und Michel Braults *Pour la suite du monde* und andere Filme, die den Tonfilm für sich zu nutzen wussten, um das Québécois als marginalisierte Sprache

31 *Innu Aiminan* (*Speak To Us In Innu*), Regie: Lise-André Fontaine (Wapikoni Mobile, 2013) <http://www.wapikoni.ca/movies/innu-aiminan> [Zugriff: 2. Juni 2021]; vgl. auch *Nutshimiu-Aimun* (*The Language of the Land*), Regie: Shanice Mollen-Picard und Noëlla Mestokosho (Wapikoni Mobile, 2018) <http://www.wapikoni.ca/movies/nutshimiu-aimun-the-language-of-the-land> [Zugriff: 2. Juni 2021].

32 So wird an Filmschulen in Québec nicht nur anglophone, sondern auch frankophone und First Nations-Filmkultur unterrichtet.

zu inszenieren und das *cinéma vécu* als ihr Sprachrohr zu erschaffen.[33] Die »freie indirekte Rede« Québecs,[34] die Deleuze als minoritären Sprechakt bezeichnet, wie er auch Pierre Perraults Filme neben denen von Jean Rouch ins Zentrum seines Kapitels zu den Mächten des Falschen in *Das Zeit-Bild* stellt, ist Teil der Stillen Revolution im Québec der 1960er Jahre, die das wachsende Selbstbewusstsein der Kultur und des Québécois-Französisch gegenüber dem europäischen Französisch, aber auch gegenüber den anglophonen Kanadier*innen bezeichnet.[35] Aus dem Sprechakt wird in Deleuze' Lesart ein Akt der kollektiven Subjektivierung.

Challenge for Change könnte man auch kritisch als ein nationales Programm verstehen, in welchem nicht nur eine Mehrstimmigkeit an Repräsentationen gefördert, sondern angesichts eines so großen, des zweitgrößten Landes der Welt, auch eine Art Zusammengehörigkeit durch Filmkommunikation und filmische Teilhabe hergestellt wird. Die Filme nehmen so am *nation building* teil. Oben genannte Filme aus Labrador und Neufundland stammen etwa aus Regionen, die z. T. erst 1949 (wieder) an Kanada angeschlossen wurden.

Kanada gilt zwar heute häufig als Vorbild in der Förderung indigener Kultur, dies sollte aber nicht über die lange Geschichte der Verschleppung und Umerziehung von First Nations-Kindern in sogenannten *foster homes* als Maßnahme gezielter intergenerationeller Traumatisierung und Dekulturalisierung hinwegtäuschen[36] – Willie Dunns Filmessay und Musikvideo *The Ballad of Crowfoot* thematisiert dies etwa als Collage von *found footage*, und ist ebenfalls im Rahmen von *Challenge for Change* entstanden.[37] Auch zahlreiche Filme auf *Wapikoni Mobile* wie *L'enfance déracinée* (*Uprooted Generation*) knüpfen daran an und eignen sich das *Found-footage*-Material aus der Zeit

---

33 *Pour la suite du monde*, Regie: Pierre Perrault und Michel Brault (National Film Board of Canada, 1963).

34 Gilles Deleuze, *Das Zeit-Bild. Kino 2*, übers. v. Klaus Englert (Frankfurt a. M.: Suhrkamp, 1991), Kap. VI: »Die Mächte des Falschen«, S. 168–204, hier S. 201.

35 Wirtschaftliche Problematiken von frankophonen Kanadier*innen dauern z. T. bis heute an und spiegeln sich stark im Stadt-Land-Gefälle sowie innerhalb der Städte, in denen anglophone Stadtteile zumeist von der oberen Mittelklasse bewohnt werden.

36 Premierminister Justin Trudeau hat sich 2017 für diese Dekulturalisierungen und gezielten Traumatisierungen von Individuen und Kollektiven entschuldigt, sein Vorgänger Stephen Harper offiziell erst 2008.

37 *The Ballad of Crowfoot*, Regie: Willie Dunn (National Film Board of Canada, 1968).

der *foster homes* neu an.[38] In gewisser Weise begegnet *Wapikoni Mobile* dieser Dekulturalisierung in seiner Medienpraxis und schafft eine Möglichkeit sich kollektiv, über Gruppen hinweg auszutauschen und Kultur im Medium Film zu stärken und zu reflektieren.

Man kann im Anschluss an die kanadische Geschichte dieser Filme des Vierten[39] – indigenen – Kinos als Werkzeuge der Bearbeitung von Traumata sehen, wie es z. B. Adam Szymanski tut:[40] Sie schreiben Geschichten und Biografien fort, indem sie sich in diese einschreiben und antworten so direkt auf die gezielte staatliche Umerziehung und kulturelle Traumatisierung und die bestehende Umwelt bedrohende Gewalt kanadischer Infrastrukturgroßprojekte.[41] In dieser Fortschrei-

---

38 *L'enfance déracinée* (*Uprooted Generation*), Regie: Réal Junior Leblanc (Wapikoni Mobile, 2013) <http://www.wapikoni.ca/movies/uprooted-generation> [Zugriff: 2. Juni 2021].

39 Barry Barclay, »Celebrating Fourth Cinema«, *Illusions*, 35 (2003), S. 7–11; ders., »An Open Letter to John Barnett«, *Spectator*, 23.1 (2003), S. 33–36. Der Filmemacher und Māori Barclay führt im Anschluss an den Begriff Drittes Kino den Begriff des Vierten Kinos ein. Barclay selbst plädiert im Anschluss an das Dritte Kino, das vor allem in Lateinamerika geprägt wurde, für ein nicht nur sich vom Autor*innenfilm und vom Hollywoodkino abgrenzendes Drittes Kino, sondern ein indigenes Kino. Vgl. zum Dritten Kino Fernando E. Solanas und Octavio Getino, »Towards a Third Cinema: Notes and Experiences for the Development of a Cinema of Liberation in the Third World«, in *New Latin American Cinema*, hg. v. Michael T. Martin, 2 Bde. (Detroit, MI: Wayne State University Press, 1997), I: *Theories, Practices, and Transcontinental Articulations*, S. 33–58. Barclay grenzt im Begriff Viertes Kino zudem die Aneignung indigener Narrationen und Themen durch nichtindigene Filmschaffende von Filmen ab, die von indigenen Filmemacher*innen für indigenes Publikum gemacht wurden. Sein negatives Beispiel ist *Whale Rider*, Regie: Niki Caro (South Pacific Pictures, ApolloMedia, Pandora 2002), der mit Māori-Schauspieler*innen arbeitet, aber ein Projekt überwiegend *weißer* Menschen ist, die sich die Geschichte kommerziell angeeignet haben.

40 Vgl. Adam Szymanski, »Minor Cinemas of Melancholy and Therapy« (unveröffentlichte Dissertation, Concordia University, 2017), Kapitel 4 »Healing and Decolonization«, S. 212–36 <https://spectrum.library.concordia.ca/982919/2/Szymanski_PhD_F2017.pdf> [Zugriff: 2. Juni 2021]. Szymanski zeigt hier am Beispiel von Kanakan-Balintagos (Auraeus Solito) *Busong* (*Palawan Fate*) (2011), wie Film nicht nur Heilung *zeigt*, sondern für kolonisierte Gruppen Heilung *bedeuten* kann. Wie ich es hier tue, spricht Szymanski dem Film eine performative Kraft zu. Ich betone jedoch die Transformationen und nicht so sehr eine Bewahrung von Kultur. Beides kann nicht getrennt werden: Dies sagt der Begriff Fabulation von Deleuze, in welchem Transformation und Anknüpfen an die eigene Kultur und Geschichte verbunden werden, ein Begriff, auf den Szymanski sich ebenfalls auf produktive Weise bezieht.

41 Zur Rolle von indigenen Medienproduktion schreibt Faye Ginsburg: »I am proposing that when other forms are no longer effective, indigenous media offers a possible means – social, cultural, and political – for reproducing and transforming cultural identity among people who have experienced massive political, geographic, and economic disruption.« Siehe Faye Ginsburg, »Mediating Culture: Indigenous Media,

bung und Einholung von Geschichte entstehen auch neue technisch-soziale Existenzweisen, um die es in diesem Text geht.

Bei *Challenge for Change* drehten u. a. ressourcenschwache Communities aus überwiegend infrastrukturarmen Gegenden Filme. Sie konnten über die Zusammenarbeit auch weitergehende Maßnahmen einführen, wie z. B. eine eigene Klinik zu organisierten. Ein berühmtes Beispiel für diese Citizen Committees ist die Arbeit von Bonnie Sherr Klein, die mit *VTR St-Jacques* einen Film über das Leben der Bewohner*innen in St Jacques in Montréal produzierte und diese einem weiteren Publikum zeigte. Charakteristisch war der Impetus, in einem nicht unproblematischen paternalistischen Sinn nicht nur »Gehör und Stimme zu verleihen«,[42] sondern Möglichkeit zu schaffen, die Produktionsmittel – hier die Medientechnologien – durch Partizipation anzueignen.[43] Es sollte Medienkompetenz durch das eigene Ausprobieren vermittelt werden, um so etwa auch die vermeintliche Objektivität von Dokumentarfilmen zu hinterfragen. Dem Soziologen und Filmemacher Fernand Dansereau, der das Programm mitgründete, ging es nicht um eine objektive Realität des Dokumentarischen, sondern dezidiert um eine »reality of the people«.[44] Sie sollten ihre eigene Entfremdung in der politischen Repräsentation durch die teilweise kollaborative Produktion von Medienprogrammen überwinden können.

Wapikoni Mobile ist insofern von diesem kanadischen Vorläufer des Filmaktivismus nicht nur institutionell und durch eine viel breitere Förderung (z. T. mittlerweile über Netflix) unterschieden. Die ästhetische Praxis zielt viel mehr auf die Vermittlung von ästhetischen

---

Ethnographic Film, and the Production of Identity«, in *Fields of Vision: Essays in Film Studies, Visual Anthropology, and Photography*, hg. v. Leslie Devereaux und Roger Hillman (Berkeley: University of California Press, 1995), S. 256–91, hier S. 266. Im Gegensatz zu dem Konzept der Identität schlage ich hier das die Prozessualität und Medienkulturen noch stärker betonende der Individuation vor.

42 Vgl. zu dieser Problematik Sven Seibel, »Vom ›giving voice‹ zur ›audibility‹, Bedingungen und Praktiken der Vernehmbarkeit«, *Zeitschrift für Medienwissenschaft*, 11.2 (2019), S. 193–99.

43 Dorothy Todd Hénaut und Bonnie Sherr Klein, »In the Hands of Citizens: A Video Report [1969]«, in *Challenge for Change*, hg. v. Waugh, Baker und Winton, S. 24–37, hier S. 30.

44 Fernand Dansereau, »Saint-Jérôme: The Experience of a Filmmaker as Social Animator [1968]«, in *Challenge for Change*, hg. v. Waugh, Baker und Winton, S. 34–37, hier S. 37.

und technischen Grundlagen des Selbstausdrucks und der Professionalisierung, statt auf das Porträt eines Kollektivs, bei dem die externen
Filmschaffenden hauptsächlich die ästhetische Praxis bestimmen. Im
auf Partizipation und Kreativität angelegten Filmnetzwerk *Wapikoni
Mobile* entstehen Stile und Genres, die sich als auf das digitale und
kommunikative Milieu *Wapikoni Mobile* bezogene Individuationen
verstehen lassen, in denen Subjektivität, aber auch ästhetische Praktiken entstehen, die sich konsolidieren und verfestigen können.

Diese Transformation von *Challenge for Change* zu *Wapikoni Mobile* lässt sich auch wie eine Geschichte des Neoliberalismus und seiner
Schlagworte Individualisierung, Kreativität und staatlicher Rückzug
lesen, der vom Kollektiv zur Einzelperson, von der staatlichen Förderung zu einer unabhängigeren Finanzierung übergeht. Damit einher-
gehend entwickelt sich eine Professionalisierung des Selbstausdrucks
(in sozialen Medien), dem in spätindustriellen Gesellschaften ein immer größeres Wertschöpfungspotential zukommt. Und dennoch sind
damit auch andere Weisen der Trans/Individuation verbunden, die
eine andere Reichweite und Vielstimmigkeit aufweisen und damit ein
spezifisches Potential haben.

Der Weg von Filmaktivismus zu einer Onlineplattform des *expanded cinema* erscheint technologisch naheliegend. *Challenge for Change*
ist aber vor allem auch am künstlerischen Ausdruck und damit einem
stark interventionistischen Begriff des Ästhetischen und der sozialen
Praxis gewachsen. Diesen Pragmatismus teilt *Challenge for Change*
mit einigen Filmen des *cinéma vérité* von Jean Rouch, der die Medialität filmischer Ausdrucksformen als subjektivierend verstanden hat
und daher direkt mit Voiceover der Gefilmten oder direkter Rede in
synchroner Aufnahme gearbeitet hat. *Wapikoni Mobile* ist nicht nur
ein soziales Netzwerk für verschiedene kanadische Nationen, sondern
eine Weiterführung der pragmatistischen Philosophie der »Intercesseurs« (der Mediators/Übersetzer*innen/Fürsprecher*innen): Gilles
Deleuze beschreibt sie in *Das Zeit-Bild* als »Fabulation«.[45] Dies bezeichnet eine veränderte filmische Zeitstruktur der Dokumentation
seit den 1960er Jahren in der dokumentarischen Moderne, die nicht

---

45 Vgl. Deleuze, *Das Zeit-Bild*; Deleuze, »Die Fürsprecher«, in ders., *Unterhandlungen
    1972–1990*, übers. v. Gustav Roßler (Frankfurt a. M.: Suhrkamp, 1993), S. 175–92.

das Pro-Filmische, sondern sozusagen das Intrafilmische des Filmpro-
zesses als Sujet selbst aufwertet. Genau dieses Moment des »ich ist
ein[e] ander[e]«[46] wird als Anders-werden politisch u. a. in Kanada,
ästhetisch im *cinéma vécu/cinéma vérité* und philosophisch von Deleuze konzipiert. Fabulation meint eine filmische Neuproduktion von
Kultur und Kollektivität, d. h., der Begriff bezieht sich auf Individuen,
Kollektive, Techniken ästhetischer und technischer Natur. Sie lässt
sich auch als individuierender Akt in engster Verfugung mit den ästhetischen und technischen Mitteln dieser Individuation beschreiben, die
Deleuze vor allem aus den dekolonialen Praktiken des Dritten Kinos
und des *cinéma vérité/cinéma vécu* entwickelt.

Im Anschluss an das *cinéma vécu* und *Challenge for Change* er-
eignen sich auch durch die Filme von *Wapikoni Mobile* Fabulatio-
nen, welche neue Identifikationen produzieren können. Diese werden
etwa in dem oben beschriebenen Film von Tyler Jacobs durch *two-
spiritedness* neu gedeutet. Jede *Selbstrepräsentation* ist eine performative *Selbstproduktion* – auch ihrer sogenannten kulturellen »Wurzeln«.
Deleuze hat dies in Bezug auf Perraults *Pour la suite du monde* beschrieben: Das zentrale Motiv dieses ethnographischen Films, der
Belugawalfang im St. Lorenz Strom, wurde im Rahmen des Films neu
erfunden, das Wissen darum war verschüttet, die Praxis wurde nicht
mehr ausgeübt, die wirtschaftliche Abhängigkeit war groß. So entstand
Anfang der 1960er Jahre eine neue (sprachliche) Praxis *für* den Film,
indem die alte Praxis fabuliert, also neu belebt wurde, wodurch sie sich
zwangsläufig veränderte. Auch hier ist eine Rückwirkung von Film auf
die gefilmte Community beschreibbar.

Diese Neuübersetzung der eigenen Genealogie – die häufig durch
Kolonisierung überschrieben wurde – durch die fabulativen Sprech-
akte, die Deleuze interessieren, bezieht sich stets auf die Umarbeitung
des Gegebenen und ist damit eine anti-essentialistische Geste. In der
Figur der Individuation in Abgrenzung zu Identität möchte ich diese
hier aufnehmen. Sie nimmt die medialen Umarbeitungen und stetigen
performativen Akte der Produktion von Kultur als *Medien*kultur ernst:
Der Film und die Filmplattform als Katalysator und Anlass einer neuen
Bildung eines »Volkes« wie Deleuze schreibt (nicht zu verstehen als

---

46   Deleuze, *Das Zeit-Bild*, S. 201.

Birth of a Nation oder als völkisch!).[47] Was Deleuze in seinem Kapitel »Die Mächte des Falschen« vorlegt, verstehe ich als eine Theorie der kulturellen Medialisierung und der Subjektivierung.[48] Das Fabulieren wird hier zu einer genuin filmischen Technik der Subjektivierung, die ich als Individuation bezeichnen möchte, sowie der Dekolonisierung.[49] Das von Deleuze im politischen und nicht im völkischen Sinne adressierte »Volk« ist hier eine Gruppe, die sich erst durch ihre Repräsentation bildet. Die Gruppe ist an die prekären Voraussetzungen ihrer kulturellen Performativität geknüpft. Die der Repräsentation eignenden komplexen sozialen, psychischen und technischen Techniken sind daher prekäre Dokumentationen ihrer selbst: Prekär meint die Weise der prozessualen Konstitution eines Kollektivs, bezogen auf ein »metastabiles« Milieu im Sinne Gilbert Simondons.[50]

PREKÄRE DOKUMENTATIONEN

Individuationen von Film und Subjekten entstehen auch im relationalen Bezug auf die umgebende Welt. Auffällig ist der Bezug zur Welt oder Erde, der gleichzeitig immer wieder in den Videos auf *Wapikoni Mobile* auftaucht.[51] Dies ist keine vorursprüngliche Beziehung, wie sie sich in Romantisierungen indigener Kultur historisch immer wieder finden lässt. Vielmehr sehe ich die dokumentarischen Bilder von *Wapikoni Mobile* als aktiv produzierten und nicht bloß repräsentierten Referenzpunkt zu Welt oder Erde. Neben *Wapikoni Mobile* als Technik der Individuation wird *Wapikoni Mobile* auch digitale »Naturtechnik«:[52] eine Politisierung der Beziehung zur Natur, wie es Renato

---

47 Deleuze, »Die Fürsprecher«, S. 182.
48 So heißt ein weiterer kurzer Text auch »Les Intercesseurs«, im Englischen übersetzt als »The Mediators«, im Deutschen etwas unglücklich, da paternalistisch klingend, als »Die Fürsprecher« übersetzt.
49 Während sich Deleuze auf das Dritte Kino bezieht, sind die hier betrachteten Filme von *Wapikoni Mobile* Filme des Vierten Kinos.
50 Simondon, »Das Individuum und seine Genese«, S. 33.
51 Z. B. *Ma Connexion (My Connection)*, Regie: Myrann Newashish (Wapikoni Mobile, 2016) <http://www.wapikoni.ca/movies/my-connection> [Zugriff: 2. Juni 2021]; *Nanameshkueu (Earthquake)*, Regie: Réal Junior Leblanc (Wapikoni Mobile, 2010) <http://www.wapikoni.ca/movies/earthquake-nanameshkueu> [Zugriff: 2. Juni 2021].
52 Ich entlehne diesen Begriff Gilles Deleuze und Félix Guattari, *Was ist Philosophie?*, übers. v. Bernd Schwibs und Joseph Vogl (Frankfurt a. M.: Suhrkamp, 2000), S. 220.

Sztutman über Réal Junior Leblancs Filme auf *Wapikoni Mobile* beschreibt: »If the earth is already tired of us, it is because we need to rejoin with it, cocompose with its subjectivity, avoiding a revolt that is fatal to us. Resuming those ties would be a recipe for resistance«.[53] Für Sztutman sind Filme wie Leblancs auf *Wapikoni Mobile* daher eine »Kosmopolitik«, die die Verhältnisse zwischen Mensch, Natur und Technik bearbeitet.[54]

Auch durch andere Filme auf *Wapikoni Mobile* werden Bezüge zwischen Welt und selbst – was Sztutman als »ties« beschreibt – und damit das Selbst als integral medialisiert und medialisierend konstruiert, wie es Deleuze für die Neuerfindung von Kultur in seinem Begriff der Fabulation vorschlägt. Natur- und Kulturtechniken, Ritual und Film, Experimentalfilm und indigene Souveränität gehen hier neue Gefüge ein. Diese Gefüge sind stets medial, aus verschiedenen digitalen und nichtdigitalen Kulturtechniken zusammengesetzt, und daher im Sinne Simondons wechselseitig durch das Milieu hindurch gedacht: Trans/Individuationen.[55]

Der Bezug auf die Welt und der Bezug auf das selbst, die Selbstkonstruktionen, sind dabei nicht gegensätzlich zu verstehen, sondern so, dass sie einen Raum für Subjektivierungen aufspannen. Simondon nennt Individuation oder Transindividuation, was Deleuze wiederum als Subjektivierung versteht.[56] Das Wissen darum ist in Rouchs und Perraults fabulativen Filmen der Dokumentarfilmbewegungen der 1960er Jahre verkörpert; es ist uns heute selbstverständlich geworden, wenn wir darüber sprechen, wie die Performanz sozialer Medien als Hervorbringung einer Persona funktioniert. Doch das entpolitisiert diese Techniken nur scheinbar: Dass Film nicht nur auf gesellschaftli-

---

53   Renato Sztutman, »The Camera Is my Hunting Weapon: The Poetics of Réal J. Leblanc, Innu Filmmaker (Dossier Intersecting Eyes)«, *GIS – Gesture, Image and Sound – Anthropology Journal*, 3.1 (2018), S. 258–77, hier S. 267.

54   Ebd., S. 259 und 273. Vgl. auch Isabelle Stengers, *Cosmopolitics*, übers. v. Robert Bononno, 2 Bde. (Minneapolis: University of Minnesota Press, 2010–11), I (2010); dies., *In Catastrophic Times: Resisting the Coming Barbarism* (London: Open Humanities Press, 2015) <http://www.openhumanitiespress.org/books/titles/in-catastrophic-times/> [Zugriff: 2. Juni 2021].

55   Muriel Combes hat zentral die Bedeutung dieses Begriffs in der Philosophie Simondons herausgearbeitet. Muriel Combes, *Gilbert Simondon and the Philosophy of the Transindividual*, übers. v. Thomas LaMarre (Cambridge, MA: MIT Press, 2013).

56   Gilles Deleuze, »Die Dinge aufbrechen, die Worte aufbrechen«, in ders. *Unterhandlungen*, S. 134–135.

che Transformationen abzielt, wie es im Titel von *Challenge for Change* angelegt ist, sondern selbst mediale Existenzweisen hervorbringt, ist dabei der *shift* von dokumentarischen Medien als Instrument der gesellschaftlichen Teilhabe zu digitalen dokumentarischen Medien als metastabiles Milieu von prozessualen Individuationen, wie man sie in *Wapikoni Mobile* beobachten kann.

Die Bezüge sind insbesondere an einem historischen Umschlagplatz wichtig, an dem sich mediale Verhältnisse auch als Weltbeziehungen verstehen lassen. Dokumentarische Medien verhandeln die Prekarität der Welt-Mensch-Beziehungen, da sie sich durch ihre Indexikalität zunächst stärker noch als fiktional gerahmte Medien auf die vorhandene Welt beziehen. Oder anders gesagt: Im Dokumentarischen wird der Bezug auf die reale Welt gerade in der Nichtmöglichkeit der objektiven und nichtfiktionalen Abbildung zum Thema. Und in *Wapikoni Mobile*-Filmen wird nicht nur Realität durch künstlerische Momente und Medienreflektion fiktionalisiert, sondern auch die Fiktionalisierung dokumentiert, als Medium der Subjektivierung. Darin sah Deleuze den dekolonialen Einsatzpunkt der Fabulation: Die festsetzende Wahrheit des Kolonialismus ins Wanken bringen und kein »Kino der Wahrheit«, sondern die »Wahrheit des Kinos«, wie er es im Anschluss an das *cinéma vérité* nennt, erschaffen.

Heute im Zeitalter des Bewusstseins der Problematiken, die mit dem Anthropozän ausgedrückt werden, ändern sich auch viel breitenwirksamer die medialen Beziehungen zur Erde. Für viele amerindische Gruppen ist dies keine Neuigkeit, denn ihre Lebensbedingungen wurden seit 500 Jahren existenziell beeinflusst und durch die Kolonisierung der Americas zerstört.[57] Dass die Medien der Erde u. a. Medien des Selbstausdrucks werden, ist dabei nicht verwunderlich. In dem *Wapikoni Mobile*-Beitrag *Ma Connexion* (*My Connection*) ist es nicht nur die kreative Verwendung von traditionellem Gesang, sondern auch das Porträtieren von Wasser, Blättern, Wolken und der Hand, die aktiv Kontakt zu den Elementen aufnimmt.[58]

---

57   Déborah Danowski und Eduardo Viveiros de Castro, *In welcher Welt leben? Ein Versuch über die Angst vor dem Ende*, übers. v. Ulrich van Loyen und Clemens van Loyen (Berlin: Matthes & Seitz, 2019).

58   Vgl. *Ma Connexion*, Regie: Myrann Newashish (Wapikoni Mobile, 2016).

Für die Verhandlungen dieser Transformationen sind dokumentarische Kunstformen ein Schauplatz. Die Transformation des Medialen betrifft die Beziehung zwischen Mensch und Welt. Medien sind dabei nicht zwangsläufig vermittelnd, sondern bilden selbst Milieus für Subjektivierungen. Dieses Wissen ist nicht nur eine Meditation über das *placemaking*, als *Ort* der Subjektivierung, sondern unmittelbar Milieu und Technik der Subjektivierung, wie es Simondon mit dem Begriff der Individuation konzeptualisiert hat: Als transformative Umwelt, die selbst in Transformation ist, da sie sich mit jedem Akt der Individuation verändert. Eine prekäre Umwelt, die dennoch Konsistenz ermöglicht, gerade indem sie den Film als Mittel der Transformation und Technik von Selbst und Kultur ernst nimmt. Indem der Film zum Akteur wird, wird Änderung ein Grund, an die Veränderbarkeit von Welt zu glauben. Individuationen finden nicht in Milieus statt, sie transformieren diese. Mit seiner Idee der *Intercesseurs* knüpft Deleuze ebenfalls an ein Werden mit und durch Medien an: eine Serialität, die Akte der Medialisierung und der Transindividuation als kollektiven Akt miteinbezieht.[59]

Die ästhetische Reflektion der Bedingungen der eigenen Existenz, die Affirmation medialer Existenzweisen der Arbeiten auf *Wapikoni Mobile* erscheinen zuweilen als bewusst vorgenommene »Selbstdramatisierungen«.[60] Gerade deshalb entwickelt diese zugleich technische, soziale, kulturelle und psychische Infrastruktur das Verständnis von Film als Netzwerk aus den vorherigen, eher an Kollektiven orientierten Programmen der 1960er weiter, ohne einfach deckungsgleich mit sozialen Netzwerken oder einfach einer anderen Distributionsform von Film zu sein. Das hohe Level an Artifizialität wie der Gebrauch von Slow Motion und die aufwendige und aussagekräftige Kleidung sowie die inszenierte Ritualität in *Walk with my Spirits* machen dies beispielhaft deutlich. Diese Mittel werden bewusst oder unbewusst genutzt, um sich selbst zu konstruieren und letztlich auch

---

59 Gilles Deleuze, »Gilbert Simondon, das Individuum und seine physikobiologische Genese«, in ders., *Die einsame Insel. Texte und Gespräche 1953–1974*, hg. v. David Lapoujade, übers. v. Eva Moldenhauer (Frankfurt a. M.: Suhrkamp, 2003) S. 127–32.
60 Terence Turner, »Representation, Politics, and Cultural Imagination in Indigenous Video: General Points and Kayapo Examples«, in *Media Worlds: Anthropology on New Terrain*, hg. v. Faye Ginsburg, Lila Abu-Lughod und Brian Larkin (Berkeley: University of California Press, 2002), S. 75–89, hier S. 84.

Pride zu demonstrieren, wie es im Film *Walk with my Spirits* angesprochen wird. Faye Ginsburg nennt dies »cultural positioning via
the creation of new expressive forms«.[61] Es lässt sich hier eine Art
»Metasprache« im Sinne Ginsburgs finden, die sie in der Auseinandersetzung indigener Medienprodukte mit siedlerkolonialen Imagi-
nationen beschreibt.[62] Was Ginsburg *mediation* nennt, übersetzt der
Anthropologe Terence Turner als anhaltende kulturelle Übersetzung
im Medium des indigenen Films, der übersetzt und selbst eine Übersetzung von Kultur darstellt: »In Aboriginal media, the work is not
simply an assertion of existing identity, but also a means of cultural
invention that refracts and recombines elements from both the dom-
inant and minority societies.«[63] Im Anschluss daran kann man noch
einmal unterstreichen, dass Film Transformation bejahen kann: Das
prekäre Werden wird sogar zur Technik des Dokumentarischen. Der
Bezug zu sich wird zu einem Beitrag im digitalen Kollektiv. Das Kollektiv wiederum – in Form von kulturellen Bezügen – wird hier auch
Medium der Trans/Individuation. Trans deshalb, weil es nie nur um
das Individuum oder das Kollektiv geht, sondern beides miteinander
verwebt wird.

Tyler Jacobs interpretiert in *Walk with my Spirits* nicht nur »seine« Squamish-Kultur neu, sondern auch die Klischees der Neuinter-
pretation von Kultur selbst, wobei die Aneignung von Folklore selbst ja
schon ein vielfach medialisiertes Bild ist.[64] Er reenactet dabei nicht nur
sich, sondern auch ein Ich, welches sich selbst in und trotz medial zir-
kulierender Stereotypen inszeniert, wie jenes des Modedesigners. Die
Selbstkommodifizierung indigen gefärbter Produkte ist dabei, darauf
wurde angesichts der indigenen Produktionen der 1980er und 1990er
vielfach hingewiesen, natürlich nicht ausgeschlossen – dennoch ist ein
Film wie dieser darauf nicht zu reduzieren.[65]

61 Faye Ginsburg, »Indigenous Media: Faustian Contract or Global Village?«, *Cultural Anthropology*, 6.1 (1991), S. 92–112, hier S. 105.
62 Ebd.
63 Ebd.
64 Vgl. Rey Chow, »Film as Ethnography«.
65 Wie Rey Chow argumentiert, ist dies auch als Spiegelung der Prozesse der Kommodi-
fizierung deutbar in ihrem etwas anders gelagerten Fabulationsbegriff; vgl. ebd.

DIGITALE VISUELLE ANTHROPOLOGIE UND
TRANS/INDIVIDUATIONEN

Auch in einem anderen Beispiel wird dies deutlich: Jordan Gordon ist
einer der zahlreichen Kinder und Jugendlichen, die sich selbst sowie
ihre Umgebung in einem spielerischen Kurzfilm vorstellen.[66] Häufig
setzen die Jugendlichen und Kinder sich mit kulturellen Transformationen auseinander, die nicht selten auch durch Medientechnologien
bestimmt sind. Dabei werden YouTube- und Musikvideoästhetiken auf
das eigene Leben angewendet und verspielt und kreativ inszeniert,
wie wir es bei YouTube-»Kinderstars« als *microcelebrities* heute häufig sehen. Dies sind Existenzweisen, die keine authentisch vorgängige
Person oder Kultur abbilden, die aber auch nicht vollkommen fiktional
sind – sie verweisen auf Orte und Gruppen, die tatsächlich existieren.
Sie fabulieren aber auch über diese. Sie reflektieren den ubiquitären
Gebrauch dokumentarischer Medien in digitalen Kulturen und übersetzen ihn – wie auch andere Gruppen und Kulturen es jeden Tag
tun. Dokumentation ist hier ein Ensemble künstlerischer Techniken
kultureller Selbstrepräsentation und medialer Übersetzung. In diesem
Fall handelt es sich um das filmische Porträt von Kuujjuaq, einem Ort
im Nordosten Québecs, der am leichtesten mit dem Flugzeug zu erreichen ist. Der Kurzfilm im Microcelebrity-Format sticht dabei durch
seinen humoristischen Ton hervor. Dabei collagiert Jordan Gordon
verschiedene Genres und Formate vom MTV-Format *Cribs* über das
Roadmovie bis zu forensischen Ästhetiken à la *CSI*-Serien.[67] Musik
und künstlich aufgedrehte Farben lassen seine Bricolage als Zusam-
menschnitt von Musikvideos und YouTube-Vlog-Ästhetiken erscheinen. Die Aneignung dieser Formate charakterisiert Jordan Gordon
als kritischen und zugleich ironischen Beobachter der Medienkultur.
Seine Strategie, seinen »abgelegenen« Herkunftsort keinesfalls als er-
eignislos darzustellen und ihn stattdessen zu einem Ort zu machen,
an dem Fernseh- und Postinternetästhetiken zusammenlaufen, verklammert fiktionale Formate und dokumentarische Ästhetiken. Dabei
geraten die Medien als Techniken des Selbst und der Selbstdarstellung

---

66   *Jordan Gordon's Guide to Kuujjuaq*, Regie: Jordan Gordon (Wapikoni Mobile, 2018)
     <http://www.wapikoni.ca/movies/jordan-gordons-guide-to-kuujjuaq> [Zugriff: 2.
     Juni 2021].
67   *Cribs* (MTV Productions, 2000–).

sowie als Gegenstand der Auseinandersetzung in den Blick. Jordan Gordon erscheint als medialer Trickster, der nicht nur sich selbst, sondern vor allem die medialen Formate darstellt, die wiederum formatierenden Charakter in vielen jugendlichen Biografien haben. Damit geraten die Medien auch als Beziehungsmilieus in den Blick, als existenzielle Konstellationen (machtvoller Art). Was hier gestaltet wird, sind nicht lediglich prekäre Existenzen einzelner, es sind vielmehr die prekären Weltbeziehungen, die im Medium des Dokumentarischen verhandelt werden. Filme wie diese beforschen (digitale) Milieus für Existenzweisen. Die Forschung geschieht hier als visuelle Anthropologie, und zwar übergegangen in die Hände derer, die vormals die längste Zeit Gegenstand der visuellen Verfahren der Anthropologie waren.

Challenge for Change antizipierte in seiner Form den Pragmatismus kollaborativer Filmprojekte als frühes Kommunikationsnetzwerk. *Wapikoni Mobile* wurde dieses Netzwerk, indem es in einer kuratierten Weise Kultur und deren Transformation durch eine digitale Infrastruktur aus Filmtechnik und Videochannels bereitstellte. *Wapikoni Mobile* verkörpert dieses Netzwerk aber umso deutlicher, indem nicht nur Selbstrepräsentationen umgesetzt werden, sondern die Medien, die Existenzen hervorbringen, als Agent*innen dieser Individuation in den Blick geraten.

Andere Initiativen wie *Vídeo nas Aldeias* haben diese Idee von Film als sozialem Netzwerk seit den 1980er Jahren in Lateinamerika entwickelt.[68] In der Form des Videotagebuchs wurden Filme ausgetauscht, um Communities zu vernetzen und damit auch politische Allianzen zu bilden und Wissen auszutauschen, etwa bezüglich der *deforestation* und ökologischen Wissens.

Für *Wapikoni Mobile* bietet sich der Begriff Trans/Individuation an, ergänzend zu Subjektivierung, denn er vermag das Gefüge aus sozialen und technischen Aspekten zu verdeutlichen. Eine Individuation drückt sich nicht in technischen Medien aus, sie *ist* ein genuin hybrides Gefüge, ein Zusammenwirken und eine verteilte Agent*innenschaft. Umso eindrücklicher wird dieses Bewusstsein, welches sich in der do-

---

68   Vgl. Schiwy, *Indianizing Film*; Julia Bee, »Perspektivismus und O MESTRE E O DIVINO – koloniale Interferenzen, mediale Subjektivierungen und Filmkosmologien«, in *Medien und Critical Race Theory*, hg. v. Ivo Ritzer und Irina Gradinari (Berlin: Bertz + Fischer, im Erscheinen).

kumentarischen Verwendung in Videos wie jenem von Jordan Gordon ausdrückt. Denn die Verwendung medialer Gegenstände ist hier Medium der Erkenntnis, in der die dokumentarischen Medien Milieus des Werdens darstellen. Wie Simondon schreibt, sind Wissen und Sein mitunter nicht zu trennen: »Wir können die *Individuation* nicht im gewöhnlichen Sinne *kennen*, wir können nur individuieren, uns individuieren, und in uns individuieren.«[69]

Die Individuation vollzieht sich zugleich sozial, ästhetisch, kulturell und technisch: Genauer gesagt entsteht sie an ihren Schnittpunkten als digitale Existenzweise. Individuationen erzeugen ästhetisierte und performative mediale Personae. Die Individuation erschöpft sich nicht im Individuum oder dem präsentierten Selbstbild, sondern verändert auch den Bezug zu sich: Das filmische Porträt wird eine Technik des Selbst. Sie fließt auch in Milieus ein, etwa technische und umweltliche wie *Wapikoni Mobile* und prägt dort Genres und Stile. Die hier produzierten Existenzweisen lassen sich nicht vom Medium der Aushandlung ihrer Kulturen trennen. Die Medialität von *Wapikoni Mobile* selbst – nicht nur die Personen *dahinter* – versammelt Filme zu einer Weise der Trans/Individuation, in der eine soziale Ebene, die mediale Ebene, d. h. die Produktionsweise in der Öffentlichkeit und der kulturelle Rückbezug eine konsistente Einheit in Vielheit bilden.

Wapikoni Mobile lässt sich so als digitale visuelle Anthropologie beschreiben, nicht, weil es eine digitale Visualisierung von Kultur, hier indigener Nationen, meint. Vielmehr ist die Audiovisualität zu einem genuinen Part eines ineinander verzahnten Prozesses von Kultur und Medialisierung zu verstehen, welches die filmische und netzbasierte Methode der Selbstrepräsentation in die Kultur und das Selbst einschreibt. Umgekehrt werden Technologien und Ästhetiken auch angeeignet, um Kultur zu medialisieren und damit zugleich zu transformieren *und* zu stabilisieren, wie man im Anschluss an Deleuze und Ginsburg sagen kann. Dies geschieht sowohl im Produktionsprozess als auch in der Rezeption und dem Sich-in-Beziehung-Setzen mit anderen Gruppen und Kulturen. Die Performanz der medialen Selbstinszenierung ist auch die Hervorbringung einer künstlerischen Individuation, die sich kreativ auf sich und ihre Kultur selbst bezieht.

---

69   Simondon, »Das Individuum und seine Genese«, S. 45, Hervorhebung im Original.

ABSCHLIEßEND: PREKÄRE WELTBEZIEHUNGEN

Die Medialität der im pragmatistischen Sinne medienphilosophischen Projekte *Challenge for Change* und *Wapikoni Mobile* betrifft auch die Weltbeziehungen. Gerade die Performanz medialer Existenzweisen in digitalen dokumentarischen Medien wie *Wapikoni Mobile* lässt ein produktives Feld entstehen, um prekäre Beziehungen zwischen Selbst und Welt zu verhandeln. Prekarität lässt sich dabei im Anschluss an Judith Butler als grundsätzliche *precariousness*, als Bejahung der Relationalität als Angewiesen-sein-auf, Ausgesetztsein zwischen Selbst und Welt verstehen.[70] In zahlreichen Filmen auf *Wapikoni Mobile* ist dies nicht nur Gegenstand oder Inhalt, sondern beschreibt eine prekäre Relationalität der medialen Infrastrukturen Film und Netzwerk.

Das Dokumentarische kann so nicht nur der Politisierung von Lebensweisen oder dem Sichtbarmachen indigener, queerer und trans* Leben dienen, sondern als ein Austesten von und Experimentieren mit medialisierten Beziehungen zwischen Welt und Subjekt verstanden werden. Umso politischer werden Projekte dieser Art, denn sie setzen direkt bei den Medien des Werdens an und repräsentieren nicht bestehende Identitäten oder schreiben diese fest. Dies betrifft nicht mehr allein Beziehungen zwischen Menschen, sondern auch zwischen Menschen und Welt in einem Zeitalter, welches als Anthropozän den Eingriff des Menschen in die planetarische Geologie und Atmosphäre als katastrophisch beschreibt. Das Dokumentarische mit seinem (experimentellen, interventionistischen ...) Bezug zu »Welt« kann so potentiell auch ein ästhetisches Feld sein, um neue Nexus zwischen Selbst und Welt zu knüpfen. Dabei werden, wie in den hier besprochenen Beispielen, reale Räume und Existenzen sowie das Performative und Theatrale einander zu wechselseitigen Artikulationsformen. Was dramatisiert wird, ist die Beziehungshaftigkeit zwischen Welt und Selbst, die sich in einem stetigen Austausch zwischen beiden als immer autonomer werdende Medienpraktik und als Individuation verstehen lässt, die sich nicht nur auf den Filmbereich, sondern

---

70   Vgl. Athena Athanasiou und Judith Butler, *Die Macht der Enteigneten. Das Performative im Politischen*, übers. v. Thomas Atzert (Zürich: Diaphanes, 2014). Butler entwirft auch eine Theorie der sozialen Infrastruktur, die an die in diesem Text vorgebrachten Argumente unmittelbar anschließt. Vgl. Judith Butler, *Anmerkungen zu einer performativen Theorie der Versammlung*, übers. v. Frank Born (Berlin: Suhrkamp, 2018).

auch auf dessen Remediatisierungen in den semiprofessionellen oder Amateur*innenbereich hinein verfolgen lässt, so wie in den *Wapikoni Mobile*-Filmen im Anschluss an die Filmphilosophien und Filmaktivismen des *cinéma vérité*.

In Tyler Jacobs' oder Jordan Gordons Fall ist die Selbstrepräsentation als kulturelles und politisches Programm zu einer Selbstinszenierung geworden, die einen filmischen Akt der Individuation *als Film* entstehen lässt. Viel stärker noch als in den Filmen des Programms *Challenge for Change* wird deutlich, dass die Beziehungen zwischen Welt und Individuationen hochgradig konstruiert sind. Als Konstruktionen sind sie jedoch nicht weniger wahr. Genau diesen pragmatischen Vorgang bezeichnet Deleuze als Glaube an die Welt: Glauben an die Verhandelbarkeit dieser Beziehungen und damit verbunden eine Aushandlung des Selbst, die formativ wird.[71]

Im kulturellen Diskurs des Anthropozäns, der nicht mehr nur die geologische, sondern die ökokulturellen und politischen Implikationen als radikale Transformation menschlicher Handlungsbezüge zur Welt denkt, und alle Lebensbereiche umfasst, sind neue Subjektivitäten notwendig. Dokumentarische Medien können hier Weltbezüge herstellen, nicht nur abbilden. Film in der digitalen Umgebung *Wapikoni Mobile* ist ein zentraler Schauplatz möglicher Kollektive, die Räume für die Subjektivitäten aufspannen und in filmische Praktiken eingelassen sind. Nicht nur deshalb beschrieb Guattari Film als »Couch des Armen«,[72] also hinsichtlich seiner therapeutischen Funktion,[73] sondern auch, weil Film für ihn eine Vielzahl an möglichen Subjektivierungen bereitstellt. Ganz anders haben dies Jean-Louis Baudry und andere in ihren ideologiekritischen Schriften in den 1970er Jahren gelesen. Auch hier ist Film Subjektivierung in seiner Form Produkt und Maschine des Spätkapitalismus. Die Entfremdung zwischen Menschen und Welt ist, um das entsprechende Vokabular zu benutzen,

---

71 »Das Band zwischen Mensch und Welt ist zerrissen. Folglich muss dieses Band zum Gegenstand des Glaubens werden.« Siehe Deleuze, *Das Zeit-Bild*, S. 224.

72 Félix Guattari, »Die Couch des Armen«, in ders., *Die Couch des Armen. Die Kinotexte in der Diskussion*, übers. v. Hans-Joachim Metzger, hg. v. Aljoscha Weskott, Nicolas Siepen, Susanne Leeb, Clemens Krümmel und Helmut Draxler (Berlin: b_books, 2011), S. 7–26.

73 Auch hier noch einmal der Hinweis auf Adam Szymanski, »Minor Cinemas of Melancholy and Therapy«, der Film und Therapie eng zusammendenkt.

nicht rückgängig zu machen. Doch Film kann aisthetische – auf die Wahrnehmung bezogene – Positionen vermitteln, um die Positionierung des Menschen mit der Welt, nicht über ihr oder ihr gegenüber, deutlich zu machen. Diese können auch in DIY und semiprofessionellen Praktiken, in digitalen Kulturen wie auf *Wapikoni Mobile* angeeignet und weiterfabuliert werden. Dabei gilt es keinesfalls Medialität auszuklammern und ein »zurück zur Natur!« zu inszenieren. Vielmehr sind die Dramatisierungen medialer Bilder und Konstellationen und subjektivierende Praktiken aufs Engste verklammert: als Individuationen in einem filmischen Milieu. Dies geht über Motive von Natur_Kulturen hinaus:[74] Es sind existenzielle Milieus, die sich im Film herausbilden – Andrew Goffey nennt sie in seinem Vorwort zu Guattaris *Lines of Flight* »existenzielle Territorien« im Anschluss an die Anthropologin und Filmemacherin Barbara Glowczewski, die die Praktiken der Weltbeziehungen in den Traumpfaden der Aborigines untersucht hat.[75] Filmische Medien fungieren hier als Milieu für Gefüge zwischen Mensch und Welt – als Praktiken der Subjektivierung, die sich gerade vor der ökologischen Krisenhaftigkeit von Welt in der Verhandlung dokumentarischer Praktiken als Techniken dieser Transformation äußern. Dies kann nur als Produktion von Beziehungen funktionieren, als ein Teilnehmen an Weltwerdung durch (kollektive) Produktion von Individuation und Subjektivierungsmöglichkeiten.

74 Der Unterstrich deutet auf die Verbundenheit und Nichttrennbarkeit beider Bereiche hin.
75 Andrew Goffey, »Translator's Introduction«, in Félix Guattari, *Lines of Flight: For Another World of Possibilities*, übers. v. Andrew Goffey (London: Bloomsbury, 2015), S. ix–xvi, hier S. xii; Barbara Glowczewski, *Desert Dreamers: With the Warlpiri People of Australia*, übers. v. Paul Buck und Catherine Petit (Minneapolis, MN: Univocal, 2016).

ARMUT UND QUEERE ZEITLICHKEITEN

Geteilte Langsamkeit und mögliches Begehren
Queere Zeit(ver)läufe in den Filmen von Kelly Reichardt

PHILIPP HANKE

Eine junge Frau verliert die Kontrolle über ihr Auto, sie weicht von der Straße ab, fährt durch einen Zaun und kommt ganz langsam, fast behutsam auf einem Feld zum Stehen. Sie war am Steuer eingeschlafen, ihr Fuß vom Pedal gerutscht. Doch die Inszenierung dieser Filmszene ist weniger an einer Auserzählung der Ursachen für ihre Erschöpfung interessiert, als vielmehr daran, die Fahrt des Autos, seinen Weg und seine Dauer, in den Mittelpunkt zu rücken – als Veräußerung einer inneren Bewegung, als Moment einer Abweichung (s. Abb. 1).

Diesem Moment vorausgegangen ist eine Annäherung zwischen dieser Frau, einer Farmarbeiterin namens Jamie (Lily Gladstone), und der Anwältin Beth (Kristen Stewart). Beide verabredeten sich an mehreren Abenden in einem Diner. Eine subtil und leise erzählte, unerwiderte Liebe, die schließlich in einer Abweisung und Trennung endet, jedoch durch filmische Mittel und zeitliche Bezüge eine Umdeutung erfährt. Beispielhaft zeichnet sich in diesem Film ein im Werk Kelly Reichardts immer wieder durchscheinendes Interesse ab, die Isolation sowie die ökonomische und soziale Ausgrenzung und Prekarität ihrer Figuren mit filmischen Mitteln und insbesondere über zeitliche Bezüge zu unterlaufen.

Abb. 1. Film-Still, *Certain Women*, Regie: Kelly Reichardt (Stage 6
Films, 2016), Screenshot, Copyright Clyde Park, LLC.

Die Geschichte von Jamie und Beth ist eine von drei Episoden in *Certain Women*.[1] Sie alle basieren auf Kurzgeschichten der
US-amerikanischen Schriftstellerin Maile Meloy. Reichardt zeigt in
diesen Episoden Frauenfiguren, die in der weiten und spärlich be-
siedelten Landschaft Montanas, im US-amerikanischen Norden, mit
den Begrenzungen von Handlungsmöglichkeiten und dem Verlust von
Autonomie konfrontiert sind. Die Verortung und konsequente Ein-
beziehung der Landschaft – mitsamt einer sich durch Totalen und
Kameraschwenks ergebenden Langsamkeit – haben sich als distinktive
Merkmale von Reichardts gesamtem filmischen Werk herausgestellt.
Sie wurden auch zur Grundlage für die Formulierung eines neuen
US-amerikanischen und sozialkritischen (Independent-)Kinos. Diese
Besprechungen fokussieren auf eine inhärente Kapitalismuskritik und
betten Reichardts Filme in einen größeren, politischen – und auch pro-
duktionstechnisch relevanten – Diskurs ein.[2] Eine Lesart hingegen,
die auch auf die in den Filmen wiederholt skizzierte Äußerung von

1   *Certain Women*, Regie: Kelly Reichardt (Stage 6 Films, 2016).
2   Gunnar Landsgesell, Michael Pekler und Andreas Ungerböck erkennen in den Filmen
     Reichardts, aber auch etwa in denen von Ramin Bahrani oder Debra Granik einen
     neuen, US-amerikanischen und unabhängigen Realismus, dessen politische Ausrich-
     tung sich nicht nur in der Wahl der Geschichten, sondern auch in einer »Entleerung«
     an Bildern ausprägt. Die Unabhängigkeit und die geringen Budgets der Filmproduk-
     tionen spiegeln in gewisser Weise die Prekarität der Protagonist*innen. Vgl. Gunnar

Sexualität und Begehren der Figuren eingeht, findet sich in diesem Kontext kaum. Die Verbindung Reichardts zu den Ideen der Queer Theory und dem Anfang der 1990er Jahre sich herausbildenden *New Queer Cinema* haben ihren Ursprung in einer langjährigen Zusammenarbeit und Freundschaft mit Todd Haynes, für dessen Debütfilm *Poison* sie nicht nur für die Kostüme und Requisiten verantwortlich zeichnete, sondern auch als Statistin im Film selbst zu sehen ist.[3] Haynes hingegen sollte ab Reichardts zweitem Langfilm, *Old Joy*, vier weitere Produktionen als ausführender Produzent betreuen.[4] Und wie schon in ihren vorherigen Filmen konnte sich Reichardt eine große Eigenständigkeit bewahren.[5] Mich interessiert im Folgenden, wie das für Reichardts Werk so zentrale Thema der Zeitlichkeit und die zeitlich gefassten Fragen nach sozialer und ökonomischer Prekarität auch als queer gelesen werden können.

Das »Slow Cinema«, dem Reichardts Filme aufgrund ihres langsamen Tempos und der Dramaturgie häufig zugeordnet werden, kann demnach nicht nur als politisch angesehen werden, weil die Prekarität der Figuren durch die Zeitökonomie der Filme und durch die Taktung der Handlung erfahrbar gemacht und mit den Zuschauer*innen geteilt wird. Diese Langsamkeit übersetzt sich auch in einem der Queer Theory entlehnten Nachdenken über normative (Lebens-)Zeitkonzeptionen und Subjektivierungsweisen, wie im Folgenden anhand von drei beispielhaften Szenen untersucht werden soll. Die Filme *Old Joy*, *Wendy and Lucy*[6] und der eingangs beschriebene *Certain Women* weisen kleinere oder, mehrere Szenen übergreifende, Bewegungen auf, die mal – mit Elizabeth Freeman gesprochen – chrononormativen Zu-

---

Landsgesell, Michael Pekler und Andreas Ungerböck, *Real America: Neuer Realismus im US-Kino* (Marburg: Schüren, 2012), S. 42.

3   *Poison*, Regie: Todd Haynes (Bronze Eye Productions, 1991).

4   *Old Joy*, Regie: Kelly Reichardt (Film Science, Van Hoy/Knudsen Productions, Washington Square Films, 2006)

5   In einem Interview mit dem *Austin Chronicle* beschreibt der Produzent Anish Savjani, der mit Vincent Savino gemeinsam die Produktionsfirma Film Science gegründet hat, die langjährige und respektvolle Zusammenarbeit mit Kelly Reichardt. Vgl. Marc Savlov, »Post-Production: Anish Savjani on Where He's Been and Where He Thinks the Industry Is Going Next«, *The Austin Chronicle*, 25. Februar 2011 <https://www.austinchronicle.com/screens/2011-02-25/post-production/> [Zugriff: 4. Juni 2021].

6   *Wendy and Lucy*, Regie: Kelly Reichardt (Film Science, Glass Eye Pix, 2008).

schreibungen entgegenstehen, mal im Deleuze'schen Sinne potentielle Öffnungen und Gefüge zeitigen. Es handelt sich um kaum merkliche Unterbrechungen und kleine Brüche, die jedoch dem Handlungsverlauf nicht entgegenstehen, sondern ein zugrundeliegendes Denken offenbaren. Ein Denken, das sich in der Zeichnung der Protagonist*innen, in ihrer Paarung zu anderen Figuren, aber schließlich auch auf ganz filmische Weise äußert: Im Bild selbst, in der Kameraführung oder durch Verbindungen in der Montage. Diese Bewegungen erlauben eine Unklarheit, Abweichung oder Übertretung und die Neu-Formulierung von Zeit(ver)läufen und Räumen.

DIE ÖKONOMISIERUNG VON ZEIT: *OLD JOY*

Nachdem Kelly Reichardt 1994 ihr Langfilmdebüt *River of Grass* noch in ihrem Heimatstaat Florida ansiedelte und an ihre eigene Lebensgeschichte anlehnte,[7] fand sie mit *Old Joy* zwölf Jahre später zu einer eigenen Filmsprache und zu einem Setting, zu Themen und Figuren, denen sie bis heute treu geblieben ist. Darin verarbeitete sie gleichzeitig weiterhin eigene Erfahrungen um Heimat- und Wohnungslosigkeit. So lebte sie, ihren Schilderungen zufolge, fünf Jahre ohne eigene Bleibe, auf ständiger Durchreise und auf Schlafgelegenheiten bei Freund*innen und Bekannten angewiesen: »That freedom could have been romantic at one point. But after your mid-30's, it's suddenly scary and you're aware of a different judgement that your friends have about the way you're living.«[8] Reichardt leiht diese biographische Notiz einer der beiden Hauptfiguren in dem Film: Kurt, einem Freigeist, dessen ökonomische Prekarität dem bürgerlich wohlbetuchten Leben seines Jugendfreundes Mark gegenübersteht. Mark ist ein sensibler, ernster Mann, der als Ehemann, werdender Familienvater und Eigenheimbesitzer sein eigenes Ziel von größtmöglicher Normalität erreicht zu haben scheint, den jedoch im weiteren Handlungsverlauf auch Zweifel an diesem Lebensmodell überkommen. Der Film erzählt von der Krise dieser Normalität und gewinnt seinen politischen Ge-

---

7   *River of Grass*, Regie: Kelly Reichardt (Good Machine, 1994).

8   Dennis Lim, »Change Is a Force of Nature«, *The New York Times*, 26. März 2006 <https://www.nytimes.com/2006/03/26/movies/change-is-a-force-of-nature.html> [Zugriff: 4. Juni 2021].

halt über die Verbindung des Privaten mit einer Perspektive auf die damalige US-amerikanische Regierung unter George W. Bush, angedeutet in den Gesprächen der beiden Männer oder den immer wieder vorkommenden medialen Beschallungen aus Radio und Fernsehen: »Mark and Kurt have taken very different paths, but neither of their lives has seen the comfort or happiness they might have expected [...], this sense of precariousness and defeat is informed by the grim realities of twenty-first-century American governance.«[9]

Die Handlung um einen gemeinsamen Ausflug in die Wildnis von Oregon wird gleichzeitig zu einer Erzählung über die politische Entwicklung der USA Anfang der 2000er Jahre und zu einer Kritik an den Vorstellungen und Lebensentwürfen weißer Männlichkeit. Das Bild von der Natur als Ort der Rückbesinnung und Reinheit ist hier einem anderen gewichen und ambivalent geworden: Die Wildnis wird als unromantischer und rauer Ort, geprägt von Zivilisation und Industrialisierung, gezeichnet. Das Ideal unberührten Landes wird durch Strommästen und Bauzäune aufgebrochen (Zeichen einer Einteilung, Markierung und Nutzbarmachung, zu denen Kurt und Mark jedoch etwa aufgrund fehlenden Handy-Empfangs keinen Zugang haben); in die Natur geworfener Plastikmüll und zurückgelassene Möbel werden zu Behausungen umfunktioniert. Der Wunsch der beiden, zu einer ursprünglichen Natur zurückzukehren, muss genauso wie der Versuch eines Zusammenkommens über die bereits verstrichene (Lebens-) Zeit scheitern. Ein Versuch, der sich an ihren unterschiedlichen Zukunftsausrichtungen und Taktungen bricht. Die Taktung im Leben Marks etwa, die auf konkrete Weise Klassenbewusstsein und Ökonomie in Bezug setzt, und auf die Claire Henry in ihrem Artikel »The Temporal Resistance of Kelly Reichardt's Cinema«, hinweist:

> Mark's frugal and diligent attitude toward time echoes the time-thrift and time-discipline that emerged from the conjunction of the Puritan ethic with the capitalist mode of production [...]. The socialization of clock-time logic, which underpins Mark's dutiful time-keeping, has roots in the strict time-

---

9   Ed Halter, »*Old Joy*: Northwest Passages«, *The Current*, 12. Dezember 2019 <https://www.criterion.com/current/posts/6728-old-joy-northwest-passages> [Zugriff: 4. Juni 2021].

discipline of Puritanism that spread out from the monasteries of medieval Europe.[10]

Vor diesem Hintergrund einer Ökonomisierung von Zeit spielt sich der Konflikt von Kurt und Mark ab, die jeweiligen Lebensmodelle zu hinterfragen und sich auf ein neues Verhältnis zu Zeit und eine geteilte Zeitlichkeit einzulassen. So etwa greift in dieser Umgebung die Vorstellung ständiger Erreichbarkeit nicht, der Handyempfang bricht ab, das Auf- und Untergehen der Sonne gibt einen ganz eigenen Tagesablauf vor. Zurückgeworfen auf die Unbrauchbarkeit von streng getakteten Zeitabläufen offenbart sich vor allem für Mark, dass sein Alltag bisher kapitalistischen Zeitstrukturen unterworfen war: »[C]apitalist clock-time dominates in the hierarchy of temporalities, alienating, subordinating, colonizing, absorbing and/or marginalizing other conceptions and practices of time and concrete temporalities.«[11] Die standardisierte Zeit, wie sie 1883 durch die Ausweitung der Industrie und eine Ausrichtung von unterschiedlichen Zeitzonen, bedingt durch den expandierenden transkontinentalen Zugverkehr, eingeführt wurde, veränderte nachhaltig moderne Existenz- und Erfahrungsweisen. Eine Entwicklung, die Karl Marx als eine Subsumption der Lebenszeit unter das Imperativ kapitalistischer Effizienz bedachte.[12] Eine Entwicklung, die auch Elizabeth Freeman u. a. mit Rückgriff auf den Habitus-Begriff Pierre Bourdieus und die Beobachtungen zu Trauer und Melancholie bei Dana Luciano als Chrononormativität bezeichnet hat: »Chrononormativity is a mode of implantation, a technique by which institutional forces come to seem like somatic facts. Schedules, calendars, time zones, and even wristwatches inculcate [...] forms of temporal experience that seem natural to those whom they privilege.«[13]

---

10   Claire Henry, »The Temporal Resistance of Kelly Reichardt's Cinema«, *Open Cultural Studies*, 2.1 (2018), S. 486–99, hier S. 488 <https://doi.org/10.1515/culture-2018-0044>.

11   Ebd., S. 487.

12   Raj Kollmorgen, »Die Zeitlosigkeit des Kapitalismus – Eine Gegenlektüre von Marx«, in *Chronotopographien: Agency in ZeitRäumen*, hg. v. Britta Krause (Frankfurt a. M.: Transpekte, 2006), S. 21–24, hier S. 24.

13   Elizabeth Freeman, *Time Binds: Queer Temporalities, Queer Histories* (Durham, NC: Duke University Press, 2010), S. 3.

Diese Naturalisierung von Zeitläufen und Taktungen wird somit nicht nur auf individueller, privater Ebene erfahrbar, sondern strukturiert im biopolitischen Sinne, verstanden als Chronobiopolitik die Subjektivierung und Herausbildung von Bevölkerungen. In einer Verzahnung von Ökonomie und Produktivität mit Reproduktion und Sexualität beobachtet Freeman die Narrativisierung eines normativen und vergeschlechtlichten Fortschrittdenkens und die Privilegierung danach ausgerichteter Lebensläufe: »In the eyes of the state, this sequence of socioeconomically ›productive‹ moments is what it means to have a life at all.«[14] Lebensfähigkeit (oder genauer gesagt die Frage danach, welches Leben anerkannt wird) prägt als Thematisierung des richtigen Maßes und einer unterschiedlichen »Verortung« in der Zeit auch die Dynamik zwischen Kurt und Mark. Kurt, dessen Zukunft im Gegensatz zur Familienplanung Marks zu keiner Äußerung im Film findet, hält dieser Standardisierung seine eigene physikalische Theorie entgegen, wenn er deren zugrundeliegende Teleologie und Zielgerichtetheit zu entkräften versucht:

> It's like two mirrors moving through space and there's a single atom moving between them, [...] I get it on a fundamental level, the thing is, that the universe is falling, the entire universe is in the shape of a falling tear dropping down through space. [...] Dropping down forever, it just doesn't stop.

Seine beim gemeinsamen Lagerfeuer geäußerte Theorie vom Universum mutet wie eine Vermischung von unterschiedlichen physikalischen Modellen der Moderne an und mündet in ein Nachdenken über Raum-Zeit-Gefüge, das ihn in Tränen und Mark in Verwirrung zurücklässt. Doch diese Tränen sind nicht etwa (nur) einer zu unterstellenden Labilität und »Verrücktheit« zuzurechnen, sondern offenbaren auch in Marks abweisender und verstörter Reaktion einen berechtigten Zweifel an der Dominanz linear-kapitalistischer Zeitlichkeit. Der Film räumt diesen Überlegungen nicht nur Zeit ein und lässt sie im weiteren Verlauf des Gesprächs in die Trauer Kurts über ihre verlorene Freundschaft münden, sondern macht sie in der zweiten Hälfte des Films auch zu einem strukturierenden Mittel. Kurt führt Mark zu ihrem eigentlichen Ziel, die natürliche Bagby-Therme im Mount

---

14   Ebd., S. 4–5.

Hood Nationalpark, südöstlich von Portland. Die etwa zehnminütige Sequenz zeichnet sich nicht nur im Unterschied zum Rest des Films, sondern auch zu herkömmlichen Montage-Standards, durch einen collagenartigen Schnitt aus. Wir sehen die beiden Männer, wie sie die Therme betreten, die Becken mit Wasser füllen und sich entkleiden. Bis dahin waren die Kameraeinstellungen stets von den Handlungen und Perspektiven der Figuren motiviert, nun beginnt sich diese Verbindung zu lösen. Die einsetzende Entspannung lässt Detailaufnahmen von fließendem Wasser, von Pflanzen und Tieren, aber auch Blicke auf das Holz und die Architektur der Therme zu. Nach einem zweiten Monolog Kurts, den er mit dem titelgebenden Satz »Sorrow is nothing but old joy« beendet, stellt er sich hinter Marks Wasserbecken, legt die Hände auf dessen Schultern und beginnt, ihn zu massieren. Die Aufnahmen in der Therme werden mit Bildern von den Prozessen und der Zeitlichkeit der sie umgebenen Natur gegengeschnitten. So geht die auch als sinnlich zu lesende Bewegung von Marks ins Becken gleitenden Hand (an dessen Finger sein Ehering zentral ins Bild gesetzt ist) über in das Plätschern des Wassers in der Therme, auf Blätterwerk fallende Regentropfen im Wald bis hin zu dem wilden Strom eines Wasserfalls.

Die Szene des Films fand in der kritischen Besprechung vor allem hinsichtlich einer möglichen Einschätzung als LGBT-Film Beachtung. Ohne diese Deutung konkret abzustreiten, war Kelly Reichardt jedoch von anderen Fragen nach Männlichkeit, nämlich einer impliziten Verbindung zur politisch-normativen Dimension, inspiriert:

> Reichardt has said that Old Joy gave her a chance to explore the softer expressions of masculinity found among contemporary Northwest American men; she has been more ambiguous about whether she intended any homoerotic undertones, though she admits that the film, which otherwise finds meaning in its elisions, allows for such a reading.[15]

So bestärkt die Szene in der Therme mit Rückblick auf die vorangegangene Fehlkommunikation der beiden Männer eine immer wieder im Film angedeutete Kritik an der Impotenz liberaler Politik. Die von Kurt initiierte Intimität zu Mark (die Szene lässt die Möglichkeit einer

---

15   Lim, »Change Is a Force of Nature«.

vorangegangenen Beziehung offen) vermag dem Gedanken von einer
»alternativen Männlichkeit« durch ein Aussetzen der im Film präsentierten, chrononormativen Zeitabläufe (Marks Lebenslauf, Fort-
schrittsdenken der Moderne, Abwirtschaftung durch Erschließung
und Industrialisierung von Natur) für kurze Zeit eine auch auf filmischer Ebene anders getaktete, geteilte Zeitlichkeit hinzuzufügen. Die
Wildnis der Natur gewinnt somit in der zweiten Hälfte des Films eine andere Qualität, indem sie auch als Ort queeren Begehrens und
alternativer Zeitlichkeiten präsentiert wird. Eine ähnlich ambivalente
Lesart der Natur als queerer Raum (und des Films als Möglichkeits-
raum) kann auch bei einem weiteren Vertreter des »Slow-Cinema«,
Apichatpong Weerasethakul, beobachtet werden. Während dessen Figuren in Filmen wie *Blissfully Yours* jedoch Begehren ausformulieren
und queere Zeitlichkeit in traumartiger Weise verstärkt die Handlung
strukturiert,[16] bleibt dieser Bezug in *Old Joy* nur angedeutet und labil,
um nicht zu sagen, prekär. Kurt und Mark werden zum Ende des Films
und mit der Rückkehr in ihre jeweiligen Leben erneut mit einer Taktung von Zeit konfrontiert, die für Mark die weitere Lebensplanung
bedeutet und für Kurt eine Aussicht auf Zukunft offen lässt (oder
durch sein melancholisches Verhaftetsein an die Vergangenheit verstellt). Wir sehen, wie er – unklar, ob wartend, verloren oder ohne
Bleibe – durch die nächtlichen Straßen der Stadt wandert.

PREKÄR UND NICHT-HUMAN: *WENDY AND LUCY*

Auch *Wendy and Lucy* ist ein »Film seiner Zeit«. Er wurde während
der George W. Bush-Regierung gedreht und war ausschlaggebend von
Hurricane Katrina und dem politischen wie medialen Umgang mit
Betroffenen beeinflusst. In einem Gespräch mit Gus Van Sant sagte
Reichardt:

> The seeds of Wendy and Lucy happened shortly after Hur-
> ricane Katrina, after hearing talk about people pulling them-
> selves up by their bootstrap and hearing the presumption that
> people's lives were so precarious due to some laziness on their
> part. Jon [Drehbuchautor Jonathan Raymond, P.H.] and I

---

16 *Blissfully Yours*, Regie: Apichatpong Weerasethakul (Anna Sanders Films, Kick the
Machine, La-ong Dao, 2002).

were musing on the idea of having no net – let's say your boot-
straps floated away – how do you get out of your situation
totally on your own without help from the government?[17]

In seiner Verwendung von langen Aufnahmen und der Fokussierung
auf Figuren am Rande der Gesellschaft vom italienischen Neorealis-
mus beeinflusst, nimmt der Film eine junge obdachlose Frau in den
Blick. Wendy stellt eine Figur mit wenigen Rechten dar, die auf der
Durchreise nach Alaska ist, um dort einen Job in einer Fischerei anzu-
treten. Zusehends wird sie mit dem Wegfall auch dieser Option konfrontiert. Michelle Williams spielt Wendy als androgyne Person, deren
Äußeres zwischen Verletzlichkeit und Härte changiert. In ritualisierten
Handlungen, wie dem Sich-Waschen in einer Tankstellentoilette, der
täglichen Reise- und Finanzplanung oder der Nahrungsbeschaffung
für sich und für ihre Hündin, Lucy, versucht Wendy eine körperliche und psychische Unversehrtheit aufrechtzuerhalten. Es ist dieser
Kampf um einen Mindeststandard, der schließlich die Handlung in
Gang setzt und Wendys prekären Status offenlegt. Ihr Auto bleibt in
einer Kleinstadt Oregons liegen und ihr fehlt das nötige Geld für eine
Reparatur. Um Lucy weiterhin versorgen zu können, entschließt sie
sich, Hundefutter in einem Supermarkt zu stehlen. Eine Festnahme
und Registrierung bei der Polizei trennen sie schließlich von Lucy, die
bei ihrer Wiederkehr nicht mehr vor dem Laden angebunden ist. Die
Handlung des Films verfolgt sie im weiteren Verlauf bei dem Versuch,
ihren Hund zurückzubekommen. Der Sicherheitsmann des Parkplat-
zes, von dem sie zu Beginn des Films noch verwiesen wurde, gibt ihr
den Kontakt zu einem Tierheim. Lucy hat bereits neue Besitzer*innen
und der Film endet mit einem Abschied und dem Versprechen Wendys, zurückzukommen. Das Auto, dessen Reparatur schließlich seinen
Wert übersteigen würde, wird zugunsten des nächsten nach Norden
fahrenden Zuges zurückgelassen.

  Wie Katherine Fusco und Nicole Seymour in der Besprechung des
Films in ihrer Monographie zu Kelly Reichardt feststellen, zeigt uns
Reichardt Wendy nie in einem verorteten Status oder mit zielgerichte-
ter Mobilität – so bekommen wir auch nicht ihren Heimatort Indiana,
aus dem sie laut Kennzeichen zu kommen scheint, zu sehen oder kön-

17   Gus Van Sant und Kelly Reichardt, »Kelly Reichardt«, *BOMB*, 105 (2008), S. 76–81
     <https://bombmagazine.org/articles/kelly-reichardt-1/> [Zugriff: 4. Juni 2021].

nen uns von dem tatsächlich intakten und fahrtüchtigen Zustand ihres
Autos überzeugen.[18] Gleichzeitig ist Wendy in ständiger Rastlosigkeit,
eingefangen in Totalen oder Halbtotalen, in denen sie im Vergleich
zu ihrer Umwelt entweder verloren klein erscheint, an die Grenzen
des Bildkaders gedrängt oder von Objekten und Menschen verdeckt
wird. Es sind textuell dichte und unruhig strukturierte Bilder, die nur
in einzelnen Szenen der größten Nähe zu Wendy eine klare Trennung
von Figur und Hintergrund durch eine geringere Schärfentiefe zulassen.[19] Und auch die Topographie des Films führt sie immer wieder
an dieselben, sich als Sackgassen herausstellenden Orte, an denen ihr
nur weitere leere Versprechen gegeben werden. Der Film verzichtet auf
eine zeitliche oder räumliche Einordnung und somit auf ein Äußeres,
von dem aus so etwas wie Reintegration denkbar wäre. Die Frage nach
einer gemeinschaftlichen Verbundenheit, die bereits im Titel anklingt,
durchzieht den gesamten Film und betrifft neben einem fehlenden
Bezug von Wendy zu anderen Figuren vor allem auch ihre von einem
fundamentalen Bruch gekennzeichnete Beziehung zu dieser Stadt nahe Portland, Oregon, als Ort US-amerikanischer Industrie. Während
der pazifische Nordwesten bereits in *Old Joy* vom Zerfall des lokalen
Arbeitsmarktes und einer sich daran entzündenden politischen Radi-
kalisierung geprägt war, kommt dieses Thema in *Wendy and Lucy* noch
deutlicher zum Tragen: »The environment's stagnancy is mirrored, if
unknowingly, by Wendy herself, as well as by the newly precarious
white working class with which she identifies […] although Wendy
doesn't ›live [t]here,‹ she also doesn't live anywhere else.«[20] Die
Gewalt des sich nicht einlösenden US-amerikanischen Traums geht
mit einer Anonymisierung und einer zunehmenden Ökonomisierung
auch sozialer Beziehungen einher, sodass persönliche Zuwendungen
immer auch von weiterführenden Interessen überlagert scheinen:

---

18   Katherine Fusco und Nicole Seymour, *Kelly Reichardt* (Urbana: University of Illinois
      Press, 2017), S. 38.
19   Kameramann Sam Levy, Production Designer Ryan Warren Smith und Kostüm-
      Designerin Amanda Needham haben im Gespräch mit *Interiors Journal* über den
      Film betont, wie wichtig es war, Wendy durch die Inszenierung, aber auch durch
      ihre Kleidung dieser Umgebung komplementär anzugleichen; siehe Interiors Jour-
      nal, »Interiors Journal Explores Location and Space in Kelly Reichardt's *Wendy and
      Lucy*«, *MovieMaker*, 22. Juli 2013 <https://www.moviemaker.com/wendy-and-lucy-
      interiors-journal/> [Zugriff: 4. Juni 2021].
20   Fusco und Seymour, *Kelly Reichardt*, S. 40.

Alle diese Gestalten verhalten sich affirmativ zum Kapitalismus. Sie stabilisieren die Eigentumsgesetze oder haben sich
einen Ort, und sei es der eines entrückten Bewusstseins, in
dieser Marktwirtschaft erkauft. Reichardt lässt Wendy völlig
außerhalb dieser symbolischen Ordnungen wandeln, sie hat
keinen Anteil an dem, was ihr begegnet.[21]

Die Ökonomisierung der filmischen Welt Wendys, wie auch die von
ihr immer wieder aufgesuchten, auf Mono-Funktionalität und Zeitlosigkeit reduzierten Nicht-Orte wie die Tankstelle oder der Supermarkt
werden in rastlosen Bildern eingefangen. Selbst Hilfeleistungen werden von Wendy erst gar nicht angenommen, aus Angst, sich – im
schlimmsten Fall finanziell – zu verpflichten.

Der Prolog des Films verfolgt in einer totalen Kamerafahrt Wendy
und Lucy beim gemeinsamen Spiel des »Rufen und Herkommens«,
des Stöcke-Holens durch den Wald und nimmt die Handlung des
Films, also das Verschwinden und die Suche nach Lucy, bereits vorweg. Er drückt den Bezug ihrer Figur zu einer ökonomisierten Umwelt
auch auf filmisch-paradoxe Weise aus. Die Szene wird von dem Sum-
men eines, in den Credits als »Wendy's Theme Music« betitelten,
Liedes begleitet. Als Voiceover über die Handlungen und die in der
Szene gesprochenen Worte Wendys gelegt, führt es einen Bruch ein. Es
ist nicht ganz klar, wer diese Melodie summt (der Klang der Stimme
legt Wendy selbst nahe) und aus welcher Zeitlichkeit heraus wir als
Zuschauer*innen auf dieses Bild blicken. Die Musik wird an späterer
Stelle des Films, im Supermarkt, noch einmal zu hören sein und lässt
die Frage aufkommen, ob die Melodie (die für eine Hintergrundmusik
im Supermarkt fast zu melancholisch ist), Wendy beeinflusst hat oder
ob es sich um eine filmische Sichtbarmachung und Darstellung ihrer
Gedanken und Vorstellungen handelt. Schließlich erinnert sie jedoch
auch an das von Gilles Deleuze und Félix Guattari in »Tausend Plateaus« beschriebene Ritornell:

> Dieses Lied ist so etwas wie der erste Ansatz für ein stabiles
> und ruhiges, für ein stabilisierendes und beruhigendes Zen-
> trum mitten im Chaos. Es kann sein, daß das Kind springt,
> während es singt, daß es schneller oder langsamer läuft; aber
> das Lied selber ist bereits ein Sprung: es springt aus dem Chaos

---

21   Landsgesell, Pekler und Ungerböck, *Real America*, S. 106.

zu einem Beginn von Ordnung im Chaos, und es läuft auch jederzeit Gefahr zu zerfallen.[22]

Als kleine Melodie oder Refrain dient es einem ängstlichen Kind im Dunkeln zur Beruhigung und schafft einen Ansatz von Ordnung im Chaos, es schafft ein Zuhause. Das Ritornell führt laut Deleuze und Guattari jedoch nicht etwa zu einer örtlichen Eingrenzung oder Festlegung, sondern zur rhythmischen Bildung eines Territoriums und zur Deterritorialisierung, und damit zu einer Intensivierung. Dies geht unmittelbar mit einem »Sturz nach außen« dieses Ritornells, dieser kreisenden und sich wiederholenden Bewegung, einher – bis zu dessen Ausbruch, einer Improvisation und Öffnung. Mit dieser Lesart nimmt der Prolog somit nicht nur die Suche Wendys nach Lucy vorweg, sondern leitet auch eine Wiederholung der Anrufung und des sich stetig bildenden Bezugs zwischen beiden ein. Anstatt Wendy als Mensch in Abspaltung vom Tier zu affirmieren, zeigt uns Reichardt eine auch auf filmischer Ebene zu beobachtende Kodependenz, die als queer gelesen werden kann und sich in erster Linie auf zeitliche Weise ausdrückt.[23] Denn Wendy und Lucy teilen Rhythmen und Gewohnheiten, während ihre gegenseitige Angewiesenheit gleichzeitig auch Grund und Auslöser für die Krise des Films, ihre Trennung, ist. Gegen eine Logik von Präsenz und Repräsentation setzt Reichardt am Kulminationspunkt der Handlung eine Sequenz der Suche und eine Folge von Kameraschwenks ein, die als Bewegungen den Verlust, aber auch eine mögliche alternative Zeitlichkeit denkbar machen. Wir sehen, wie Wendy Suchzettel mit einem Foto Lucys und der Überschrift »I'm lost!« anfertigt, aufgenommen in Einstellungen, in denen das Foto zunächst verstellt und damit eine eindeutige Zuordnung darüber verhindert wird, wer hier von wessen Verlust spricht. Eine Einstellung zeigt, wie Wendy einen solchen Zettel an eine Fensterscheibe klebt, durch die ein verlassener Wartesaal zu sehen ist (um was für ein Gebäude oder Geschäft es sich handelt, ist unklar). Die Reflektion des

---

22   Gilles Deleuze und Félix Guattari, *Tausend Plateaus. Kapitalismus und Schizophrenie*, übers. v. Ronald Vouillé und Gabriele Ricke (Berlin: Merve, 1992), S. 424.

23   An dieser Stelle sei auf die Arbeit von Ryan Lee Walter, »Animal Possessions: Queer Time and Queer Morphologies in the Cinema of Kelly Reichardt« (unveröffentlichte Master-Thesis, Georgetown University, 2012) verwiesen, in der Walter auf das queere Potential der Bindung von Wendy und Lucy und ihres gleichzeitigen Verlustes zu sprechen kommt <http://hdl.handle.net/10822/557579> [Zugriff: 4. Juni 2021].

Abb. 2. Film-Still, *Wendy and Lucy*, Regie: Kelly Reichardt (Film
Science, Glass Eye Pix, 2008), Screenshot, Copyright Filmgalerie 451,
2020.

Fensters kündigt eine Uneindeutigkeit der Perspektive an, die sich
auch auf den folgenden Kameraschwenk überträgt.

In einer zuvor seltenen Trennung der Perspektiven ist zunächst
der zurückgelassene Zettel zu sehen. Die Kamera lässt Wendy aus dem
Bild treten und folgt ihr mit einem leicht verzögerten Schwenk, bis
wir sie erneut mittig im Bildkader sehen (s. Abb. 2). Sie ist am Gebäude vorbei in einen Hof gegangen und in einiger Entfernung von
der Kamera vor einem Holzzaun stehen geblieben. Wir sehen nicht,
was sie sieht und doch lässt ihr Ruf nach Lucy, und dessen Tonalität, eine Verwirrung entstehen. An einer weiteren Stelle der gleichen
Sequenz sehen wir sie bei Tag wieder inmitten einer Waldlandschaft
stehen. Aufmerksam geworden durch Geräusche im Dickicht dreht
sich Wendy erwartungsvoll um und ruft erneut nach Lucy. Wie eine geisterhafte Präsenz durchzieht diese den dritten Akt des Films
und wird sozusagen von Wendy herbeigerufen. In Lucys Verschwinden spiegelt sich am deutlichsten Wendys Prekarität und gleichzeitig
generiert der Film durch die zunehmende Uneindeutigkeit einer Trennung eine selbst prekär werdende Koexistenz von Mensch und Tier
und eine Inkorporierung bei gleichzeitigem Verlust. Dass uns das Bild
durch seine Uneindeutigkeit nicht den Effekt von Wendys Anrufung
zeigt und wir Lucy nicht zu sehen bekommen, ermöglicht jedoch, um

erneut mit Deleuze und Guattari zu sprechen, eine Autonomie des filmischen Bildes und ein Expressiv-Werden des sich wiederholenden Spiels. Es ist sodann mehr als eine Wiederholung oder Variation, es ist eine territorialisierende rhythmische Figur, die entsteht, »wenn wir nicht mehr die einfache Situation eines Rhythmus vor uns haben, der mit einer Person, einer Figur, einem Rhythmus oder einem Impuls verbunden ist: jetzt ist der Rhythmus selber die ganze Figur und kann daher konstant bleiben, aber auch zunehmen oder abnehmen.«[24] Die Anrufung Lucys löst sich, wird zu einem Motiv und die Kamera liefert somit eine weitere Bewegung, die der territorialen Markierung; Wendy schafft sich in diesem Gefüge eine Bleibe.

ZEITREISEN: *CERTAIN WOMEN*

Der eingangs besprochene Film *Certain Women* ist der erste, bei dem Reichardt als alleinige Drehbuchautorin verantwortlich zeichnete. In den Episoden des Films vereint sie die auch in *Old Joy* und *Wendy and Lucy* behandelten Themen von Verortung und Ortlosigkeit, Chrononormativität als Subjektivierungsweisen durch Zeit sowie eine sich hieraus ableitende Prekarität, verstanden als ein Aus-der-Zeit-Fallen oder ein die Zukunft versperrendes Verhaftetsein mit der Vergangenheit (auch wenn der Film im Gegensatz zu den beiden anderen deutlich weniger konkrete politische Bezüge macht). An dieser Stelle lohnt es sich, auf die dritte Episode mit Jamie und Beth zurückzukommen. Beide Frauen sind wie Kurt, Mark oder Wendy, wenn auch auf unterschiedliche Weise, von einem bestimmten Rhythmus getrieben. Beth ist eine junge Anwältin, die einen Abendkurs zur Rechtslage von Schullehrer*innen aus finanziellen Gründen angenommen hat und sich der vierstündigen Hin- und Rückfahrt von ihrem Wohnort in Livingston bis in die Kleinstadt Belfry nicht bewusst war. Sie wird von Kristen Stewart als nervöse und ernste, unsichere Frau dargestellt. Diese Unsicherheit überträgt sich auch auf ihr Auftreten im Kurs. Die Nachfragen der Lehrer*innen übersteigen sichtlich ihr Vermögen und Wissen. Von stetigem Zeitdruck getrieben, lässt sie sich nur widerwillig auf die Treffen mit Jamie im Diner ein; die Zeit reicht kaum,

---

24 Deleuze und Guattari, *Tausend Plateaus*, S. 434.

Gabel und Messer auszupacken oder ihren Burger vollständig zu essen, geschweige denn sich wirklich auf ein Gespräch einzulassen. Stattdessen kreisen ihre Gedanken und Sätze um die strapaziöse Rückfahrt nach Livingston und ihren zweiten/ersten Job in einer Kanzlei, den sie bereits am nächsten Morgen wieder wird antreten müssen. Ihr gegenüber sitzt die Farmarbeiterin Jamie, die aus Neugier zu dem Kurs gekommen ist und ruhig und gelassen erscheint, für die sich jedoch die Kapitalisierung von Zeit auf ganz andere Weise äußert. Einen ersten Eindruck von ihr gewinnen wir durch eine Vielzahl an wiederholten Bewegungsabläufen, die ihr der Job und das Leben auf der Ranch aufzwingen. Wir erfahren nicht, woher sie kommt oder wie sie als Helferin dort gelandet ist. Sie ist schweigsam, ihr unausgesprochenes Verlangen kommt jedoch in dem Schauen einer abendlichen Science-Fiction-Fernsehshow um die Erkundung ferner Welten zum Ausdruck oder äußert sich in dem ziellosen Umherfahren in ihrem Truck auf der Suche nach Abwechslung und zwischenmenschlichen Kontakten. In ihrer Einsamkeit und Langeweile erscheint sie fremd und dieser Welt nicht zugehörig. Gleichzeitig gibt uns Reichardt einen Eindruck von Jamies ökonomischer Realität, wenn sie den Burger im Diner ablehnt und stattdessen anschließend im nächstgelegenen Supermarkt die günstige, abgepackte Version kauft (den sie alleine verzehrt).

In seltenen Momenten des Zusammenkommens der Figuren und des gegenseitigen Einstellens aufeinander lässt Reichardt andere Zeitläufe entstehen. Dies wird bereits in einer der ersten Einstellungen dieser Episode angedeutet, in der die Kamera in einer Nahaufnahme nur auf die Füße Jamies gerichtet ist. Sie vollziehen einen kleinen Tanz. Noch können wir ihren Vor- und Rückwärtsbewegungen keinen Kontext zuordnen, bis Jamie im Bild auftaucht und sich herausstellt, dass sie sich in einem Stall befindet und mit der Pflege eines Pferdes beschäftigt ist. Das Geräusch von dessen Hufen auf der Straße gibt auch in der einzigen Szene, in der sich Jamie und Beth körperlich näherkommen, einen eigenen Takt vor. Jamie hat den Truck zurückgelassen und ist auf dem Pferd zum Diner gekommen. Beth steigt nach anfänglichem Zögern mit auf das Pferd und in einer langen Einstellung sehen wir, wie beide sich auf diese vorgegebene, erzwungene Langsamkeit und somit auch aufeinander einstellen müssen:

> This horse ride is a moment of silent communication between
> the characters in which they are sharing the same temporality,
> suspending their usual routines to give into the slow clip-clop
> of the horse's pace. The intersubjectivity of temporalities can
> be a way of overcoming the drives toward disconnection under
> capitalism.[25]

Die Notwendigkeit, sich (vor allem zeitlich) aufeinander einzustellen, zeichnet jede der drei beschriebenen Filme aus. Doch die Beziehung von Jamie und Beth ist von einem stetigen Aufeinander-Zukommen und Abwenden geprägt, wobei wir in erster Linie Jamies Perspektive und eine gewisse Unsicherheit über Beths Motivation und ihre Gefühle teilen. So muss Jamie eines Abends feststellen, dass Beth ihre Stelle an der Abendschule aufgrund des strapaziösen Arbeitswegs gekündigt hat. Sie beschließt, ihr noch in der Nacht mit dem Truck nach Livingston zu folgen, weil sie, wie sie ihr bei der anschließenden Begegnung am nächsten Morgen sagt, die Möglichkeit nicht zulassen wollte, sie nie mehr gesehen zu haben. Jamie trifft Beth auf dem Parkplatz der Kanzlei an, bei der sie arbeitet. Diese ist erstaunt über Jamies Verhalten, diese plötzliche Gefühlsäußerung und das indirekte Liebesbekenntnis und weist sie ab. Wie eingangs geschildert begleiten wir Jamie in einer zweieinhalb-minütigen Szene bei der Rückfahrt von Livingston nach Belfry. Die Szene besteht aus der halbnahen Frontaleinstellung auf Jamies Gesicht und einem subjektiven, letzten Blick aus dem Auto auf Beth sowie Aufnahmen von der Landschaft. Das Sound-Design suggerierte stets auch eine Nähe zum subjektiven Empfinden der Figur. So war die Sequenz, die zeigte, wie Jamie in Livingston ankam und durch die nächtlichen Straßen der Stadt wanderte, vor allem durch das komplexe Sound-Design geprägt. Die Fremdheit der Figur übertrug sich auf den Ort und die Unruhe ihrer Erwartungshaltung, führte zu einer Überhöhung von Geräuschen des Windes und des Verkehrs sowie der Signale des sie umgebenen Zugverkehrs. Diese Verbindung auf der Ebene des Sounds wird an dieser Stelle schließlich abgelöst von dem einzigen Musikeinsatz im Film.

Die Weise, wie sich Jamies Enttäuschung über die Ablehnung durch Beth schließlich in der abweichenden Bewegung, dem Abdriften ihres Autos von der Straße, äußert, macht – auf dem Hintergrund

---

25   Henry, »The Temporal Resistance of Kelly Reichardt's Cinema«, S. 497.

der Beobachtungen in *Old Joy* und *Wendy and Lucy* – auf eine letzte, zeitliche Konstruktion aufmerksam, durch die in Reichardts Film der Mangel an Gleichzeitigkeit und Nähe bestritten werden kann. Bereits die vierstündige Fahrt von Belfry nach Livingston versetzt Jamie in eine, auch körperlich empfundene, Nähe zu Beth. Auch wir als Zuschauer*innen sehen nun zum ersten Mal die Strecke und können die von Beth wiederholt geschilderte Dauer und Anstrengung der langen Autofahrt nachvollziehen. In diesem Ineinanderfallen der ambivalenten, sowohl von Begehren als auch von Erschöpfung geprägten, Zeitlichkeit kann vielleicht ein erotohistoriographisches Potential entdeckt werden, wie es Elizabeth Freeman in *Time Binds* schildert. Das Abdriften von Jamies Auto ist sodann kein Moment des Scheiterns, sondern eine zeitliche Entsprechung und, in gewisser Weise auch erleichternde oder gar befriedigende Vollendung einer gemeinsamen, einer geteilten Erfahrung.

Abschließend lässt sich dieses Abkommen von der Straße als Teil einer Reihe von Bewegungen in den Filmen Kelly Reichardts erkennen. Es handelt sich um Formen der Bewegung in Gesten oder Wiederholungen; Bewegungen der Figuren, über die Montage oder aber auch Bewegungen der Kamera selbst. Sie initiieren einen Bruch mit und in der (filmischen) Zeit, synchronisieren oder bringen die Figuren über unterschiedliche Zeitlichkeiten zusammen. Als Bruch mit normativen Zeitabläufen, die auf ein Maximum an Produktivität und Reproduktion ausgerichtet sind, spiegeln sie das stets zugrundeliegende queere Begehren der Figuren auch auf der Ebene erfahrener und gelebter Zeitlichkeit. Diese Bewegungen sind gleichzeitig Ausdruck der Macht von Film, hegemonialen und machtvollen Konzepten von Zeit andere, neue und queere Zeitlichkeiten entgegenzusetzen. Den in den Filmen deutlich werdenden Krisen von Kommunikation und Zusammenhalt sowie der fundamentalen Trennung der Figuren voneinander werden neue Zeit- und Raumgefüge entgegengestellt, in denen nicht nur alternative Zukunftsvisionen formuliert, sondern auch gemeinsame Gegenwarten gelebt werden können. Zuletzt schaffen diese unterschiedlichen Konstruktionen von Zeit so etwas wie eine Emotionalisierung, die vor allem das Potential der Filme Reichardts unterstreicht, zu bewegen. Sie schafft ein Kino, das seine politische Macht aus einer direkten Ansprache, aber auch aus einer Kooperation mit den Zuschauer*innen bezieht. Die häufig besprochene Langsamkeit ihrer Filme ist Teil dieses Projekts, Zeit anders zu erfahren und erfahrbar zu machen.

Die Zeit ist (nicht) aus den Fugen
Queere Zeitlichkeit und konstituierende Immunisierung
ISABELL LOREY

Wenn die Bekämpfung eines Virus die lineare Normalität der Zeit aufbricht und Unsicherheit und Prekarisierung dominieren, wer werden die sein, die siegen, wer diejenigen, die verstummen? Welche Lebensweisen werden sich in einer neuen Normalität durchsetzen? Was bedeutet queere Zeitlichkeit, die lineare heteronormative Zeit aufbrechen will und das »Normale« infrage stellt? Wie kann queere Zeitlichkeit während und nach einer globalen Pandemie jene Zeit sein, die aus den Fugen ist? Wie lässt sich für eine Gegenwart argumentieren, die nicht normal werden, sondern ungefügig und prekär bleiben will? Braucht es dafür Vorstellungen von Zukunft?

QUEERE ZUKÜNFTIGKEIT

Zu den wichtigsten Theoretiker*innen queerer Zeitlichkeit gehört José Esteban Muñoz mit seinem Buch *Cruising Utopia: The Then and There of Queer Futurity*. Es handelt von der Potenzialität queerer Zukünftigkeit: »Queerness is not yet here. Queerness is an ideality. Put another way, we are not yet queer. We may never touch queerness.«[1] Was queer

---

1   José Esteban Muñoz, *Cruising Utopia: The Then and There of Queer Futurity* (New York: NYU Press, 2009), S. 1.

sein könnte, lässt sich fühlen »as the warm illumination of a horizon«, als ein unerfülltes Ideal, das aus der Vergangenheit herausgefiltert und benutzt werden kann, um die Zukunft zu imaginieren. In diesem Verständnis einer queeren Zeitlichkeit ist das *here and now* der Gegenwart voller Beschränkungen und Qualen, wie ein Gefängnis, aus dem es auszubrechen gilt, um das *then and there* denken und fühlen zu können. Das *then and there* ist für Muñoz die Zeitlichkeit von Queerness, einem »Ding«,[2] das uns sehnsuchtsvoll in der Gegenwart spüren lässt, dass eine bessere Welt in der Zukunft möglich ist, dass die gegenwärtige Realität nicht ausreicht. Queerness ist als dieses »Ding« allerdings nicht einfach ein in die Zukunft gerichtetes Ideal, sondern zugleich etwas Performatives in der Gegenwart, kein anzustrebendes Sein, sondern auf die Zukunft gerichtetes Tun: »Queerness is essentially about the rejection of a here and now and an insistence on potentiality or concrete possibility for another world.«[3] Queere Zukünftigkeit meint weniger eine eigene Zeitlichkeit als eine potenzielle Zukunft innerhalb der Gegenwart, die sowohl utopisch als auch antizipatorisch ist.[4]

Im Kontext der queer-theoretischen Diskurse der 2000er Jahre ist Muñoz' Plädoyer für eine queere Zukünftigkeit als eine direkte Kritik vor allem an Lee Edelmans Buch *No Future* zu verstehen.[5] Vor dem Hintergrund von Edelmans Zurückweisung von Zukunft als einer heteronormativ-reproduktiven, am zu beschützenden Kind orientierten Zeitlichkeit und seinem Fokus auf eine radikal anti-soziale Gegenwart der Präsenz, ist Muñoz' Ablehnung der Gegenwart und seine Konzeption von Zukünftigkeit eine dezidierte Wendung im Verständnis queerer Zeitlichkeit.[6] Er wirft Edelman vor, ein weißes schwules Subjekt zu universalisieren, dessen Zeit eine leere Gegenwart sei: Frei von der Herausforderung, sich eine Zukunft vorzustellen, die jenseits

---

2   Ebd.

3   Ebd.

4   Siehe ebd., S. 91.

5   Siehe Lee Edelman, *No Future: Queer Theory and the Death Drive* (Durham, NC: Duke University Press, 2004).

6   Vor allem auch vor dem Hintergrund einer diskriminierenden Gesundheitspolitik im Kontext des HI-Virus in den 1980er und 1990er Jahren und den vielen nicht-heteronormativ Lebenden, die an den chronischen Folgen von AIDS gestorben sind, ist für queere Politiken nicht zu unterschätzen, was ein Fokus auf Utopie, Hoffnung und Zukünftigkeit bedeutet.

von Selbstbezogenheit im Hier und Jetzt existiert und queere, gesell-
schaftsverändernde Politiken ermöglichen kann.[7]

Muñoz lehnt eine Affirmation des Gegenwärtigen ab, denn es ist
für ihn nichts als »straight time«, eine sich selbst naturalisierende
Zeitlichkeit, eine »presentness«, aus der die Zeit der Queerness heraustreten muss.[8] Alle Möglichkeiten auf Veränderung werden in eine
zukünftige Zeitlichkeit verschoben, allerdings zeichnen sie sich bereits
in der Gegenwart nicht nur als Sehnsucht und als Horizont ab, sondern
beginnen sogar als Tun. Auch wenn Muñoz die Verhältnisse im Hier
und Jetzt nur in ihrer Negativität in Betracht zieht und ablehnt, sind
die performativen Handlungen für gesellschaftliche Veränderungen
bereits in der Gegenwart möglich und notwendig. In seinem tendenziell negativen Gegenwartsverständnis und seiner Begrifflichkeit von
Utopie, Antizipation und der Zeitlichkeit des »Noch-Nicht« stützt
sich Muñoz wesentlich auf Ernst Bloch und seine dreibändige Schrift
Das Prinzip Hoffnung.[9]

DAS PRINZIP HOFFNUNG

Ernst Bloch, der Marxist aus der Frankfurter Schule, bezeichnet die
Gegenwart als ein »Jetzt«, das er – ähnlich wie Hegel – primär als
einen Augenblick versteht. Dieses Jetzt ist ein kurzer gelebter Moment,
der unmittelbar und nicht bewusst geschieht und somit im Dunkeln
liegt: »Nur wenn ein Jetzt gerade vergangen ist oder wenn und so-
lange es erwartet wird, ist es nicht nur ge-lebt, sondern auch er-lebt.
Als unmittelbar daseiend, liegt es im Dunkel des Augenblicks.«[10] Der
gelebte Moment des Jetzt existiert, aber ohne Vermittlung wird er
im Hellen des Bewusstseins nicht wahrgenommen. Die »Augenblicke
schlagen noch ungehört, ungesehen, ihr *Präsens* ist bestenfalls im Vor-
hof *seiner noch nicht bewußten, noch nicht gewordenen Präsenz*.«[11] Das

---

7   Muñoz, *Cruising Utopia*, S. 94.
8   Ebd., S. 25. Siehe auch J. Jack Halberstam, *In a Queer Time and Place: Transgender
    Bodies, Subcultural Lives* (New York: NYU Press, 2005), S. 5–7.
9   Ernst Bloch, *Das Prinzip Hoffnung*, 3 Bde. (Frankfurt a. M.: Suhrkamp, 1959). Muñoz
    stützt sich vor allem auf den ersten Band.
10 Ebd., I: Kapitel 32, S. 334.
11 Ebd., S. 343, Hervorhebung im Original. Bloch grenzt sich beim Noch-Nicht-
    Bewussten von Freud ab. Bloch will seinen Begriff des Noch-Nicht nicht auf Vergesse-

Präsens des Jetzt ist für Bloch Nicht-Präsenz, ein »Nicht-Da«,[12] ein unmittelbares dunkles Dasein, das (noch) nicht ist.

Dieses unmittelbare, aktuelle Präsens ohne Präsenz ist nicht bloß *Nicht*, sondern es existiert in ihm zugleich ein Treiben, das zu einem Da strebt, zu einer Bewusstwerdung. Durch ein solches Treiben wird Zeitlichkeit in die Zukunft weitergeschoben und es kann Neues entstehen. Es handelt sich für Bloch um ein »Drängen, Wünschen«,[13] das nicht einfach unverändert als ewige Wiederholung des Gleichen geschieht. Vielmehr zeigt sich in seiner Potenzialität die in die Zukunft führende Veränderbarkeit, die »Transzendenz« von Zuständen in der Gegenwart: »[W]as im Jetzt treibt, stürzt zugleich dauernd vorwärts. [...] Was nicht ist, kann noch werden, was verwirklicht wird, setzt Mögliches in seinem Stoff voraus.«[14] Das aktuelle Präsens ist für Bloch als ein Nicht bloßer »Mangel«, ein Fehlen, eine »Leere«, und kann nicht anders, als nach vorne in Richtung einer besseren Zukunft zu hungern, sich aus dieser Gegenwart des Leids, der Entbehrung und der Unzufriedenheit hinauszusehnen, um den Mangel loszuwerden und eine antizipierte, doch unklare Fülle anzustreben.[15] Das Jetzt als punktuelles und auf den Augenblick begrenztes kann hier selbst nicht Fülle sein, den Hunger nicht lindern.[16] Es braucht das gärende Noch-Nicht, die »Inkubationszeit«[17] im Jetzt, die Latenz.

Mangel und Inkubation, Moment und Vorwärtsbewegung, Dunkel und Öffnung – Blochs Jetzt ist dialektisch konzipiert: Es ist ohne Vermittlung, bloßes subjektivistisches Empfinden, Präsens ohne Präsenz, und es inkubiert zugleich im Bewusstwerden das »Heraufkommen« der neuen Zeit, die ebenfalls dunkles Jetzt enthalten wird: »Nur das Heraufkommende oder das gerade Vergangene hat den Abstand,

---

nes oder Verdrängtes bezogen wissen, sondern es findet sich als ein Vorbewusstes, das auf ein »Hervorkommendes« verweist, eher in Tagträumen. Vgl. ebd., S. 131.

12   »Was an sich und unmittelbar als Jetzt vor sich geht, ist so noch leer [...], unbestimmt, als ein gärend *Nicht*. Als das Nicht, womit alles ansetzt und beginnt, um das jedes Etwas noch gebaut ist. Das Nicht ist nicht da, aber in dem es derart das Nicht eines Da ist, ist es nicht einfach Nicht, sondern zugleich Nicht-Da. Als solches hält es das Nicht bei sich nicht aus, ist vielmehr aufs Da eines Etwas treibend bezogen.« Siehe ebd., S. 356, Hervorhebung im Original.

13   Ebd., S. 335.
14   Ebd.
15   Ebd., S. 356–57, siehe auch S. 360.
16   Siehe ebd., S. 358.
17   Ebd., S. 139.

den der Strahl des Bewußtwerdens braucht, um zu bescheinen.«[18]
Das inkubierende Bewusstsein, das im und mit dem Heraufkommen-
den entsteht, ist antizipatorisch, es sieht, was *noch nicht* ist, während
der gelebte Augenblick im Jetzt »unsichtbar«[19] bleibt und auch mit
großer Konzentration *nicht* gewusst werden kann. Blochs Jetzt ist zusammengesetzt aus dem Nicht und dem Noch-Nicht, das das mögliche
Zukünftige vorwegnimmt, das Utopische ankündigt. Das Noch-Nicht
ist keine Zeitlichkeit der klaren Linie, die nur linear vorwärts beschrit-
ten werden muss, ihm ist Kontingenz inhärent. Dennoch ist das, was
zur Verwirklichung drängt, nicht ungerichtet.[20] Das Noch-Nicht ist
prozessual, unfertig und ein Utopisches, das Bloch nicht als etwas
Abstraktes, sondern als konkrete Utopie verstanden wissen will. Die
konkrete Utopie ist eine, die »auf das Jetzt hinweist und dessen ausge-
schüttete Gegenwart sucht«, um »das bloße unmittelbare, vorüber-
fliegende Jetzt« weiß und im Unterschied dazu die »zu erreichende
Gegenwart« erhofft und für sie arbeitet.[21] In diesem Zusammenhang
spricht Bloch auch von einem »utopischen Präsens«.[22] Doch bevor
das unvermittelte, aktuelle Präsens zu einem utopischen Präsens werden kann, muss es bewusst werden, es muss Vermittlung entstehen,
Repräsentation muss wahrnehmbar werden, und ein »historisch Neues«[23] muss die bessere Zukunft anzeigen. Nur das Neue, das im Jetzt
sich bewusst antizipatorisch zeigt, gehört für Bloch zur Geschichte,
nicht aber das aktuelle Präsens: Es ist ungewusst, mangelhaft und ge-
schichtslos.[24]

Mit dem Fokus auf psychische Bewusstwerdung verschränkt Bloch
Zeitlichkeit und Geschichte mit einer idealistischen Subjektbezogen-
heit, in der Zeit nicht unabhängig von Vermittlung gedacht werden

---

18   Ebd., S. 334. Bloch betont, dass vor allem erst der Marxismus »einen Begriff des
     Wissens in die Welt gebracht [hat], der nicht mehr wesentlich auf Gewordenheit
     bezogen ist, sondern auf die Tendenz des Heraufkommenden; so bringt er erstmalig
     Zukunft in den theoretisch-praktischen Griff«; siehe ebd., S. 160.
19   Ebd., S. 338; zum »antizipierenden Bewußtsein« siehe auch S. 336.
20   Siehe »*Hoffnung kann enttäuscht werden*«. *Ernst Bloch in Leipzig*, dokumentiert und
     kommentiert von Volker Caysa, Petra Caysa, Klaus-Dieter Eichler und Elke Uhl
     (Frankfurt a. M.: Hain, 1992).
21   Bloch, *Prinzip Hoffnung*, I, S. 365–66.
22   Ebd., S. 366.
23   Ebd., S. 359.
24   Siehe ebd., S. 358–59.

kann, nicht ausgehend von gemeinsamen Praxen und Kämpfen, die gerade nicht die Repräsentation und (kollektive) Subjektwerdung ins Zentrum des politischen Agierens stellen und nicht aus Mängeln fliehen, sondern gegenwärtig bleiben.[25] Das erfordert allerdings ein Verständnis von Zeit, in der Gegenwart kein flüchtiger Moment ist, dem in eine bessere Zukünftigkeit entflohen werden muss, sondern Störungen und Zerstörungen in einer Weise nachgegangen werden kann, die ermöglicht, in der Gegenwart unruhig zu bleiben. Bloch wendet sich gegen solche Konzeptionen von Gegenwart, die die Hegelsche Idee des nicht bewussten Augenblicks zurückweisen, die Gegenwart als eine ausgedehnte Zeitlichkeit des Werdens betrachten und so mit einer in die Zukunft gerichteten zeitlichen Linearität brechen.[26] Um in einem Aufbrechen von Zeit unruhig zu bleiben, braucht es aber vor allem Verbindungen zum Vergangenen, zur Aktualisierung und Erinnerung von Vergangenem in der Gegenwart, nicht als Wahrheit, Echtheit, Authentizität, sondern in nicht heteronormativ-familienbezogenen verschuldeten Verbindungen, die sich als Konstellationen in einer ausgedehnten Gegenwart zeigen.[27]

Muñoz, der über Bloch hinausgeht, verbindet interessanterweise seinen Begriff des »not-yet-conscious« mit einem auf Vergangenes bezogenen Begriff des »no-more-conscious« – zusammengefügt im *then and there* – und aktualisiert queere ästhetische und politische Praxen, denen bereits ein »utopisches Gefühl«[28] inhärent war. Wenn er sich gegen anti-relationale und anti-soziale schwule Gegenwartsverständnisse wendet, dann kritisiert er nicht nur die Konstruktion selbstreferentieller weißer Zeitlichkeiten, sondern auch ein Verständ-

---

25   Siehe zu einem solchen repräsentationskritischen politischen Gegenwartsverständnis in aller Kürze Isabell Lorey, »Präsentische Demokratie. Exodus und Tigersprung«, *transversal blog*, Juni 2014 <https://transversal.at/blog/praesentische-demokratie> [Zugriff: 17. April 2020].

26   Immer wieder greift Bloch exemplarisch Henri Bergson als »vitalistischen Augenblicksleugner« an; siehe Bloch, *Prinzip Hoffnung*, I, S. 339.

27   Donna J. Haraway, *Unruhig bleiben. Die Verwandtschaft der Arten im Chthuluzän*, übers. v. Karin Harrasser (Frankfurt a. M.: Campus, 2018); Denise Ferreira da Silva, »Unbezahlbare Schuld. Szenen des Werts, gegen den Pfeil der Zeit gelesen«, übers. v. Hildegard Hogen, in *documenta 14 – Reader*, hg. v. Quinn Latimer und Adam Szymczyk (München: Prestel, 2017), S. 81–112; Stefano Harney und Fred Moten, *Die Undercommons. Flüchtige Planung und schwarzes Studium*, übers. v. Birgit Mennel und Gerald Raunig (Wien: transversal texts, 2016).

28   Muñoz, *Cruising Utopia*, u. a. S. 3.

nis des Jetzt, das identitäre Unmittelbarkeit und Authentizität feiert. Muñoz wendet sich gegen solch eine präsenzfokussierte Identitätslogik, weil sie keine prozessualen, konkreten Utopien zulässt und die normative Linearität der heteronormativen, geraden, direkten und authentizistischen *straight time* weder aufzubrechen, noch hinter sich zu lassen in der Lage ist. Er denkt Blochs Inkubationszeit des hoffnungsvollen Noch-Nicht-Hier weiter und plädiert für queere soziale Verbindungen, die ekstatisches Außer-sich-Sein und soziale Kontaminierungen zulassen.[29] Diese zeitbezogene Verweigerung, zu einem autonomen Subjekt zu werden, nehme ich im Folgenden für ein Verständnis von Gegenwart wieder auf, das allerdings das Mögliche nicht in Utopien und Zukünfte verschiebt, sondern das Unruhige und Ungefügige im ausgedehnten Präsens wahrnimmt und sich entfalten lässt. Das bedeutet, Antizipation als angestrebte präventive Kontrolle von Fortschrittsentwicklungen dezidiert zurückzuweisen.[30] Anders als bei Muñoz ist das Queere dann nicht etwas, das noch nicht da ist und sich nur als ansteckende Potenzialität bereits ankündigt, nichts, das die *straight time* erst utopisch aus den Angeln heben können soll. Im Gegenteil lässt sich das Queere als etwas verstehen, das das Chrononormative immer schon kontaminiert.[31] Queer ist damit eher im Sinne von Kara Keeling als eine Kraft zu verstehen, die durch die zeitlichen und sozioökonomischen Venen der westlichen Moderne strömt: »Queerness is endogenous to time.«[32] Und mit Derrida lässt sich sagen, dass die *straight time* immer schon vom ansteckend-affizierenden Ungefügten heimgesucht wird.

---

29 Ebd., siehe u. a. S. 11, S. 94–96 und S. 185–89.

30 Auch im Hegelkritischen Zeitverständnis des Afrofuturismus wird problematisiert, dass antizipatorisches »Wissen« zur ökonomischen Ware und politischen Kontrolle in der Gegenwart wird und in der westlich-weißen Fortschrittslogik die Entmachteten zugleich in die Vergangenheit einschließt; siehe Kodwo Eshun, »Weiterführende Überlegungen zum Afrofuturismus«, übers. v. Ronald Voullié, in *Ethnofuturismen*, hg. v. Armen Avanessian und Mahan Moalemi (Leipzig: Merve, 2018), S. 41–65, hier u. a. S. 47. Im afrofuturistischen Film *The Last Angel of History*, Regie: John Akomfrah (Black Studio Film Collective, 1996) betont Samuel R. Delany, dass Science-Fiction als eine »signifikante Verzerrung der Gegenwart« verstanden werden müsse und weder zukunftsweisend noch utopisch sei; siehe Eshun, »Weiterführende Überlegungen«, S. 46. Siehe zu diesem Verständnis von Science-Fiction auch Haraway, *Unruhig bleiben*, S. 11–12.

31 Zum Begriff der Chrononormativität siehe Elizabeth Freeman, *Time Binds: Queer Temporalities, Queer Histories* (Durham, NC: Duke University Press, 2010).

32 Kara Keeling, *Queer Times, Black Futures* (New York: NYU Press, 2019), S. 88.

DIE ZEIT AUS DEN FUGEN

Jacques Derrida hat sich immer wieder gegen die Utopie ausgesprochen: »Ich misstraue der Utopie, ich will das Un-Mögliche«.[33] Das Un-Mögliche als das Unberechenbare, Unerwartbare, Unvorhersehbare gehört zu seinem unzeitgemäßen Verständnis von Gegenwart und nicht zur Zukunft. Die Zukunft des französischen *avenir* durchschneidet er für das Kommende des *à venir*, dessen, was nicht vorgesehen, nicht antizipiert ist. Das Kommende bleibt im Kommen, es bleibt in der Gegenwart und bleibt in Bewegung, ohne die Gegenwart hinter sich zu lassen, dehnt es die Gegenwart aus und öffnet sie. Das *à venir* ist dem *devenir*, dem Werden in der Gegenwart, viel näher als der Zukunft. So gehört auch das unmöglich Mögliche zu einer Gegenwart, die weder auf Präsenz und Absenz begrenzt ist, noch selbstidentisch bei sich bleibt, die kein flüchtiger Augenblick ist.

In *Marx' Gespenster* entwirft Derrida eine Zeitlichkeit des Präsens, das mit dem unvorhersehbar Kommenden und mit der Heimsuchung rechnet, mit dem Gespenst. Gleich am Anfang des Buches macht er deutlich, dass es darum geht, mit Gespenstern zu leben, mit gewissen anderen in einer »Zeit ohne bevormundendes Präsens« besser zu leben.[34] Denn in diesem Präsens ist das Gespenstische nicht präsent, weder als Substanz noch als Existenz; es ist das, was der vorherrschenden Ordnung des Präsens und seinen Verfügungen entgeht, sie aber zugleich heimsucht. Mit den Gespenstern zu leben bedeutet, mit den durch Gewalt und Unterdrückung Verstummten der Vergangenheit zu leben und mit denen, die noch nicht geboren sind. Es handelt sich um ein rätselhaftes Mitsein mit all jenem und jenen, die nicht mehr und noch nicht zur Verfügung stehen, mit dem Unverfügten, dem nicht Gerichteten, dem nicht Gerechten: Es bedeutet zuzulassen, in einer Zeit zu leben, die aus den Fugen ist.

---

33   Thomas Assheuer, »Ich mißtraue der Utopie, ich will das Un-Mögliche«, Interview mit Jacques Derrida, *Die Zeit*, 11 (8. März 1998) <https://www.zeit.de/1998/11/titel.txt.19980305.xml> [Zugriff: 25. Juli 2021]. Siehe zum »Denken des unmöglichen Möglichen, des Möglichen *als* des Unmöglichen, ein[em] Denken des Unmöglich-Möglichen« auch Jacques Derrida, *Die unbedingte Universität*, übers. v. Stefan Lorenzer (Frankfurt a. M.: Suhrkamp, 2001), S. 73.

34   Jacques Derrida, *Marx' Gespenster. Der verschuldete Staat, die Trauerarbeit und die neue Internationale*, übers. v. Susanne Lüdemann (Frankfurt a. M.: Fischer, 1996), S. 10.

Diese Zeit ist nicht erst aus den Fugen geraten, nachdem sie verfügt und in Ordnung war. Es ist eine Zeit, die nie in Ordnung war, eine
Zeit, die noch nicht und nicht wieder glatt, gerade und normal geworden ist. Es ist eine Zeit, das betont Derrida, die sich um das Vergangene
schert, um das Erbe und das Erinnern, doch nicht im Sinne des verfügten Normalen, der Norm, des Geraden und angeordneten Richtigen,
nicht im Sinne von Linearität. Das Mitsein mit Gespenstern ist ein
Leben mit UnGerechtigkeit, im Namen der »Gerechtigkeit dort, wo
sie noch nicht ist, noch nicht *da*, dort, wo sie nicht mehr ist, das heißt
da, wo sie nicht mehr *gegenwärtig* ist, und da, wo sie [...] niemals
reduzierbar sein wird aufs Recht«.[35] Diese Lebensweise mit denen,
die nicht auf die rechte Weise präsent waren und sind, nicht gegenwärtig als Selbstpräsenz, nicht identitär, bringt das bevormundende,
verfügte und verfugte Präsens aus dem Lot und aus den Fugen. Denn
das Erscheinen von Gespenstern, die nicht gänzlich anwesend und
auch nicht gänzlich abwesend sind, fügt sich nicht ein in das, was wir
normalerweise unter Zeit verstehen. Die Heimsuchung ist unzeitig,
ohne Datum und Kalender; sie bezieht sich auf keine Zahl, wie auch
das Gespenst nie bloß eins ist. Es sind immer mehr als eins oder weniger, nicht wirklich zählbar, aber zerstreut und huschend, vielgestaltig
und vielfältig, multitudinär. Gespenster sind verbunden *mit* anderen
sichtbar Unsichtbaren.

Die Heimsuchung ist kein Zustand. Die verfugte Gegenwart wird
nicht ununterbrochen und beständig heimgesucht. Die Hantologie
kehrt wieder, anders und verkehrt, immer wieder von Neuem, ohne
sich identisch zu wiederholen.[36] Ein Gespenst ist ein verquerer an-
fänglicher Wiedergänger: »Man kann sein Kommen und Gehen nicht
kontrollieren, weil es *mit der Wiederkehr beginnt*.«[37] In der Wiederkehr des Gespenstischen gerät das geordnete Präsens nicht nur aus
den Fugen. Die vorherrschende normative Ordnung versucht, sich von
dem verkehrten Wiederkehrenden abzugrenzen, es abzuwehren und
zu vergessen. Doch es gelingt nicht, die Gespenster auszusperren, in
einem Außen zu bändigen. Die Ordnung wird immer wieder von dem

---

35 Ebd., S. 11, Hervorhebung im Original.
36 Die Hantologie leitet sich vom Französischen *hanter* für »heimsuchen« ab und über-
    schreitet die Ontologie als die Lehre des Seins. Siehe ebd., S. 27.
37 Ebd., S. 28, Hervorhebung im Original.

da-Herkommenden, von dem ins Heim des Vertrauten und Normalen Kommenden heimgesucht.

Das normalisierte, geordnete, glatte Präsens des Einen entsteht durch Verfügungen und Verfugungen, die allerdings durch die Heimsuchung immer wieder von Neuem geteilt und aufgesprengt werden. Solche Aufteilungen kommen nicht »von außen«. Die Verfügung kann in ihrer eigenen Dynamik »nur eins sein, indem sie sich teilt«.[38] Das Verfugte/Verfügte selbst ist es, das die Einheit nicht durchhält und nicht aushält, denn es zerreißt sich durch die Abgrenzung, die Abwehr selbst: Es kategorisiert, klassifiziert, urteilt und sucht das Normale unter verschiedenen Möglichkeiten aus. Nicht alles soll zugelassen werden, weshalb das Verfugen nur durch das Unterscheiden dessen geschehen kann, was als nicht gerade und recht gilt. Denn das UnRechte legitimiert die rechte Verfügung immer wieder von neuem. Es geht ihr voraus, ohne bereits zurecht gerückt zu sein, maßlos und vielfältig.

Das Differente, Disparate, das, was nicht recht ist, sondern schräg und verkehrt, lässt sich weder aus der Zeit noch aus dem geordneten Präsens drängen und auch nicht einfach in dieses integrieren – es wird von ihm heimgesucht, weil es ihm vorausgeht ohne vergangen zu sein. Das Differente und Gespenstische lässt sich nicht vernichten, es lässt sich nur »in der Zeitform eines aus den Fugen gegangenen Präsens« affirmieren, »in der Fügung einer radikal unverfugten Zeit ohne die Sicherheit der Konjunktion«.[39] Was nicht in den Fugen ist, existiert ohne Verfugung, ohne Sicherheit, ohne Bestimmung; es ist nicht eingefügt und gefügig, nicht identifizierbar und nicht in Ordnung, unsicher und prekär – in einem queeren Präsens aus den Fugen:

> »The time is out of joint«, die Zeit ist *exartikuliert*, ausgerenkt, aus den Fugen, verzerrt, die Zeit ist aus dem Gleis, sie ist verdreht und aus sich selbst herausgerückt, *gestört*, gleichzeitig aus dem Takt und verrückt. Die Zeit ist außer Rand und Band, die Zeit ist aus der Bahn geraten, außer sich, uneins mit sich.[40]

Es ist eine ekstatische, maßlose Zeit, ungebändigt, auf die schiefe Bahn geraten, nicht mehr im Recht, verkehrt herum, *à l'envers*, *transversal*,

---

38 Ebd., S. 36.
39 Ebd., S. 38.
40 Ebd., Hervorhebung im Original. Mit » *The time is out of joint*« zitiert Derrida *Hamlet* von Shakespeare.

travers, quer, schief. All diese Begriffe lassen sich, wie Derrida zeigt, in den Shakespeare-Übersetzungen für *out of joint* finden. Es sind verschiedene Übersetzungen, vielfältige Interpretationen. Sie sind sich uneins und werden damit dem »Original« nicht eindeutig gerecht: irreduzibel, unangemessen und asynchron wie sie sind; selbst *out of joint* und *out of sync* nicht nur, wenn sie das Maß verlieren, sich manche ins Moralisch-Politische wenden und *out of joint* als Perversion der Sitten und Verfall der Gesellschaft interpretieren.[41] Die Konnotation dessen, was ungefügig ist, was weder in das Eine noch in das Eindeutige der Verfügung passt, zeigt sich in der Zeitlichkeit des queeren Präsens.

Es steht der Geradheit gegenüber, der richtigen Richtung der gerichteten Zeit, direkt und ohne Umwege, *straight away* auf das richtige Ziel zu.[42] Was nicht der Normalität entspricht, muss unentwegt verfugt werden. Das Gebogene und Schräge wird entweder korrigiert, repariert und geheilt, oder es wird als bedrohlich und unnormal ausgeschlossen.[43] Die Sorge gilt nicht der Gesundheit der Ungeraden, sondern der machtvollen Aufrechterhaltung einer bestimmten Form von Gerechtigkeit. Es ist eine Gerechtigkeit, die Genugtuung will, die straft und rächt, die die Unterbrechung der Kontinuität, das Aufbrechen der Glättung und die Konfrontation des Einen als UnRecht begreift, als Schuld, die geahndet werden muss, damit die Dinge wieder gerade gerückt werden und es wieder mit rechten Dingen zugeht.[44]

Es ist die Geschichte der Sieger, in der »das *Unrecht* der Geschichte wieder gerade«[45] gebogen, die Verbrechen an den anderen, den Verstummten, den schrägen Dingen glattgebügelt und die Besiegten

---

41   Siehe ebd., S. 40-41.

42   Ebd., S. 41, Hervorhebung im Original.

43   Siehe zu dieser Dynamik einer biopolitischen Immunisierung Isabell Lorey, *Figuren des Immunen. Elemente einer politischen Theorie* (Zürich: Diaphanes, 2011), S. 260–80.

44   Siehe Derrida, *Marx' Gespenster*, S. 42 und 47. Hamlet verflucht sein Schicksal, das ihn dazu bestimmt, seinen Vater zu rächen und »eine Zeit wieder ins rechte Gleis zu bringen, die schief läuft. [...] Gerechtigkeit zu üben, die Dinge wieder in Ordnung zu bringen, die Geschichte, die Welt, die Epoche, die Zeit wieder einzurenken«; siehe ebd., S. 41. Hamlet selbst ist »*out of joint*«, seine Aufgabe, so Derrida, ist ihm eine »unerträgliche Perversion«; siehe ebd., S. 42–43. Hamlet ist eine queere Shakespearsche Figur.

45   Ebd., S. 43, Hervorhebung im Original. Zur Geschichte der Sieger siehe Walter Benjamin, »Über den Begriff der Geschichte«, in *Gesammelte Schriften*, hg. von Rolf Tiedemann und Hermann Schweppenhäuser, 7 Bde. (Frankfurt a. M.: Suhrkamp, 1972–91), I (1974), S. 691–704.

mit Schuld beladen werden.[46] Aber die Gespenster kommen immer wieder, sie erscheinen unangekündigt und zeugen von dem »unbestimmte[n] Fluch, mit dem die Geschichte des Rechts und Geschichte als Recht behaftet ist: daß die Zeit *out of joint* ist«.[47]

DEMUNISIERTE SCHULDEN – KONSTITUIERENDE IMMUNISIERUNG

Was aber wäre eine Gerechtigkeit, die nicht dermaßen ins Recht setzt, sondern von der Beziehung zum UnRechten ausgeht, jenseits von Strafe, jenseits des Abtragens einer Schuld? Es bräuchte ein Verständnis von Schuld und Schulden, das die Rückgabe der Schuld aussetzt.

Derrida schlägt eine Form von Gerechtigkeit vor, die kommt »um zu geben *jenseits* des Schuldens, der Schuld, des Verbrechens oder des Fehlers«.[48] Ein solches Geben ist »ein Geben ohne Rückerstattung, ohne Kalkül, ohne Zählbarkeit«:[49] eine Gabe ohne Schuld. Es handelt sich nicht einfach um ein Geben, das den Tausch des Gebens und Nehmens, des Zurückgebens und des Weggebens aussetzt. Das Geben ohne Schuld ist tatsächlich ein Mehr: Es ist ein Zugeben, eine Zugabe, ein Hinzufügen, ein Exzess, eine Fülle. Es ist ein Geben, das der Vielfalt dessen, was verquer und nicht geradegerückt ist, gerecht wird. Es setzt den Mangel aus, in den das Geben als Weg- oder Zurückgeben eingeordnet und eingebunden ist. Es ist ein Geben, das radikal dem nicht Geglätteten, dem nicht Eingeordneten und dennoch hierarchisch Kategorisierten verbunden ist. Ein solches Geben bleibt dem Unpassenden radikal zugewandt. Es ist eine Zuwendung, die nur in einer sozialen Praxis *out of joint* stattfinden kann, denn sie bedeutet die Affirmation dessen (derjenigen), das (die) man nicht kommen

---

46   Siehe Saidiya V. Hartman, *Scenes of Subjection: Terror, Slavery, and Self-Making in Nineteenth-Century America* (Oxford: Oxford University Press, 1997), S. 130–32; Silva, »Unbezahlbare Schuld«. Siehe hierzu auch Kapitel 6 in Isabell Lorey, *Demokratie im Präsens. Eine Theorie der politischen Gegenwart* (Berlin: Suhrkamp, 2020).

47   Derrida, *Marx' Gespenster*, S. 44, Hervorhebung im Original.

48   Ebd., S. 49, Hervorhebung im Original. Siehe auch Isabell Lorey, »Preserving Precariousness, Queering Debt«, übers. v. Kelly Mulvaney, in *The Constituent Museum: Constellations of Knowledge, Politics and Mediation; A Generator of Social Change*, hg. v. John Byrne (Amsterdam: Valiz/L'Internationale, 2018), S. 184–91.

49   Ebd., S. 50.

sieht, was nicht kalkulierbar, nicht zählbar und nicht antizipierbar ist.[50] Dies lässt keine Prävention zu. Denn das Vor(her)gesehene ist immer bereits präsent, vorweg-genommen und angekommen, gebändigt und neutralisiert, um kalkuliert und verfugt zu werden, damit die Zeit der Ordnung in der Spur bleibt.

Gegen diese Glättung eines präventiven Kontrolldenkens, das stets der Bewahrung der verfügten Ordnung dient, wird die Linearität der herrschaftssichernden Zeit in ungefügiger Sozialität *jetzt* aufgebrochen. Das rechtmäßige Zuhause wird nicht mehr angstmachend heimgesucht, sondern dient als »unbedingte Zuflucht«[51] und öffnet sich der Umgebung, öffnet sich dem, was herum-gegeben, was herumgereicht wird. Nur so wird der Ort, zu dem ohne Beschränkung gekommen werden kann, heim(at)los, nur so befindet er sich im Werden, unterwegs.

Ungefügige Sozialität entsteht in unübersetzbarer Heterogenität. Sie ist die soziale Praxis der Zeit aus den Fugen. Es ist eine Sozialität, die die Tausch- und Schuldenökonomie der Ab-Gabe, des *munus* aussetzt. In der Distanz und im Ent-Setzen vom *munus*, in der *De-Munisierung* distanziert sie sich von der Bildung jeder Gemeinschaft, jeder *com-munitas*. Das lateinische *munus*, das in der römischen Antike die Abgabe im Rahmen einer Gemeinschaft derjenigen bezeichnet, die gemeinsam Abgaben (*munera*) leisten, begründet eine Gemeinschaft der Pflichten und Schulden und führt gerade nicht zu dem, was Derrida mit der Gabe ohne Rückgabe meint: das *munus* ist keine Gabe ohne Schuld, sondern verpflichtend.[52] Es entspricht immer einem Weggeben, einem Weniger, einem Minus, einer Ab-Gabe, durch die

---

50 Derrida spricht in diesem Zusammenhang auch von »absoluter Gastfreundschaft«, im Unterschied zu einer bedingten Gastfreundschaft, die den Hausherren voraussetzt, der bestimmt, wer die Schwelle seines verfugten Hauses übertritt, der zu entscheiden versucht, wer ihn heimsucht; siehe Jacques Derrida, *Von der Gastfreundschaft*, übers. v. Markus Sedlaczek (Wien: Passagen, 2007); siehe auch Jacques Derrida, *Schurken. Zwei Essays über die Vernunft*, übers. v. Horst Brühmann (Frankfurt a. M.: Suhrkamp, 2005), S. 28.

51 Paolo Virno, *Grammatik der Multitude. Der Engel und der General Intellekt*, übers. v. Klaus Neundlinger und Gerald Raunig (Wien: Turia + Kant, 2005), S. 35.

52 Der lateinische Begriff *communitas* bedeutet in der Zusammensetzung der Vorsilbe *con-* mit *munera*: Diejenigen, die zusammen Abgaben leisten. Siehe ausführlich Lorey, *Figuren des Immunen*, S. 199–227. Den Begriff der »De-Munisierung« habe ich im Rahmen der widerständigen Figur der »konstituierenden Immunisierung« entwickelt. Siehe ebd., S. 286–91.

die Abgebenden aufgrund der Zugehörigkeit zu einer Gemeinschaft gezwungen sind. Anders als in der utopistischen Logik von Bloch und Muñoz meint Demunisierung nicht, das *munus* als den Verzicht und den Mangel auf mögliche Utopien hin überschreiten zu wollen. Demunisierung bedeutet vielmehr, sich in der ausgedehnten Gegenwart dem *munus* als Pflicht und Gehorsam und damit den Grenzziehungen der verfugten Ordnung zu entziehen. Dieser Entzug bricht mit der Logik von Zugehörigkeit, die durch Assimilierung und Integration die Schuld der Nicht-Konformen zu begleichen sucht: Die Ökonomie der Schuldknechtschaft läuft aus der Bahn und ins Leere.

Die Demunisierung der ungefügigen Sozialität stellt nichts in Rechnung, denn sie basiert auf nicht zurückzahlbaren sozialen Verschuldungen, auf Schulden ohne Moral und ohne Kredit. Es sind Schulden, die aus dem Prekärsein jeden Lebewesens entstehen, aus Sorge und Reproduktion. Es sind Schulden, die nicht vermieden und nicht abbezahlt werden können, weil sie grundlegende Verbundenheiten und Affizierungen markieren. Sie haben nichts mit schlechtem Gewissen und Dankbarkeit zu tun, aber viel mit schlechten Schulden. Denn sie sind untilgbar und zeigen, dass ein unabhängiges Individuum und eine abgrenzbare Identität illusorisch sind.[53] Es sind Schulden, vor denen es nicht möglich ist, sich zu versichern. Niemand ist vor ihnen sicher. Diese sozialen Schulden aus wechselseitigen Sorgebeziehungen zu affirmieren bedeutet, das Prekär-Werden in einer ausgedehnten Gegenwart zu ermöglichen. Es bedeutet die Affirmation von »schwarzen Schulden, queeren Schulden, kriminellen Schulden«, wie Stefano Harney und Fred Moten schreiben.[54]

Queere, un-rechte Schulden zu praktizieren entspricht der Fähigkeit, sich durch andere und anderes affizieren zu lassen, durch Menschen und Dinge: ungefügig und offen zu sein, verletzlich und prekär. Prekär-werden als Fähigkeit, affiziert zu werden, ohne Sicherheiten durch Verfugungen. Nicht zurückzahlbare Sorgeschulden weiten Differenzen und Mannigfaltigkeiten aus, denn jeder und jede schuldet etwas anderes. Die Demunisierung von queeren sozialen Schulden führt nicht zur Verknappung und zum Mangel, für deren Beheben wie-

---

53 Siehe auch Lorey, *Demokratie im Präsens*.
54 Harney und Moten, *Die Undercommons*, S. 69.

der Kredit angehäuft und Dinge in der Zukunft besser gemacht werden müssen, sondern zur Fülle des sozialen Reichtums, zum Überfluss im Jetzt.

Das Prekär-Werden in der ausgedehnten Gegenwart bewahrt und aktualisiert Prekärsein, bekämpft Prekarisierung und Prekarität und entspricht der Verweigerung, sich durch Politiken der Unsicherheit regieren zu lassen.[55] Es ist ein Prekär-Werden ohne Kredit auf die Zukunft, das mit Individualisierung nichts am Hut hat. Es ist immer ein politisches Prekär-Werden mit anderen zusammen, das »Schulden auf Distanz« hat.[56] Schulden auf Distanz sind schräge Verbindungen zu revolutionären Praxen im Vergangenen, in denen das Ungefügige für das Jetzt zu wittern ist. Die transversalen Verbindungen zeigen sich in Funken, die im Freischürfen, Auseinanderbrechen und Abbauen von Verfügungen der Gegenwart entstehen und von »nicht detonierter Energie vergangener Revolutionen« herrühren.[57] Diese Schulden auf Distanz können vergessen, wieder erinnert und aktualisiert werden, aber sie können nicht vergeben und erlassen werden, denn dafür gibt es keinen Grund. Sie zeigen sich als wiederkehrende diskontinuierliche und gespenstische Verbindungen von Kämpfen im ausgedehnten Präsens, im Präsentischen.[58]

Es sind immer auch Kämpfe gegen Schließungen und Eingrenzungen identitärer Gemeinschaften, Kämpfe, die die selbstreferenzielle Autoimmunisierung der herrschenden verfugten Ordnung aufbrechen, um in der unkalkulierbaren Gegenwart prekär zu bleiben, für das, was kommt. Nur so können Herrschaftsverhältnisse verändert werden, damit es nicht (mehr) zählt, ob jemand zu einer Gemeinschaft gehört, um zuerst oder überhaupt geschützt und immunisiert zu werden.

Demunisierung entspricht einer Praxis radikaler Inklusion, des Exzesses – ohne Gemeinschaft.[59] Radikale Inklusion ereignet sich als

---

55 Zur Unterscheidung der Begriffe Prekärsein, Prekarität und Prekarisierung siehe Isabell Lorey, *Die Regierung der Prekären* (Wien: Turia + Kant, 2012).

56 Harney und Moten, *Die Undercommons*, S. 74

57 Freeman, *Time Binds*, S. xvi; übers. v. I.L.

58 Siehe Lorey, *Demokratie im Präsens*.

59 Zum Begriff der »radikalen Inklusion« siehe Isabell Lorey, »Präsentische Demokratie. Radikale Inklusion – Jetztzeit – Konstituierender Prozess«, in *Transformationen der Demokratie – Demokratische Transformationen*, hg. v. Alex Demirović (Münster: Westfälisches Dampfboot, 2016), S. 265–77.

Neuzusammensetzung, als gemeinsame Komposition in einer Bewegung des Entziehens und Ent-Setzens, in der Verweigerung der Fügung. Sie ist eine immunisierende Komposition ohne Gemeinschaft. Das lateinische *im-munio* ist im Sinne von >aufbauen< und >hineinbauen< gemeint, als eine spezifische Form des Konstituierens.

Konstituierende Immunisierung meint die Ermächtigung des als gefährlich, un-recht und ungefügig Imaginierten, die Erhebung der Gespenster, zu deren Schutz vor weiteren herrschafts- und gewaltförmigen Gefährdungen. Sie fungiert als ungefügiger Schutz des bedrohlichen Queeren und Prekären. Sie entsteht weniger aus der Instabilität gouvernementaler Herrschaftsverhältnisse als aus den durch diese Herrschaftstechniken entstehenden Prekaritäten und Prekarisierungen, Marginalisierungen und Ausschlüssen von Minoritäten. Sie weigert sich, die separierende Trennung durch Individualisierung, Disziplinierung und Quarantänisierung als eine auf Gefährdung reagierende und diese re/produzierende Herrschaftstechnik zu akzeptieren, eine biopolitische Technik, die mit dem Versprechen auf nicht vorhersehbare immunisierende Heilung und Schutz (durch Impfung) mittels Vereinzelung und Distanzierung reagiert. Dagegen entzieht sich die konstituierende Immunisierung der Pflicht, zum gehorsamen, eigenverantwortlichen, biopolitischen Subjekt zu werden und sich in verfügten Selbstverhältnissen regierungsförmig und verfügbar zu (ver)halten.

DAS VIRUS UND DIE NEUE NORMALISIERUNG

Das Virus wird immer schneller gewesen sein. Die Ansteckung, der Austausch, der Kontakt, das, was die Logik der Immunisierung aus den Fugen geraten lässt, wird immer schon stattgefunden haben. Das Virus ist unsichtbar gegenwärtig wie ein Gespenst, und wie dieses sucht es nie alleine heim. Aktuell spukt es zusammen mit ökologischem und ökonomischem Raubbau und neoliberalem Abbau von Sozial- und Gesundheitssystemen. Notstandsverfügungen sollen die Gespenster verjagen oder zumindest bändigen, indem sich die Einzelnen zum Schutz vor anderen auf die eigenen Körper konzentrieren, damit in aller Unsicherheit die Dinge wieder in Ordnung gebracht werden können. In der Krise der Pandemie wird die Exekutive zum entscheidenden politischen Subjekt; die Bevölkerung besteht aus einzelnen sich selbst regierenden ausführenden Organen. Doch ist das nicht einfach ein Ausnahmezustand, in dem das Recht ausgesetzt ist, und alle entrechtet einem nackten Leben ausgesetzt sind. Vielmehr scheint die politische Steuerung der Pandemie eine Reformierung von Gouvernementalität zu bedeuten, eine Neugestaltung des Verhältnisses von staatlicher Regierung und Selbstregierung. Die (Selbst-) Begrenzung auf das Eigene und das Heim, um die Heimsuchung durch das Virus zu regulieren, verstärkt geschlechtliche und ökonomische Ungleichheitsverhältnisse hinsichtlich Pflege und Reproduktion sowie heimische/heimliche Gewalt. Viele verlieren ihre Arbeit und werden (weiter) prekarisiert. Zugleich werden Sorgeberufe in der Gesundheitskrise zu »systemrelevanten« Tätigkeiten, ohne dass der Dankbarkeit für die bis zur Erschöpfung stattfindenden Dienste der Pflegenden eine erhebliche ökonomische Aufwertung folgen würde. Seit Jahren finden weltweit queer-feministische Kämpfe gegen Gewalt gegen Frauen* statt, die die Sorge ins Zentrum stellen. Wiederkehrend wird an vielen Orten zu Sorgestreiks aufgerufen. Nicht um die Sorge auszusetzen, sondern um die fundamentale Bedeutung von Sorge für alle jenseits gesundheitspolitischer und nationaler Grenzregime deutlich zu machen.[60] Im Präsens der Pandemie wird das sorgende Geben ohne Schuld allerdings dazu genutzt, eine verschärfte autoritative Gouvernementalität einzusetzen, in der jede*r Einzelne selbst für strengere Disziplinierungsmaßnahmen verantwortlich ist: Sorgebeziehungen werden zum Instrument einer erzieherischen autoritativen Gouvernementalität.[61]

Das Virus trifft nicht alle gleich. Je nach Gesundheitszustand, Wohnungsgröße, Versorgungsmöglichkeit, ökonomischer Situation

---

60 Siehe Verónica Gago, Raquel Gutiérrez Aguilar, Susana Draper, Mariana Menéndez Díaz, Marina Montanelli, Marie Bardet und Suely Rolnik, *8M – Der große feministische Streik. Konstellationen des 8. März*, übers. von Michael Grieder und Gerald Raunig (Wien: transversal texts, 2018); Precarias a la deriva, *Was ist dein Streik? Militante Streifzüge durch die Kreisläufe der Prekarität*, übers. v. Birgit Mennel (Wien: transversal texts, 2014).

61 Das politisch-pädagogische Diktum »Wir haben schon so viel erreicht, das sollten wir jetzt nicht leichtfertig zerstören, indem wir uns in Sicherheit wiegen« wird zum Schmiermittel der neuen Verfugungen und markiert auf dezidierte Weise die gouvernementale Verschränkung mikro- und makropolitischer Disziplinierung durch Unsicherheit und Angst.

und der Option, überhaupt über Wohnraum zu verfügen, haben die gouvernementalen »Maßnahmen«, sich in ein Zuhause zurückziehen zu sollen und soziale Distanzierung zu praktizieren, sehr unterschiedliche Auswirkungen. Trotz solidarischer Praxen im Alltag korrespondiert der erzwungene de-mobilisierende Rückzug in die eigenen vier Wände mit einer massiven Re-Nationalisierung und Grenzschließung. Erneut wird in der Logik der Einschließung und des Schutzes der Gemeinschaft regiert. Die nicht migrierenden Bürger*innen werden in ihren Nationalstaat zurückgeholt. Alle sollen ihre selbstdisziplinierende Pflicht, ihr *munus*, zum Erhalt und zur Heilung, zur erneuten Verfugung der Gemeinschaft leisten. Die biopolitische Entscheidung darüber, wer überleben darf oder sterben muss, fällen nicht nur die Ärzte. Es ist nicht nur eine Frage von Vorerkrankungen, die mit ihren spezifischen Auswirkungen nicht unabhängig von sozialen, ökonomischen und ökologischen Ungleichheitsverhältnissen existieren. Im Kontext des europäischen Grenzregimes, in den Lagern an den Außengrenzen wie im Inneren, finden nicht erst seit der Pandemie biopolitische Triagen über Leben und Tod statt.[62] Migration wird erneut als Inkarnation des Viralen eingesetzt, vor der es sich durch Grenzen zu schützen gilt.

Diese Zeit ist nicht dermaßen aus den Fugen wie es erscheint, sondern eine Zeit vermehrter Verfügungen und neuer normalisierender Verfugungen. Herrschaftsverhältnisse und Ungleichheiten, die bisher von vielen nicht wahrgenommen oder als normal betrachtet wurden, verstärken sich. Es geht nicht darum, aus einer anormalen Zeit in eine Normalität zurückzukehren. Eine neue disziplinierende Normalisierung entwickelt sich auf der Grundlage bestehender Ungleichheitsverhältnisse. Wir leben in einer extrem beschleunigten Transformation

---

62   Eine Triage unterteilt die Kranken (beispielsweise nach einer Katastrophe) nach der Schwere ihrer Verletzungen und wird im Kontext der Behandlung von an Covid-19 Erkrankten im Falle nicht ausreichender Beatmungsgeräte als eine ärztliche Entscheidung darüber verstanden, welche Leben gerettet werden. Das im Text genannte Argument entlehne ich dem Beitrag von Ruth Sonderegger in der Veranstaltung: Maurice Stierl und Sonja Buckel, »#LeaveNoOneBehind. Kämpfe um das europäische Grenzregime in der Corona-Krise«, AkG (Assoziation für kritische Gesellschaftsforschung), 15. April 2020 <https://akg-online.org/aktuelles/digitale-diskussionsreihe-der-akg-gesellschaftsforschung-zeiten-sozialer-distanzierung> [Zugriff: 15. August 2021], dokumentiert als Audio-Podcast <https://mosaik-blog.at/leavenoonebehind-corona/> [Zugriff: 15. August 2021].

der verfügten Ordnung. Die (noch) ungewohnten sozialen Praxen der Distanzierung, die Digitalisierung der Arbeitsverhältnisse im Zuhause, die Einschränkung von Freiheiten aufgrund unkalkulierbarer Risiken, die zunehmenden Überwachungsmöglichkeiten – gerade etabliert in einem Regieren in der Unvorhersehbarkeit und Unsicherheit der Pandemie und mittels Unsicherheit in den Bevölkerungen – werden zur Stabilisierung und Legalisierung einer neuverfügten und in neuer Weise normalisierten Ordnung beitragen, die immer mit der nächsten Pandemie zu rechnen haben wird. Diese Verfugung wird, trotz rassistischer, sexistischer, homo- und transphober sowie klassistischer Strukturen, in vielen Staaten weiterhin demokratisch genannt werden und sie wird weiterhin kapitalistisch sein.

Eine konstituierende Immunisierung, die die verfügte Ordnung aus den Fugen hebt, verbündet sich ohne Grenzen mit denjenigen, vor denen sich die neuen ausschließenden Gemeinschaften wieder zu immunisieren suchen. Sie ist queer, insofern sie nicht nur gegen Verfügung und Recht angeht, sondern indem sie Normalisierungsprozesse aufzeigt und ihnen queere Formen der Konstituierung entgegenhält oder hinzufügt. Der Anstoß für Derrida, *Marx' Gespenster* zu schreiben, war die erneute Lektüre des *Kommunistischen Manifests*. Die Gespenster bleiben aktiv, wenn sie sich von jeder Gemeinschaftslogik lösen und das Gemeinsame, das Kommune stattdessen als ein konstituierender Prozess verstanden wird, in dem queere Zeitlichkeit mit einer ungefügigen, aber nicht anti-sozialen Sozialität einhergeht. Die queere immunisierende Konstituierung hält das Disparate zusammen, ohne die Streuung zu ordnen, ohne die Differenz zu verletzen, »ohne die Heterogenität des anderen auszulöschen«.[63] Diese Konstituierung ist »ohne Organisation, ohne Partei, ohne Nation, ohne Staat, ohne Eigentum«. Sie kann zu einem »Kommunismus« werden, dem wir, wie Derrida sagt, »später den Beinamen ›die neue Internationale‹ geben werden«.[64]

---

63 Derrida, *Marx' Gespenster*, S. 55–56.
64 Ebd., S. 56.

Quellenangaben

BIBLIOGRAFIE

Aaron, Michele, »New Queer Cinema: An Introduction«, in *New Queer Cinema: A Critical Reader,* hg. v. Michele Aaron (Edinburgh: Edinburgh University Press, 2004)

Abrams, Simon, »Border«, *Roger-Ebert.com,* 26. Oktober 2018 <https://www.rogerebert.com/reviews/border-2018> [Zugriff: 5 Juni 2021]

Adamczak, Bini, »Come on«, *ak – analyse & kritik – zeitung für linke Debatte und Praxis,* 614 (15. März 2016) <https://archiv.akweb.de/ak_s/ak614/04.htm> [Zugriff: 5. Juni 2021]

Adlakha, Siddhant, »>Border< Is the Year's Ugliest and Most Beautiful Movie«, *Slashfilm,* 18. Oktober 2018 <https://www.slashfilm.com/border-meaning-and-analysis> [Zugriff: 5. Juni 2021]

AG Kino-Gilde Screenings, *Border,* Ankündigung zum Kinostart am 11. April 2019 <https://screenings.agkino.de/border> [Zugriff: 25. Juli 2021]

Ahmed, Sara, *Queer Phenomenology: Orientations, Objects, Others* (Durham, NC: Duke University Press, 2006) <https://doi.org/10.1515/9780822388074>

Alpers, Svetlana, *Kunst als Beschreibung. Holländische Malerei des 17. Jahrhunderts,* übers. v. Hans Udo Davitt (Köln: Dumont, 1985)

Angel, Buck, Webseite <https://buckangel.com/> [Zugriff: 5. Juni 2021]

Anonym [LUX], »SaF05«, Künstler*innenagentur LUX Scotland (2019) <https://lux.org.uk/work/saf05> [Zugriff: 2. Juni 2021]

Appleby, John C., »War, Politics, and Colonization«, in *The Oxford History of the British Empire,* 5 Bde. (Oxford: Oxford University Press, 1998–99), I: *The Origins of Empire: British Overseas Enterprise to the Close of the Seventeenth Century,* hg. v. Nicholas Canny (1998), S. 55–78 <https://doi.org/10.1093/acprof:oso/9780198205623.003.0003>

Arendt, Hannah, *The Human Condition,* 2. Ausgabe (Chicago: University of Chicago Press, 1998)

Assheuer, Thomas, »Ich mißtraue der Utopie, ich will das Un-Mögliche«, Interview mit Jacques Derrida, *Die Zeit,* 8. März 1998 <https://www.zeit.de/1998/11/titel.txt.19980305.xml> [Zugriff: 25. Juli 2021]

Athanasiou, Athena und Judith Butler, *Die Macht der Enteigneten. Das Performative im Politischen,* übers. v. Thomas Atzert (Zürich: Diaphanes, 2014)

Azoulay, Ariella Aïsha, *Potential History: Unlearning Imperialism* (London: Verso, 2019)

Baldwin, James, »The Devil Finds Work: An Essay«, in *Baldwin: Collected Essays* (New York: Library of America, 1998), S. 477–549
Ballantine, Christopher, »Music and Emancipation: The Social Role of Black Jazz and Vaudeville in South Africa between the 1920s and the Early 1940s«, *Journal of Southern African Studies*, 17.1 (1991), S. 129–52 <https://doi.org/10.1080/03057079108708269>
Barad, Karen, *Agentieller Realismus. Über die Bedeutung materiell-diskursiver Praktiken*, übers. v. Jürgen Schröder (Berlin: Suhrkamp, 2012)
Barclay, Barry, »Celebrating Fourth Cinema«, *Illusions*, 35 (2003), S. 7–11
—— »An Open Letter to John Barnett«, *Spectator*, 23.1 (2003), S. 33–36
Barlet, Olivier, »Le Malentendu colonial (The Colonial Misunderstanding) by Jean-Marie Téno«, *africultures*, 10. Juli 2007 <http://africultures.com/le-malentendu-colonial-the-colonial-misunderstanding-6673/> [Zugriff: 5. Juni 2021]
Barthes, Roland, *Die helle Kammer*, übers. v. Dietrich Leube (Frankfurt a. M.: Suhrkamp 1989)
Bauer, Vera, »Azuma Hikari: Holografische Lebensgefährtin in der Gatebox«, *mobilegeeks* 17. Dezember 2016 <https://www.mobilegeeks.de/news/azuma-hikari-holografische-lebensgefaehrtin-in-der-gatebox/> [Zugriff: 1. Juni 2021]
Bee, Julia, »Perspektivismus und O MESTRE E O DIVINO – koloniale Interferenzen, mediale Subjektivierungen und Filmkosmologien«, in *Medien und Critical Race Theory*, hg. v. Ivo Ritzer und Irina Gradinari (Berlin: Bertz + Fischer, im Erscheinen)
Beller, Jonathan, »Camera Obscura«, in ders., *The Message Is Murder* (London: Pluto Press, 2018)
Benjamin, Walter, *Gesammelte Schriften*, hg. v. Rolf Tiedemann und Hermann Schweppenhäuser, 7 Bde. (Frankfurt a. M.: Suhrkamp, 1972–91)
—— *Kleine Geschichte der Photographie*, in ders., *Gesammelte Schriften*, ii (1977), S. 285–99
—— »Denkbilder«, in ders., *Gesammelte Schriften*, iv (1972), S. 305–438
—— »Über den Begriff der Geschichte«, in ders., *Gesammelte Schriften*, i (1974), S. 691–704
Bergermann, Ulrike, »biodrag. Turing-Test, KI-Kino und Testosteron«, in *Machine Learning – Medien, Infrastrukturen und Technologien der Künstlichen Intelligenz*, hg. v. Christoph Engemann und Andreas Sudmann (Bielefeld: transcript, 2018), S. 339–64 <https://doi.org/10.14361/9783839435304-016>
Bergermann, Ulrike, Monika Dommann, Erhard Schüttpelz, Jeremy Stolov und Nadine Taha (Hg.), *Connect and Divide: The Practice Turn in Media Studies* (Zürich: Diaphanes, 2021)
Berlant, Lauren, *Cruel Optimism* (Durham, NC: Duke University Press, 2011) <https://doi.org/10.1215/9780822394716>
Beyer, Atlanta Ina, »Dein Geschlecht gehört Dir, Proletarier*in! Wie wir den Klassenkampf verqueeren können«, *Luxemburg. Gesellschaftsana-*

lyse und linke Praxis, 2018, no. 2, S. 20–27 <https://www.zeitschrift-luxemburg.de/dein-geschlecht-gehoert-dir/> [Zugriff: 2. Juni 2021]

Bialas, Dunja, »Im Wald, da sind die Träume«, *Der Tagesspiegel*, 11. April 2019 <https://www.tagesspiegel.de/kultur/mystery-drama-border-im-wald-da-sind-die-traeume/24204494.html> [Zugriff: 5. Juni 2021]

Blair, Sara, *How the Other Half Looks: The Lower Eastside and the Afterlife of Images* (Princeton, NJ: Princeton University Press, 2018) <https://doi.org/10.2307/j.ctvc777t9>

Blas, Zach, »Contra-Internet 2015–2019«, zachblas.info (2018) <http://zachblas.info/works/contra-internet/> [Zugriff: 1. Juni 2021]

—— »Informatic Opacity«, *The Journal of Aesthetics and Protest*, 9 (2014) <http://www.joaap.org/issue9/zachblas.htm> [Zugriff: 1. Juni 2021]

—— »Metric Mysticism«, Lecture-Performance, 27. Januar 2018 (e-flux, New York) <https://www.e-flux.com/video/180253/lecture-performance-zach-blas-nbsp-metric-mysticism/> [Zugriff: 1. Juni 2021]

Blas, Zach und Micha Cárdenas, »Imaginary Computational Systems: Queer Technologies and Transreal Aesthetics«, *AI & Society*, 28 (2013), S. 559–66 <https://doi.org/10.1007/s00146-013-0502-y>

Blas, Zach und Jacob Gaboury, »Biometrics and Opacity: A Conversation«, *Camera Obscura*, 31.2 (2016), S. 155–65 <https://doi.org/10.1215/02705346-3592510>

Bloch, Ernst, *Das Prinzip Hoffnung*, 3 Bde. (Frankfurt a. M.: Suhrkamp, 1959)

Bojadžijev, Manuela und Alex Demirović (Hg.), *Konjunkturen des Rassismus* (Münster: Westfälisches Dampfboot, 2002)

Borcholte, Andreas, »Ungeheuer schön«, *Der Spiegel*, 14. April 2004 <https://www.spiegel.de/kultur/kino/monster-ungeheuer-schoen-a-295264.html> [Zugriff: 5. Juni 2021]

Bordowitz, Gregg, »Picture of a Coalition«, in ders., *The AIDS Crisis Is Ridiculous and Other Writings* (Cambridge, MA: MIT Press, 2004), S. 19–41

Bourdieu, Pierre, »Prekarität ist überall«, übers. v. Andreas Pfeuffer, in ders., *Gegenfeuer. Wortmeldungen im Dienste des Widerstands gegen die neoliberale Invasion* (Konstanz: UVK – Universitätsverlag Konstanz, 1998), S. 96–102

Bratton, Benjamin H., *The Terraforming* (Moskau: Strelka, 2019)

Braun, Caroline, *Von Bettlern, Waisen und Dienstmädchen: Armutsdarstellungen im frühen Film und ihr Anteil an der Etablierung des Kinos in Deutschland* (Trier: WVT – Wissenschaftlicher Verlag Trier, 2018)

Brooker, Charlie, »Charlie Brooker: The Dark Side of our Gadget Addiction«, *Guardian*, 1. Dezember 2011 <https://www.theguardian.com/technology/2011/dec/01/charlie-brooker-dark-side-gadget-addiction-black-mirror> [Zugriff: 1. Juni 2021]

Bruneau, Jaclyn, »New Artist Focus: Jaclyn Bruneau on Charlotte Prodger«, LUX, 23. Juli 2020 <https://lux.org.uk/writing/new-artist-focus-jaclyn-bruneau-on-charlotte-prodger> [Zugriff: 2. Juni 2021]

Brunow, Dagmar und Simon Dickel (Hg.), *Queer Cinema* (Mainz: Ventil, 2018), S. 226–44

Bröckling, Ulrich, *Das unternehmerische Selbst. Soziologie einer Subjektivierungsform* (Frankfurt a. M.: Suhrkamp, 2007)

Bug, Arnold, »Aktueller Begriff. Zehn Jahre ›Agenda 2010‹ – Bilanz einer ›Jahrhundertreform‹«, *Wissenschaftliche Dienste Deutscher Bundestag*, 7.13 (11. März 2013) <https://www.bundestag.de/resource/blob/194020/3346bd80b7d42f1089b471b5ea0a0931/agenda_2010-data.pdf> [Zugriff: 16. Juni 2021]

Butler, Judith, *Anmerkungen zu einer performativen Theorie der Versammlung*, übers. v. Frank Born (Berlin: Suhrkamp, 2018)

—— *Antigones Verlangen: Verwandtschaft zwischen Leben und Tod*, übers. v. Reiner Ansén (Frankfurt a. M.: Suhrkamp, 2001)

—— *Bodies that Matter: On the Discursive Limits of ›Sex‹* (London: Routledge, 1993)

—— *Frames of War: When Is Life Grievable?* (London: Verso, 2009)

—— *Gefährdetes Leben. Politische Essays*, übers. v. Karin Wördemann (Frankfurt a. M.: Suhrkamp, 2005)

—— *Körper von Gewicht. Die diskursiven Grenzen des Geschlechts*, übers. v. Karin Wördemann (Frankfurt a. M.: Suhrkamp, 1997)

—— *Notes towards a Performative Theory of Assembly* (Cambridge, MA: Harvard University Press, 2015) <https://doi.org/10.4159/9780674495548>

—— *Precarious Life: The Powers of Mourning and Violence* (London: Verso, 2004)

—— *Psyche der Macht. Das Subjekt der Unterwerfung*, übers. v. Reiner Ansén (Frankfurt a. M.: Suhrkamp, 1997)

—— *Das Unbehagen der Geschlechter*, übers. v. Kathrina Menke (Frankfurt a. M.: Suhrkamp, 1991)

—— »Vorwort«, übers. v. Dagmar Fink, in Lorey, *Die Regierung der Prekären*, S. 7–12

Cane, Jonathan, *Civilising Grass: The Art of the Lawn on the South African Highveld* (Johannesburg: Wits University Press, 2019) <https://doi.org/10.18772/12019063108>

Casid, Jill H., »Necrolandscaping«, in *Natura: Environmental Aesthetics after Landscape*, hg. v. Jens Andermann, Lisa Blackmore und Dayron Carrillo Morell (Zürich: Diaphanes, 2018), S. 237–64

Castel, Robert, *Die Metamorphosen der sozialen Frage. Eine Chronik der Lohnarbeit*, übers. v. Andreas Pfeuffer (Konstanz: UVK – Universitätsverlag Konstanz, 2000)

Castel, Robert und Klaus Dörre (Hg.), *Prekarität, Abstieg, Ausgrenzung. Die soziale Frage am Beginn des 21. Jahrhunderts* (Frankfurt a. M.: Campus, 2009)

Cavell, Stanley, *The World Viewed: Reflections on the Ontology of Film* (Cambridge, MA: Harvard University Press, 1979)

Caysa, Volker, Petra Caysa, Klaus-Dieter Eichler und Elke Uhl (Hg.), *Hoffnung kann enttäuscht werden. Ernst Bloch in Leipzig* (Berlin: Hain, 1992)

Chow, Rey, »Film as Ethnography; or, Translation between Cultures in the Postcolonial World«, in *The Rey Chow Reader*, hg. v. Paul Bowman (New York: Columbia University Press, 2010), S. 148–71 <https://doi.org/10.7312/bowm14994-012>

Clarke, Roger, »The Body Politic«, *Sight & Sound*, 28.5 (May 2018), S. 18–21

Clar, Nigel und Kathryn Yussof, »Queer Fire: Ecology, Combustion and Pyrosexual Desire«, *Feminist Review*, 118.1 (2018), S. 7–24 <https://doi.org/10.1057/s41305-018-0101-3>

Coe, Cati, »Histories of Empire, Nation and City: Four Interpretations of the Empire Exhibition, Johannesburg 1936«, *Folklore Forum*, 32.1–2 (2001), S. 3–30

Colebrook, Claire, »Sexual Indifference«, in *Telemorphosis: Theory in the Era of Climate Change*, hg. v. Tom Cohen (Ann Arbor, MI: Open Humanities Press, 2012), S. 167–82

Combes, Muriel, *Gilbert Simondon and the Philosophy of the Transindividual*, übers. v. Thomas LaMarre (Cambridge, MA: MIT Press, 2013)

Comolli, Jean-Louis, »Machines of the Visible«, in *The Cinematic Apparatus*, hg. v. Teresa de Lauretis und Stephan Heath (New York: St. Martin's, 1980), S. 121–42 <https://doi.org/10.1007/978-1-349-16401-1_10>

Cope, Julian, *The Modern Antiquarian: Pre-Millennial Odyssey through Megalithic Britain* (London: Thorsons, 1998)

Copulsky, Jerome, »Atlas Shrugged Book Club, Entry 7: The Impotent Irrationality of John Galt«, *The Atlantic*, 22. März 2013 <https://www.theatlantic.com/politics/archive/2013/03/atlas-shrugged-book-club-entry-7-the-impotent-irrationality-of-john-galt/274273/> [Zugriff: 1. Juni 2021]

Corneil, Marit Kathryn, »Winds and Things: Towards a Reassessment of the Challenge for Change/Société nouvelle Legacy«, in *Challenge for Change*, hg. v. Waugh, Baker und Winton, S. 388–403

Crimp, Douglas, *Melancholia and Moralism: Essays on AIDS and Queer Politics* (Cambridge, MA: MIT Press, 2004)

—— »AIDS: Cultural Analysis, Cultural Activism. Introduction«, *October*, 43 (1987), S. 3–16 <https://doi.org/10.2307/3397562>

—— »Porträts von Menschen mit AIDS (1992)«, in *Gender & Medien Reader*, hg. v. Kathrin Peters und Andrea Seier (Zürich: Diaphanes, 2016), S. 159–76

Crone, Bridget, »Swampy Ecologies«, Holt/Smithson Foundation, 20. Mai 2020 <https://holtsmithsonfoundation.org/swampy-ecologies> [Zugriff: 2. Juni 2021]

Crucchiola, Jordan, »Let's Talk about That Wild Intersex Troll Love Scene in Border«, Vulture, 5. November 2018 <https://www.vulture.com/2018/11/lets-talk-about-borders-wild-intersex-troll-love-scene.html> [Zugriff: 5. Juni 2021]

Cvetkovich, Ann, Depression: A Public Feeling (Durham, NC: Duke University Press, 2012) <https://doi.org/10.2307/j.ctv11smrx4>

Danowski, Déborah und Eduardo Viveiros de Castro, In welcher Welt leben? Ein Versuch über die Angst vor dem Ende, übers. v. Ulrich van Loyen und Clemens van Loyen (Berlin: Matthes und Seitz, 2019)

Dansereau, Fernand, »Saint-Jérôme: The Experience of a Filmmaker as Social Animator [1968]«, in Challenge for Change, hg. v. Waugh, Baker und Winton, S. 34–37

Davis, Heather, »Imperceptibility and Accumulation: Political Strategies of Plastic«, Camera Obscura, 31.2 (2016), S. 187–93 <https://doi.org/10.1215/02705346-3592543>

Dee, John, A True and Faithful Relation of What Passed for Many Years between Dr. John Dee … and Some Spirits …, hg. v. Meric Casaubon (London: Askin, 1974)

de Lauretis, Teresa, »Sexual Indifference and Lesbian Representation«, Theatre Journal, 40.2 (Mai 1988), S. 155–77 <https://doi.org/10.2307/3207654>

Deleuze, Gilles, Foucault, übers. v. Hermann Kocyba (Frankfurt a. M.: Suhrkamp, 1987)

—— Unterhandlungen 1972–1990, übers. v. Gustav Roßler (Frankfurt a. M.: Suhrkamp, 1993)

—— Das Zeit-Bild. Kino 2, übers. v. Klaus Englert (Frankfurt a. M.: Suhrkamp, 1991)

—— »Die Dinge aufbrechen, die Worte aufbrechen«, in ders., Unterhandlungen, S. 121–35

—— »Die Fürsprecher«, in ders., Unterhandlungen, S. 175–92

—— »Gilbert Simondon, das Individuum und seine physikobiologische Genese«, in ders., Die einsame Insel. Texte und Gespräche 1953–1974, hg. v. David Lapoujade, übers. v. Eva Moldenhauer (Frankfurt a. M.: Suhrkamp, 2003), S. 127–32

Deleuze, Gilles und Félix Guattari, Kafka. Für eine kleine Literatur, übers. v. Burkhart Kroeber (Frankfurt a. M.: Suhrkamp, 1996)

—— Tausend Plateaus. Kapitalismus und Schizophrenie, übers. v. Ronald Vouillé und Gabriele Ricke (Berlin: Merve, 1992)

—— Was ist Philosophie?, übers. v. Bernd Schwibs und Joseph Vogl (Frankfurt a. M.: Suhrkamp, 2000)

Denis, Claire, »Lust und Einsamkeit«, Interview, *der Freitag*, 29. Mai 2019   <https://www.freitag.de/produkt-der-woche/film/high-life/lust-und-einsamkeit> [Zugriff: 5. Juni 2021]

Derrida, Jacques, *Marx' Gespenster. Der verschuldete Staat, die Trauerarbeit und die neue Internationale*, übers. v. Susanne Lüdemann (Frankfurt a. M.: Fischer, 1996)

—— *Schurken. Zwei Essays über die Vernunft*, übers. v. Horst Brühmann (Frankfurt a. M.: Suhrkamp, 2005)

—— *Die unbedingte Universität*, übers. v. Stefan Lorenzer (Frankfurt a. M.: Suhrkamp, 2001)

—— *Von der Gastfreundschaft*, übers. v. Markus Sedlaczek (Wien: Passagen, 2007)

Deuber-Mankowsky, Astrid, *Queeres Post-Cinema. Yael Bartana, Su Friedrich, Todd Haynes, Sharon Hayes* (Berlin: August Verlag, 2017)

—— »>Für eine Maschine gibt es kein echtes Virtuelles<: Zur Kritik des *Smartness Mandate* mit Felwine Sarrs *Afrotopia* und Gilbert Simondons *Philosophie der Technik*«, in *Digital/Rational*, hg. v. Dieter Mersch und Katerina Krtilova (= *Internationales Jahrbuch für Medienphilosophie*, 6 (2020)), S. 131–45 <https://doi.org/10.1515/jbmp-2020-0007>

—— »The Image of Happiness We Harbor: The Messianic Power of Weakness in Cohen, Benjamin, and Paul«, übers. v. Catharine Diehl, *New German Critique*, 35.3 (105) (Fall 2008), S. 57–69 <https://doi.org/10.1215/0094033X-2008-013>

Dietze, Gabriele, Elahe Haschemi Yekani und Beatrice Michaelis, »Intersektionalität und Queer Theory«, *Portal Intersektionalität*, 2012 <http://portal-intersektionalitaet.de/theoriebildung/ueberblickstexte/dietzehaschemimichaelis/> [Zugriff: 5. Juni 2021]

Dillon, Steven, *Derek Jarman and Lyric Film: The Mirror and the Sea* (Austin: University of Texas Press, 2004)

Dinshaw, Carolyn, et al., »Theorizing Queer Temporalities: A Roundtable Discussion«, *GLQ*, 13.2–3 (2007), S. 177–95 <https://doi.org/10.1215/10642684-2006-030>

Dlamini, Jacob, *Native Nostalgia* (Auckland, SA: Jacana Media, 2009)

Dornieden, Anja, »Introduction to the Symposium«, in *Film in the Present Tense: Why Can't We Stop Talking about Analogue Film?*, hg. v. Luisa Greenfeld et al. (Berlin: Archive Books, 2018)

Drucker, Zackary, »Sandy Stone on Living Among Lesbian Separatists as a Trans Woman in the 70s«, *Vice*, 19. Dezember 2018 <https://www.vice.com/en_us/article/zmd5k5/sandy-stone-biography-transgender-history> [Zugriff: 3. Juni 2021]

Druick, Zoë, »Meeting at the Poverty Line: Government Policy, Social Work, and Media Activism in the Challenge for Change Project«, in *Challenge for Change*, hg. v. Waugh, Baker und Winton, S. 337–53

Dyer, Richard, *Only Entertainment*, 2. Aufl. (London: Routledge, 2002)

Edelman, Lee, *No Future: Queer Theory and the Death Drive* (Durham, NC: Duke University Press, 2004) <https://doi.org/10.2307/j. ctv11hpkpp>

Eshun, Kodwo, »Weiterführende Überlegungen zum Afrofuturismus«, übers. v. Ronald Voullié, in *Ethnofuturismen*, hg. v. Armen Avanessian und Mahan Moalemi (Leipzig: Merve, 2018), S. 41–65

Espahangizi, Kijan, et al., »Rassismus in der postmigrantischen Gesellschaft«. Zur Einleitung«, *movements*, 2.1 (2016), S. 9–23

Fabian, Johannes: *Time and the Other: How Anthropology Makes its Object* (New York: Columbia University Press, 1983)

Federici, Silvia, *Caliban und die Hexe. Frauen, der Körper und die ursprüngliche Akkumulation*, hg. v. Martin Birkner, übers. v. Max Henninger, 7. Aufl. (Wien: Mandelbaum, 2020)

Federici, Silvia und Melinda Cooper, »Von der Hausfrau zur Leihmutter«, Interview, *Luxemburg. Gesellschaftsanalyse und linke Praxis*, 2012, no. 4 <https://www.zeitschrift-luxemburg.de/von-der-hausfrau-zur-leihmutter/> [Zugriff: 5. Juni 2021]

Figge, Maja und Anja Michaelsen, »Ein Erbe gespenstischer Normalität. Postmigrantisches und multidirektionales Erinnern in Filmen von Sohrab Shahid Saless, Hito Steyerl und Ayşe Polat«, in *Anerkennung und Sichtbarkeit. Perspektiven für eine kritische Medienkulturforschung*, hg. v. Tanja Thomas, Lina Brink, Elke Grittmann und Kaya de Wolff (Bielefeld: transcript, 2017), S. 105–20 <https://doi.org/10.14361/ 9783839440117-007>

Film London, »CHARLOTTE PRODGER – shortlisted artist profile – Film London Jarman Award 2017«, Vimeo, 23. August 2017 <https: //vimeo.com/230803422> [Zugriff: 3. Juni 2021]

Fishman, Howard, »I Accidentally Walked into >Border<, and It Kind of Changed my Life«, *The New Yorker*, 28. November 2018 <https: //www.newyorker.com/culture/culture-desk/i-accidentally-walked-into-border-and-it-kind-of-changed-my-life> [Zugriff: 5. Juni 2021]

Foroutan, Naika, »Postmigrantische Gesellschaften«, in *Einwanderungsgesellschaft Deutschland*, hg. v. Heinz Ulrich Brinkmann, Martina Sauer (Wiesbaden: Springer VS, 2016), S. 227–54 <https://doi.org/10. 1007/978-3-658-05746-6_9>

Freeman, Elizabeth, *Beside You in Time: Sense Methods and Queer Sociabilities in the American Nineteenth Century* (Durham, NC: Duke University Press, 2019) <https://doi.org/10.2307/j.ctv11smmfz>

—— *Time Binds: Queer Temporalities, Queer Histories* (Durham, NC: Duke University Press, 2010) <https://doi.org/10.1215/9780822393184>

—— »Packing History, Count(er)ing Generations«, *New Literary History*, 31, 4, Fall (2000), S. 727–44 <https://doi.org/10.1353/nlh.2000. 0046>

—— »Time Binds, or, Erotohistoriography«, *Social Text*, 23.3–4 (84–85) (Fall–Winter 2005), S. 57–68 <https://doi.org/10.1215/01642472-23-3-4_84-85-57>

Fuchs, Ingrid und Kassian Stroh, »OEZ-Anschlag war rechte Gewalt«, *Süddeutsche Zeitung*, 25. Oktober 2019 <https://www.sueddeutsche.de/muenchen/anschlag-muenchen-2016-rechtsextremismus-polizei-neubewertung-1.4655637> [Zugriff: 2. Juni 2021]

Fusco, Coco, *A Field Guide for Female Interrogators* (New York: Seven Stories Press, 2008)

Fusco, Katherine und Nicole Seymour, *Kelly Reichardt* (Urbana: University of Illinois Press, 2017) <https://doi.org/10.5622/illinois/9780252041242.001.0001>

Gago, Verónica, Raquel Gutiérrez Aguilar, Susana Draper, Mariana Menéndez Díaz, Marina Montanelli, Marie Bardet und Suely Rolnik, *8M – Der große feministische Streik. Konstellationen des 8. März*, übers. v. Michael Grieder und Gerald Raunig (Wien: transversal texts, 2018)

Geheimagentur, Martin Jörg Schäfer und Vassilis Tsianos (Hg.), *The Art of Being Many: Towards a New Theory and Practice of Gathering* (Bielefeld: transcript, 2016) <https://doi.org/10.14361/9783839433133>

Germer, Julia und Alina Nolte im Interview mit Natascha Frankenberg, »Natascha Frankenberg. ›Queerer Film und seine Festivals: warum Repräsentation diskutiert werden muss‹«, *IFMLOG* (November 2018) <https://ifmlog.blogs.ruhr-uni-bochum.de/forschung/forschungsprojekte/festivalpraxis/film-kunst-identitaet/natascha-frankenberg/> [Zugriff: 5. Juni 2021]

Gibson-Graham, J. K., *The End of Capitalism (As We Know It): A Feminist Critique of Political Economy* (Minneapolis: University of Minnesota Press, 2006)

Ginsburg, Faye, »Indigenous Media: Faustian Contract or Global Village?«, *Cultural Anthropology*, 6.1 (1991), S. 92–112 <https://doi.org/10.1525/can.1991.6.1.02a00040>

—— »Mediating Culture: Indigenous Media, Ethnographic Film, and the Production of Identity«, in *Fields of Vision: Essays in Film Studies, Visual Anthropology, and Photography*, hg. v. Leslie Devereaux und Roger Hillman (Berkeley, CA: University of California Press, 1995), S. 256–91 <https://doi.org/10.1525/9780520914704-014>

Glowczewski, Barbara, *Desert Dreamers: With the Warlpiri People of Australia*, übers. v. Paul Buck und Catherine Petit (Minneapolis, MN: Univocal, 2016)

Goldblatt, David, *South Africa: The Structure of Things Then* (New York: Monacelli, 1998)

Gramelsberger, Gabriele, Markus Rautzenberg, Serjoscha Wiemer und Mathias Fuchs, »›Mind the Game!‹. Die Exteriorisierung des Geistes ins Spiel gebracht«, *Zeitschrift für Medienwissenschaft*, 11.2 (2019), S. 29–38 <https://doi.org/10.25969/mediarep/12628>

Grübl, Josef, »Die Schwedin und der Sex«, *Süddeutsche Zeitung*, 25. März 2020 <https://www.sueddeutsche.de/muenchen/drama-die-schwedin-und-der-sex-1.4856328> [Zugriff: 5. Mai 2021]

Guattari, Félix, *Lines of Flight: For Another World of Possibilities*, übers. v. Andrew Goffey (London: Bloomsbury, 2015)

—— »Die Couch des Armen«, in *Die Couch des Armen. Die Kinotexte in der Diskussion*, hg. v. Aljoscha Weskott, Nicolas Siepen, Susanne Leeb, Clemens Krümmel und Helmut Draxler, übers. v. Hans-Joachim Metzger (Berlin: b_books, 2011), S. 7–26

Gössner, Rolf, »BigBrotherAwards-Laudatio: Behörden und Verwaltung: Peter Beuth, hessischer Innenminister«, 2019 <https://bigbrotherawards.de/2019/behoerden-verwaltung-hessischer-innenminister-peter-beuth> [Zugriff: 1. Juni 2021]

Güleç, Ayşe, »Cana Bilir-Meier: Begegnungen zwischen Archiven – Dekolonisierung von Disziplinen«, *Camera Austria*, 141 (2018), S. 33–44

Habermas, Jürgen, »Ziviler Ungehorsam – Testfall für den demokratischen Rechtsstaat. Wider den autoritären Legalismus in der Bundesrepublik«, in *Ziviler Ungehorsam im Rechtsstaat*, hg. v. Peter Glotz (Frankfurt a. M.: Suhrkamp, 1983), S. 29–53

Halberstam, J. Jack, *In a Queer Time and Place: Transgender Bodies, Subcultural Lives* (New York: NYU Press, 2005)

—— *The Queer Art of Failure* (Durham, NC: Duke University Press, 2011) <https://doi.org/10.2307/j.ctv11sn283>

—— »Automatic Gender: Postmodern Feminism in the Age of the Intelligent Machine«, *Feminist Studies*, 17.3 (1991), S. 439–60 <https://doi.org/10.2307/3178281>

Hall, Stuart, »Das Spektakel des ›Anderen‹«, in ders., *Ausgewählte Schriften*, 5 Bde. (Berlin: Argument, 2000–13), IV: *Ideologie, Identität, Repräsentation*, hg. v. Juha Koivisto und Andreas Merkens, übers. v. Kristin Carls et al. (2004), S. 108–236

Halpern, Orit, *Beautiful Data: A History of Vision and Reason since 1945* (Durham, NC: Duke University Press, 2014) <https://doi.org/10.1215/9780822376323>

Halter, Ed, »*Old Joy*: Northwest Passages«, *The Current*, 12. Dezember 2019 <https://www.criterion.com/current/posts/6728-old-joy-northwest-passages> [Zugriff: 4. Juni 2021]

Hanke, Philipp, »The Body in Revolt. Biopolitische Prekarität und filmische Handlungsmacht in den Filmen von Todd Haynes«, *onlinejournal kultur & geschlecht*, 15 (2015) <https://kulturundgeschlecht.blogs.ruhr-uni-bochum.de/wp-content/uploads/2015/08/hanke_body.pdf> [Zugriff: 16. Juni 2021]

Haraway, Donna J., *Unruhig bleiben. Die Verwandtschaft der Arten im Chthuluzän*, übers. v. Karin Harrasser (Frankfurt a. M.: Campus, 2018)

—— »Fötus. Das virtuelle Spekulum in der Neuen Weltordnung«, übers. v. Katharina Maly und Josef Barla, in *Gender & Medien Reader*, hg. von Kathrin Peters und Andrea Seier (Zürich: Diaphanes, 2016), S. 249–78

—— »Situated Knowledge: The Science Question in Feminism and the Privilege of Partial Perspective«, *Feminist Studies*, 14.3 (1988), S. 575–99

Hardt, Michael und Antonio Negri, *Assembly* (Oxford: Oxford University Press, 2017)

Harney, Stefano und Fred Moten, *Die Undercommons. Flüchtige Planung und schwarzes Studium*, übers. v. Birgit Mennel und Gerald Raunig (Wien: transversal texts, 2016)

Hartman, Saidiya V., *Scenes of Subjection: Terror, Slavery, and Self-Making in Nineteenth-Century America* (New York, Oxford: Oxford University Press, 1997)

Harvey, David, »The Political Economy of Public Space«, in *The Politics of Public Space*, hg. v. Setha Low und Neil Smith (New York: Routledge, 2006)

Haschemi Yekani, Elahe, *The Privilege of Crisis: Narratives of Masculinities in Colonial and Postcolonial Literature, Photography and Film* (Frankfurt a. M., New York: Campus, 2011)

—— »Older Wiser Lesbians? Lesbische Repräsentation im Spannungsfeld von New Wave Queer Cinema und Homonormativität«, in *Queer Cinema*, hg. v. Dagmar Brunow und Simon Dickel (Mainz: Ventil, 2018), S. 111–24

Hayes, Sharon, »Temporal Relations«, in *Not Now! Now! Chronopolitics, Art & Research*, hg. v. Renate Lorenz (Berlin: Sternberg, 2014), S. 57–71

Heberer, Feng-Mei, »The Asianization of *Heimat*: Ming Wong's Asian German Video Works«, in *Asian Video Cultures: In the Penumbra of the Global Account* (Durham, NC: Duke University Press, 2017), S. 199–213

Heintz, Bettina, *Die Herrschaft der Regel. Zur Grundlagengeschichte des Computers* (Frankfurt a. M.: Campus, 1993)

Heise, Ursula, *Nach der Natur. Das Artensterben und die moderne Kultur* (Berlin: Suhrkamp, 2010)

Henry, Claire, »The Temporal Resistance of Kelly Reichardt's Cinema«, *Open Cultural Studies*, 2.1 (2018), S. 486–99 <https://doi.org/10.1515/culture-2018-0044>

Hestmann, Jan, »Die seit langem schrägste Sex-Szene gibt es in der Grusel-Romanze ›Border‹«, *ORF Radio FM4*, 8. April 2019 <https://fm4.orf.at/stories/2974090/> [Zugriff: 5. Juni 2021]

Hoffmann, Hilde, »Zum Politischen des Dokumentarfilms: *Revision* und *And-Ek Ghes*«, in *Kino, Arbeit, Liebe. Hommage an Elisabeth Büttner*, hg. v. Christian Dewald, Petra Löffler und Marc Ries (Berlin: Vorwerk 8, 2018), S. 189–200

Hohenberger, Eva, »Sind Kamerafahrten politisch? Zur Frage von Form und Politik im Dokumentarfim«, in *Zooming in and out. Produktionen des Politischen im neueren deutschsprachigen Dokumentarfilm,* hg. v. Aylin Basaran, Julia B. Köhne und Klaudija Sabo (Wien: Mandelbaum, 2013), S. 63–78

Hook, Derek, »Apartheid's Lost Attachments (2): Melancholic Loss and Symbolic Identification«, *Psychology in Society,* 43 (2012), 54–71 <http://ref.scielo.org/t48grs> [Zugriff: 5. Juni 2021]

Hubbard, Jim, »AIDS-Videoaktivismus und die Entstehung des ›Archivs‹«, in *Queer Cinema,* hg. v. Dagmar Brunow und Simon Dickel (Mainz: Ventil, 2018), S. 82–105

Hénaut, Dorothy Todd und Bonnie Sherr Klein, »In the Hands of Citizens: A Video Report [1969]«, in *Challenge for Change,* hg. v. Waugh, Baker und Winton, S. 24–37

Interiors Journal, »Interiors Journal Explores Location and Space in Kelly Reichardt's *Wendy and Lucy*«, *MovieMaker,* 22. Juli 2013 <https://www.moviemaker.com/wendy-and-lucy-interiors-journal/> [Zugriff: 4. Juni 2021]

International Organization for Migration, »IOM Launches Virtual Reality Film Competition ›Through the Eyes of a Migrant‹«, iom.int, 26. Oktober 2018 <https://www.iom.int/news/iom-launches-virtual-reality-film-competition-through-eyes-migrant> [Zugriff: 31.05.2021]

Jeppesen, Travis, »Ming Wong: Interview by Travis Jeppesen«, *Art in America,* January 2014, S. 82–89

Julien, Isaac und Kobena Mercer, »Introduction: De Margin and de Centre«, *Screen,* 29.4 (Autumn 1988), S. 2–11 <https://doi.org/10.1093/screen/29.4.2>

Kamalzadeh, Dominik, »›120 BPM‹ von Robin Campillo: ›Ich hatte alles im Kopf aufgezeichnet‹«, *Der Standard,* 1. Januar 2018 <https://www.derstandard.de/story/2000071204136/robin-campillo-ich-hatte-alles-im-kopf-aufgezeichnet> [Zugriff: 3. Juni 2021]

Kawash Samira, »Terrorists and Vampires: Fanon's Spectral Violence of Decolonization«, in *Frantz Fanon: Critical Perspectives,* hg. v. Anthony C. Alessandrini (London: Routledge, 1999), S. 235–57

Kee, Joan, »False Front: Joan Kee on the Art of Ming Wong«, *Artforum,* 50.9 (May 2012), S. 262–69

Keeling, Kara, *Queer Times, Black Futures* (New York: NYU Press, 2019) <https://doi.org/10.18574/nyu/9780814748329.001.0001>

Kesting, Marietta, *Affective Images* (Albany: State University of New York Press, 2017)

King, Homay, *Virtual Memory: Time-Based Art and the Dream* (Durham, NC: Duke University Press, 2015) <https://doi.org/10.1215/9780822375159>

—— »Tenuous Frames: Ming Wong's *Persona Performa*«, *Film Criticism,* 39.2 (Winter 2014/15), S. 103–14

Knoben, Martina, »Bin ich schön?«, *Süddeutsche Zeitung*, 10. April 2019, online 15. April 2019 <https://www.sueddeutsche.de/kultur/kino-border-ali-abbasi-1.4402491> [Zugriff: 5. Juni 2021]

Koch, Gertrud, *Die Einstellung ist die Einstellung. Visuelle Konstruktionen des Judentums* (Frankfurt a. M.: Suhrkamp, 1992)

Kollmorgen, Raj, »Die Zeitlosigkeit des Kapitalismus – Eine Gegenlektüre von Marx«, in *Chronotopographien: Agency in ZeitRäumen*, hg. v. Britta Krause (Frankfurt a. M.: Transpekte, 2006)

Koseluk, Chris, »Troll Models«, *Make-Up Artist Magazine*, 30. Oktober 2018 <https://makeupmag.com/troll-models/> [Zugriff: 5. Juni 2021]

Kramer, Gary M., »Bad Times Make Great Art: The AIDS Crisis and the New Queer Cinema«, *Salon*, 11. Februar 2017 <https://www.salon.com/2017/02/11/bad-times-make-great-art-the-aids-crisis-and-the-new-queer-cinema/> [Zugriff: 16. Juni 2021]

Krautkrämer, Florian, »Revolution Uploaded. Un/Sichtbares im Handy-Dokumentarfilm«, *Zeitschrift für Medienwissenschaft*, 6.2 (2014), S. 113–26 <https://doi.org/10.25969/mediarep/1257>

Kulle, Daniel, »Innovation an den Rändern des Queer Cinema. Ästhetische Strategien des Queeren Experimentalfilms«, in *Queer Cinema*, hg. v. Dagmar Brunow und Simon Dickel (Mainz: Ventil, 2018), S. 226–44

Kuzmanovic, Maja, Nik Gaffney, Ron Broglio und Adam Nocek (Hg.), *Dust & Shadow Reader*, 2 (März 2019) <https://libarynth.org/dust_and_shadow/reader_2> [Zugriff: 2. Juni 2021]

Kuzmanovic, Maja, Nik Gaffney, Ron Broglio, Adam Nocek und Stacey Moran Nocek (Hg.), *Dust & Shadow Reader*, 1 (März 2018) <https://libarynth.org/dust_and_shadow/reader_1> [Zugriff: 2. Juni 2021]

Köppe, Julia (koe), »Hat der weibliche Orgasmus doch einen Sinn«, *Der Spiegel*, 1. Oktober 2019 <https://www.spiegel.de/wissenschaft/mensch/klitoris-forscher-entschluesseln-nutzen-des-weiblichen-orgasmus-a-1289561.html> [Zugriff: 5. Juni 2021]

Köppert, Katrin, »AI: Queer Art«, in *Wenn KI, dann feministisch. Impulse aus Wissenschaft und Aktivismus*, hg. v. netzforma e.V. (Berlin: netzforma e.V., 2020), S. 159–66

—— »»Internet is not in the cloud.‹ Digitaler Kolonialismus«, *gwi-boell.de*, 10. April 2019 <https://www.gwi-boell.de/de/2019/04/10/internet-not-cloud-digitaler-kolonialismus> [Zugriff: 1. Juni 2021]

Künemund, Jan, »AIDS hat meine Jugend zerstört«. Interview mit »120 BPM«-Regisseur Robin Campillo, *Spiegel Online*, 1. Dezember 2017 <https://www.spiegel.de/kultur/kino/aids-120-bpm-regisseur-robin-campillo-ueber-sex-und-die-achtziger-a-1180966.html> [Zugriff: 3. Juni 2021]

—— »Trieb der Sterne«, *Der Spiegel*, 28. Mai 2019 <https://www.spiegel.de/kultur/kino/high-life-mit-robert-pattinson-und-juliette-binoche-im-all-hoert-dich-keiner-stoehnen-a-1269684.html> [Zugriff: 5. Juni 2021]

Landsgesell, Gunnar, Michael Pekler und Andreas Ungerböck, *Real America: Neuer Realismus im US-Kino* (Marburg: Schüren, 2012)

Leaver-Yap, Mason, »Aesthetics and Anaesthetics in Charlotte Prodgers *BRIDGIT*«, in *Bergen Kunsthall NO. 5* (2017) <http://hollybushgardens.co.uk/wp/wp-content/uploads/CP_Mason-Leaver-Yap_Aesthetics-and-Anaesthetics.pdf> [Zugriff: 3. Juni 2021]

Lestrade, Didier, *Act Up, une histoire* (Paris: Denoël, 2000)

Lewis, Sophie, *Full Surrogacy Now: Feminism Against Family* (London: Verso, 2019)

Lim, Dennis, »Change Is a Force of Nature«, *The New York Times*, 26. März 2006 <https://www.nytimes.com/2006/03/26/movies/change-is-a-force-of-nature.html> [Zugriff: 4. Juni 2021]

Lorey, Isabell, *Demokratie im Präsens. Eine Theorie der politischen Gegenwart* (Berlin: Suhrkamp 2020)

—— *Figuren des Immunen. Elemente einer politischen Theorie* (Zürich: Diaphanes, 2011), S. 260–80

—— *Die Regierung der Prekären* (Wien: Turia + Kant, 2012)

—— »Preserving Precariousness, Queering Debt«, übers. v. Kelly Mulvaney, in *The Constituent Museum: Constellations of Knowledge, Politics and Mediation; A Generator of Social Change*, hg. v. John Byrne (Amsterdam: Valiz/L'Internationale, 2018), S. 184–91

—— »Präsentische Demokratie. Exodus und Tigersprung«, *transversal blog*, Juni 2014 <https://transversal.at/blog/praesentische-demokratie> [Zugriff: 3. Juni 2021]

—— »Präsentische Demokratie. Eine Neukonzeption der Gegenwart«, in *Der documenta 14 Reader*, hg. v. Quinn Latimer und Adam Szymczyk (München: Prestel, 2017), S. 169–202

—— »Präsentische Demokratie. Radikale Inklusion – Jetztzeit – Konstituierender Prozess«, in *Transformationen der Demokratie – Demokratische Transformationen*, hg. v. Alex Demirović (Münster: Westfälisches Dampfboot, 2016), S. 265–77

Lorey, Isabell, Jens Kastner, Tom Waibel und Gerald Raunig, *Occupy! Die aktuellen Kämpfe um die Besetzung des Politischen* (Wien: Turia + Kant, 2012)

Love, Heather, *Feeling Backward: Loss and the Politics of Queer History* (Cambridge, MA: Harvard University Press, 2007)

—— Interview im Podcast *How to Read* (ohne Datum) <https://www.howtoreadpodcast.com/heather-love-why-description-matters/> [Zugriff: 5. Juni 2021]

—— »Close Reading and Thin Description«, *Public Culture*, 25.3 (2013), S. 401–34 <https://doi.org/10.1215/08992363-2144688>

Makhubu, Nomusa, »Visual Currencies: Performative Photography in South African Art«, in *Women and Photography in Africa: Creative Practices and Feminist Challenges*, hg. v. Darren Newbury, Lorena Rizzo und Kylie

Thomas (Abingdon: Routledge, 2021), S. 227–48 <https://doi.org/10. 4324/9781003087410-16>

Malcomess, Bettina und Dorothee Kreutzfeldt, *Not No Place: Johannesburg. Fragments of Spaces and Times* (Johannesburg: Jacanda, 2013)

Marot, Sébastien, *Sub-Urbanism and the Art of Memory* (London: Architectual Association Publications, 2003)

Mathes, Bettina, »Reproduktion«, in *Gender@Wissen. Ein Handbuch der Gender-Theorien*, hg. v. Christina von Braun und Inge Stephan, 3. überarb. Auflage (Köln: Böhlau, 2013), S. 121–41

Mattise, Nathan, »Whatever You Expect from Robert Pattinson in Space Sci-Fi, ›*High Life*‹ Isn't It«, *ars technical*, 4. Juli 2019 <https://arstechnica.com/gaming/2019/04/whatever-you-expect-from-robert-pattinson-in-space-sci-fi-high-life-isnt-it/> [Zugriff: 5. Juni 2021]

Mersch, Dieter, »Kreativität und Künstliche Intelligenz«, *Zeitschrift für Medienwissenschaft*, 11.2 (2019), S. 65–74 <https://doi.org/10.25969/mediarep/12634>

Michaelsen, Anja, »Sedgwick, Butler, Mulvey: Paranoide und reparative Perspektiven in Queer Studies und medienwissenschaftlicher Geschlechterforschung«, in *Kulturwissenschaftliche Perspektiven der Gender Studies*, hg. v. Manuela Günter und Annette Keck (Berlin: Kadmos, 2018), S. 97–116

Michalsky, Tanja, »Spielräume der Kamera. Die ästhetische Dekonstruktion eines weiblichen Interieurs in Rainer Werner Fassbinders ›Die bitteren Tränen der Petra von Kant‹«, in *Geschlechter-Räume: Konstruktionen von »gender« in Geschichte, Literatur und Alltag*, hg. v. Margarete Hubrath (Wien: Böhlau, 2001), S. 145–60

Mitchell, W. J. T., *Landscape and Power* (Chicago: University of Chicago Press, 2002)

Morris, Rosalind C., *The Gamblers: The Zama Zama Miners of Southern Africa*, Online-Dokumentation und Video der Diskussion, ICI Berlin, 7. Januar 2019 <https://doi.org/10.25620/e190107>

—— im Gespräch mit Daniel Eschkötter: »Versuchszonen des Spätindustrialismus«, *Zeitschrift für Medienwissenschaft*, 11.1 (2019), S. 78–95 <https://doi.org/10.25969/mediarep/3725>

—— »The Zama Zama Project«, *slought* <https://slought.org/resources/the_zama_zama_project> [Zugriff: 5. Juni 2021]

Muñoz, José Esteban, *Cruising Utopia: The Then and There of Queer Futurity* (New York: NYU Press, 2009)

—— *Disidentifications: Queers of Color and the Performance of Politics* (Minneapolis: University of Minnesota Press, 1999)

—— »Ephemera as Evidence: Introductory Notes to Queer Acts«, *Woman & Performance*, 8.2 (1996), S. 5–16 <https://doi.org/10.1080/07407709608571228>

Nicodemus, Katja, »Troll-Sex ist schön«, *Die Zeit*, 10. April 2019, editiert am 11. April 2019 <https://www.zeit.de/2019/16/border-kinofilm-troll-sex-schweden-regisseur-ali-abbasi> [Zugriff: 5. Juni 2021]

Nixon, Rob, *Slow Violence and the Environmentalism of the Poor* (Cambridge, MA: Harvard University Press, 2011) <https://doi.org/10.4159/harvard.9780674061194>

Onat, Rena, *Strategien des Widerstands, Empowerments und Überlebens in den Arbeiten queerer Künstler_innen of Color im deutschsprachigen Kontext*, unveröffentlichtes Manuskript 2020

Ouellette, Laurie, »How the Other Half Lives: The Will to Document from Poverty to Precarity«, in *Media and Class: TV, Film, and Digital Culture*, hg. v. June Deery und Andrea Press (New York: Routledge, 2017), S. 98–113 <https://doi.org/10.4324/9781315387987-7>

O'Loughlin, Michael J., »>Pose< revisits controversial AIDS protest inside St. Patrick's Cathedral«, *America: The Jesuit Review*, 21. Juni 2019 <https://www.americamagazine.org/arts-culture/2019/06/21/pose-revisits-controversial-aids-protest-inside-st-patricks-cathedral> [Zugriff: 3. Juni 2021]

Papadopolous, Dimitris, Niamh Stephenson und Vassilis Tsianos, *Escape Routes: Control and Subversion in the Twenty-First Century* (London: Pluto Press, 2008)

Parikka, Jussi, *A Geology of Media* (Minneapolis: University of Minnesota Press, 2015) <https://doi.org/10.5749/minnesota/9780816695515.001.0001>

Patton, Rebecca, »Images of the Die-In that Inspired the One on >Pose< Will Take your Breath Away«, *Bustle*, 11. Juni 2019 <https://www.bustle.com/p/photos-of-real-act-up-protests-the-pose-die-in-show-just-how-realistic-the-show-is-17995291> [Zugriff: 3. Juni 2021]

Pearl, Monica B., »AIDS and New Queer Cinema«, in *New Queer Cinema: A Critical Reader*, hg. v. Michele Aaron (Edinburgh: Edinburgh University Press, 2004)

Peters, Kathrin, »Politische Drogen. Materialität in Testo Junkie«, in *Ecologies of Gender: Contemporary Nature Relations and the Nonhuman Turn*, hg. v. Susanne Lettow und Sabine Nessel (London: Routledge, im Erscheinen)

Precarias a la deriva, *Was ist dein Streik? Militante Streifzüge durch die Kreisläufe der Prekarität*, übers. v. Birgit Mennel (Wien: Turia + Kant, 2011); Open Access Neudruck (Wien: transversal texts, 2014) <https://transversal.at/books/precarias-de> [Zugriff: 20. Juni 2021]

Preciado, Paul B., *Kontrasexuelles Manifest*, übers. v. Stephan Geene, Katja Diefenbach und Tara Herbst (Berlin: b_books, 2004)

—— *Testo Junkie. Sex, Drogen und Biopolitik in der Ära der Pharmapornographie*, aus dem Französischen übers. v. Stephan Geene (Berlin: b_books, 2016)

—— »Pharmaco-Pornographic Politics: Towards a New Gender Ecology«, *parallax*, 14.1 (2008), S. 105–17 <https://doi.org/10.1080/13534640701782139>

Péron, Didier, »Robin Campillo: ›Chaque action d'ACT UP était déjà enrobée par la fiction‹«, *Libération*, 20. August 2017 <https://www.liberation.fr/france/2017/08/20/robin-campillo-chaque-action-d-act-up-etait-deja-enrobee-par-la-fiction_1590949> [Zugriff: 3. Juni 2021]

Raczuhn, Annette, *Trans*Gender im Film: Zur Entstehung von Alltagswissen über Transsex* in der filmisch-narrativen Inszenierung* (Bielefeld: transcript, 2018) <https://doi.org/10.14361/9783839446157>

Radio Eins, »Brüder der Nacht« – *Berlinale Nighttalk 2016*, YouTube, 18. Februar 2016 <https://www.youtube.com/watch?v=R1RhB-a-KPo> [Zugriff: 31. Mai 2021]

Rancière, Jacques, *Die Aufteilung des Sinnlichen Die Politik der Kunst und ihre Paradoxien*, übers. v. Maria Muhle, Susanne Leeb und Jürgen Link (Berlin: b_books, 2006)

—— *Und das Kino geht weiter. Schriften zum Film*, übers. v. Julian Radlmaier, hg. v. Sulgi Lee und Julian Radlmaier (Berlin: August Verlag, 2012)

Rapold, Nicolas im Interview mit Ali Abbasi, *Film Comment*, 21. September 2018 <https://www.filmcomment.com/blog/nyff-interview-ali-abbasi/> [Zugriff: 5. Juni 2021]

Redecker, Eva von, »Vorgriff mit Nachdruck. Zu den queeren Bedingungen zivilen Ungehorsams«, in *Ungehorsam! Disobedience! Theorie und Praxis kollektiver Regelverstöße*, hg. v. Friedrich Burschel, Andreas Kahrs und Lea Steinert (Münster: edition assemblage, 2014), S. 117–30

Richards, Stephanie L., »Termite Mound Structures«, *terminix* <https://www.terminix.com/termite-control/colonies/termite-mounds> [Zugriff: 2. Juni 2021]

Rich, B. Ruby, *New Queer Cinema: The Director's Cut* (Durham, NC: Duke University Press, 2013) <https://doi.org/10.2307/j.ctv11hpp0s>

—— »New Queer Cinema«, *Sight & Sound*, 2.5 (1992), S. 30–34 <https://www2.bfi.org.uk/news-opinion/sight-sound-magazine/features/new-queer-cinema-b-ruby-rich> [Zugriff: 16. Juni 2021]

Roof, Judith, *Come As You Are: Sexuality and Narrative* (New York: Columbia University Press, 1996)

—— *Reproductions of Reproduction: Imaging Symbolic Change* (New York: Routlegde, 1996)

Rosler, Martha, »Drinnen, Drumherum und nachträgliche Gedanken (zur Dokumentarfotografie)«, in dies., *Positionen der Lebenswelt*, hg. v. Sabine Breitwieser, übers. v. Roger M. Buergel, Dagmar Fink und Johanna Schaffer (Köln: Walther König, 1999), S. 105–48

Rothöhler, Simon, *Amateur der Weltgeschichte. Historiographische Praktiken im Kino der Gegenwart* (Zürich: Diaphanes, 2011)

Russell, Legacy, »Digital Dualism and the Glitch Feminism Manifesto«, *Cyborgology, The Society Pages* (10. Dezember 2012) <https:
//thesocietypages.org/cyborgology/2012/12/10/digital-dualism-
and-the-glitch-feminism-manifesto> [Zugriff: 5. Juni 2021]

Russell, Stephen A., »In Love and War. Philippe Mangeot on Wri-
ting *120 BPM*«, *Special Broadcasting Service*, 7. März 2018 <https:
//www.sbs.com.au/movies/article/2018/03/05/love-and-war-
philippe-mangeot-writing-bpm> [Zugriff: 3. Juni 2021]

Ryan, Patrick, »Robert Pattinson Surprised by >Sex Box< in New Sci-
Fi Movie High Life«, *Toronto Star*, 10. April 2019 <https://www.
thestar.com/entertainment/movies/2019/04/10/robert-pattinson-
surprised-by-sex-box-in-new-sci-fi-movie-high-life.html> [Zugriff: 5.
Juni 2021]

Said, Edward, *Kultur und Imperialismus. Einbildungskraft und Politik im Zeitalter der Macht*, übers. v. Hans-Horst Henschen (Frankfurt a. M.: Fischer,
1994)

Savlov, Marc, »Post-Production: Anish Savjani on Where He's Been and
Where He Thinks the Industry Is Going Next«, *The Austin Chronicle*,
25. Februar 2011 <https://www.austinchronicle.com/screens/2011-
02-25/post-production/> [Zugriff: 4. Juni 2021]

Schiwy, Freya, *Indianizing Film: Decolonization, the Andes, and the Question of
Technology* (New Brunswick, NJ: Rutgers University Press, 2009)

Schlüpmann, Heide, »Raumgeben«, *nach dem film*, veröffentlicht in der Rubrik Essay am 12. April 2019 <https://www.nachdemfilm.de/essays/
raumgeben> [Zugriff 5. Juni 2021]

—— *Öffentliche Intimität. Die Theorie im Kino* (Frankfurt a. M.: Stroemfeld,
2002)

Schmidt, Silvana, *Prekär sein. Eine feministische Einführung in die Prekaritätsdebatte* (Münster: edition assemblage, 2020)

Schneider, Rebecca, *Performing Remains: Art and War in Times of Theatrical
Reenactment* (London: Routledge, 2011)

Schreiner, Laurenz, »Attentat in München 2016. Denkmal mit falscher Inschrift«, *die tageszeitung*, 22. Juli 2020 <https://taz.de/Attentat-in-
Muenchen-2016/!5698832/> [Zugriff: 2. Juni 2021]

Sedgwick, Eve Kosofsky, »Paranoid Reading and Reparative Reading, or,
You're So Paranoid, You Probably Think This Essay Is about You«,
in *Touching Feeling: Affect, Pedagogy, Performativity* (Durham, NC:
Duke University Press, 2003), S. 123–51 <https://doi.org/10.1215/
9780822384786-005>

Seibel, Sven, »Die Kamera übergeben. Montage und kollaboratives Filmemachen in *Les Sauteurs*«, in *Cutting Egde, Positionen zur Filmmontage*,
hg. v. Martin Doll (Berlin: Bertz + Fischer, 2019), S. 157–85

—— »Vom >giving voice< zur >audibility<, Bedingungen und Praktiken der
Vernehmbarkeit«, *Zeitschrift für Medienwissenschaft*, 11.2 (2019), S.
193–99 <https://doi.org/10.25969/mediarep/12629>

Seier, Andrea, *Mikropolitik der Medien* (Berlin: Kadmos, 2019)

Sekuler, Todd und Agata Dziuban, *Remembering HIV Activism Tomorrow – Engaging with an Ongoing History of Struggle. Discussion with Robin Campillo*, Dokumentation der Veranstaltung im Friedrichshain-Kreuzberg-Museum am 13. November 2017, Bonusmaterial der DVD-Veröffentlichung von *120 BPM* der Edition Salzgeber

Sieg, Katrin, *Ethnic Drag: Performing Race, Nation, Sexuality in West Germany* (Ann Arbor: University of Michigan Press, 2002) <https://doi.org/10.3998/mpub.17012>

—— »Remediating Fassbinder in Video Installations by Ming Wong and Branwen Okpako«, *Transit*, 9.2 (2014), S. 1–29 <https://doi.org/10.5070/T792025113>

Silva, Denise Ferreira da, »Unbezahlbare Schuld. Szenen des Werts, gegen den Pfeil der Zeit gelesen«, übers. v. Hildegard Hogen, in *documenta 14 – Reader*, hg. v. Quinn Latimer und Adam Szymczyk (München: Prestel, 2017), S. 81–112

Simondon, Gilbert, *Die Existenzweise technischer Objekte* (Zürich: Diaphanes, 2012)

—— *Individuation in Light of Notions of Form and Information*, übers. v. Taylor Adkins (Minneapolis: University of Minnesota Press, 2020)

—— »Das Individuum und seine Genese. Einleitung«, übers. v. Julia Kursell und Armin Schäfer, in *Struktur, Figur, Kontur. Abstraktion in Kunst und Lebenswissenschaften*, hg. v. Claudia Blümle und Armin Schäfer (Zürich, Berlin: Diaphanes, 2007), S. 29–45

Solanas, Fernando E. und Octavio Getino, »Towards a Third Cinema: Notes and Experiences for the Development of a Cinema of Liberation in the Third World«, in *New Latin American Cinema*, hg. v. Michael T. Martin, 2 Bde. (Detroit, MI: Wayne State University Press, 1997), I: *Theories, Practices, and Transcontinental Articulations*, S. 33–58

Starblanket, Noel, »A Voice for Canadian Indians: An Indian Film Crew«, in *Challenge for Change*, hg. v. Waugh, Baker und Winton, S. 38–40

Starosielski, Nicole, *The Undersea Network* (Durham, NC: Duke University Press, 2015) <https://doi.org/10.1215/9780822376224>

Steinbock, Eliza, *Shimmering Images: Trans Cinema, Embodiment, and the Aesthetics of Change* (Durham, NC: Duke University Press, 2019) <https://doi.org/10.1215/9781478004509>

Stengers, Isabelle, *Cosmopolitics*, übers. v. Robert Bononno, 2 Bde. (Minneapolis: University of Minnesota Press, 2010–11), I (2010)

—— *In Catastrophic Times: Resisting the Coming Barbarism* (London: Open Humanities Press, 2015) <http://www.openhumanitiespress.org/books/titles/in-catastrophic-times/> [Zugriff: 1. Februar 2020]

Sternfeld, Nora, *Verlernen Vermitteln*, hg. v. Andrea Sabisch, Torsten Meyer und Eva Sturm, Kunstpädagogische Positionen, 30 (Köln: Universität Köln, 2014) <http://kunst.uni-koeln.de/_kpp_daten/pdf/KPP30_Sternfeld.pdf> [Zugriff 5. Juni 2021]

Stoler, Ann Laura, »Colonial Aphasia: Disabled History and Race in France«, in dies., *Duress: Imperial Durabilities in our Times* (Durham, NC: Duke University Press, 2016), S. 122–70 <https://doi.org/10.2307/j.ctv125jn2s.8>

Stüttgen, Tim im Interview mit Paul B. Preciado, »Proletarier des Anus«, *Jungle World*, 49 (2004) <https://jungle.world/artikel/2004/49/proletarier-des-anus> [Zugriff: 5. Juni 2021]

Suchsland, Rüdiger, »Wenn wilde Tolle trollen«, *artechock* <https://www.artechock.de/film/text/kritik/b/border0.htm> [Zugriff: 5. Juni 2021]

Sutter, Laurent de, *Narcocapitalism: Life in the Age of Anaesthesia*, übers. v. Barnaby Norman (Oxford: Polity, 2017)

Sztutman, Renato, »The Camera Is my Hunting Weapon: The Poetics of Réal J. Leblanc, Innu Filmmaker«, Dossier Intersecting Gazes, *Gesture Image Sound*, 3.1 (2018), S. 258–77 <https://doi.org/10.11606/issn.2525-3123.gis.2018.146013>

Szymanski, Adam, *Minor Cinemas of Melancholy and Therapy*, Dissertation (Concordia University, 2017)

Tate Britain, »Charlotte Prodger | Turner Prize Winner 2018 | TateShots«, YouTube, 17. September 2018 <https://www.youtube.com/watch?v=AsVWk5DlbCE> [Zugriff: 3. Juni 2021]

Tedjasukmana, Chris, *Mechanische Verlebendigung: Ästhetische Erfahrung im Kino* (Paderborn: Fink, 2014) <https://doi.org/10.30965/9783846758038>

—— »Feel Bad Movement: Affekt, Aktivismus und queere Gegenöffentlichkeit«, in *I is for Impasse. Affektive Querverbindungen in Theorie_Aktivismus_Kunst*, hg. von Käthe von Bose, Ulrike Klöppel, Katrin Köppert, Karin Michalski und Pat Treusch (Berlin: b_books, 2015), S. 19–32

Termite Research, »Structure of the Termite Mound« <https://www.esf.edu/efb/turner/termitePages/termiteStruct.html> [Zugriff: 2. Juni 2021]

Treichler, Paula A., *How to Have Theory in an Epidemic* (Durham, NC: Duke University Press, 2006)

Tsing, Anna, *The Mushroom at the End of the World: On the Possibility of Life in Capitalist Ruins* (Princeton, NJ: Princeton University Press, 2015) <https://doi.org/10.1515/9781400873548>

Tumbas, Jasmina im Gespräch mit Zach Blas, »The Ectoplasmic Resistance of Queer: Metric Mysticism, Libidinal Art, and How to Think beyond the Internet«, *ASAP Journal*, 6. Februar 2018 <http://asapjournal.com/the-ectoplasmic-resistance-of-queer/> [Zugriff: Zugriff: 1. Juni 2021]

Turing, Alan, »Computing Machinery and Intelligence«, *Mind*, 59 (1950), S. 433–60 <https://doi.org/10.1093/mind/LIX.236.433>

—— »On Computable Numbers with an Application to the Entscheidungsproblem«, *Proceedings of the London Mathematical Society*, 2nd ser., 42.1 (1937), S. 230–65 <https://doi.org/10.1112/plms/s2-42.1.230>

—— »Systems of Logic Based on Ordinals«, *Proceedings of the London Mathematical Society*, 2nd ser., 45.1 (1939), S. 161–228 <https://doi.org/10.1112/plms/s2-45.1.161>

Turner, Terence, »Representation, Politics, and Cultural Imagination in Indigenous Video: General Points and Kayapo Examples«, in *Media Worlds: Anthropology on New Terrain*, hg. v. Faye Ginsburg, Lila Abu-Lughod und Brian Larkin (Berkeley: University of California Press, 2002), S. 75–89

Upton, Julian, »Anarchy in the UK: Derek Jarman's Jubilee Revisited«, *Bright Lights Film Journal*, 1. Oktober 2000 <https://brightlightsfilm.com/anarchy-uk-derek-jarmans-jubilee-1978-revisited/> [Zugriff: 1. Juni 2021]

Van Sant, Gus und Kelly Reichardt, »Kelly Reichardt«, *BOMB*, 105 (2008), S. 76–81 <https://bombmagazine.org/articles/kelly-reichardt-1/> [Zugriff: 4. Juni 2021]

Verne, Jules, *Reise um die Erde in achtzig Tagen*, übers. v. Erich Fivian (Zürich: Diogenes, 1973)

Vetter, Dennis, »Seid Verschlungen«, *Sissy*, 11. April 2019 <https://www.sissymag.de/border/> [Zugriff: 5. Juni 2021]

Virilio, Paul, *Krieg und Kino. Logistik der Wahrnehmung*, übers. v. Frieda Grafe und Enno Patalas (München: Hanser, 1986)

Virno, Paolo, *Grammatik der Multitude. Der Engel und der General Intellekt*, übers. v. Klaus Neundlinger und Gerald Raunig (Wien: Turia + Kant, 2005)

Vladislavić, Ivan, *Double Negative* (Kapstadt, SA: Umuzi Press, 2011)
—— *Portrait with Keys: The City of Johannesburg Unlocked* (London: Granta, 2006)

Vladislavić, Ivan und David Goldblatt, *TJ — Johannesburg Photographs 1948–2010 / Double Negative: A Novel* (Rom: Contrasto, 2010)

Vries, Patricia de, »Zach Blas – The Objectivist Drug Party \\\ Heather Dewey-Hagborg – Genomic Intimacy«, *mu* (2018) <http://www.mu.nl/en/txt/zach-blas-the-objectivist-drug-party-heather-dewey-hagborg-genomic-intimacy> [Zugriff: 1. Juni 2021]

Walter, Ryan Lee, »Animal Possessions: Queer Time and Queer Morphologies in the Cinema of Kelly Reichardt« (unveröffentlichte Master-Thesis, Georgetown University, 2012) <http://hdl.handle.net/10822/557579> [Zugriff: 4. Juni 2021]

Warner, Michael, »Publics and Counterpublics«, *Quarterly Journal of Speech*, 88.4 (2002), 413–25 <https://doi.org/10.1080/00335630209384388>

Waugh, Thomas, Michael Brendan Baker und Ezra Winton (Hg.), *Challenge for Change: Activist Documentary at the National Film Board of Canada* (Montréal und Kingston: McGill-Queen's University Press, 2010)

Williams, Linda, »Filmkörper: Gender, Genre und Exzess«, übers. v. Andrea B. Braidt, *montage AV*, 18.2 (2009), S. 9–30

Wilson, Mike, *The Difference Between God and Larry Ellison* (New York: Harper Business, 2003)

Winde, Frank, Gerhard Geipel, Carolina Espina und Joachim Schüz, »Human Exposure to Uranium in South African Gold Mining Areas Using Barber-based Hair Sampling«, *PLOS ONE*, 14.6 (2019), e0219059 <https://doi.org/10.1371/journal.pone.0219059>

Wolf, Matt, »Marta: Portrait of a Teen Activist«, Interview mit Matt Ebert, 25. Mai 2011 <https://www.teenagefilm.com/archives/tube-time/marta-portrait-of-a-teen/> [Zugriff: 16. Juni 2021]

Woltersdorff, Volker, »Neue Bündnispotenziale und neue Unschärfen«, *Feministische Studien*, 29.2 (2011), S. 206–16 <https://doi.org/10.1515/fs-2011-0205>

Young, Linsey, »Hidden in Plain Sight«, in *SaF05: Charlotte Prodger* (Cove: Cove Park, Scotland + Venice, 2019), S. 11–17

FILMOGRAFIE

120 BPM, Regie: Robin Campillo (Les Films de Pierre, 2017)

El Abuelo, Regie: Dino Dinco (Dino Dinco, 2004)

Afterimages, Regie: Bettina Malcomess (Bettina Malcomess, 2019)

And-Ek Ghes…, Regie: Colorado Velcu und Philip Scheffner (Grandfilm, 2016)

The Angelic Conversation, Regie: Derek Jarman (Channel Four Films, 1985)

Armes Deutschland (Good Times Fernsehproduktions-GmbH, 2016–)

Atlanta, Konzept: Donald Glover (FX Productions, MGMT Entertainment, 2016–)

The Ballad of Crowfoot, Regie: Willie Dunn (National Film Board of Canada, 1968)

Bestes Gericht, Regie: Cana Bilir-Meier (Cana Bilir-Meier, 2017)

Billy Crane Moves Away, Regie: Colin Low (National Film Board of Canada, 1967)

Die bitteren Tränen der Petra von Kant, Regie: Rainer Werner Fassbinder (Tango-Film, 1972)

Blissfully Yours, Regie: Apichatpong Weerasethakul (Anna Sanders Films, Kick the Machine, La-ong Dao, 2002)

Blocus 138 – La Résistance Innue, Regie: Réal Junior Leblanc (Wapikoni Mobile, 2012) <http://www.wapikoni.ca/films/blocus-138-la-resistance-innue> [Zugriff: 2. Juni 2021]

Border (Gräns), Regie: Ali Abbasi (Meta Film Stockholm, Black Spark Film & TV, Kärnfilm, 2018)

Born in Flames, Regie: Lizzie Borden (The Jerome Foundation, C.A.P.S., Young Filmmakers Ltd., 1983)

BRIDGIT, Regie: Charlotte Prodger (Hollybush Gardens, Charlotte Prodger, 2016)

Brüder der Nacht, Regie: Patric Chiha (WILDart FILM, 2016)

Busong (*Palawan Fate*), Regie: Kanakan-Balintagos (Auraeus Solito) (Solito Arts, 2011)

The Celluloid Closet, Regie: Rob Epstein und Jeffrey Friedman (Telling Pictures, 1995)

Certain Women, Regie: Kelly Reichardt (Stage 6 Films, 2016)

Charlotte Prodger on her Series Palace Prints (Hollybush Gardens, 2019) <https://www.instagram.com/tv/B_qA9M8FtCJ/> [Zugriff: 2. Juni 2021]

The Children of Fogo Island, Regie: Colin Low (National Film Board of Canada, 1967)

The Children's Hour, Regie: William Wyler (The Mirisch Corporation, 1961)

Come Back, Africa, Regie: Lionel Rogosin (Lionel Rogosin, 1959)

Common Threads: Stories from the Quilt, Regie: Rob Epstein, Jeffrey Friedman (Telling Pictures, 1989)

Contra-Internet: Jubilee 2033, Regie: Zach Blas (Zach Blas, 2018)

Cree Hunters of Mistassini, Regie: Tony Lanzelo, Boyce Richardson (National Film Board of Canada, 1974)

Cribs (MTV Productions, 2000–)

Fast Trip, Long Drop, Regie: Gregg Bordowitz (Gregg Bordowitz, 1994)

Femme Bitch Top, Regie: Romy Suskin, Musikvideo zum gleichnamigen Song von Tribe 8 (1995)

Folkbildningsterror, Regie: Lasse Långström, Göteborgs Förenade Musikalaktivister (Lasse Långström, Göteborgs Förenade Musikalaktivister, 2014)

The Fox, Regie: Mark Rydell (Motion Pictures International, 1967)

Frisk, Regie: Todd Verow (Bangor Films, 1995)

Funny Face, Regie: Stanley Donen (Paramount Pictures, 1957)

Get Out, Regie: Jordan Peele (Universal Pictures, 2017)

Go Fish, Regie: Rose Troche (Rose Troche, Guinevere Turner, 1994)

Gold Diggers of 1933, Regie: Mervyn LeRoy (Warner Bros., 1933)

The Great Dictator, Regie: Charles Chaplin (Charles Chaplin Productions, 1940)

High Flying Bird (Extension 765, Harper Road Films, 2019)

High Life, Regie: Claire Denis (Alcatraz Films, 2018)

I Am Not your Negro, Regie: Raoul Peck (Velvet Film, 2016)

Innu Aiminan (*Speak to us in Innu*), Regie: Lise-André Fontaine (Wapikoni Mobile, 2013) <http://www.wapikoni.ca/movies/innu-aiminan> [Zugriff: 2. Juni 2021]

Jordan Gordon's Guide to Kuujjuaq, Regie: Jordan Gordon (Wapikoni Mobile, 2018) <http://www.wapikoni.ca/movies/jordan-gordons-guide-to-kuujjuaq> [Zugriff: 2. Juni 2021]

Joy, Regie: Sudabeh Mortezai (FreibeuterFilm, 2018)

Jubilee, Regie: Derek Jarman (Megalovision, Whaley-Malin Productions, 1978)

Die Jungs vom Bahnhof Zoo, Regie: Rosa von Praunheim (Basis-Film Verleih, 2011)

Just Merrill, Regie: Merrill Lemaigre (Wapikoni Mobile, 2018) <http://www.wapikoni.ca/movies/just-merrill> [Zugriff: 2. Juni 2021]

The Kids Are All Right, Regie: Lisa Cholodenko (Focus Features, Gilbert Films, Antidote Films, Mandalay Vision, UGC PH, 2010)

The Killing of Sister George, Regie: Robert Aldrich (Palomar Pictures, The Associates & Aldrich Company, 1968)

Kurz davor ist es passiert, Regie: Anja Salomonowitz (Amour Fou, 2006)

Kırık Beyaz Laleler – (Off) White Tulips, Regie: Aykan Safoğlu (Aykan Safoğlu, 2013)

The Last Angel of History, Regie: John Akomfrah (Black Studio Film Collective, 1996)

Lerne deutsch mit Petra von Kant, Regie: Ming Wong (Ming Wong, 2007)

Die letzten Männer, Regie: Ulrich Seidl (Lotus Film, 1994)

Lucica und ihre Kinder, Regie: Bettina Braun (B. Braun Produktion, 2018)

L'Enfance Déracinée (Uprooted Generation), Regie: Réal Junior Leblanc (Wapikoni Mobile, 2013) <http://www.wapikoni.ca/movies/uprooted-generation> [Zugriff: 2. Juni 2021]

La Malentendu Colonial (The Colonial Misunderstanding), Regie: Jean-Marie Teno (Les Films du Raphia, Bärbel Mauch Films, 2004)

Marta: Portrait of a Teen Activist, Regie: Matt Ebert (Matt Ebert, Ryan Landry, 1990)

Ma Connexion (My Connection), Regie: Myrann Newashish (Wapikoni Mobile, 2016) <http://www.wapikoni.ca/movies/my-connection> [Zugriff: 2. Juni 2021]

The Memories of Others, Regie: Bettina Malcomess (Bettina Malcomess, 2015)

The Misandrists, Regie: Bruce LaBruce (Jürgen Brüning Filmproduktion, Amard Bird Films, 2017)

Monster, Regie: Patty Jenkins (K/W Productions, Denver and Delilah Productions, 2003)

The Most Unprotected Girl, Regie: Jerilynn Webster (Wapikoni Mobile, 2018) <http://www.wapikoni.ca/movies/the-most-unprotected-girl> [Zugriff: 2. Juni 2021].

My Box, Regie: Allison Coon-Come (Wapikoni Mobile, 2010) <http://www.wapikoni.ca/movies/my-box> [Zugriff: 2. Juni 2021]

Nanameshkueu (Earthquake), Regie: Réal Junior Leblanc (Wapikoni Mobile, 2010) <http://www.wapikoni.ca/movies/earthquake-nanameshkueu> [Zugriff: 2. Juni 2021]

Niish Manidoowag (Two Spirited Beings), Regie: Debbie S. Mishibinijima (Wapikoni Mobile, 2017) <http://www.wapikoni.ca/movies/niish-manidoowag-two-spirited-beings> [Zugriff: 2. Juni 2021]

Nitrate Kisses, Regie: Barbara Hammer (Barbara Hammer, 1992)

Nutshimiu-Aimun (*The Language of the Land*), Regie: Shanice Mollen-Picard und Noëlla Mestokosho (Wapikoni Mobile, 2018) <http://www.wapikoni.ca/movies/nutshimiu-aimun-the-language-of-the-land> [Zugriff: 2. Juni 2021]

Old Joy, Regie: Kelly Reichardt (Film Science, Van Hoy/Knudsen Productions, Washington Square Films, 2006)

On the Town, Regie: Stanley Donen und Gene Kelly (Metro-Goldwyn-Mayer, 1949)

The Owls, Regie: Cheryl Dunye (Parliament Collective, 2010)

Paris Is Burning, Regie: Jennie Livingston (Off White Productions, 1990)

Poison, Regie: Todd Haynes (Bronze Eye Productions, 1991)

Pose, Konzept: Ryan Murphy, Brad Falchuk und Steven Canals (Color Force, Fox 21 Television Studios, FX Network, 2018–21)

Pour la suite du monde, Regie: Pierre Perrault, Michel Brault (National Film Board of Canada, 1963)

Querelle, Regie: Rainer Werner Fassbinder (Gaumont, 1982)

The Raspberry Reich, Regie: Bruce LaBruce (Jürgen Brüning Filmproduktion, 2004)

River of Grass, Regie: Kelly Reichardt (Good Machine, 1994)

SaF05, Regie: Charlotte Prodger (Hollybush Gardens, Charlotte Prodger, 2019)

Sahara Chronicle, Regie: Ursula Biemann (Ursula Biemann, 2006–09)

Semra Ertan, Regie: Cana Bilir-Meier (Cana Bilir-Meier, 2013)

Shulie, Regie: Elisabeth Subrin (Elisabeth Subrin, 1997)

Spell Reel, Regie: Filipa César (Spectre Production, 2017)

Les Statues meurent aussi, Regie: Alain Resnais, Ghislain Cloquet, Chris Marker (Présence Africaine, Tadié Cinéma, 1953)

Stoneymollan Trail, Regie: Charlotte Prodger (Hollybush Gardens, Charlotte Prodger, 2015)

Swamp, Regie: Nancy Holt, Robert Smithson (Holt und Smithson, 1971)

Swoon, Regie: Tom Kalin (Intolerance Productions, Killer Films, 1992)

Tender Fictions, Regie: Barbara Hammer (Barbara Hammer, 1996)

These Are my People…, Regie: Roy Daniels, Willie Dunn, Michael Kanentakeron Mitchell, Barbara Wilson (National Film Board of Canada, 1969)

The Things I Cannot Change, Regie: Tanya Ballantyne (National Film Board of Canada, 1967)

This Makes Me Want to Predict the Past, Regie: Cana Bilir-Meier (Cana Bilir-Meier, 2019)

Ulrike's Brain, Regie: Bruce LaBruce (Jürgen Brüning Filmproduktion, Amard Bird Films, 2017)

Unsane, Regie: Steven Soderbergh (Extension 765, New Regency Productions, 2018)

VTR St-Jacques, Regie: Bonnie Sherr Klein (National Film Board of Canada, 1969)

Walk with my Spirits, Regie: Tyler Jacobs (Wapikoni Mobile, 2018) <http:
    //www.wapikoni.ca/movies/walk-with-my-spirits> [Zugriff: 2. Juni
    2021]
The Watermelon Woman, Regie: Cheryl Dunye (Dancing Girl, 1996)
Wendy and Lucy, Regie: Kelly Reichardt (Film Science, Glass Eye Pix, 2008)
Whale Rider, Regie: Niki Caro (South Pacific Pictures, ApolloMedia, Pando-
    ra, 2002)
Whores' Glory, Regie: Michael Glawogger (Lotus Film, 2011)
Word Is Out: Stories of Some of Our Lives, Regie: Nancy Adair, Andrew Brown
    und Rob Epstein (Mariposa Film Group, 1977)
You Are on Indian Land, Regie: Michael Kanentakeron Mitchell (National
    Film Board of Canada, 1969)

Autor*innen

Julia Bee ist Medien-und Kulturwissenschaftlerin und Juniorprofessorin für Bildtheorie an der Bauhaus-Universität in Weimar. Ihre Arbeitsgebiete sind visuelle Anthropologie und experimentelle visuelle Verfahren, Gender und Medien, Philosophien von Wahrnehmung und Erfahrung, Fahrradmedien. Aktuelle Veröffentlichungen: mit Jennifer Eickelmann und Katrin Köppert, »Diffraktion – Individuation – Spekulation. Zur Methodendebatte in den Medienwissenschaften«, *Zeitschrift für Medienwissenschaft*, 22 (2020); »Filmische Trans/Individuationen, Ansprache, Affekte und die Konstitution von feministischen Kollektiven in Long Story Short und Yours in Sisterhood«, *nachdemfilm*, 17 (2019); *Gefüge des Zuschauens. Begehren, Macht und Differenz in Film- und Fernsehwahrnehmung* (Bielefeld: transcript, 2018).

Astrid Deuber-Mankowsky ist Professorin für Medienwissenschaft und Gender Studies an der Ruhr-Universität Bochum mit den Forschungsschwerpunkten Gender- und Medientheorie, kritische Philosophie, Queere Ästhetik, Technoimagination, mediale Theorien des Spiels. Sie war Gastprofessorin am Centre d'études du vivant, Université Paris VII, an der Columbia University (2012, 2017) und Senior Fellow am IKKM Weimar (2013). Sie ist außerdem assoziiertes Mitglied des ICI Berlin, externes Mitglied des Centre for Philosophy and Critical Thought (Goldsmiths University of London) und Mitglied des wissenschaftlichen Beirats des Deutschen Historischen Museums. Letzte Buchveröffentlichung: *Queeres Post-Cinema* (Berlin: August Verlag, 2017).

Maja Figge vertritt seit Oktober 2020 die Professur für Medienkulturwissenschaft an der Heinrich-Heine-Universität Düsseldorf. Ihre Schwerpunkte in Forschung und Lehre sind Medien-/Filmtheorie und -geschichte, Bewegtbildmedien, Gender, Race und Medien, Critical Whiteness Studies, Postkoloniale (Medien-)Theorie, mediale Erinnerungspolitiken, politische Gefühle, Film und Geschichte. Aktuell arbeitet sie an einer Studie zu den transnationalen Filmbeziehungen zwischen Westeuropa und Indien nach der Unabhängigkeit (1947–1975) und der Herausbildung des modernen Kinos.

Natascha Frankenberg ist wissenschaftliche Mitarbeiterin am Institut für Medienwissenschaft der Ruhr-Universität Bochum. Für das Internationale Frauen Film Fest Dortmund + Köln kuratiert sie seit 2010 die queere Filmsektion *begehrt!* Letzte Buchveröffentlichung: *Queere Zeitlichkeiten in* *dokumentarischen Filmen. Untersuchungen an der Schnittstelle von Filmwissenschaft und Queer Studies* (Bielefeld: transcript, 2021).

Henriette Gunkel ist Professorin für Transformationen audiovisueller Medien unter besonderer Berücksichtigung von Gender und Queer Theory am Institut für Medienwissenschaft an der Ruhr-Universität Bochum. Ihre Forschung fokussiert die Politiken von Zeit aus einer dekolonialisierenden, queer-feministischen Perspektive. Zurzeit arbeitet sie an einer Monographie zu Alien Time, das vor allem afrikanistische spekulative Interventionen zusammenbringt. Zuletzt erschienen sind die Anthologien *Futures & Fictions* (London: Repeater, 2017), zusammen mit Ayesha Hameed und Simon O'Sullivan, *We Travel the Space Ways: Black Imagination, Fragments, and Diffractions* (Bielefeld: transcript, 2019), zusammen mit kara lynch sowie das mit Ayesha Hameed zusammen geschriebene Buch *Visual Cultures as Time Travel* (Berlin: Sternberg, 2021).

Philipp Hanke ist Medien- und Theaterwissenschaftler und promoviert derzeit zum »Kino der Prekarität« am Institut für Medienwissenschaft an der Ruhr-Universität Bochum. Er arbeitet zu den Themenschwerpunkten Filmtheorie- und -philosophie, Film-Ästhetik und Queer Theory.

Nanna Heidenreich ist Medienkulturwissenschaftlerin und Kuratorin. Seit Oktober 2020 ist sie Univ.-Prof. für Transkulturelle Studien an der Universität für Angewandte Kunst Wien. Einblicke in ihre Arbeit finden sich hier: <http://nannaheidenreich.net> [Zugriff: 3. Juli 2021].

Marietta Kesting ist seit April 2016 Juniorprofessorin am cx centrum für interdisziplinäre studien und seit April 2020 Vizepräsidentin an der Akademie für Bildende Künste München. Sie studierte Visual Arts am Bennington College, Vermont (USA), und Kultur- und Medienwissenschaft an der Humboldt-Universität zu Berlin. Neben ihren wissenschaftlichen Beiträgen produzierte sie auch Film- und Foto-Arbeiten (Film *Sunny Land*, Berlinale Forum 2010). Aus dieser Zeit stammt die Publikation *Sun Tropes: Sun City and (Post-)Apartheid Culture in South Africa* (Berlin: August Verlag, 2009). Seit 2004 ist sie Teil der kollektiven Publikationsplattform b_books in Berlin. Von 2015 bis 2018 war sie Post-Doc an der Universität für angewandte Kunst, Wien, im FWF-Projekt »A Matter of Historicity: Material Practices in Audiovisual Art«. Sie schreibt u. a. für *Texte zur Kunst*, *Social Dynamics* und *FKW Zeitschrift für Geschlechterforschung und visuelle Kultur*. Sie ist auch Teil der FKW-Redaktion. Zuletzt erschien von ihr »[Dream]Images of Earth in Quarantine«, in *Photography & Culture* 14.2 (2021).

Katrin Köppert ist Kunst- und Medienwissenschaftlerin. Seit Oktober 2019 ist sie Juniorprofessorin für Kunstgeschichte/populäre Kulturen an der HGB Leipzig. Zu ihren Arbeitsschwerpunkten zählen Queer Media Theory, Affect Studies und politische Gefühle, Vernacular Culture, Digitale Feminismen,

Post- und Dekoloniale (Medien-) Theorien des Anthropozäns, Gender, Race und Fotografie. Sie leitet mit Julia Bee das DFG- Forschungsnetzwerk *Gender, Medien und Affekt.* Im Februar 2021 erschien die Monographie *Queer Pain. Schmerz als Solidarisierung, Fotografie als Affizierung* (Berlin: Neofelis Verlag).

Isabell Lorey ist Politische Theoretikerin, Professorin für Queer Studies an der Kunsthochschule für Medien in Köln und arbeitet für die Publikationsplattform *transversal texts* (transversal.at). Aktuelle Veröffentlichungen: *Demokratie im Präsens. Eine Theorie der politischen Gegenwart* (Berlin: Suhrkamp, 2020). Die englische Übersetzung erscheint 2022 bei Verso, die spanische ebenfalls 2022 bei Tinta Limon und sub_textos; »Coronaeffekte. Nach der Prävention, *just in time*: Digitalisierung und Kontaktphobien«, in *Hamburg Maschine,* hg. v. Oliver Leistert et al. (Hamburg: Adocs, 2021); »Die Zeit des ›Post‹ ist jetzt. Ver-Nichtung, mindere Sprache und Enteignung«, in *Postmigration und Postkolonialität,* hg. v. Ömer Alkin, Lena Geuer (Münster: Unrast, 2021).

Anja Sunhyun Michaelsen ist Kultur- und Medienwissenschaftlerin mit den Schwerpunkten Queer Theory, Rassismus/Postmigration und postkolonialer Archivtheorie. Sie lebt in Berlin.

Andrea Seier ist Professorin für Medienwissenschaft an der Universität Wien. Gastprofessuren in Bochum, Berlin und Konstanz; Promotion über die Performativität von Medien und Gender 2007; Habilitation 2013 zur Mikropolitik der Medien (Berlin Kadmos, 2020). Arbeitsschwerpunkte in Gender Studies, Gouvernementalitätsstudien, Mikropolitik, Klasse. Jüngste Publikationen: »Schamoffensive: Zur Mikropolitik der Betroffenheit bei Didier Eribon«, in *Eribon Revisited: Perspektiven der Gender und Queer Studies,* 2. Aufl. (Wiesbaden: Springer, 2020); eine Schwerpunktredaktion zum Thema »Klasse« in *Zeitschrift für Medienwissenschaft,* hg. m. Ulrike Bergermann, 19/2019; *Gender & Medien Reader,* hg. m. Kathrin Peters (Zürich: Diaphanes, 2016).

Index

Cultural Inquiry

HERAUSGEGEBEN VON CHRISTOPH F. E. HOLZHEY
AND MANUELE GRAGNOLATI